HENRIETTE D'ANGLETERRE, DUCHESSE D'ORLÉANS

DU MÊME AUTEUR

Françoise de Grignan ou le mal d'amour, Paris, Fayard, 1985.
Bussy-Rabutin, Paris, Fayard, 1992.

Jacqueline Duchêne

HENRIETTE D'ANGLETERRE, DUCHESSE D'ORLÉANS

Fayard

1.

Des bottines d'argent

Une femme se dirige en toute hâte vers Douvres. Une vilaine bosse déforme sa silhouette. Ses habits sont dans un triste état, usés et rapiécés. Un petit garçon d'environ deux ans l'accompagne. Il est maigrelet, vêtu lui aussi de haillons.

La route est longue, épuisante. La fuyarde vient du château d'Oatlands, dans le Surrey, à quatorze miles — une vingtaine de kilomètres — au sud de Londres. Un homme et deux femmes l'accompagnent. Ils se relaient pour porter l'enfant, tantôt dans leurs bras, tantôt sur leur dos. Ils l'appellent Pierre et lui parlent avec douceur.

Pourtant le petit n'est pas content. Il pleure beaucoup, se débat sans cesse, tente de retirer ses vilaines guenilles. Il crie à qui veut l'entendre qu'il n'est pas Pierre, qu'il est « la princesse » et veut une belle robe. Mais personne ne l'écoute. Les passants sont rares, et le petit groupe ne s'attarde pas. De toute façon, les cris mêlés de pleurs du bambin sont inaudibles.

Sans avoir attiré l'attention de personne, la bossue et les siens arrivent au port. Et au moment où le voilier appareille pour Calais, dans l'agitation du départ, qui, des voyageurs ou des badauds, se soucierait des protestations capricieuses d'un petit garçon ?

En fait, l'enfant a raison. Il n'est pas Pierre, un pauvre vagabond. À deux ans, habitué à son monde familier, il sait qui il est, et comment on le nomme d'ordinaire. Il est normal qu'il réagisse à un changement soudain, et qu'il le fasse à sa manière, en pleurant, par des cris. Il le répète comme il peut : il n'est pas Pierre, il est la princesse.

C'est vrai. Cachée sous des vêtements de misère et sous un nom d'emprunt, c'est la princesse royale, Henriette Stuart, qui, en ce début d'août 1646, prend le bateau régulier pour Calais et s'éloigne de sa terre natale d'Angleterre pour aller en France, où elle va vivre et mourir. Elle est la fille du roi de Grande-Bretagne, Charles Ier, et de la reine, Henriette-Marie, la petite-fille du roi de France Henri IV et de Marie de Médicis, la nièce du roi Louis XIII, l'arrière-petite-fille de Marie Stuart, l'aboutissement de familles illustres, Stuart, Bourbon, Guise, Lorraine et Médicis.

La femme qui l'accompagne n'est pas contrefaite. Elle s'est confectionné une bosse pour dissimuler la belle taille qui fait sa réputation. Cette fausse pauvresse n'est autre que Lady Dalkeith, Anne Villiers, épouse de Sir Robert Dalkeith et belle-fille du comte de Morton, la fille d'Edward Villiers, demi-frère du duc de Buckingham, l'illustre favori du défunt roi d'Écosse, d'Irlande et d'Angleterre, Jacques Ier.

Anne vient de réussir un exploit. En pleine guerre civile, au moment où l'Angleterre est déchirée à mort entre protestants et catholiques, royalistes et parlementaires, au moment où le roi Charles Ier est en difficulté avec ses troupes et la reine Henriette-Marie réfugiée en France, à la cour de son neveu Louis XIV, Anne a arraché au Parlement, en lutte violente contre la monarchie, la plus jeune des filles du roi que les révoltés retenaient de force à Oatlands et qu'ils s'apprêtaient à séquestrer à Londres.

Parce que la reine, à son départ en France, a mis l'enfant d'un mois à peine sous sa garde, Lady Dalkeith n'a pas voulu l'abandonner. Depuis deux ans, elle voit grandir le danger qui menace la princesse. L'enfant n'est-elle pas un otage idéal pour les ennemis de son père si elle tombe entre leurs mains ? La gouvernante a donc décidé en secret de s'enfuir d'Angleterre avec elle, sous un déguisement, pour la conduire en France, auprès de sa mère.

Fuite romanesque, dira-t-on. Bien réelle pourtant, attestée plus tard par les récits de Lady Dalkeith, mais également par les papiers et les lettres où se retrouvent les raisons et les étapes de la dangereuse aventure.

Lady Anne n'a pas précipité Henriette sans motifs graves dans cette aventure. Sa mission essentielle était d'empêcher que la princesse tombât aux mains des parlementaires. La petite était née, en juin 1644, à Exeter, dans le Devonshire, et y était restée avec sa maisonnée. Avant de s'enfuir elle-même d'Exeter, la reine avait ordonné à la gouvernante d'en faire sortir l'enfant au moindre danger.

Pendant un an, la ville resta à l'écart des troubles. Puis, à l'automne 1645, alors qu'on estimait qu'il n'y avait pas risque de siège avant la fin de l'hiver, le général Fairfax marcha sur Exeter avec 9 000 hommes. Lady Dalkeith, qui se proposait d'emmener Henriette en Cornouailles, plus paisible, fut prise de court. Depuis la France, la reine s'emporta contre elle. Il ne fallut pas moins qu'une lettre circonstanciée de Sir Edward Hyde, futur comte de Clarendon, royaliste modéré mais serviteur loyal de Charles Ier, et l'une des personnalités politiques les plus importantes du moment, pour certifier à Sir Jermyn, l'homme de confiance d'Henriette-Marie, le dévouement de Lady Dalkeith.

Elle aurait « le cœur brisé », écrit Hyde, d'apprendre le mécontentement de la reine à son égard. Elle ne pouvait prévoir le brusque siège d'Exeter. De plus, au même moment, les rumeurs d'une fuite éventuelle vers la France du prince de Galles, Charles, frère aîné d'Henriette, provoquent dans le peuple une indignation générale. Dans ces conditions comment conduire en toute sécurité la princesse en Cornouailles ? Hyde s'en porte garant. La gouvernante n'a en rien failli à son devoir.

Selon le témoignage du chapelain de la princesse, le docteur Thomas Fuller, l'hiver dans la ville assiégée fut rude, adouci cependant par l'arrivée inattendue au printemps d'un vol d'alouettes que les affamés se procuraient à prix d'or... Le blocus n'empêchait pas l'entourage de la toute petite fille de songer à son éducation ni le docteur Fuller de présenter à Lady Anne une brochure destinée à son élève, *Bonnes Pensées pour temps mauvais*.

Mais les bonnes pensées et les alouettes ne suffisent pas. En avril 1646, sans qu'il y ait effusion de sang, la garnison et le gouverneur de la ville, Lord Berkeley, doivent se rendre à Sir Thomas Fairfax. Berkeley escorte la princesse et sa suite jusqu'à Salisbury. Il ne peut faire plus. Une gazette fait état du départ forcé d'Exeter de la « dernière de la descendance royale » et annonce, à tort, sa venue à Oxford.

Lors de la reddition, le Parlement avait promis de laisser Henriette vivre libre dans la ville d'Angleterre choisie par sa tutrice, et de donner de l'argent pour son entretien. Fin avril, Lady Dalkeith demande, par l'intermédiaire de Fairfax, la permission d'installer l'enfant près de Londres, à Richmond, une des demeures royales. On lui répond d'emmener pour trois mois Henriette et ses domestiques, non pas à Richmond, mais à Oatlands, et d'assumer les frais du séjour princier.

Lady Dalkeith écrit alors à la Chambre des lords et à celle des communes plusieurs lettres de protestation. Jusqu'à ce que, le 3 juin, lui parvienne l'ordre des communes de remettre la princesse, au palais londonien de Saint-James, entre les mains de Lady Northumberland, qui y séquestre déjà deux autres enfants royaux, Élisabeth et Henry. Ainsi le bébé, né par hasard dans le sud-ouest de l'Angleterre, rejoindrait-il ses aînés. Les ennemis du roi auraient en leur pouvoir et dans un même lieu ses trois plus jeunes enfants.

Pas question pour Anne de se séparer de la fillette, sinon pour la remettre saine et sauve à ses parents. La longue lettre, habile et pleine de sensibilité, qu'elle écrit d'Oatlands, le 8 juillet 1646, à la Chambre des lords témoigne de sa détermination et de son attachement total à Henriette.

Elle pose clairement les problèmes. D'emblée, elle affirme que la princesse est « sous sa garde ». Elle répète, un peu plus loin, qu'elle a reçu « ce dépôt » de Sa Majesté, et que celle-ci lui a formellement interdit de quitter l'enfant. De manière émouvante, elle évoque les soucis et les craintes qu'elle a endurés pour lutter contre la faiblesse physique de la fillette. Elle est la personne la plus capable de s'occuper de sa santé, si précaire.

Touchante aussi est la manière dont Anne s'abaisse pour obtenir de rester avec Henriette. Huit fois elle emploie les mots « humble » ou « humblement » pour qualifier son attitude envers les parlementaires. Son seul désir est d'être « maintenue » auprès de la princesse. Elle est prête pour cela à abandonner tout pouvoir, à ne pas être à la charge financière du Parlement et à faire preuve, envers Lady Northumberland et son mari, de toute l'obéissance nécessaire.

Mais si l'on ne satisfait pas à son désir, elle veut être remboursée de tout ce qu'elle a dépensé dans l'attente du bon plaisir du Parlement et exige qu'on demande, par un courrier spécial, ses volontés au roi. Sans quoi, « en tout honneur et toute loyauté », elle ne restituera pas l'enfant. Elle a beau souhaiter une réunion et une décision rapides des chambres, un mois passe sans aucune réponse.

Inquiète, elle projette alors son équipée clandestine, prenant de minutieuses précautions pour organiser une fuite si risquée et d'un enjeu si lourd. Bosse, guenilles et métamorphoses en font partie. Mieux encore, Anne s'astreint à un secret total. Elle ne s'ouvre de son projet qu'à Lord Berkeley. La maisonnée nombreuse de la princesse n'est au courant de rien.

Elle emmène seulement un valet, Thomas Lambert, qu'elle fait passer pour son mari, et deux servantes, Eleonor Dyke et Mary Lambert, l'épouse de Thomas. C'est avec le plus grand étonnement que, le samedi 4 août, les autres domestiques s'aperçoivent de l'absence de l'enfant et de sa gouvernante. Quelques heures après, ils reçoivent de Lady Anne une lettre détaillée qu'elle a pris la peine de leur envoyer pour leur expliquer la situation.

L'injustice du Parlement envers la princesse et ses serviteurs, écrit-elle, n'est plus supportable. Elle les invite à se rendre auprès de Sa Majesté, tous ou en partie, à leur gré. Et ils doivent, au nom de leur fidélité et de leur tendresse pour leur jeune maîtresse, cacher son départ aussi longtemps que possible. Dans leur intérêt aussi.

Au reçu de la lettre, ils vont faire semblant d'attendre le retour de la princesse un jour encore, puis ils transmettront un message à un certain Marshall. « Vous lui direz, ce qui est vrai, que j'ai emmené Sa Grandeur respirer un air meilleur, là où vous pourrez, si vous le voulez, la suivre. » Cette dernière précision est fausse, puisque Anne, prudemment, n'a pas révélé le lieu de sa fuite. Elle leur conseille ensuite de se partager les vêtements, de laine ou de lin, de la maison. M. Case s'occupera de la vaisselle, M. Marshall du reste.

La gouvernante fut obéie. Le Parlement ne connut sa fuite que trois jours après son départ. Henriette était déjà en France.

Curieusement, c'est par les notes de frais que les compagnons de Lady Dalkeith envoyèrent, après la tourmente révolutionnaire au frère de la princesse, devenu roi, que leur identité est connue. Le couple de domestiques demanda, en récompense, dix ans plus tard, des exemptions de douane pour leur commerce de tissus. Eleonor Dyke réclama les six ans de gages qui lui étaient dus, le remboursement des frais d'entretien à Exeter, et sept livres (environ trois cents francs) qui lui avaient servi à acheter des bottines d'argent, à lacets, pour Henriette. Peut-être pour ses premiers pas.

Tant il est vrai qu'avant le départ clandestin sur la route de Douvres on maintenait un train de vie princier à l'enfant, quitte à faire faire quelques avances par les domestiques... Sa métamorphose en pauvre Pierre avait de quoi la perturber. Mais après tout, les enfants ne s'amusent-ils pas souvent à se cacher, à se masquer ? La petite fille aux bottines d'argent aurait pu rire d'une aventure inattendue et singulière.

Sans doute, si elle avait été joyeuse et en bonne santé. Or, elle ne l'était pas. Outre sa faiblesse native, on a parlé de convulsions. Un compte d'un certain Nicholas Somers, daté du printemps 1646 et attesté par Lady Dalkeith, rappelle les visites qu'il a rendues, les médicaments qu'il a procurés à la princesse depuis août 1644, et témoigne de l'état maladif de l'enfant. En juillet 1663, la veuve de Somers réclamera à Charles II cette note toujours impayée…

Quant à Lady Dalkeith, elle parle, dans sa lettre aux lords, de ses alarmes, de ses efforts à soigner la princesse, de la compétence qu'elle y a acquise. Elle ne dit pas qu'elle a triomphé de la mauvaise santé d'Henriette. Elle affirme seulement que l'enfant est passée d'un état « faible » à un état « prometteur ». Elle ne la montre ni robuste, ni pleine de vie, ni capable de réagir sainement aux événements. Au contraire, elle insiste sur sa fragilité, son besoin d'avoir quelqu'un qui connaisse à fond sa condition physique et veille constamment sur elle.

Quels malheurs avaient donc déjà affecté la courte vie d'Henriette, pour la rendre si vulnérable ?

2.

« Les malheurs de sa maison »

Les malheurs de la petite fille sont d'abord ceux de
sa maison, comme le dira plus tard Bossuet dans son
oraison funèbre. Malheurs qui transforment ses
parents, un roi et une reine comblés, en réprouvés.

Charles Ier, son père, l'élégant gentilhomme peint par
Van Dyck tout au plaisir de la chasse et de la campagne,
le cavalier au feutre hardiment posé sur des cheveux
bouclés, à la tête fièrement relevée, va devenir, comme
le montre une gravure du temps, un pauvre condamné
courbant la tête et cachant ses cheveux sous un affreux
bonnet auprès d'un échafaud couvert de noir.

Et la mère d'Henriette, la reine, apparaîtra, à son
retour en France en 1644, « défigurée par la grandeur
de sa maladie et de ses malheurs », n'ayant plus rien de
la magnifique souveraine, qui, dix-neuf ans plus tôt,
vêtue de vert comme son royal époux, entrait majes-
tueusement dans la ville de Londres, malgré une pluie
orageuse d'été, et découvrait pour la première fois sa
capitale en remontant la Tamise, sous les acclamations
et les tirs joyeux des canons.

Tout a commencé par une révolte en Écosse, qui
entame l'autorité royale et oblige Charles Ier à rappeler
le Parlement. Dès 1629, quatre ans après son avène-
ment, le roi l'a renvoyé. Depuis onze ans, il gouverne
en monarque tout-puissant. En 1638, l'archevêque
Laud veut en son nom rétablir la religion anglicane
dans l'Écosse presbytérienne. Mais les Écossais, par un

pacte solennel, le *Covenant*, s'engagent à défendre l'Église presbytérienne contre l'épiscopat.

Le conflit s'étend et devient soulèvement armé. Le roi, faute de moyens, renonce à l'affronter. Absolutiste dans l'âme, quoique souvent velléitaire, il doit se résigner à convoquer le Parlement pour lever troupes et impôts. Trois semaines après, en mai 1640, il dissout ce qu'on appelle le « Court Parlement ». Alors s'ouvre, entre les deux pouvoirs, monarchique et parlementaire, une lutte incessante. Les atermoiements du roi, l'influence prépondérante du duc de Buckingham, fils du favori de Jacques Ier, le papisme enragé de la reine fidèle au catholicisme enveniment les choses.

La nouvelle convocation du Parlement, en novembre 1640, n'arrange rien. Loin de là. Ce « Long Parlement » siégera treize ans, votera la mise en jugement du roi, et verra sa décapitation.

En attendant, Charles cède encore et accepte de voir son ancien Premier ministre, Strafford, condamné à mort par l'Assemblée, puis décapité en mai 1641. Soupçonné de favoriser à son profit une révolte des Irlandais catholiques, outré de la « Grande Remontrance » que les chambres votent contre lui, il projette de faire arrêter par surprise cinq parlementaires rebelles, dont le plus influent, Pym, surnommé « le roi Pym ». En arrivant à l'Assemblée, il s'aperçoit qu'il a été joué : « Les oiseaux, dit-il, se sont envolés. » Son coup de force a échoué. Londres se mutine.

Pour échapper aux révolutionnaires, il doit quitter son palais de Whitehall avec sa famille. En sortant, il se heurte à plus de 6 000 hommes avec à la main un bâton, où est attaché un papier portant le mot « Liberté ». Les affrontements sont désormais inévitables entre les partisans de Charles Ier, les Cavaliers, qui portent comme lui les cheveux longs, et leurs adversaires, les Puritains, favorables au Parlement, tondus de si près qu'on les surnomme « les Têtes rondes ».

Lassé des accommodements ratés avec le Parlement, Charles appelle, en août 1642, à la défense de sa couronne. Il fait déployer sur la tour du château de Nottingham l'étendard royal. Malheureux présage : une bourrasque orageuse le renverse... N'importe. La guerre civile est déclarée.

Dès lors, les mois s'écoulent, dramatiques pour le parti royal, de plus en plus isolé, abandonné des Écossais, privé du renfort de la marine. Et c'est dans ce climat de trouble, d'échauffourées indécises, d'élans guerriers, de tergiversations néfastes, d'incertitude sur les alliances, d'espoirs déçus, de victoires incertaines, que la petite princesse Henriette est conçue, en septembre 1643.

Pis encore pour cet enfant à venir, l'état physique et moral de sa mère ne cesse de se dégrader en raison des circonstances. Après la fuite de Whitehall, en 1641, les souverains ne sont pas allés plus loin que leur résidence d'Hampton Court. Mais la reine n'a qu'une idée : partir pour la Hollande. Officiellement, elle a une bonne raison de s'y rendre. Elle va conduire à La Haye Mary, sa fille aînée qui, malgré ses dix ans, est promise au prince héritier d'Orange, Guillaume. Elle espère en secret y trouver de l'aide pour la lutte qui s'engage, vendre des pierreries, envoyer de là-bas des armes à son époux.

Quoique pleine de courage, audacieuse même pour mener une lutte déclarée – elle le montre en toute occasion – elle éprouve une sorte de panique à l'idée d'être prise par les parlementaires et retenue de force. Cette horreur de l'enfermement expliquera plusieurs de ses choix.

En février 1642, elle s'embarque donc pour la Hollande. Le Parlement, qui la déteste comme étrangère, papiste et autoritaire, la laisse faire, persuadé que son absence rendra le roi plus souple. Séparée de son époux durant un an, jusqu'à ce qu'elle le retrouve près d'Oxford, elle ne cesse de lui écrire trois, quatre fois la semaine, longuement, jusqu'à l'épuisement parfois, traduisant souvent par précaution son texte français en langage chiffré, envoyant ses messages en Angleterre par des porteurs spéciaux et dévoués.

La cinquantaine de lettres d'Henriette-Marie en notre possession la révèlent impétueuse, passionnée, acharnée, péchant plus par maladresse que par incapacité, jamais par manque d'amour. Elle vouvoie Charles, alors qu'il la tutoie – singulier renversement des habitudes de leurs pays d'origine – et lui répète « mon cher cœur, mon cher cœur », toujours en commençant, la plupart du temps en finissant. À la lire on sent son impatience de le revoir, son exaspération quand elle attend des nouvelles, bonnes ou mauvaises, qui sont pour elle comme des arrêts de vie ou de mort, son exaltation pour la cause de son époux.

Parce qu'elle l'aime et souhaite avec tant d'ardeur son succès, elle le traite avec rudesse, lui reproche son manque de persévérance, ses libéralités inutiles, ses atermoiements. Comme elle le connaît ! Elle est bien la fille du bouillant Henri IV quand elle lui écrit : « Ne demeurez plus à consulter, c'est le moment de l'action, il est temps ! » « Courage, il faut aller hardiment en besogne ! » Elle est éloquente, têtue même pour refuser toute idée d'accommodement avec le Parlement. Avec esprit, pour se moquer des termes « Court », « Long Parlement », elle qualifie par dérision l'assemblée qu'elle hait de « Parlement perpétuel ». Qu'il finisse, « sinon tout est perdu ».

Elle ne se contente pas de houspiller son « cœur ». Elle agit et pense à tout, à ses enfants bien sûr – elle en a déjà eu sept – qu'il faut empêcher de tomber dans les mains ennemies, à l'argent, aux mousquets, aux selles de chevaux qu'elle envoie, aux navires qu'il lui faut prévoir, aux ports libres encore qui pourront les recevoir, aux relations avec les nations bienveillantes, France, Hollande ou Danemark, aux gentilshommes dévoués comme Sir Jermyn, son homme de confiance, qui œuvrent auprès d'elle pour la bonne cause, et aux compagnons du roi, dont elle se méfie parce qu'ils n'ont pas, dit-elle, « le fond royaliste ».

Malgré sa vivacité et son franc-parler avec le roi, elle ne fait pas pression sur lui en faveur des catholiques. Elle les nomme seulement les « malheureux », car elle sait trop qu'on la condamne d'être une papiste farouche.

De même, elle s'applique à la prudence quand elle lui parle de la France. On sent qu'elle a une forte envie de s'y réfugier et qu'elle la masque sous le prétexte de sa santé. Fin septembre 1642, après avoir reçu des lettres de son frère Louis XIII qui l'assurent qu'elle serait la très bienvenue dans son royaume, elle laisse percer plus que d'ordinaire sa tentation de retourner au pays natal. Tous ses amis la persuadent d'y aller, l'assurant qu'elle y serait utile pour le service de son époux. Évidemment, elle le laisse seul juge, mais, plaide-t-elle, « si par malheur vous étiez pris, étant dehors, je vous pourrais encore servir »... Puis elle se soumet : « Vous pouvez imaginer que mon inclination me porte vers l'Angleterre. » Son inclination ? Sûrement pas. Plutôt sa volonté d'obéir même au prix de sacrifices. Il suffit de lire ce qui suit : « Je puis souffrir beaucoup, quand il y va de votre service. »

Elle a perdu sa mère, Marie de Médicis, deux mois plus tôt. Elle perd son frère, le roi de France, en mai 1643. Deuils et solitude qui s'ajoutent à ses luttes épuisantes pour la cause royaliste. Pendant cette année où elle est éloignée de Charles, son anxiété est à son paroxysme. Qu'elle soit épuisée, accablée de la séparation douloureuse qui l'oblige à écrire à son mari et à déchiffrer ses messages, ce n'est rien. Elle laisse échapper des aveux plus inquiétants : « Cela me tue d'être patiente », « Je suis touchée au cœur », ou « J'ai peur de devenir folle ». On devine à chaque instant ses efforts pour montrer au roi son affection, et pour lui cacher (vainement) les effets de sa « solitude mélancolique ».

Elle affirme n'avoir pas peur des rebelles, car Dieu, selon elle, ne fut « jamais protecteur de rébellion », mais elle avoue sa peur de la mer. Et la mer ne la ménage guère. Combien de fois les navires chargés par elle de munitions sont perdus ou détournés ! Quand elle a pris sa résolution de retourner en Angleterre, combien de fois le vent empêche ses voiliers de l'y conduire au moment choisi ! Que dire de la tempête horrible qui assaille ses vaisseaux en janvier 1643, la tient neuf jours en alarme, sans dormir ni manger, et la rejette à nouveau en Hollande, sale jusqu'à la puanteur, malade ? Comment ne pas imaginer ensuite son appréhension à reprendre la mer ?

Quand enfin, après un an d'absence, elle aborde à Bridlington, près d'York, c'est pour retrouver la guerre et le canon ennemi. Entre mars et juillet, elle continue à s'évertuer pour son cher cœur et se fait un point d'honneur de lui amener un magnifique renfort, « l'armée de la reine ». Mais elle a beau vivre avec ses soldats péniblement assemblés, « sans nulle délicatesse de femme », comme dira Mme de Motteville dans ses *Mémoires*, ses victoires sont médiocres. Enivrée de maigres redditions, naïvement surprise de la perte de Wakefield, elle subit l'affront d'être déclarée « traître » par les Communes. Tant pis. Dieu leur pardonne !

Après tant d'aventures exténuantes, elle a le bonheur de rejoindre enfin le roi. En juillet 1643, épuisée, inquiète ou en colère, toujours exaltée, ne dormant que trois heures par nuit, elle s'arrête à Wroxton, près de Banbury. Son époux vient la rejoindre à Edgehill, où a eu lieu l'année précédente une rude bataille. Le 24, la reine s'installe à Oxford, la ville inébranlablement fidèle devenue le centre de la cour et le quartier général de Charles Ier.

Celui-ci la quitte presque aussitôt pour tenter de prendre Gloucester. Sans succès. Le désordre de ses troupes ne vient pas à bout de la résistance des habitants. Peu après, il livre une bataille incertaine à Newsbury. Bien que la reine s'obstine, dans une lettre au marquis de Newcastle du 23 septembre, à appeler « victoire » ce qui n'a pas été une « totale défaite », elle reconnaît que le roi et le prince Rupert y ont perdu « quantité d'honnêtes gens ».

Après ce nouvel échec, le roi et la reine se retrouvent à Oxford à la fin de septembre. Henriette-Marie n'a pas encore trente-quatre ans. Elle a déjà mis au monde quatre garçons et trois filles. La voici de nouveau enceinte. Fière de l'amour fidèle du roi, enivrée par les poèmes de circonstance que l'on compose en son honneur, où on l'appelle le « nouveau bourgeon qu'enveloppe et que gonfle la rosée du matin », elle ne veut d'abord pas se rendre compte de l'inaction de son époux, ni de l'avancée du comte d'Essex à la tête des troupes parlementaires.

Mais, peu à peu, un sentiment d'insécurité la gagne. La situation militaire des royalistes s'aggrave. Les

« Côtes de fer » levées par Cromwell, l'étoile montante, font partout merveille. Même la ville d'Oxford est menacée de siège.

Bravement, la reine essaie pourtant de plaisanter. En mars 1644, elle écrit à Newcastle : « Pourvu que les Écossais ne mangent pas les *Yorkshire oatcakes* [les gâteaux d'avoine du Yorkshire] », c'est-à-dire pourvu qu'ils ne descendent pas trop au sud, tout ira bien. Mais le cœur n'y est pas. Dans son post-scriptum elle mentionne leur avance et ne peut s'empêcher d'écrire : « Tout est perdu. »

En fait, elle n'en peut plus. Sa grossesse augmente son épuisement, sa fragilité nerveuse et sa peur d'un nouveau siège. À peine conçue, Henriette connaît l'angoisse et le danger.

3.

« Si délaissée »

La suite est plus dramatique encore. Au début de la guerre civile, la reine avait écrit à son époux qu'elle ne pourrait souffrir d'attendre passivement la perte de sa royauté. Elle en mourrait. Après son aventure en Hollande, ses tribulations sur la mer, sa marche dangereuse vers le roi, elle ne peut supporter d'attendre dans l'angoisse à Oxford le risque d'une attaque. Comme après le départ forcé de Whitehall, elle préfère fuir. Malgré son attachement au roi, sa santé déplorable et sa grossesse, elle choisit de « courir fortune ». Dans ces conditions, que de périls pour l'enfant qu'elle porte !

Le roi l'accepte. Il accompagne son épouse jusqu'à Abington. C'est avec grand chagrin qu'ils se séparent. Encore ne savent-ils pas qu'ils ne se reverront plus. Et voici la reine enceinte de sept mois, traversant un pays déchiré par un conflit fratricide, la voici courant à Bath sous prétexte d'y faire une cure bénéfique.

La superbe ville d'eaux, exploitées déjà sous les Romains, est dans un triste état, les maisons en partie détruites par les combats, les cadavres innombrables à peine enterrés, l'air pestilentiel, le séjour impossible. C'est à nouveau la course vers ailleurs, vers Bristol pour renvoyer des charrettes à son « cher cœur » – elle n'y reste que trois jours –, vers Bridgewater, au sud-ouest, où elle est le 28 avril, vers Exeter enfin, où elle s'arrête, car le terme de sa grossesse approche et le gouverneur de la ville, Lord Berkeley, est un fervent royaliste.

Il l'installe à Bedford House, une demeure appartenant à la famille Russell. Rien n'en subsiste aujourd'hui dans cette ville dévastée par les bombes de la Seconde Guerre mondiale. Mais on peut la situer à l'emplacement de Bedford Street, une rue incurvée, sur le tracé ancien de Bedford Crescent, non loin de la splendide cathédrale de pierre grise aux tours magnifiques qui s'élèvent du transept.

La reine est épuisée. Dès le 3 mai, elle appelle au secours Mayern, premier médecin du roi, demeuré à Londres, à qui Charles de son côté écrit de façon brève et pressante : « Pour l'amour de moi, allez à ma femme ! » À travers le pays en guerre, le médecin met plus de trois semaines pour parvenir à Exeter. Une sage-femme, Mme Péronne, y arrive de France dans le même temps. Elle est envoyée à la reine Henriette-Marie par sa belle-sœur, Anne d'Autriche, veuve de son frère Louis XIII et régente du royaume. Elle a déjà accouché de ses deux enfants la reine de France. Celle-ci envoie aussi généreusement une somme d'argent, à laquelle Mazarin a « contribué ». Henriette-Marie adresse ses remerciements au ministre le 28 mai et fait écrire par un gentilhomme, Crofts, à sa belle-sœur. Elle est touchée de ses marques d'affection mais se trouve trop mal pour lui exprimer elle-même sa gratitude.

Si mal que les bruits courent d'un enfant mort-né ou de la mort de la reine elle-même. On apprend qu'il n'en est rien. Dans le pays en pleine guerre, les nouvelles passent, déformées. On parle de la naissance d'un garçon dans les *Domestic Papers* et dans *La Gazette de France*. Ensuite, à Oxford, on rectifie. *La Gazette* avoue le 7 juillet ne plus savoir s'il s'agit d'un garçon ou d'une fille. Le 14 juillet enfin, elle annonce que la reine a accouché d'une fille.

Mais quand ? Les biographes français de la princesse, auteurs de livres ou d'articles de dictionnaires, ont reproduit la date du 16 juin donnée par les sources d'outre-Manche sans faire attention à la différence qui affecte à cette époque les calendriers. La France a déjà adopté le calendrier grégorien auquel la Grande-Bretagne ne se ralliera qu'en 1752. Les dates utilisées dans ce pays avant cette année-là, appelées *old style*, doivent donc être majorées de dix jours si on veut les exprimer selon le calendrier le plus usuel.

Par conséquent, on ne devrait pas dire que la princesse Henriette est née le 16 juin mais le 26. Ainsi s'explique la lettre de la reine qui, le 18 juin, parle à son mari de son prochain accouchement et de sa peur d'en mourir. Elle a été élevée en France et a gardé la façon de dater qu'elle y a apprise.

Avec le roi on se réjouit de l'événement. C'est normal. Le duc de Sabran, résident diplomatique de France, emploie une formule banale pour parler de l'enfant, « une jolie princesse ». De toute évidence, il ne s'est pas intéressé à ce huitième rejeton du couple royal. Mais il a été frappé par la fièvre bilieuse et la paralysie de la mère. Le roi ne peut les ignorer, ni le délabrement physique et nerveux de son épouse. Le 28 juin, deux jours après la naissance d'Henriette, du fond de son lit, elle se plaint qu'elle n'est pas mieux depuis qu'elle a accouché : « Il me semble que mon ventre et mon estomac pèsent plus de cent livres et que l'on me serre si fort à l'endroit du cœur que j'étouffe, et suis parfois comme enragée. Je ne me puis quasi remuer... Cette même pesanteur est aussi à mon dos, un bras que je ne sens point et les genoux et jambes plus froids que glace. Le mal m'est monté à la tête, je ne vois plus que d'un œil. »

Dans ces conditions, le roi peut craindre à juste titre que l'enfant soit aussi dans une grande faiblesse et en mauvaise santé. Son premier fils, Charles-Jacques, né en mai 1638, est mort peu après sa naissance et une heure seulement après son baptême. Le roi veut donc s'occuper tout de suite, même au plus fort des combats, de faire baptiser celle qu'il n'a pas encore vue mais qu'on lui a décrite comme la plus jolie de ses filles.

Et puis il n'est pas mécontent de s'occuper lui-même de cette affaire. Il donne ses ordres et, dans une lettre du 10 juillet à la reine, la remercie d'avance de s'en tenir à ses volontés. Bien qu'il soit loin d'elle, souligne-t-il. Il lui laisse le choix du parrain de l'enfant mais entend décider du lieu et de la forme de la cérémonie. Ce sera dans la cathédrale d'Exeter, si la santé du bébé le permet, et selon le rite de l'Église d'Angleterre, comme pour ses autres enfants.

Il sait trop combien Henriette-Marie a envenimé les querelles religieuses dans le royaume, en exigeant la présence d'une véritable colonie française auprès d'elle, de prêtres en particulier, les fameux douze capucins de la reine, et en insistant pour avoir une chapelle catholique. Il sait trop combien, malgré l'ambassade du maréchal de Bassompierre qui apaisa et arrangea un temps les choses, le peuple et le Parlement détestent en elle la papiste.

Le roi est obéi. Le baptême a lieu dans la cathédrale le 31 juillet. On a dressé un dais d'apparat au-dessus des fonts baptismaux. Le chapelain d'Exeter officie. Le gouverneur de la ville, Berkeley, est parrain. Selon le rite anglican, les marraines, pour une fille, sont au nombre de deux, Lady Dalkeith et Lady Poulett. Le registre de la cathédrale, qui sert aussi d'église paroissiale, porte que l'enfant est nommée Henriette.

Rien d'étonnant à ce qu'on lui donne le prénom de sa mère. Pas d'originalité pour les enfants royaux. Le prince de Galles, né en 1630, a été nommé Charles comme son père et son frère si vite disparu. On reprend le prénom du grand-père pour le deuxième fils, Jacques, né en 1633, et le traditionnel Henry pour le troisième, né en 1639. Même rappel des princesses passées pour les trois sœurs du bébé. Mary, née en 1631, perpétue le souvenir de l'arrière-grand-mère Marie Stuart, Anne, née en 1640, celui de sa grand-mère Anne de Danemark. Élisabeth, née en 1635, est placée non pas sous le patronage de la grande Élisabeth, ennemie mortelle de Marie Stuart, mais sous celui de sainte Élisabeth de Hongrie. La reine Henriette-Marie a pour elle une dévotion particulière et choisira plus tard de se faire peindre sous les traits de cette souveraine dans un tableau qu'elle offrira aux visitandines de Chaillot.

Henriette évoque à merveille le souvenir de son grand-père prestigieux, Henri IV, et la personnalité de sa mère. C'est sous ce prénom qu'elle est identifiée par des contemporains comme l'abbé de Choisy ou Pepys dans son *Journal*. D'autres, tels Bossuet ou Moreri dans son *Dictionnaire*, la nomment Henriette-Anne. Mais le second prénom ne date pas de son baptême. Il lui sera ajouté après son retour en France, par reconnaissance pour Anne d'Autriche, si bonne pour sa belle-sœur et les exilés anglais.

Surprise. À cette cérémonie, capitale pour toute âme chrétienne, la reine n'est pas là. Le fidèle Lord Jermyn, dans un message chiffré, daté du 10 juillet comme la lettre du roi à la reine sur le baptême, révèle à Lord Digby que la souveraine est partie ce jour d'Exeter pour Falmouth avec l'intention de s'embarquer pour la France. Elle a trop peur d'être assiégée dans Exeter. Déjà le 28 juin, dans la lettre qu'elle signe « la plus malheureuse créature du monde », elle a confié au roi son projet de départ mais en le justifiant par sa très mauvaise santé.

Le comte d'Essex, acquis aux parlementaires, menace toujours Exeter. Il a refusé de faire conduire la reine à Bath sous prétexte d'une cure. S'il l'escorte, ce sera jusqu'à Londres, afin qu'elle y réponde devant le Parlement de la guerre dont, selon lui, elle est cause. Alors, elle ne voit de recours que dans la fuite. Même si, comme le craint Jermyn, cela risque d'être encore plus dangereux. Tout plutôt que subir un siège et tomber dans les mains ennemies. Cette fois, elle fuira vers la France, sa terre natale, son dernier refuge.

Elle s'engage dans une nouvelle course épuisante, sans plus se soucier de sa fille, dont elle s'est délivrée comme d'un fardeau. La forte mortalité infantile, l'absence de contraception, la foi en la vie éternelle, le souci du partage des biens, quelle que soit leur importance, font qu'on n'a pas alors la même sensibilité qu'aujourd'hui à l'égard des enfants. Outre Henriette, la reine en laisse trois autres en Angleterre, qu'elle espère revoir quand la guerre civile sera terminée et la royauté raffermie. Et puis sa lutte pour la vie, sa peur panique l'empêchent de se soucier de ce bébé fragile. Lady Dalkeith veillera sur elle. Après quelques jours de repos au château de Pendennis, la souveraine s'embarque le 24 juillet depuis Falmouth pour la France.

Même le père Cyprien de Gamaches, capucin de la reine, un inconditionnel toujours prêt à embellir l'histoire en sa faveur, habile à l'excuser sur la « contrainte » où elle est de s'enfuir d'Exeter, ne peut éviter d'employer le mot « abandonner » pour parler de sa conduite à l'égard de sa fille. Et Bossuet, dans son oraison funèbre, dénoncera implicitement le même abandon. Il évoquera – c'est bien commode – les « escadrons invisibles » d'innombrables « anges saints » qui montent la garde « autour du berceau ». Il sera forcé d'ajouter « du berceau d'une princesse si délaissée ».

Son père, pourtant, à la poursuite d'Essex, vient la voir en septembre. Il n'est pas seul. Le prince de Galles l'accompagne. Pour cet adolescent de quatorze ans, bouleversé par la fuite de sa mère, témoin d'une guerre atroce, conscient des menaces de mort qui pèsent sur son père et les siens, l'émotion est grande à découvrir un bébé si fragile, sa sœur. Grande aussi l'envie de protéger tant de faiblesse et d'aimer un être si démuni. L'impression sera ineffaçable. Charles aura toujours pour Henriette des sentiments d'amour privilégiés qu'il n'accordera à aucune de ses nombreuses conquêtes.

Dans l'immédiat, il doit la quitter et suivre son père qui poursuit Lord Essex en Cornouailles. Mais l'année suivante, en 1645, le prince de Galles revient à Exeter passer un mois auprès de sa sœur. Son attachement à elle, lié à sa fragilité et aux périls de la guerre, se renforce de la peur de la perdre. Peur justifiée, puisque peu après son départ Exeter est assiégée et prise, sa sœur entraînée par Lady Dalkeith dans sa fuite périlleuse vers la France.

La petite fille de deux ans, qui va franchir la Manche pour la première fois, a été abandonnée par sa mère, son père, son frère. La panique et la guerre les y ont contraints. Elle se sent, plus ou moins consciemment, « délaissée ». Comment pourrait-elle trouver plaisir à se déguiser en petit vagabond, à perdre le peu qui lui reste, sa propre identité, à renoncer à ce qu'elle croit être, une princesse ?

Il est temps que la marche douloureuse vers Douvres s'achève et que la France fasse oublier Pierre à Henriette.

4.

« Quelque joie »

Il ne faut pas imaginer en France pour la petite princesse un accueil en fanfare. Rien à voir avec celui qu'on a fait à sa mère deux ans auparavant.

Prise en chasse par les navires parlementaires, malmenée par une tempête, la reine fugitive est arrivée dans un état pitoyable, en juillet 1644, sur les côtes bretonnes. Mais elle est reçue avec enthousiasme dans son pays natal. Elle est sœur, fille et tante des rois de France Louis XIII, Henri IV et Louis XIV. Et le souvenir de son père, Henri IV, est assez proche et vivace pour émouvoir les bonnes gens de ses malheurs. Son arrivée est donc saluée à grand bruit.

Du petit port près de Brest, où elle aborde, jusqu'à Bourbon, dont les eaux, pense-t-on, la rétabliront, on lui fait une réception royale. La reine d'Angleterre envahit les pages de *La Gazette de France*, dont les lecteurs peuvent la suivre pas à pas. Brest, Landerneau, Châteaulin, Quimper, Hennebont, partout des réceptions fastueuses, partout des évêques, des gentilshommes, des maires, des échevins, des bataillons d'infanterie, des chanoines, des cavaliers l'attendent, jusqu'à l'ambassadeur de Portugal, qui se trouve de passage à Nantes et lui offre vingt bassins de confitures et de parfums de son pays.

Lord Jermyn, son grand écuyer, est allé prévenir officiellement Paris de son arrivée. Et quand, le 9 août, elle dîne à Muzillac, près de Vannes, elle y est saluée par le bailli de Souvray, grand-croix de Malte, mandaté par la reine de France. Anne d'Autriche, raconte Mme de Motteville, sa dame d'honneur, lui envoie deux médecins et l'ancien ambassadeur en Angleterre, le comte d'Harcourt, ainsi qu'un riche présent. Elle se réjouit aussi que la reine ait échappé à tant de dangers et fait d'emblée à sa belle-sœur un excellent accueil.

Sur l'eau, le voyage se poursuit par Nantes et Angers, toujours triomphal. Non contente de parler de la souveraine dans ses nouvelles « ordinaires », régulières dirions-nous, *La Gazette* consacre un supplément, un *Extraordinaire*, le 103, aux « Honneurs rendus à la reine d'Angleterre à son arrivée en France ».

Après trois mois à Bourbon pour se soigner, la reine passe vingt-quatre jours somptueux à Nevers. À Orléans, on l'a transportée dans une chaise couverte d'un dais et tendue de toile d'argent. Cette fois, on lui en offre une de satin blanc, mais elle préfère sa litière... L'étape à Fontainebleau ne manque pas de grandeur. Que dire de la réception dans la capitale ?

Son frère, Gaston, duc d'Orléans, et la fille de Gaston, Mlle de Montpensier, l'accueillent dès Bourg-la-Reine. Henriette-Marie dîne et couche à Montrouge. Et le samedi 5 novembre, un peu au-delà du faubourg Saint-Jacques, le jeune roi Louis XIV, sa mère et son frère Philippe, duc d'Anjou, viennent la saluer. Elle monte dans leur carrosse, près de son neveu Louis. Le temps est froid et venteux, mais la rencontre chaleureuse.

Dans son *Journal*, Olivier d'Ormesson décrit avec minutie le cortège, la grande écurie, les chevau-légers et les mousquetaires, quantité de noblesse à cheval avec des habits de couleur et des broderies or et argent. *La Gazette* raffine dans le détail en mentionnant les trompettes et les trois cents archers de la ville à cheval avec casaques de velours bleu. Un nouveau numéro de *l'Extraordinaire*, le 136, consacre sept pages à l'« Entrée faite par Leurs Majestés à la reine de Grande-Bretagne ».

On l'accompagne au Louvre jusque dans son appartement, tandis que le roi et sa mère regagnent leur résidence du Palais-Royal. Le lendemain, les cours souveraines la complimentent. Le premier président de la Chambre des comptes, Nicolaï, se distingue par son éloquence. Arrivées du recteur, de Gondi, coadjuteur de l'archevêque de Paris et futur cardinal de Retz, et des marchands de la ville avec leurs présents. Bref, tant de monde que le gazetier a besoin, dit-il, de « reprendre haleine ». Il continuera plus tard...

Mme de Motteville raconte la première visite du jeune roi et de sa mère. Dans ce milieu où l'étiquette tient une grande place, elle remarque : « La reine lui a toujours donné la droite et elles s'appellent Madame ma sœur. » Elle remarque aussi que les compliments ne tenaient « rien du compliment ». Ce n'est pas formule creuse. Les souverains français se réjouissent que la reine ait échappé aux révolutionnaires. Ils ressentent les malheurs de l'exilée, leur parente. Ils entrevoient aussi, égoïstement, les risques que les excès du Parlement anglais font courir aux monarchies voisines. La crainte rend solidaire.

On donne à la reine d'Angleterre une pension vraiment royale, 400 000 livres environ par an (1,5 milliard de nos centimes actuels), un appartement au Louvre, que les souverains français ont pour le moment abandonné, et le Château-Vieux de Saint-Germain-en-Laye comme résidence de campagne. C'est magnifique, mais comment faire moins pour une « fille de France », dont on suppose d'ailleurs le séjour temporaire ?

Au fil des mois, l'hospitalité pèse davantage. La France en lutte avec l'Espagne remporte de belles victoires. Mais la guerre coûte cher. Les libéralités à la reine exilée aussi. Tout le monde sait que, n'ayant presque plus de bijoux ni d'argenterie à vendre, elle envoie à son époux l'essentiel de la pension qu'elle reçoit.

La situation de Charles Ier exigerait des soutiens beaucoup plus importants. Depuis la naissance d'Henriette, il a subi d'écrasantes défaites. En juillet 1644, celle de Marston Moor, à l'ouest d'York, sous le commandement du prince Rupert, où la victoire éclatante des Écossais et des parlementaires est due au dynamisme de la cavalerie conduite par Olivier Cromwell. En juin 1645, celle de Naseby, près de Leicester, sous

le propre commandement du roi, où cinq mille
hommes se sont rendus. Le jeune prince de Galles, à
Oxford avec les débris de l'armée royale, n'a pu aider
son père. Celui-ci, sans argent et sans troupes, s'est
livré en mai 1646 aux Écossais. L'hospitalité de
Louis XIV risque de se prolonger.

D'autant que, devant tant d'échecs, la reine Henriette-Marie continue à voir en la France son seul
recours. Elle commence l'année 1646 en sollicitant
l'aide de son frère Gaston d'Orléans et en lui demandant son intervention auprès de Mazarin, toujours réti-
cent à s'engager pour une cause peut-être perdue.

En attendant cette assistance, c'est en France, autour
d'elle, que se forme un groupe de plus en plus important d'exilés britanniques. Des officiers vaincus et sans
commandement, des hommes de lettres qui n'ont plus
d'exploits guerriers à célébrer, des diplomates qui vont
et viennent entre elle et son époux, plusieurs hommes
d'Église, tel le père Gamaches, toujours capucin de la
reine, des dames d'honneur, des gentilshommes et des
domestiques, évidemment. Tout un monde à la fois
instable, inquiet de l'avenir, vexé d'avoir été battu ou
contraint de fuir, désireux de profiter des bienfaits
d'une nouvelle terre d'accueil, prêt aux rodomontades
et aux disputes, à la flagornerie aussi.

Sur cette petite cour règne Lord Jermyn, le compagnon de fuite de la reine en France et jadis en Hollande.
Mme de Motteville, témoin de premier plan, l'appelle
sans vergogne son « favori » et décrit avec soin celui qui
sera récompensé plus tard, pour sa fidélité, du titre de
comte de Saint-Albans. Elle le peint « assez honnête
homme », d'un esprit doux, mais « borné », « plus propre
aux petites choses qu'aux grandes ». Sans s'attarder aux
bruits de sa liaison avec la souveraine, elle ne l'épargne
guère. « Il avait pour la reine une fidélité qu'ont d'ordinaire tous les ministres. Il voulait avoir de l'argent. »

L'allusion à « tous les ministres » ne manque pas de sel.
Anne d'Autriche en a un également, de favori fidèle tout
autant que cupide, Mazarin. Si la reine d'Angleterre a
« trop de confiance » en Lord Jermyn, peut-être la reine
de France a-t-elle trop de confiance en Mazarin. Le

parallèle n'est que suggéré. Il s'arrête là. La situation des deux reines est différente : il faut à la régente de France, veuve, libre et fort pieuse, une grande tolérance pour ne pas mal juger l'épouse du roi, toujours vivant, Charles Iᵉʳ. Elle sait qu'elle est la fille d'un séducteur, Henri IV, le Vert-Galant. Après tout, l'activité inlassable d'Henriette-Marie pour la cause monarchique est un gage de sa fidélité à son époux. Et le soutien, maladroit parfois, qu'elle apporte à ses compatriotes, la preuve de son attachement à l'Angleterre.

Cette activité et ce soutien sont souvent envahissants. Non contente d'assiéger sans trêve le cardinal pour qu'il aide les royalistes, elle devient franchement insupportable quand elle se mêle de la nomination de son grand aumônier d'alors à l'évêché d'Évreux. Et quand son nain, Jeffrey Hudson, tue en duel, à Nevers, d'un coup de pistolet le frère de son capitaine des gardes, elle n'hésite pas à en appeler au plus haut niveau, à Mazarin, pour demander de faire justice elle-même puisqu'il s'agit de deux ressortissants anglais.

Quant à ses enfants, qu'elle veut délivrer des mains ennemies, où seraient-ils mieux qu'en France, auprès d'elle ? Son installation à la cour de Louis XIV devrait entraîner la leur à plus ou moins long terme. Pour le moment, Jacques, duc d'York, est tombé aux mains des parlementaires. Conduit d'Oxford à Londres, il a rejoint au palais Saint-James sa sœur Élisabeth et son frère Henry, déjà sous la garde des Northumberland. Ces trois-là n'ont pas eu, comme Henriette, la chance d'avoir une Lady Dalkeith pour gouvernante. Le prince de Galles, en revanche, a réussi à s'enfuir aux îles Sorlingues, quand son père s'est rendu aux Écossais. *La Gazette* annonce qu'on l'attend le 8 juillet en Normandie, à Caen, et qu'il arrive le 11 à Saint-Germain-en-Laye où se « trouve la reine d'Angleterre et toute sa cour ». Avec lui surgissent de nouveaux problèmes d'étiquette et surtout de nouvelles charges financières pour la France. Voici que le suit de près le neveu de Charles Iᵉʳ, le prince Rupert, le vaincu de Marston Moor. Encore la France échappe-t-elle à son frère aîné, Maurice, qui s'installe en Hollande.

Pas étonnant, dans ces conditions, que le débarquement de la petite Henriette, un mois et demi plus tard, passe inaperçu. Rien dans le cérémonial de la ville de Calais où elle aborde. Et dans *La Gazette de France*, un bref article daté du 16 août 1646 et envoyé par le correspondant de Londres : « La princesse retirée avec sa gouvernante à Orlands [*sic*], l'une des maisons du roi de la Grande-Bretagne, en est depuis peu partie pour aller en France. » Difficile de moins dramatiser l'affaire.

Il est vrai que les gens de la maison d'Henriette ont suivi les instructions de Lady Dalkeith et n'ont signalé au Parlement la fuite de la princesse que vers le 7 août. Il est trop tard pour agir. Aucun ordre n'est donné de recherche ni de poursuite. De toute façon, comme le suggèrent certains parlementaires avisés, ce qui est fait est fait. Autant tirer parti de la situation et voir que, grâce à l'initiative de la gouvernante, le Parlement est débarrassé de l'entretien de la petite et des siens.

Ce n'est pas une mince économie, car la maisonnée princière ne vit que d'expédients et accumule des dettes qu'il faut bien payer. Ainsi, en avril 1646, un billet du général Fairfax autorise de prélever sur les contributions indirectes d'Exeter de quoi rembourser 645 livres dues pour de la nourriture ou des gages. Se fiant à cette autorisation, le comptable Boreman avance la somme. En 1661, à la Restauration, personne ne l'a encore payée. Il en demande alors le remboursement au roi Charles II. Un certificat de l'ancien gouverneur Berkeley atteste les avances faites au nom de la princesse Henriette pendant vingt-huit semaines au moment du siège de la ville, et précise que le malheureux Boreman, contraint à un emprunt et incapable ensuite de payer ses dettes, a dû faire quatre mois de prison...

En débarquant à Calais, Lady Dalkeith fait prévenir la reine Henriette-Marie de l'arrivée de sa fille. On lui envoie un carrosse pour venir à Paris, mais personne ne se déplace pour l'accueillir. Henriette n'est pas comme sa mère une reine et la fille du populaire Béarnais, mais une princesse, la plus jeune fille d'un roi dont les échecs militaires se multiplient et dont la famille pèse de plus en plus sur les finances du royaume. Devant l'afflux des Anglais, la capacité d'accueil des Français s'émousse, comme leur curiosité. Quant aux exilés, ils ont d'autres soucis en tête. Leur reine aussi. L'arrivée de l'enfant suscite en elle « quelque joie », dit Mme de Motteville. C'est peu. Mais depuis deux ans sa vie est si pleine d'aventures, de craintes, d'efforts... Et puis elle n'a pas eu le temps de s'attacher à cette enfant. Dans toutes les lettres adressées à son époux, depuis son accouchement, pas la moindre allusion à la petite.

Le père Gamaches, laudateur impénitent de la souveraine, parle au contraire de ses « transports de joie » car, écrit-il, les pensées de la mère « cent fois le jour volaient » vers sa fille. On veut bien. Mais pour croire à ces transports, on eût préféré que la mère se fût précipitée à Calais.

5.

Le grand frère

Il n'empêche qu'une fois en France la princesse mobilise l'attention et l'affection. Comment en serait-il autrement ? Le caractère romanesque de son évasion a piqué l'intérêt de tous. Elle est si attendrissante, si fragile. Signe d'espérance aussi puisqu'elle symbolise la possibilité d'échapper aux odieux ennemis de la monarchie.

Sa mère, à la tenir dans ses bras, sent croître sa tendresse. Elle lui rappelle peut-être de doux moments. Elle lui évoque en tout cas le souvenir de ses trois autres enfants, toujours éloignés d'elle. Son père, quand il a appris l'heureuse nouvelle, a exprimé sa reconnaissance à la gouvernante par l'intermédiaire de Jermyn. Dans une dépêche du 17 août, l'ambassadeur d'Angleterre rapporte qu'il est allé la veille à Saint-Germain embrasser les mains de la douce petite princesse, et que la manière dont Lady Dalkeith l'a ramenée d'Oatlands est un joli roman. Pour tous les exilés, la princesse Henriette est infiniment précieuse.

La preuve, ces poèmes qui fleurissent dans la petite cour et expriment à la gouvernante audacieuse et victorieuse la reconnaissance de la reine d'Angleterre. Enfin les poètes ont de quoi se réjouir ! Ils chantent l'exploit de Lady Dalkeith qui a sauvé la princesse. Quand, à la mort de son beau-père, Anne prend le titre de comtesse de Morton, on la célèbre sous tous ses noms, la charmante Villiers, Dalkeith la préférée, la très belle Morton.

On la compare à Judith tuant Holopherne, à Vénus sauvant Énée de l'incendie de Troie...

Pour le prince de Galles, voir débarquer sa sœur en France, un mois après lui, tient du miracle. Un an auparavant, à Exeter, il a quitté une enfant délicate et menacée. L'absence et l'inquiétude ont avivé son affection pour elle, une affection née près de son berceau dans le cauchemar de la guerre. Il la retrouve avec une joie profonde. Les confidences et les mots tendres qu'il lui prodiguera toujours témoignent du bonheur qu'il ressent à chacune de leurs retrouvailles. Leur sort est à jamais lié.

Ce n'est pas un hasard si, un peu plus tard, après la mort de leur père, un poète anglais de l'entourage de la reine exilée associe affectueusement la beauté naissante de la petite fille, une fleur en « bouton », à son grand frère. Quand la monarchie sera rétablie, qui, demande-t-il, aura le plus d'autorité, le sceptre du frère ou les beaux yeux de la sœur ?

Très vite ce n'est plus à l'enfant miraculeusement sauvée mais au prince que l'on s'intéresse. Aînesse oblige. *La Gazette* n'a consacré qu'un bref article à l'arrivée d'Henriette. Au contraire, elle est remplie, le même mois, des récits du voyage effectué à Fontainebleau par le prince de Galles et sa mère. Celle-ci veut que son fils profite « des délices de la France ». La voici satisfaite. Marques d'honneur, fêtes somptueuses, prodigalités incroyables, l'arrivée de son fils aîné a relancé la curiosité des Français. On oublie momentanément ce que coûtent les exilés.

Étiquette d'abord. Le sujet est délicat entre ces deux mères et ces deux fils, de sang royal, proches parents de surcroît. D'emblée la reine Henriette-Marie a demandé à sa belle-sœur que le prince passe devant le jeune Louis XIV. Son père, quand il était prince de Galles, explique-t-elle, passait devant le roi d'Espagne. Mais, rétorque Anne d'Autriche, c'était en tant que roi d'Écosse. Et Charles ne l'est pas.

Ce point réglé, les Français entendent offrir à leurs hôtes tous les plaisirs possibles. Une étape leur est préparée à Essonne chez un officier des finances, Hesselin.

Pendant le souper, hautbois dans le jardin, sous les fenêtres ouvertes – on est le 18 août –, violons dans la salle pour le bal, ballet improvisé, collation de confitures, feu d'artifice sur la rivière dans la magie de l'eau, de la nuit et des arbres qui l'encadrent. La reine préside une table, le prince de Galles et le prince Rupert chacun une, l'évêque d'Angoulême celle où dînent les dames d'honneur, le premier aumônier celle des gentilshommes. Au « village » d'Essonne, deux autres tables de quinze.

Le lendemain, une cour de trois cents personnes conduite par le duc d'Elbeuf emmène la reine et le prince. À cinq kilomètres de Fontainebleau, Mazarin vient les saluer avec deux cents gentilshommes, puis Anne d'Autriche et le jeune roi, qui les font monter dans leur carrosse et les conduisent, à l'arrivée, dans leurs appartements, situés sur la cour des Fontaines.

Durant cinq jours, ce ne sont que divertissements, festins dans la galerie des Cerfs, concert des vingt-quatre violons, parties de chasse dont une au sanglier, jeu de paume du prince avec le roi, petit bal en privé pour apprendre au jeune Anglais la danse à la française, et le cadeau de Mazarin, deux chevaux barbes, l'un gris, l'autre isabelle. Dirait-on que l'on reçoit des fuyards ?

Il est vrai que, de l'avis unanime, le prince de Galles séduit. Il a seize ans et il est beau. Grand, un maintien assuré, d'immenses yeux noirs, le sourcil épais, le teint mat, le nez bien fait, la forme du visage ovale, les cheveux abondants, noirs et frisés. Bussy-Rabutin, entre autres, en fait un portrait physique flatteur. Et puisque, à l'époque, les mariages princiers se font dans l'intérêt des royaumes, l'idée est tentante pour la reine d'Angleterre de marier le beau jeune homme avec sa nièce, Mlle de Montpensier, fille de son frère Gaston d'Orléans, appelée la Grande Mademoiselle. À près de vingt ans, grâce à l'héritage de sa mère, une Guise, elle est le plus riche parti de France. Ainsi, il n'y aurait plus de problème pour envoyer de l'argent aux royalistes et renforcer leur armée.

Henriette-Marie y a songé dès son retour au pays natal, puisqu'un journal anglais note alors ironiquement : « Notre bonne reine a déjà vendu sa fille au prince d'Orange. Maintenant elle voudrait troquer son

fils contre une armée française pour nous combattre. »
À l'arrivée du prince de Galles, elle s'y emploie ardemment. « Il est amoureux de vous, répète-t-elle à Mademoiselle. Si je ne le retenais, il viendrait chez vous à toute heure. Et il est au désespoir de la mort de l'impératrice d'Allemagne, car vous pourriez bien épouser l'empereur. »

À l'automne 1646, lors d'un bal chez Mme de Choisy, elle vient elle-même coiffer sa nièce tandis que le prince tient le flambeau pour l'éclairer. Il porte aux couleurs de Mademoiselle, incarnat, blanc et noir, une « petite oie », c'est-à-dire une parure comprenant les rubans, les bas, le chapeau, le nœud de l'épée et les gants. Tout l'hiver, il en est de même. Sans cesse il se place auprès de sa cousine, la suit pas à pas, la mène à son carrosse, ne met son chapeau qu'après l'avoir quittée.

Le carnaval de 1647 arrive. Mazarin donne une comédie à machines et en musique, *Orfeo*, autrement dit un opéra, nouveauté en France, dans une salle dorée, éclairée de quatre grands lustres en cristal, décorée de tableaux peints en perspective. Mlle de Montpensier est richement vêtue, elle porte les pierreries de la couronne de France, et même ce qui reste des bijoux de la reine d'Angleterre, que celle-ci lui a prêtés !

L'enfant roi, pour honorer Charles, ne s'assoit pas sur le trône surmonté d'un dais d'or et d'argent qui lui est destiné. Charles non plus, qui le cède à Mademoiselle. De sorte que les deux cousins se trouvent aux pieds de leur cousine. Les mémorialistes, pour raconter cette fête, s'en donnent à cœur joie. Le prince de Galles fait toujours merveille. Le roi porte un habit de satin noir avec des broderies or et argent qui rehausse la blancheur de son teint et ses cheveux alors fort blonds. Il danse parfaitement bien. Et il n'a que huit ans.

Si les chroniques ne nomment pas Philippe d'Anjou, frère unique du roi, ni la princesse Henriette, ce n'est pas parce que leur jeune âge les éloigne de la fête – l'un a six ans et l'autre pas encore trois. C'est qu'ils n'y font rien de remarquable. Pas question, en effet, de se demander si les enfants princiers participent à telle ou telle cérémonie de cour. Ils sont eux-mêmes la cour.

Leur présence y est naturelle. Sous Henri IV, qui voulut mêler ses enfants légitimes et ses bâtards, on se plaignait parfois que Saint-Germain-en-Laye ressemblât à une nursery, et Louis XIII, plus habile que ses fils, dansait à trois ans la gaillarde, la sarabande, la vieille bourrée et les ballets.

De toute façon, à lire ces récits heureux, on se prend à espérer qu'à l'ombre de son grand frère, brillant et admiré, la petite princesse retrouve une vie stable et – pourquoi pas ? – dorée.

Ce carnaval marque la fin des plaisirs. Au bal, Mademoiselle, sur son trône, a regardé de haut son cousin Charles. Sa tante l'a vu, et reproche à la jeune fille de préférer un mariage avec l'empereur à un mariage avec son fils. Gaston d'Orléans tente de persuader sa fille qu'elle ne serait pas heureuse avec ce monarque. « Il est plus vieux que moi », lui dit-il, et en son pays on vit à l'espagnole. Mais Mademoiselle s'entête. Seul Mazarin la soutient et lui fait croire, ce qui est faux, qu'il travaille à ce mariage. L'argent de l'héritière risque fort de ne pas aller aux royalistes anglais.

Coup sur coup, Monsieur et le roi tombent malade. En août, Philippe a la rougeole. À l'automne il n'en est pas encore remis, et traîne une dangereuse dysenterie. En novembre, Louis attrape la petite vérole. Une maladie dangereuse à l'époque. Anne d'Autriche en est très inquiète et la cour très agitée.

Pendant ce temps, en Grande-Bretagne, c'est la confusion. Les Écossais, vers qui Charles Ier s'est tourné après son écrasement militaire, n'hésitent pas, à cause de leurs différends religieux avec lui, à le vendre au Parlement anglais pour 40 000 livres. Le roi tâche de le prendre avec humour : « J'aime mieux, dit-il, vivre avec ceux qui m'ont si chèrement acheté qu'avec ceux qui m'ont si lâchement vendu. » Il se laisse conduire de Newcastle, d'où il part en février, à Hampton Court, où il n'arrive qu'en août. La longueur du voyage traduit les hésitations et les graves dissensions qui ont éclaté entre ceux qui l'ont vaincu. Le Parlement poursuivrait volontiers les négociations avec lui, tandis que l'armée triomphante ne veut pas de quartier.

Cependant qu'il réclame vivement le retour de la reine, le Parlement tergiverse sur le sort des trois enfants royaux restés en Angleterre, les ducs d'York et de Gloucester et la princesse Élisabeth. On leur permet deux fois de voir leur père. Par ailleurs, on resserre leur garde. On les amène du palais londonien de Saint-James à la maison de Sion, qui appartient au comte de Northumberland, sous prétexte que Londres est « tourmentée » par leur présence. Et l'on fait défense à tous les royalistes de s'en approcher. Puis on les ramène à Saint-James.

La confusion s'accroît. Après avoir hésité, Cromwell, un des vainqueurs de Naseby, prend le parti des troupes, mais résiste aux « Niveleurs », les plus extrémistes des républicains. Dans l'armée, il n'y a pas toujours unanimité. Les soldats de Fairfax, un autre des vainqueurs de Naseby, se plaignent. Ils croyaient combattre pour rétablir le roi et s'aperçoivent que leurs chefs n'agissent que dans leur propre intérêt. Les dissensions religieuses enveniment encore la situation.

De la France, où pourtant se réfugient les siens, Charles Ier ne peut attendre de secours. Le revirement des Provinces-Unies aggrave les problèmes internationaux. La politique française avait pour but d'aider les Provinces à s'affranchir de la domination espagnole. À partir de 1646, celles-ci mènent des pourparlers en vue d'une paix séparée avec l'Espagne et abandonnent l'alliance française. La maladie puis la mort du prince d'Orange, Frédéric-Henri, profrançais et beau-père de la fille aînée du roi d'Angleterre, ont favorisé cette rupture.

Indépendantes, les Provinces-Unies deviennent de redoutables adversaires pour la France, où les crises financières mettent en péril le gouvernement de Mazarin. La Fronde n'est pas loin. Le marquis de Senneterre, un des plus habiles observateurs de la cour, craint pour l'avenir. En cette fin d'année 1647, Mme de Motteville se plaint des « mauvaises dispositions qui sont dans tous les esprits ».

Tout à coup, dans cette ambiance troublée, l'on apprend que Charles Ier s'est enfui de Hampton Court et s'est installé le 15 novembre dans l'île de Wight. Pour les royalistes et pour les exilés, est-ce l'espoir ?

6.
« Une étoile terrible
contre les rois »

Les exilés royalistes se sont réjouis de la fuite de
Charles Ier. Trop vite. Un *Extraordinaire* de *La Gazette
de France* du 5 décembre 1647 est consacré à la « Sortie du roi de Grande-Bretagne du château de Hampton
Court où il était détenu ». Mais une quinzaine de jours
plus tard, on annonce de Londres que le roi est au château de Carisbrooke, dans l'île de Wight, et qu'il a la
liberté de chasser. De chasser seulement ? Il n'est donc
pas libre de ses mouvements ?

De fait, son évasion n'a servi à rien. Sans bateaux, sans
troupes, sans secours étrangers, le souverain vaincu a
beau changer de demeure, il reste un prisonnier. Les
conditions de sa détention s'aggravent au fil des mois.
On réduit son logement à deux chambres. Ses promenades dans la campagne sont supprimées. On renvoie ses
domestiques. D'autres les remplacent, choisis par
Fairfax et changés tous les trois mois. On monte une
garde sévère autour de lui. On renforce les fortifications
du château. Enfin on lui interdit toute communication
avec l'extérieur. Un capitaine proroyaliste, auteur de
troubles dans l'île, est à moitié étranglé, pendu, mis en
quartiers. Les gratifications du Parlement au gouverneur
de Wight, le colonel Hamond, se multiplient...

En France, le climat autour de la petite princesse
s'assombrit. Elle demeure à l'écart de la cour, avec sa

mère et son frère, à Saint-Germain. La reine d'Angleterre n'est plus nommée dans *La Gazette* que pour de
rares visites, qu'elle fait ou rend au roi et à la régente.
Ni pour les Rameaux ni pour Pâques, elle n'apparaît
dans les cérémonies parisiennes d'avril. Elle ne vient à
Paris que pour le baptême de Philippe, duc d'Anjou,
qui a lieu le 11 mai 1648 à trois heures de l'après-midi,
dans la chapelle du Palais-Royal, avec la fine fleur de la
cour. Elle est la marraine de l'enfant, appelé le petit
Monsieur, puisque son oncle Gaston, duc d'Orléans,
frère de Louis XIII, qui porte le titre de Monsieur, est
encore en vie. Il est même en ce jour le parrain.

Pour donner plus de force à l'engagement des fils du
roi de France, et donc à celui de leur royaume dans la
Chrétienté, on ne les baptise que passé leur âge de raison. C'est pourquoi Philippe, ondoyé à sa naissance,
comme son frère Louis et plus tard le Grand Dauphin,
ne reçoit le baptême qu'à sept ans et demi. Deux pages
dans *La Gazette* pour cette cérémonie religieuse.
Aucune réjouissance à la fin. « Chacun s'en retourna
grandement édifié. » C'est suffisant en cette période de
troubles.

Mais la qualité du jeune duc d'Anjou comme frère
unique du roi et deuxième personnage du royaume est
solennellement reconnue. Depuis quelques jours, on
l'a retiré des mains des femmes pour le confier à son
gouverneur. Il mange désormais à la table de Louis
« pour entretenir leur affection fraternelle ». À cette
table comme ailleurs, il est servi par les officiers de son
frère. On commence à lui établir une « maison » particulière, c'est-à-dire qu'on lui attribue quelques
domestiques pour son seul service. Cette maison ne va
cesser de grandir.

Si la princesse Henriette est là, ce qui est vraisemblable, elle a pu, avec la fraîcheur de ses quatre ans,
admirer comme tous les assistants le jeune prince, de
peu son aîné, « beau comme un ange, tout vêtu d'une
toile d'argent » symbolisant son innocence, portant sur
son habit une magnifique dentelle au point de Gênes,
assis sur un siège élevé et qui, devant trois archevêques
et sept évêques, répond fort distinctement qu'il désire

de l'Église de Dieu le baptême. Elle a pu entendre non seulement la musique royale, mais aussi les petits cris de quelques dames interrompant les paroles sacrées de : « Ah, qu'il est beau ! »

Quel contraste entre cette image rayonnante et le sort réservé, dans les même jours, à son propre frère, Jacques, le duc d'York, réduit à son tour à n'être qu'un fuyard ! Le garçon de quatorze ans est prisonnier depuis une vingtaine de mois à Saint-James. Il rumine son évasion depuis une année. Un serviteur dévoué, peut-être envoyé en secret par sa mère, l'y aide.

C'est un soir de mai, vers les neuf heures. Profitant du jeu de cache-cache quotidien qu'il organise après le souper avec son frère et sa sœur, Jacques va dans sa chambre se déguiser en fille, part avec son valet, qui a tout organisé, passe par le parc et embarque sur la Tamise. À l'embouchure, à Gravesend, tous deux montent sur un navire dont le capitaine, déjà grassement payé, croit emmener une jeune personne et son précepteur. Malchance, pas de vent.

Pendant ce temps, on s'est aperçu à Saint-James de la fuite du prince. Northumberland, qui en a la charge, se doute de son itinéraire et envoie un cavalier vers Gravesend. Alors, raconte le père Gamaches, « admirable Providence », le vent change juste avant l'arrivée du cavalier, le bateau « démarre avec tant de vitesse » qu'il atteint en fort peu de temps la Hollande.

Moins lyrique, Mme de Motteville parle d'un vaisseau anglais qui prend en chasse le prince et le rejoint au large de Flessingue, sur une des bouches de l'Escaut. Le temps est si mauvais que le pilote refuse d'aborder. Devant l'urgence, le jeune prince retire ses habits de fille, le menace d'une épée et le force à accoster où il veut. Peu importent les détails. Le sûr est que Jacques, sitôt à terre, se rend chez sa sœur, la princesse d'Orange.

La fuite fait énormément de bruit. Certains pensent que l'adolescent a obéi aux ordres de sa mère, d'autres aux injonctions enflammées de sa sœur Élisabeth, de deux ans sa cadette. En fait, son évasion est dans la logique de celles du prince de Galles et de la princesse

Henriette. Cromwell et les républicains sont furieux. Les parlementaires décident d'abord une « recherche exacte » des circonstances de la « sortie » du prince. Et puis ils abandonnent. Il y a déjà trop à faire avec les Écossais qui ont tourné casaque et qui, maintenant partisans du roi, sont près d'envahir l'Angleterre.

Le Parlement se contente donc de renvoyer les domestiques du jeune duc et surtout de renforcer la prison d'Élisabeth et de Henry, duc de Gloucester, les seuls enfants royaux restés entre leurs mains. Northumberland, qui était passé chez le prince à huit heures comme tous les soirs avant le fatal jeu de cache-cache, est absous.

La fuite de ce frère qu'elle n'a jamais vu n'intéresse guère la petite Henriette. En revanche, elle est vivement affectée par le départ du prince de Galles, le grand frère brillant et protecteur qui l'a précédée en France, et vit depuis avec elle et sa mère, remplaçant le père absent.

On s'attend à un revirement politique. L'agitation des Écossais, la déclaration de leur Parlement en faveur de Charles Ier, le manifeste contre celui d'Angleterre des deux colonels commandant les troupes du pays de Galles, le mécontentement du peuple à cause du logement des gens de guerre dans le Surrey, puis dans les comtés d'Essex et de Kent, tout le laisse espérer. D'autant qu'une partie de l'armée navale se déclare aussi en faveur du roi vaincu. S'il y a une chance à saisir, le prince Charles ne saurait rester inactif. Il quitte donc Saint-Germain en juillet 1648 et doit se diriger vers Calais pour tâcher d'aborder en Écosse. En réalité, il passe par la Hollande chercher de l'aide.

La petite sœur est triste, sa mère aussi, et inquiète de l'issue de ce voyage. Comme sa piété augmente avec ses malheurs, elle décide de passer quelques jours à Paris et de se retirer dans un couvent, chez les carmélites de la rue du Bouloi. Une fois de plus, la princesse demeure abandonnée. Heureusement elle a toujours près d'elle la dévouée Lady Morton.

Le dénuement de la mère et de la fille est extrême. Depuis le départ du prince, bien des exilés viennent demander des secours à leur reine, la menaçant de quitter son parti si elle ne leur en donne pas. Nul doute que le prince de Galles n'ait emporté pour son expédition l'argent dont disposaient encore les deux femmes et les bijoux qui leur restaient. Mme de Motteville, rendant visite à la reine d'Angleterre, en est frappée. La petite coupe d'or dans laquelle boit Henriette-Marie est désormais le seul objet de valeur en sa possession. Touchée de compassion, la visiteuse écrit dans ses *Mémoires* : « L'étoile était alors terrible contre les rois. »

Les rois, souligne-t-elle, car la cour de France souffre aussi. À Paris, si on néglige la reine exilée, si on oublie de lui payer sa pension, c'est qu'on a d'autres soucis. La situation financière du gouvernement est mauvaise, et les mouvements populaires grandissent, durant l'été 1648. À la fin du mois d'août, par suite de l'arrestation des parlementaires Blancmesnil et Broussel, des barricades se dressent. On parle de Fronde.

Anne d'Autriche, Mazarin et le jeune Louis XIV partent, le 13 septembre, pour Rueil, qui appartient au cardinal. « Sous prétexte de faire nettoyer le Palais-Royal », racontent de concert Mlle de Montpensier et Mme de Motteville. *La Gazette de France* prétend qu'ils vont « jouir quelque temps du délicieux séjour » de Rueil. Olivier d'Ormesson, plus objectif, emploie dans son *Journal* le mot « fuite ». Beaucoup de gens font comme eux et quittent la capitale. La reine d'Angleterre abandonne ses carmélites et regagne Saint-Germain. Pour peu de temps.

Car, à Rueil, le séjour n'est pas délicieux. Les réfugiés parisiens sont si entassés que, une dizaine de jours après leur arrivée, on expulse sans façon de Saint-Germain les exilés anglais pour prendre leur place. Mlle de Montpensier se veut rassurante. Leurs Majestés seront ainsi un peu plus éloignées de Paris où l'on continue à « fronder » de plus belle. Mme de Motteville insiste sur les « trois bras de rivière » qui séparent désormais la cour de la capitale. Et Mademoiselle conclut : « La reine d'Angleterre délogea et vint à Paris. » Ballottée une fois encore d'un lieu à un autre, la princesse a du moins retrouvé sa mère. Mais une mère triste et déprimée, comme beaucoup de femmes, entreprenantes et sûres d'elles, qui tout à coup s'effondrent quand le succès ne dépend plus d'elles et qu'elles assistent, impuissantes, à l'échec des leurs. C'est le cas en cet été 1648.

Venu depuis la Hollande jusqu'à la rade de Yarmouth, au sud-ouest de l'île de Wight, le prince de Galles s'est vu offrir par le gouverneur un rafraîchissement (!) et refuser l'entrée de la passe. Tandis que son frère York tente de lever des troupes en Hollande, il se retire aux Dunes avec trois navires de guerre après avoir envoyé quelques vaisseaux à l'embouchure de la Tamise. Le comte de Warwick, amiral des parlementaires, qui occupe ce point stratégique, se sent trop faible pour passer à l'attaque.

Alors le prince envoie aux maires et échevins de Londres un manifeste, dont *La Gazette de France* se fait l'écho fin août. Il a toujours eu très bonne opinion de la ville, dit-il. Si lui ou les siens ont arrêté quelques navires appartenant aux Londoniens, ils n'ont jamais touché à leurs marchandises. Il les leur rendra si on lui avance 20 000 livres. Et puisque les Écossais sont entrés en Angleterre pour libérer le roi, il espère que les gens de bonne volonté se joindront à lui et qu'on signera enfin un traité de paix avec son père.

Malheureusement, les Écossais sont écrasés par Cromwell non loin de Preston, et le prince, qui s'est approché de Warwick, est battu par lui à la mi-septembre. À Wight, entre septembre et décembre, le roi commet l'imprudence de multiplier les pourparlers avec des envoyés du Parlement. Un accord est même en vue. Mais l'armée s'oppose de plus en plus aux parlementaires, en majorité presbytériens. Ils ne peuvent plus compter sur elle. C'est elle, au contraire, qui, solidement tenue par Cromwell, prend le dessus.

Royaliste en théorie, Cromwell s'irrite du jeu de Charles Ier et se résout au coup de force. L'armée entre dans les faubourgs de Londres et occupe la ville. Le Parlement est expurgé de quelque cent cinquante de ses députés. Ce qui en reste est appelé par dérision « Parlement-croupion ». À Wight, à la mi-décembre, sur ordre du général Fairfax, le colonel Hamond est remplacé, puis emprisonné à Windsor. Les troupes investissent le château de Carisbrooke et enlèvent le roi. Sur ordre de Cromwell, son procès est décidé, une Haute Cour nommée. Le pire est à craindre.

Sitôt le procès engagé et la situation désespérée, le duc d'York se précipite en France. Le prince de Galles a mieux à faire. Après sa défaite maritime de septembre 1648, il a regagné la Hollande. À son arrivée à La Haye quelques mois plus tôt, il s'était consolé dans les bras de la belle Lucy Walter, originaire du pays de Galles. Il va la retrouver. En avril 1649, elle lui donne un fils, James, le futur duc de Monmouth. Le grand frère d'Henriette n'a pas encore dix-neuf ans.

7.

Mort du père

« La postérité aura peine à croire qu'une fille d'Angleterre et petite-fille d'Henri le Grand ait manqué d'un fagot pour se lever au mois de janvier dans le Louvre. » Pourtant c'est vrai. Le cardinal de Retz en témoigne. Il vient rendre visite à la reine d'Angleterre en ce début de 1649 et la trouve dans la chambre de sa fille, lui tenant compagnie. Il fait si froid que l'enfant, toujours fragile, a dû rester au lit pour garder un peu de chaleur dans le corps. Car il n'y a pas un morceau de bois dans le palais. Depuis six mois, la reine ne reçoit plus la pension octroyée par la France, et les marchands refusent de lui faire crédit.

Grand seigneur, Retz déclare que la petite fille « ne demeurera pas, le lendemain, au lit, faute d'un fagot ». Et il assure dans ses *Mémoires* faire tant et si bien que le Parlement décide d'accorder à l'exilée 40 000 livres (160 000 francs actuels). De quoi acheter de nombreuses bûches...

En fait, les mémorialistes du temps n'attribuent pas à Retz la paternité de ce secours, qui serait d'autre part de 20 000 et non de 40 000 livres. Surtout, en cette période de Fronde, de lutte du Parlement et de la royauté, quand cet arrêt du 13 janvier sera-t-il exécuté ? Un secours financier, d'ailleurs, n'adoucirait guère la situation dramatique de la petite fille et de sa mère. « Indigence, malheurs, besoins », Saint-Simon résumera leur sort à merveille.

La nuit du 5 au 6 janvier 1649, dans le plus grand
secret, la cour est repartie pour Saint-Germain. Olivier
d'Ormesson exprime l'étonnement immense que cette
fuite subite provoque et le désordre qui s'ensuit. Aussitôt c'est la ruée sur les marchandises. On pille les cha-
riots qui veulent sortir de la ville. D'Ormesson ordonne
chez lui de prévoir du pain pour huit jours. Le Parlement commande aux bourgeois de se mettre en armes
et de ne laisser échapper personne. Mme de Motteville
ne réussit pas à passer pour rejoindre Anne d'Autriche.
Quant à la reine d'Angleterre et à sa fille, on n'a pas
daigné les emmener ni même les prévenir du départ.

Depuis le 9, Paris est soumis au blocus par l'armée
royale. Mazarin espère, en affamant la ville, faire céder
les agitateurs. Dans la disette grandissante, les personnes attachées au roi mais qui n'ont pu le suivre à
Saint-Germain souffrent doublement, de la famine,
comme tout le monde, et des menaces de pillage. Mme
de Motteville raconte son désespoir de ne pouvoir sortir de Paris, sa peur des voleurs et comment, reconnue
pour une « mazarine », elle est poursuivie avec sa sœur
jusque dans l'église Saint-Roch. Elle demande alors à
la reine d'Angleterre, confinée au Louvre, de les héber-
ger toutes deux : le palais se défend mieux contre l'as-
saut des révoltés. Les exilés anglais s'y sont déjà
retranchés. Et s'ils y utilisent sans vergogne les
« meubles de la couronne », trouver de quoi manger est
pour eux, comme pour tous, l'unique souci.

Voilà la princesse et sa mère une fois de plus assié-
gées, à Paris, dans le Louvre, par le froid et la faim. Et
surtout coupées de toute communication.

La reine sait que son époux a été arrêté et conduit à
Londres. Depuis, plus rien. Elle a écrit par l'intermédiaire
de l'ambassadeur de France au Parlement pour avoir la
permission d'aller voir le roi, après son arrestation à
Wight. Elle ne saura jamais que ses lettres ne furent pas
même ouvertes. Depuis 1643 elle est considérée par les
parlementaires comme coupable de haute trahison.

C'est par miracle que le duc d'York parvient à forcer
le blocus de Paris, sans doute grâce à sa jeunesse et à son
agilité. Venant de Hollande, il ne peut guère apporter de

nouvelles à sa mère. La princesse découvre pour la première fois ce frère de quinze ans, mais les circonstances enlèvent toute joie à cette découverte. Que Jacques sache ou non que le procès de leur père se déroule en ce moment même, peu importe. Il connaît assez les échecs militaires essuyés par les siens et la gravité de la situation pour ne pas afficher un air joyeux.

La petite Henriette ne peut évidemment pas mesurer les raisons profondes des allées et venues incessantes de ses frères, de l'absence continue de son père, ni l'enjeu des événements auxquels elle assiste. On l'a vue blessée par le froid, comment ne serait-elle pas sensible à la faim et au climat de peur qui l'entoure, à cet enfermement inhabituel dans le palais glacial, aux airs soucieux de ceux qui y sont confinés avec elle, à la disparition de ses cousins, les enfants royaux, à la subite apparition d'un frère inconnu ?

L'inquiétude croît avec le temps. La reine veut envoyer un gentilhomme à Saint-Germain. Là-bas, à la cour, on aura eu des nouvelles d'Angleterre. Le blocus retarde le départ du messager, puis son retour au Louvre. Quand il revient, il porte avec lui la terrible nouvelle : le roi a été décapité le 9 février. On est le 19. On ne peut plus attendre pour informer la malheureuse. Lord Jermyn s'en charge. Pendant le repas de la reine, il prévient le père Gamaches de la mort de son époux et lui demande de rester près d'elle après avoir récité la prière des grâces à la fin du dîner. Une heure durant, on tente de divertir la reine, qui a appris par hasard que son messager était de retour et se plaint de son manque de ponctualité à lui rendre compte de son voyage.

Alors Jermyn suggère que ce gentilhomme, si exact d'ordinaire, n'aurait pas manqué de venir si les nouvelles avaient été favorables. « Quelles sont-elles ? réplique Henriette-Marie. Je vois bien que vous les savez. » Jermyn acquiesce et, après mille détours, se résigne. Il faut bien révéler l'horrible vérité.

Condamné par la Haute Cour, Charles Ier a été conduit le 9 février, à dix heures du matin, de Saint-James à Whitehall en passant par le parc. Arrivé dans la chambre qui est la sienne, il s'arrête. Il prie et refuse de dîner. Parvenu à l'échafaud couvert de noir, il s'adresse au public, qui attend calmement sur la place, devant le palais. Il proclame son innocence, affirme que ses ennemis sont « en mauvais chemin » et répète son souci constant de son peuple. Il termine en disant : « Ma cause est juste, et mon Dieu est bon. »

Il s'interrompt une fois pour recommander à un gentilhomme qui touche la hache toute prête sur le billot : « Ne gâtez pas la hache. » Comme s'il craignait qu'elle ne soit pas assez affûtée. Une seconde fois, son discours fini, il recommande à quelqu'un qui s'en approche : « Prenez garde à la hache, je vous en prie. » Puis il dit à un homme d'armes : « Ne me faites pas languir. »

On serre ses longs cheveux abondants et bouclés – il a quarante-neuf ans – sous un vilain bonnet. Il ôte manteau, pourpoint et décoration de l'ordre de la Jarretière, il demeure en chemise. Selon ce qui a été convenu, après avoir mis sa tête sur le billot, le roi doit faire une courte prière et donner au bourreau le signal, en étendant les bras. Ainsi est fait. D'un seul coup, la tête est tranchée, puis montrée au peuple, le corps mis dans un coffre recouvert de velours noir.

La reine ne s'attendait à rien de semblable. Elle demeure « sans paroles, sans action, sans mouvement, comme une statue », remarque Gamaches. Quant à la petite princesse, dans le monde clos du Louvre, elle est tout de suite au courant de l'atroce nouvelle. À l'époque, on tâche de se rassurer par des rites, des croyances, mais on n'escamote pas la mort. On ne la cache pas. Même aux enfants. Le fils d'Henri IV n'avait pas neuf ans quand il fut ramené brusquement de promenade au palais pour y apprendre l'assassinat de son père par Ravaillac.

La hache, le billot, le bourreau, des mots inconnus pour la fillette, mais qui font peur. Des mots associés à un père qu'elle ne connaît pas. Des mots qui figent sa mère dans un silence effrayant. Des mots qui provoquent la douleur dans l'entourage de la princesse. Les exilés souffrent dans leur affection pour leurs souverains malheureux. Ils sont aussi paniqués par l'incertitude de leur propre avenir.

On peut imaginer le bouleversement et le chagrin de la petite fille quand on sait l'émotion immense, le scandale et les innombrables pages, désolées ou vengeresses, que suscita longtemps cette décapitation. Depuis Anne d'Autriche se lamentant sur « le coup qui doit faire trembler tous les rois », jusqu'aux nombreuses comparaisons publiées en 1792 à propos des révolutions de France et d'Angleterre, sans oublier Saint-Simon qui, bien des années après, qualifie volontiers Charles Ier de malheureux ou insiste, chaque fois qu'il le mentionne, sur le fait qu'il eut la tête coupée. « Étrange catastrophe », comme dit aussi le duc, que celle que raconta Lord Jermyn ce 19 février.

À la nuit seulement, la duchesse de Vendôme, que la souveraine aime beaucoup, parvient, par sa tendresse et ses douces paroles, à l'arracher à son état de stupeur. Alors la reine n'a qu'une idée, s'isoler et finir ses jours dans un couvent. Toujours impétueuse, elle part avec quelques-unes de ses domestiques chez les carmélites du faubourg Saint-Jacques. Contrairement à ce qu'affirme une de ses biographes, la petite princesse, par son « babil », ne lui est d'aucun réconfort. Elle lui est même un « obstacle » dans son projet de retraite. C'est le mot du père Gamaches, ici témoin de premier plan.

Quel nouveau bouleversement pour l'enfant ! Elle vient d'apprendre la mort de son père, une mort affreuse, sous la hache du bourreau, et c'est pour voir, tout de suite après, la fuite désespérée de sa mère, qui l'abandonne sans se soucier d'elle, ni de son chagrin, ni de sa peur, la laissant une fois de plus à Lady Morton.

Bientôt le père Gamaches réussit à faire sortir la reine de son couvent et à la ramener au Louvre. Que l'on ne s'y trompe pas. Ce n'est pas pour s'occuper de sa fille qu'elle revient. Le capucin l'a persuadée que les affaires désastreuses de la maison royale réclamaient ses soins et son activité.

En ce printemps 1649, Henriette a presque cinq ans. Elle a connu déjà beaucoup de changements, de larmes, de déplacements, de peurs, de séparations. Maintenant le pire est arrivé. Son père est mort, il a eu la tête coupée. Rien ne peut être plus terrible. Désormais les jours vont passer, pleins d'incertitude encore, mêlées de joies, de chagrins, de découvertes, plus paisibles sinon plus heureux.

Après la fin du blocus de Paris et la paix de Rueil entre la cour et les frondeurs, voici enfin, revenu de Hollande, le prince Charles. On avait cru un moment que le jeune Gloucester, le seul fils du roi demeuré prisonnier en Angleterre, aurait pu succéder à son père. Mais les Communes furent péremptoires. On n'avait pas commis un régicide pour rendre le pouvoir à la royauté. Le prince de Galles, en fuite, n'avait, à plus forte raison, aucune chance d'être reconnu roi.

La France, toutefois, le reconnaît pour tel. Difficile à la régente Anne d'Autriche d'agir autrement envers son neveu. Dès la paix signée, la cour de France a quitté Saint-Germain pour Compiègne. C'est là qu'en juillet Charles rencontre Louis, qui vient au-devant de lui et donne en son honneur un dîner vraiment royal. Plus par le nombre restreint et la qualité des personnes qui y participent que par la magnificence. On est loin de la réception de Fontainebleau.

Le nouveau souverain rejoint ensuite sa mère et sa petite sœur à Saint-Germain-en-Laye. Quittant le Louvre inhospitalier, la reine exilée y est revenue dès que la cour en est partie. Quasiment personne, témoigne Mme de Motteville, ne va plus visiter la reine d'Angleterre ni le roi son fils. Leur suite est réduite. Il n'y a pas de quoi s'étonner de leur solitude. Ils n'ont plus de trésors ni de charges à distribuer. Ils n'ont plus que des « couronnes sans puissance ».

La mère espère toujours pour Charles le mariage avec Mlle de Montpensier et ses millions. La princesse ne s'en soucie pas. Elle a retrouvé le grand frère et le calme. C'est assez.

8.

Chaillot

La Fronde est loin d'être finie, les affaires d'Angleterre vont mal. Il faut pourtant vivre et s'occuper de l'éducation d'Henriette. Lady Morton veille toujours sur elle, c'est sûr. Mais ce qui compte pour la reine, c'est l'instruction religieuse de sa fille. Dès sa naissance à Exeter, son père lui a donné un chapelain anglican, Fuller, de grande capacité. Maintenant, sa mère la confie au capucin Cyprien de Gamaches. Ces choix reflètent les divergences religieuses profondes de ses parents.

Selon leur contrat de mariage, les enfants devaient être élevés par les soins de leur mère, c'est-à-dire dans la religion catholique, jusqu'à l'âge de treize ans. En pratique, étant donné les troubles violents causés par les luttes entre protestants et catholiques, la clause n'avait pu être respectée. Mais, affirme la reine, le roi lui avait promis qu'elle le serait pour leur plus jeune fille. De toute façon, après 1649, le roi n'est plus là pour la contredire.

Et puis, vivant dans la France catholique, auprès de sa tante Anne d'Autriche, si dévote, et de sa mère, que les Britanniques qualifient de papiste enragée, Henriette participe nécessairement aux cérémonies catholiques et s'imprègne de l'ambiance religieuse de son entourage.

Gamaches, d'ailleurs, ne s'embarrasse pas de nuances. Prosélyte acharné, il en vient même à se réjouir de la Révolution anglaise. Dans le calme du royaume, explique-t-il à la princesse, son père n'aurait pas voulu qu'elle fût élevée dans le catholicisme tant il aurait craint d'être accusé de papisme par ses ennemis. Les désordres de Grande-Bretagne ont apporté de réels bienfaits, la sainte mort de généreux martyrs, la conversion de plusieurs exilés et la venue en France de la petite princesse, désormais élevée dans la religion de sa mère.

Henriette suit les leçons du capucin dans la chapelle du Louvre, puis à Saint-Germain. Lady Morton, quoique toujours protestante convaincue, assiste à tous les cours, comme gouvernante de l'enfant. Et Gamaches insiste tant sur la valeur de la religion catholique, unique chemin pour faire son salut, qu'elle confie un jour avec humour à l'enfant : « Je crois que le père Cyprien fait autant le catéchisme pour moi que pour Votre Altesse. »

L'entêtement de Lady Morton dans ses croyances ne peut que déplaire à la reine. Mais elle lui doit trop, l'enfant lui est trop attachée pour qu'elle ait seulement l'idée de la renvoyer. De manière plus insidieuse, elle pousse Henriette à faire changer d'avis sa bien-aimée gouvernante : « Ma fille, que ne la convertissez-vous ? – Madame, répond la princesse, je fais en cela tout ce que je puis. – Et que faites-vous ? ajoute la reine. – Madame, réplique innocemment la petite fille, je l'embrasse, je la baise, je lui dis : "Madame Morton, convertissez-vous, soyez catholique. Il faut être catholique pour être sauvée. Le père Cyprien me l'a dit beaucoup de fois, vous l'avez entendu comme moi. Soyez donc catholique, et je vous aimerai bien." »

Mais ni la bouche innocente de la princesse ni la parole insistante du capucin n'ébranlent Lady Morton. Plus tard, au moment de mourir, voyant entrer dans sa chambre une amie intime qui se flatte d'être convertie, elle lui dira fermement : « Ne me parlez pas de religion, ne me poussez pas à être catholique, je ne veux pas l'être, je ne le serai jamais. » Rude échec pour Gamaches, qui avait cru un moment l'avoir persuadée.

De toute manière, un capucin, fût-il fanatique, ne pouvait suffire. C'est bientôt toute une congrégation de religieuses qui entoure la petite princesse.

Sa mère n'a pas abandonné son projet de se retirer de temps en temps du monde. Son séjour chez les carmélites de la rue Saint-Jacques, fondées pourtant par la reine Marie de Médicis, sa mère, ne l'a pas satisfaite. Pourquoi ne pas se tourner vers un ordre plus récent et en pleine expansion, celui des visitandines ? Pourquoi ne pas fonder à son usage un quatrième monastère, en plus des deux couvents de Paris et de celui de Saint-Denis ? Peu à peu le projet prend corps dans l'esprit de la reine entreprenante. Pour une fois, Henriette n'en est pas exclue. Elle en est même au centre.

Le fondateur de la Visitation, François de Sales, affiche dans ses écrits des idées neuves. Il ne tient pas la femme « en basse estime ». Et dans son *Introduction à la vie dévote*, il se propose d'enseigner la sainteté à celles qui vivent dans le monde. À Philotée, modèle de la femme qui aspire à la dévotion, il permet d'aller aux bals et à la cour, affirmant qu'on peut y faire son salut et y suivre la volonté de Dieu aussi bien qu'au fond d'un cloître ou dans la retraite. Ne serait-ce pas l'éducation idéale pour la princesse destinée à une vie de cour brillante, et peut-être aux emplois proches des trônes ?

Et puisque les visitandines reçoivent comme pensionnaires des jeunes filles de la bonne société, ce serait pour la mère le moyen de garder sa fille auprès d'elle tout en vivant au couvent. Plus question d'abandonner Henriette. La présence de l'enfant fragile devient de plus en plus indispensable à la reine solitaire, à la reine « malheureuse », comme elle se qualifie elle-même depuis la mort de son mari.

Une nouvelle mort, celle de sa fille Élisabeth, en septembre 1650, à quinze ans, renforce son besoin de la petite. Pour qu'ils ne risquent pas de s'évader de Saint-James comme leur frère Jacques d'York, l'adolescente et son frère Henry ont été assignés par les révolutionnaires à résider dans l'île de Wight, au château de Carisbrooke. Est-ce le mode de détention plus sévère, l'horreur du souvenir des derniers jours de son père dans ce château, le désespoir d'être séparée de sa mère et prisonnière depuis si longtemps qui touchent au

cœur Élisabeth ? Toujours est-il qu'une fièvre violente
la saisit. Elle meurt brutalement.

La mère n'en éprouve pas un chagrin immense. C'est
le troisième enfant qu'elle perd, elle a été séparée très
tôt d'Élisabeth, et surtout l'exécution de son époux l'a
rendue peu sensible à d'autres morts. Mais précisément, si cette femme énergique ne s'apitoie guère sur la
fille qu'elle perd, elle s'accroche avec d'autant plus
d'ardeur à celle qui demeure près d'elle.

Ses autres enfants sont loin. Voici un an que Charles
a quitté sa mère et sa petite sœur pour tenter de récupérer son royaume. Au moment même où meurt Élisabeth, Jacques d'York s'éloigne. Il a choisi le camp de la
Lorraine frondeuse contre la France. Mary perd son
jeune époux, le prince d'Orange, met au monde un fils
posthume, se débat dans ses propres difficultés. Henry
de Gloucester est toujours prisonnier. Henriette est là,
en France, avec sa mère, frêle mais vivante, destinée
peut-être à un beau mariage. Elle incarne sa tendresse
et son espoir.

L'isolement les rapproche. Les visitandines ne les
sépareront pas. En octobre 1650, la reine se rend au
couvent de la rue Saint-Antoine, avec Mme de Motteville dont la sœur y est depuis peu novice. Elle les avait
recueillies toutes deux au Louvre pendant le siège de
Paris. Elles lui sont devenues proches, leurs avis ont dû
peser sur son choix. Henriette-Marie veut aller vite.

Outre sa ferveur, la nécessité la presse. Elle en a assez
d'être retirée avec sa fille à Saint-Germain, loin de la
capitale. Qu'il ait été prudent pour Charles de s'y installer à son retour de 1649 et d'éviter l'agitation parisienne, soit. Mais l'avenir du jeune homme n'est pas en
France. Le Louvre, pratiquement inhabité depuis la
mort de Louis XIII, est peu confortable et sera rénové
dès que les finances françaises iront mieux. À long
terme, le jeune Louis l'occupera. Sa tante et sa cousine
n'y auront plus leur place. La fondation du monastère
est souhaitable de tout point de vue.

Au carême de 1651, la reine vient à nouveau rue
Saint-Antoine. Son projet est approuvé par Vincent de
Paul, dont dépend ce monastère, qui charge la mère

Lhuillier de la fondation nouvelle. On retient un hôtel agréable, tout bâti, situé sur la colline de Chaillot, celui du défunt maréchal Bassompierre. Il avait été édifié pour la reine Catherine de Médicis, qui l'appréciait et l'appelait son ermitage. Mise en vente forcée depuis la mort du maréchal, la maison est utilisée actuellement, dit la mémorialiste de la Visitation, « pour les plus affreuses débauches ». Elle ajoute que c'est « trop beau » pour des religieuses. Pas pour une reine et sa fille, qui s'installent dans des chambres séparées de celles de la communauté et jouissent d'une belle vue sur la capitale.

L'archevêché de Paris, hostile à la fondation de ce quatrième couvent de la Visitation, cède, à condition de ne pas donner d'argent. Les visitandines n'en ont pas, ni Anne d'Autriche en ce temps de Fronde, la reine d'Angleterre moins encore. Contrairement à ce qu'on affirme souvent, cette dernière ne se porte pas acquéreur de Chaillot. Elle n'en a pas les moyens. La mise aux enchères a lieu en mai 1651, et le château est adjugé au procureur Champy pour le compte des religieuses, qui s'endettent avec une grande audace et une confiance absolue dans la Providence et la bourse de leurs amis. Pour la cérémonie d'installation, le 21 juin, la reine d'Angleterre ne donne qu'un parement d'autel, en une riche étoffe relevée d'or, il est vrai, et plusieurs chandeliers de cristal garni de vermeil.

Mais sa présence et celle de sa fille sont en soi un appui, une caution morale pour toutes les jeunes Philothées qui, moyennant force dons au couvent, viendront se faire instruire auprès des habiles et saintes visitandines. Mme de Sévigné confiera de temps en temps sa précieuse fille Françoise aux monastères de la Visitation de Nantes ou de Saint-Jacques à Paris. À Chaillot, d'autres jeunes filles du grand monde suivront la princesse d'Angleterre.

S'ouvre alors pour Henriette une période de calme et d'austérité. Elle vit près de sa mère, mais sa mère vit près de Dieu. Qu'on en juge par ses occupations depuis le lever : « Office de la Vierge, litanies, chapelet, sept psaumes de la Pénitence, messe, lectures, prières, tapisseries pour l'autel. » Aux jours de fête, la reine mange au réfectoire et se fait un plaisir de voir sa fillette « se divertir à servir les religieuses » ! Et si la fête de la majorité de Louis XIV, célébrée à Paris, apporte quelque distraction, la nouvelle de la défaite écrasante de Charles par Cromwell à Worcester en septembre 1651 renforce le climat de tristesse et de sévérité à Chaillot. Les mauvaises langues avaient cru que l'installation d'une reine et de sa suite dérangerait la paix des visitandines. Qu'elles se rassurent. Avec une reine si malheureuse, qui ne trouve de compensation à ses malheurs que dans une dévotion accrue, le monastère va demeurer un asile de sainteté. Oui, mais bien sévère pour une petite fille.

Dans cette monotonie pieuse et désolée, le retour de Charles vaincu fait figure de bonheur. C'est la troisième fois qu'il arrive en France en fuyard. Les deux premières, il pouvait mettre sur le compte de son père les malheurs de son royaume. Maintenant l'échec vient de lui seul. L'entrain qu'il montrait lors de ses précédents séjours à Paris a disparu. Il demeure muet quand il entend parler du triomphe des parlementaires à Jersey, tandis que son frère York se réjouit puérilement : l'île a résisté deux jours... Il n'empêche. La reine d'Angleterre est heureuse d'avoir son fils aîné près d'elle, vaincu mais vivant, même s'il est souvent d'humeur sombre. En novembre, *la Muse historique* de Loret assure qu'elle l'accueille à bras ouverts.

Et que dire de la joie de sa petite sœur ? Malgré ses échecs, il est une bouffée d'air et de joie. Il a le goût de la vie et des plaisirs. On l'a accusé de traîner en France après la mort de son père au lieu de se précipiter au combat, et d'être resté à Saint-Germain trois mois au lieu des trois semaines prévues. Maintenant il oublie peu à peu ses défaites en participant sans vergogne aux fêtes de la cour. Jacques, revenu à de meilleurs sentiments envers la France, dévoué à Louis, « son vrai cousin germain », dit Loret, l'accompagne partout. Deux feuillets très abîmés d'une lettre de Charles, incomplète et autographe, donnent la liste et la clé d'une trentaine de personnages de comédie. York est Hylas, Mlle Strozzi la

Sultane, la princesse de L. Clélie, Mme de Guise
Corisca, Charles le Constant, M. le Prince le Résolu.
Beaucoup de noms dans la distribution sont illisibles.
Curieusement, « ma sœur la Mélancolie », parfaitement
lisible, est barré.

Ce devait être un rôle bien sage, un peu triste,
comme la petite fille. Mais sa mère n'a pas voulu
qu'Henriette participe aux fêtes auxquelles assistent ses
frères et dont elle entend parler. Sans doute la trouve-
t-elle trop jeune et entend-elle la garder sous sa coupe.
Dans ces conditions, comment la sévérité de la reine,
l'austérité de la vie au monastère ne pèseraient-elles
pas souvent à la fillette ?

Quand ses frères viennent leur rendre visite, elle voit
qu'aussitôt ils sont catéchisés. La reine, attentive à la
paix de Chaillot, assure à la supérieure ne recevoir ses
fils que pour les convertir. Elle a fait venir tout exprès,
dit la mémorialiste de la Visitation, « des gens doctes et
de réputation pour instruire ses enfants dans notre
sainte foi ». Quelles rencontres riantes ! Comment
s'étonner si, quelques années plus tard, dans une des
rares lettres en français que l'on conserve de lui,
Charles plaint sa sœur de passer son temps au monastère ? Si vous y avez séjourné par ce vilain temps, lui
écrit-il, « vous vous y êtes un peu beaucoup ennuyée ».

9.

Chaillot, encore

Un matin, de très bonne heure, le grand frère se transforme en sauveur. Il vient chercher en toute hâte sa mère et sa sœur pour les arracher à la guerre civile. Elle a repris sous l'impulsion des princes et agite les grands seigneurs, le peuple et Mazarin les uns contre les autres dans une grande violence et une pénible confusion. La reine d'Angleterre et Charles se sont entremis, de manière parfois maladroite, entre le jeune roi et Gaston d'Orléans ou les Lorraine, leurs parents. À part cela, on oublie un peu les troubles de cette nouvelle Fronde dans l'ambiance feutrée du monastère.

Elle gronde maintenant dans la capitale. Émeutes, barricades, combats de rue. Chaillot, dans son isolement, est impossible à défendre. Une lettre inédite de la reine témoigne de sa détresse : « Il faut que je m'en aille. Être menacée de la mort par la famine et par la canaille est un assez bon sujet de partir. L'armée du roi doit passer de ce côté-là et le peuple s'est si mutiné qu'il n'y a pas de sûreté. »

Charles arrive donc pour emmener, outre Henriette et sa mère, la petite dizaine des visitandines de Chaillot. Il conduit les premières au Louvre et les autres au Palais-Royal auprès de Mme de Motteville, car les combats de rue les empêchent d'atteindre le couvent de la rue Saint-Antoine. Dès le lendemain, 2 juillet, les religieuses retournent chez elles, juste pour leur fête de la Visitation, précise la mémorialiste du couvent. Les pauvres l'échappent belle. Le combat fait rage à Paris le même jour à la porte Saint-Antoine. Un peu plus tard, elles fuiront à nouveau Chaillot pour deux mois.

Le sort d'Henriette et de sa mère est encore plus précaire. Les voici pour la seconde fois recluses au Louvre. Les lettres inédites de la reine à la mère Lhuillier y font allusion. « La canaille vint hier jusque dans la cour du Louvre battre nos gens à cause qu'ils n'avaient pas de paille à leurs chapeaux [le signe de ralliement des frondeurs], et nous n'osions rien dire. » La reine d'Angleterre voudrait partir. Mais où ? Si elle va à Saint-Germain, « ce ne sera qu'en passant, car on dit que la cour y revient ». Toujours les contraintes imposées par la famille royale et l'impression de gêner. D'autant que Gaston ne supporte plus les exilés et que Mlle de Montpensier est très dure envers eux. Pis encore. Il faut tenir le projet de départ secret : « Les créanciers, écrit la reine, pourraient m'arrêter. »

La fillette subit le contrecoup de cette nouvelle épreuve – peur, faim, trouble – mais cette fois son grand frère est là. Il est venu avec sa garde personnelle tirer ces femmes sans défense du danger. Il conduira la fillette et sa mère en un lieu plus paisible. Elles avaient pensé se réfugier à Rouen. Anne d'Autriche leur donne finalement avis d'aller à Saint-Germain. L'épée au poing, en grand habit de deuil, Charles, aidé de ses gens, fait sortir du Louvre les carrosses des deux femmes, peu avant le 14 juillet 1652.

Les biographes se sont plu à évoquer cet épisode plein de panache et de risques, mais l'ont placé en 1649. C'est impossible. Cette année-là la mère et la fille, qui ont passé tout le siège de Paris au Louvre sans en sortir, partent pour Saint-Germain une fois signée la paix de Rueil, donc sans qu'il y ait danger ni besoin d'escorte militaire. Elles y sont peu après le 30 avril, quand la cour a quitté Saint-Germain pour Compiègne.

Pour l'année 1652, en revanche, le gazetier Loret est formel. Dans son numéro du 14 juillet, il évoque la sortie de la reine d'Angleterre et de ses enfants quelques jours avant, et cache sous un pudique « enfin » (« ils sont enfin sortis ») leur temps pénible de réclusion au Louvre. Il y a donc bien eu deux déplacements des exilées vers Saint-Germain, mais on a confondu leurs dates et la gravité de leurs circonstances.

Heureusement, trois mois après la dangereuse fuite, la Fronde est terminée. Le 21 octobre, le jeune Louis XIV retrouve sa capitale au milieu des acclamations et d'une joie populaire incroyable. Cette fois, avec sa mère et son frère, il s'installe au Louvre qui paraît, avec ses douves, plus facile à défendre. Et c'est le Palais-Royal que l'on destine à Henriette-Marie et à ses proches. En novembre, Anne d'Autriche vient rendre visite à sa belle-sœur dans un superbe carrosse aux vitres de verre – une nouveauté qui remplace les habituelles portières de cuir. On espère que la fin de la guerre civile va apporter aux exilés anglais, comme à la cour de France, une vie plus facile.

En 1651, Henriette a subi un grand chagrin quand Lady Morton est partie pour l'Angleterre. Peut-être pour s'occuper de ses intérêts financiers après la mort de son mari. Assurément, au moment où la reine exilée fonde Chaillot, pour ne plus vivre la plupart de son temps dans un couvent de visitandines et subir le prosélytisme acharné de sa souveraine. Quel déchirement pour l'enfant ! Lady Morton ne l'a pas quittée depuis sa naissance, elle l'a sauvée du péril révolutionnaire, elle a surveillé sa santé précaire, l'a soignée constamment, alors que tous l'abandonnaient. Et elle l'abandonne à son tour...

Il faut croire que ce déchirement est cruel pour la gouvernante puisque, moins de trois ans après son départ de France, sans maladie apparente, elle meurt brusquement. D'une grosse fièvre, dit-on alors. D'inadaptation à l'Angleterre de Cromwell, du manque de l'enfant princière si chérie, de chagrin, pourrait-on dire.

Quant à la princesse, sa jeunesse la sauve du désespoir. Et puis, la Fronde terminée, le calme revenu, la reine va s'occuper elle-même de l'éducation du seul enfant qui demeure auprès d'elle. Ce sera double profit. Une chance pour la mère, qui compense ainsi les divergences douloureuses qu'elle a avec ses autres enfants sur le plan religieux. Une chance pour la fillette, qui gagne plus de place et d'attention dans le cœur maternel et peut tirer beaucoup d'une mère intolérante souvent, mais intelligente et vive.

Il faut à Henriette une nouvelle gouvernante. Seules les archives de la Visitation la nomment « la comtesse de Quillefort », sans autre précision que « dame d'honneur ». Et sans qu'elle apparaisse ensuite auprès d'Henriette. En revanche, la mère de La Fayette entre dans la vie de la petite fille et va jouer un rôle important dans sa formation.

Née d'un La Fayette et d'une Bourbon-Busset, cette brunette est devenue, très jeune, dame d'honneur d'Anne d'Autriche. Le cardinal de Richelieu a pensé se servir d'elle. En la jetant dans les bras de Louis XIII, il espère le détourner de la favorite Hautefort, son ennemie.

Ce n'est pas si simple. Louise-Angélique a beau aimer le roi, elle est très pieuse, insensible aux promesses du cardinal et à toute tentative de corruption. Quant au roi, ses goûts le détournent des femmes. Il n'a eu que de l'« inclination » pour cette Mme d'Hautefort qui a précédé Louise-Angélique dans son cœur. Depuis vingt ans, il néglige la reine, superbe dans sa jeunesse et toujours désirable dans sa maturité.

Il se plaît cependant dans la compagnie de la jeune fille, qui le séduit par sa fraîcheur et son intelligence. Elle ne se contente pas de chanter d'une voix charmante et d'être jeune, elle a des idées. Mais ce ne sont pas celles de Richelieu, qu'elle accuse en particulier de vivre dans le faste alors que le peuple de France végète dans la misère. Du coup, le Cardinal ne cherche plus à détourner Louise-Angélique de la vocation religieuse qu'elle a manifestée. Puisqu'elle ne veut pas être pour lui un docile moyen de pression, qu'elle aille donc au couvent ! Il l'y pousse, par confesseur interposé.

C'est ce qu'elle finit par faire en mai 1637. Elle entre comme novice à la Visitation Saint-Antoine. Elle a vingt et un ans. Le Cardinal n'a pas prévu la force de l'attachement de Louis XIII pour elle. Dès qu'il le peut, pendant plusieurs mois, le roi rend visite à la jeune fille au couvent, derrière la grille.

C'est ainsi qu'elle se trouve, indirectement, à l'origine de la naissance du dauphin espéré depuis si longtemps. Parce que, le 5 décembre 1637, Louis XIII s'est attardé près d'elle au parloir, il est surpris par un violent orage et ne peut regagner Saint-Maur comme il le projetait. Il se résigne à suivre la suggestion de son capitaine des gardes, Guitaut, à se réfugier au Louvre et à y partager le lit de la reine, ravie. Neuf mois après, c'est la naissance du futur Louis XIV.

La comtesse de La Fayette, la romancière qui épousa le frère de Louise-Angélique, fait un récit plus dramatique de l'entrée au couvent de la jeune fille : « Elle était jeune et sans expérience. Elle s'imagina qu'on l'allait abandonner et se jeta » à la Visitation. « Le roi fit tous ses efforts pour l'en retirer. »

Quoi qu'il en soit de cette vocation, c'est une femme de trente-cinq ans, riche d'expériences humaines, qui se charge de l'éducation d'une Henriette d'un peu plus de sept ans. La mère de La Fayette a connu les pressions de Richelieu, mais aussi celles de son oncle, l'évêque de Limoges, qui souhaitait avoir dans sa famille une favorite du roi plutôt qu'une pieuse visitandine. Elle a connu la grandeur et les moqueries de la cour, les bizarreries affectives de son royal amoureux, les tentations – car elle aimait le roi – et la force de leur résister. Qui pouvait apporter à la princesse plus de finesse et d'ouverture d'esprit ? À la demande de la reine, elle la prépare à sa première communion. Elle lui apporte aussi un parfum d'intrigue.

Par certains côtés, l'éducation de l'enfant ressemble à un endoctrinement. On s'en doute. Mais un livre est un livre. En un siècle où beaucoup de femmes sont analphabètes, pouvoir s'appliquer à la lecture d'un ouvrage, même s'il est de piété, développe l'attention et la mémoire. Dans ce domaine, la princesse est une privilégiée, car depuis le premier volume écrit jadis pour elle à Exeter par le chapelain Fuller, elle en est entourée.

Et même si on tâche de la catéchiser, on s'adresse à elle comme à une âme, on tient compte d'elle comme d'une égale. C'est encore faire appel à son intelligence que de vouloir essayer sur elle des conseils qui vaudront ensuite pour d'autres. François de Sales l'a fait avec l'imaginaire Philotée. Le père Gamaches le fait avec la princesse d'Angleterre dans les *Exercices d'une âme royale*. Lui, un capucin, rejoint en cela les perspectives salésiennes et contribue à ce que la Visitation soit un foyer de préparation à la sainteté pour les femmes du monde.

Depuis la fondation de Chaillot, la mère de La Fayette est le bras droit de la mère Lhuillier, en attendant de devenir la supérieure du couvent. Grâce à son renom, grâce à la protection de la reine d'Angleterre, les pensionnaires de la bonne société y affluent. Ainsi la princesse Bénédicte, fille d'un prince palatin, qui deviendra duchesse de Brunswick. Ou un peu plus tard la princesse Louise, fille de la reine de Bohême et cousine germaine d'Henriette, bruyamment convertie au catholicisme. Ou les deux sœurs de Nemours, dont l'aînée, du même âge qu'Henriette, sera duchesse régnante de Savoie, et sa cadette de deux ans épouse du roi de Portugal. La mère de La Fayette peut se payer le luxe de leur conseiller le couvent de la rue Saint-Antoine, tant les dons sont nombreux à Chaillot.

Les échanges sont fréquents entre les couvents de la Visitation. Tout un groupe se forme, apte bientôt à la conversation. C'est le mode d'apprentissage idéal pour les filles de ce grand monde. Il faut manifester de la repartie, montrer quelques connaissances, séduire et savoir. De ce fond Henriette tirera parti toute sa vie d'adulte. L'autorité d'une personnalité comme la mère de La Fayette, la réunion de pensionnaires de qualité, la présence de la reine d'Angleterre et la bienveillance pour Chaillot d'Anne d'Autriche, qui y vient à plusieurs reprises, parfois avec ses deux fils, tout cela concourt à donner un climat particulier au couvent qui accueille Henriette. Loin de l'obscurantisme auquel on condamne ordinairement les filles à l'époque, il offre pour une élite une éducation recherchée.

Les prédications y sont de haute tenue. Ce qui n'est pas négligeable en un temps où elles sont un des moyens de l'éducation permanente des femmes. Ces dernières y sont les plus assidues par la force des choses, de la guerre et des affaires. Même si elles proviennent de milieux aisés, elles n'ont pas bénéficié comme les garçons d'un passage dans les collèges. Du coup, elles n'ont pas abandonné, comme la plupart d'entre eux, toute velléité de s'instruire au sortir de ces établissements. De la qualité des sermons, très fréquents, dépend pour une part leur formation. Si Mme de Sévigné surnomme « baragouines » les visitandines d'Aix-en-Provence, si elle se plaint des mauvais prédicateurs qu'y entendent sa fille et sa petite-fille Pauline, il n'en est pas de même à Chaillot. Abelly, écrivain de renom, vulgarisateur de François de Sales et futur évêque de Rodez, y veille.

Bref, la petite Henriette n'est pas jetée dans un couvent et laissée sans instruction comme l'ont été tant de ses contemporaines. Elle n'est pas non plus une Agnès à qui l'on veut enseigner seulement à « aimer Dieu, coudre et filer ». Ni une princesse de sang royal solidement installée dans son royaume, à qui le rang, pense-t-on, tient lieu de savoir et qui n'a pas besoin d'apprendre pour se faire une place dans la société.

Par suite des malheurs de sa maison, la princesse, note finement la comtesse de La Fayette, est élevée « en personne privée », non en souveraine. Elle garde en son cœur « les grandeurs de sa naissance royale », mais elle reçoit les lumières, la civilité et l'humanité des « conditions ordinaires », ordinaires bien sûr pour une comtesse. C'est-à-dire des gens aisés. Hors des périodes de pénitence, avent, carême ou grandes fêtes religieuses, la reine réside souvent au Palais-Royal, et la princesse la suit. On lui enseigne alors la danse, indispensable à l'époque pour des filles de son rang, le chant et la musique. Elle joue de la guitare. Son frère Charles lui annoncera bientôt l'envoi de quelques partitions pour cet instrument. Et du clavecin. Sa tante Christine de Savoie lui en offre un. Son habileté y sera célèbre.

C'est le temps des semailles. La princesse croît dans l'ombre de sa mère. On ne sait encore ce qu'elle sera. Elle est chauffée maintenant quand il fait froid. Elle mange à sa faim. Elle ne court plus les routes. Ses seuls déplacements la mènent paisiblement de Chaillot au

Palais-Royal, ou de Chaillot à Colombes où sa mère a acheté une maison de campagne. Et si celle-ci, au dire des visitandines, use ses vêtements jusqu'à la corde, elle s'applique à garder l'enfant près d'elle et à la faire instruire. Henriette n'est plus abandonnée à la seule et dévouée Lady Morton. Des femmes intelligentes l'entourent. Elle a connu l'école du malheur, elle connaît l'école rassurante de la religion.

10.

Premier bal, premier ballet

Il lui faut se mettre à l'école de la cour. La première fois que *La Gazette de France* cite Henriette, c'est de manière furtive. Mazarin reçoit dans son palais le roi, sa mère et la reine d'Angleterre pour un festin royal en août 1653. Le gazetier les nomme, puis ajoute à ces invités prestigieux les plus jeunes participants, « Monsieur, frère unique du roi, le duc de Gloucester, la princesse sa sœur ». Il ne donne pas son nom, il la situe seulement par rapport à son frère.

Pis encore. Le gazetier Loret, dans son récit du même festin, l'affuble d'un nom qui n'est pas le sien. Après le roi, les deux reines et Monsieur, il cite « la jeune princesse de Galles », titre qui, depuis Edward Iᵉʳ, ne peut être donné qu'à l'épouse de l'héritier du royaume de Grande-Bretagne. Ce que la princesse d'Angleterre n'est pas. Mais on ne saurait s'y tromper. Son frère Gloucester est nommé dans le vers suivant. Il y a, d'après Loret comme selon *La Gazette*, trois personnes princières à ce festin, deux garçons de treize ans et une fillette, Henriette.

Peu importe l'imprécision de l'un et l'erreur de l'autre. Ce qui compte, c'est que la princesse sort, à neuf ans, de l'anonymat des « principaux de la cour ». Sa place est désormais marquée, précisément, lors de toute cérémonie royale. Elle passe devant les grandes dames, celles dont on parle, Vendôme, Mercœur ou Chevreuse, Palatine, Chaulnes et Sénecé. À son rang,

parmi les premiers, on la régale de nourritures déli-
cieuses, puis d'un mélodieux concert, d'une comédie
divertissante, enfin d'une collation splendide de confitures exquises. Quel enchantement pour la couventine !

La fête finie, elle rentre avec sa mère, toujours enfon-
cée dans sa religion, et dont on sait qu'elle ne sort
guère que pour visiter des couvents. Cendrillon
reprend à Chaillot ou au Palais-Royal ses leçons de
catéchisme, de danse et de musique.

Mais le pli est pris. Six mois après, le prince de Conti
se marie. Le frère du Grand Condé, frondeur acharné
passé maintenant aux Espagnols, se range. Jadis lui-
même frondeur, aujourd'hui symbole de l'oubli des
hostilités entre Mazarin et les princes, il épouse une des
nièces du cardinal, Anne-Marie Martinozzi. C'est
grande fête à la cour. Et Henriette y est conviée.

En l'honneur des nouveaux époux, Louis donne le
bal au Louvre dans sa propre chambre. Loret est là,
dans un petit coin. Et que voit-il ? Le roi, d'abord,
puis vingt robes de velours, le frère du roi, cinq ou six
belles duchesses, et « trois beaux seins découverts,
Mortemart, Beuvron et Cominges ». Il remarque aussi
deux jeunes personnes, « chères et tendres
mignonnes » de quinze et treize ans, la brune Villeroy,
future comtesse d'Armagnac, la plus belle femme de
France jusqu'à sa mort, dira Saint-Simon, et la
seconde fille des Mortemart, Françoise-Athénaïs,
future marquise de Montespan.

Enfin il découvre « une autre gracieuse Aurore », inattendue. « Plus que ces deux jeunettes encore », elle
triomphe par l'éclat de son teint et l'agrément de sa
danse. Cette fois, même si ses vers sont très maladroits,
il ne se trompe pas : « Et cette Aurore, si je n'erre/Était
sœur du roi d'Angleterre. » On est en février 1654.
Henriette n'a pas dix ans. C'est son premier bal, l'année même où meurt, bien loin d'elle, sa gouvernante,
Lady Morton.

La princesse est louée pour ses « pas », dit Loret, preuve
de l'excellence d'une éducation en un temps où règne le
maître à danser, et où la danse est un art essentiel, à
l'égal de la conversation. Allemandes langoureuses,

passe-pieds plus vifs, menuets délicats, sarabandes mélancoliques, tout n'est sans doute pas parfait dans les gestes de la petite fille. Elle progressera encore. Du moins manifeste-t-elle un goût pour la musique qu'elle partage avec son frère Charles, et de réelles qualités de souplesse et de grâce.

Mme de Sévigné, capable de s'émouvoir aux larmes en évoquant la grâce de sa fille au bal, associera plus tard la perfection de sa bien-aimée à celle de la princesse. Quel meilleur compliment ? Elle évoquera les menuets où les deux jeunes filles arrivaient « si heureusement », c'est-à-dire selon la cadence voulue, et où « les autres créatures n'arrivaient que le lendemain ». Plus tard aussi, Mme de La Fayette n'appliquera-t-elle pas à sa princesse de Clèves, au bal, les qualités inoubliables d'Henriette, son amie ?

Pour l'heure, Anne d'Autriche n'est pas sans remarquer le charme de sa nièce. Ce faisant, elle sait plaire à sa belle-sœur, pour qui l'éducation et l'avenir de la fillette comptent beaucoup. Autrefois, à son arrivée à la cour de France, Anne avait trouvé en Henriette-Marie, la plus jeune sœur de Louis XIII, un élément de gaieté et de complicité dont elle avait besoin pour compenser l'accueil glacé de sa belle-mère, l'austérité et les bizarreries de son royal époux. Puis la bonté d'Anne au moment des malheurs de la reine d'Angleterre et la reconnaissance de l'exilée avaient renforcé leurs liens.

Maintenant la douceur et la fragilité soumise de la petite princesse ont de quoi attendrir la pieuse régente de France. Et ses origines illustres de quoi combler son orgueil d'Espagnole. Comment enfin la mère attentive de deux adolescents royaux ne serait-elle pas intéressée par son charme naissant ? Si bien que la reine souhaite voir la fillette participer le plus souvent possible aux fêtes de cour.

De nouvelles occasions ne vont pas tarder. Le roi a quinze ans. Il est beau, il le sait. Pour gouverner la France, il se repose sur Mazarin et peut se livrer à la danse, son activité favorite avec la chasse. Des Valois et de son père il a hérité le goût des ballets, qui ne sont pas de simples bals, mais de véritables spectacles, à l'origine souvent comiques, avec mise en scène, décors, masques. Ils font fureur dans toutes les classes de la société, et les jésuites doivent même les accepter dans leurs collèges. Sans éléments féminins, évidemment.

De plus en plus élaborés, ils sont destinés à manifester l'élégance des participants et, quand il s'agit de ballets de cour, la santé et la beauté du souverain. La longueur, le nombre des livrets s'accroissent. Ils passent peu à peu de la simple description d'un personnage à une signification plus symbolique.

Sitôt la Fronde apaisée, dès mars 1653, le roi danse dans le *Ballet de la Nuit*, dont le thème n'est pas innocent. La France sort du chaos comme le jour de la nuit. Le livret de Benserade, un poète de quarante ans, roux et à la mode, est divisé en quatre parties, depuis six heures du soir jusqu'à la naissance du jour. Les danseurs se succèdent. Buckingham, le fils du duc autrefois amoureux d'Anne d'Autriche, est le feu («Dégelez-vous à ce grand feu, les belles »). Le duc d'York est un amoureux transi, Baptiste, bientôt Lully, un berger, le séduisant Guiche un ardent, et le frère du roi l'étoile du point du jour. Benserade, en effet, n'évoque les actions nocturnes, repos, vols, amours ou feux, que pour aboutir à ce miracle : le soleil levant.

C'est Louis. Il vient de danser cinq rôles déjà, dont celui d'un « curieux » qui affirme, en situation : « Voir mon Peuple en Paix, et que la Guerre meure,/ Et l'Animosité,/ Ce n'est rien qu'à cela que je borne pour l'heure/Ma curiosité. » Le voici pour finir, dans l'habit célèbre du soleil, chevelure et vêtement dans les tons dorés, la tête empanachée de plumes et couronnée de rayons, portant sur le torse, aux genoux, aux poignets et aux chevilles des soleils miniatures. Jambe gauche en avant, mains et bras écartés, prêt à s'élancer pour une figure, il proclame : « Je commence déjà de me faire admirer », « Car enfin tout me voit, j'éclaire toute chose », et « Je ne suis point à moi, je suis à l'Univers ».

Ainsi, dans le ballet, la politique s'allie au plaisir. À la perfection sous le règne du jeune roi. Et vu la fréquence de ces fêtes, Henriette n'a que six mois à attendre de son premier bal à son premier ballet.

Par chance pour elle, c'est une représentation exceptionnelle, *Les Noces de Pélée et de Thétis*. Charme de la musique, splendeur et abondance des décors. Rocher élevé, grotte fabuleuse, mer que l'on voit s'agiter, descentes du ciel sur des nuages, métamorphoses multiples. Machines plus hardies les unes que les autres, réglées par le célèbre Torelli. Costumes superbes. Oui, il y a tout cela. Mais surtout, pour la première fois, ces *Noces* sont comédie et ballet ensemble.

Le texte italien de l'abbé Buti, accompagné de la musique du Romain Caproli, est coupé et entremêlé des dix « entrées » du ballet. Ces entrées, chantées en français et dansées, reprennent à leur manière, souvent librement, l'histoire que l'on vient d'interpréter. Elles sont censées permettre au public de mieux comprendre la comédie. Du moins le distraient-elles. Et ce compromis entre opéra italien et ballet de cour est un gage de progrès par rapport à l'*Orfeo* introduit par Mazarin sept ans plus tôt, et qui avait pu paraître obscur, trop italien et trop cher.

Nouvelle chance pour Henriette. C'est sa première apparition dans un ballet et son rôle est primordial. Au cours de cette représentation tout à fait originale, préparée avec soin, donnée devant la cour, le 14 avril 1654 au Petit-Bourbon, c'est-à-dire dans un théâtre, quel personnage paraît tout de suite après l'Apollon tenu par Louis XIV ? La princesse d'Angleterre. Elle est près de lui, sur le rocher du Parnasse, avec ses sœurs les Muses.

Les femmes sont rares dans les ballets où d'ordinaire les hommes figurent, travestis, aussi bien sorcières qu'Égyptiennes, Bacchantes ou Furies. Nouveauté remarquable, les neuf Muses, cette fois, sont des jeunes femmes de qualité. Par exemple, Mlle de Villeroy, la compagne d'Henriette à son premier bal, est Clio, la princesse de Conti, jeune mariée de l'an passé, Uranie, la duchesse de Saint-Simon, première femme du père du mémorialiste, Calliope. Avec la princesse s'introduit dans le ballet un groupe de féminines beautés.

Elle-même représente Érato, muse de la poésie et de l'amour. Les douze vers qui lui sont destinés n'offrent pas une quelconque description lyrique. Ils reflètent avec précision sa jeune personnalité. D'un rang royal d'abord, au-dessus de ses compagnes (« Ma race est du plus pur sang des Dieux »), elle inspire avec le respect la véritable *tendresse*. Le mot est en italique dans le texte de Benserade. Il est important, car cette enfant, au destin jusqu'ici douloureux, on a envie de la protéger. Petite encore, elle est le symbole du malheur des « grandes personnes ». C'est à elle que l'on pense quand on veut parler de « la chute des couronnes ».

Le terme est dur et le rappel indirect de la décapitation de son père Charles Iᵉʳ inattendu dans un ensemble de vers galants. Mais il traduit la réalité du statut de la princesse à ce moment et reflète l'impression générale qu'elle produit sur Anne d'Autriche et sa cour. Royale, bien qu'accablée par le sort, elle suscite la tendresse. Et son frère Charles, alors à Paris et nommé juste après la régente de France dans la liste des personnalités présentes, ne doit pas être le dernier à partager cette impression

Les chroniqueurs ne s'y sont pas trompés. La comédie-ballet de ce mois d'avril est un événement. *La Gazette* ne tarit pas d'éloges sur sa nouveauté et sa pompe, la richesse des décorations, la beauté des machines, la douceur des concerts. Loret y consacre la totalité d'une de ses lettres en vers hebdomadaires.

Plus indépendant que le gazetier officiel, il laisse éclater son plaisir, sa satisfaction à compter « par ses propres doigts/Des habits deux cent trente-trois ». Malgré la salle comble, pour une fois il ne se plaint pas de la place qui lui est échue. Il en redemande même et puisque, selon le bon plaisir du roi, la comédie-ballet va être jouée plusieurs fois, il voudrait y retourner pour voir – on s'y attend – Apollon et ses Muses, « Uranie avec son teint blanc/ Érato de très royal sang ».

Compliments obligés, dira-t-on. Pas forcément. Dans ce genre de remarques codées, tout compte, le dit et le non-dit. L'important est que Loret a retenu l'idée clé de Benserade, la qualité princière d'Henriette. Ni l'un ni l'autre n'ont parlé de sa beauté particulière, bouche incarnate ou yeux ravageurs. Elle est là parce qu'elle est

de sang royal, une fillette parmi les « grandes personnes », une princesse attendrissante.

C'est l'impression qu'elle donne quand on considère
le dessin conservé au Nationalmuseum de Stockholm.
Elle n'y est encore qu'une petite fille, dix ou onze ans.
Elle est accoudée à une table, les cheveux assez ébou-
riffés, la poitrine encore plate, portant une robe-cha-
suble très sage qui laisse apparaître une chemise aux
poignets retroussés. Sa bouche ne sourit pas, ses yeux,
grands et vifs, aux paupières fendues en amande, non
plus. Elle regarde au loin, de côté, et on dirait qu'elle
contemple la misère du monde.

Cendrillon avant le bal ? C'est ce que l'on pense
d'abord. Aucun ornement ni dans la chevelure ni dans
la toilette, une impression d'attente, de crainte, de gravité et de tristesse. Et puis on s'attarde et l'on s'aperçoit que bals et ballet ont laissé des traces. Des boucles
d'oreilles et surtout un superbe collier de grosses perles
surprennent sur cette tenue si modeste. Cendrillon est
allée au bal. Elle attend d'y retourner. La preuve, elle a
gardé ses bijoux.

11.

La petite fille et le sacre

Et c'est le sacre du roi. Fête extraordinaire, tradition-nellement célébrée à Reims, manifestation spectacu-laire de la royauté, rite indispensable de l'onction du souverain avec l'huile de la Sainte Ampoule, que l'on disait apportée du ciel par une colombe à la prière de saint Rémi. Dans la France apaisée de l'après-Fronde, rien n'est trop magnifique pour couronner un roi de quinze ans.

La mémorialiste de la Visitation note que la reine d'Angleterre a assisté avec la princesse sa fille « à cette auguste cérémonie ». Les religieuses en sont fières. Elles sont loin d'imaginer l'éclat de la fête et le rang qu'y tiennent la mère et la fille.

Toute la cour part de Paris le 30 mai 1654 pour arri-ver à Reims la veille de la Fête-Dieu. Le 6 juin, on dit les premières vêpres. La ville est parée, les murs cou-verts de tapisseries, les fenêtres ornées de fleurs et de guirlandes. Puis les gardes prennent possession de la cathédrale Notre-Dame. On la prépare.

Le grand autel est couvert de velours violet rehaussé d'or, de même que la chaire archiépiscopale et la chaire du roi. Au jubé, le trône que prendra le roi après le sacre est élevé de quatre pieds sur une plate-forme de huit sur cinq. On y accède par deux grands escaliers de chacun cinquante marches dressés aux deux côtés des portes du chœur et garnis de toile d'or semée de fleurs de lys.

Les places des assistants sont marquées avec une précision infinie. *La Gazette* ne se lasse pas de détailler les signes de cette hiérarchie triomphante : « Derrière la chaire de Sa Majesté, environ cinq pieds de distance », un siège pour le représentant du connétable, un autre pour le chancelier. « Trois pieds derrière, un banc de huit pieds » pour les représentants du grand maître et du grand chambellan. Du côté gauche les places du nonce du pape, des ambassadeurs de Portugal, de Venise et de Malte, « du résidant de Pologne à la tête de tous les autres résidants invités ». À leur droite, un banc pour les cardinaux Mazarin et Grimaldi. À leur gauche, le banc pour les ducs, avec en premier Monsieur, « frère unique du roi », représentant le duché de Bourgogne, rattaché depuis Louis XI au domaine royal, cependant que d'autres ducs représentent les anciennes pairies laïques. Tous ces sièges et bancs sont couverts de velours violet et semé de fleurs de lys d'or.

Mieux placée encore que ces dignitaires, la petite fille, qui n'a pas tout à fait dix ans, va découvrir avec sa mère et ses frères York et Gloucester la fastueuse cérémonie, assise à droite de la reine régente de France, dans la même tribune qu'elle – *La Gazette* insiste –, une tribune élevée de douze pieds, vis-à-vis de la chaire du roi. En ce jour où l'on célèbre le sacre du descendant de tant de rois de France, Henriette, petite-fille d'Henri IV, est digne des meilleures places. Anne d'Autriche encore une fois est sensible à la grandeur de la race.

Le dimanche 7 juin, date du sacre, à cinq heures du matin, Henriette, sa mère, ses frères, les princesses Palatine et Conti accompagnent Anne d'Autriche et sa suite dans la cathédrale pour y accueillir les ornements de la royauté, gants, anneau, sceptre, main de justice. Ils ont été transférés de Saint-Denis en l'abbaye Saint-Rémi et portés de là par quatre religieux conduits par Saint-Amour, maître d'hôtel du roi, et par l'exempt des gardes.

Un peu plus tard, de sa place, la princesse voit entrer dans l'église son cousin, « vêtu d'une camisole rouge garnie d'or, ouverte au dos et sur les manches, avec une robe de toile d'argent, un chapeau de velours noir garni d'un cordon de diamants, d'une plume noire et de deux aigrettes, l'une noire et l'autre de diamants ». Il est précédé de six hérauts en velours blanc, des suisses, et de ses gardes du corps.

Il est le premier, mais il n'est pas seul. Son frère, Philippe, l'accompagne, « lestement couvert », dit *La Gazette*, « d'une veste d'or et d'argent avec un manteau violet doublé d'hermine et le chapeau de velours noir, environné d'une couronne ducale toute de diamants ». Qu'on imagine l'impression que peut faire sur la petite fille la vue de ses deux cousins superbement parés, extraordinairement honorés et qui, du haut de leurs jeunes années, dominent le royaume.

Louis pourtant prend le pas sur son frère. Deux heures après, la Sainte-Ampoule est apportée de Saint-Rémi avec tambours et trompettes par le prieur en habits pontificaux, monté sur un cheval blanc, sous un dais de toile d'argent, soutenu de quatre religieux en chapes et couronnes de fleurs. On conduit le roi devant l'autel, jusqu'à un grand coussin de velours violet semé de fleurs de lys.

Le grand chambellan Vivonne, en manteau doublé d'hermine, chapeau de velours noir et couronne ducale, lui ôte la robe et le laisse en camisole de satin. L'évêque de Soissons, accompagné de douze chanoines, récite sur lui les antiennes. Le jeune homme prononce les deux serments, à l'Église et au peuple. Après le baiser à l'Évangile, la cérémonie se poursuit selon la tradition, onctions du Saint-Chrême et de l'huile de la Sainte Ampoule, bénédiction puis remise solennelle à Louis des attributs de la royauté. Enfin, sceptre en main, couronne de Charlemagne sur la tête, le roi est conduit à son trône par l'évêque de Soissons. Celui-ci le baise, et à sa suite tous les pairs du royaume.

Alors, partout, les cris de « Vive le roi ! » s'élèvent, et des tirs de canons. Cinquante douzaines d'oiseaux sont lâchés. Dans la nef, des hérauts jettent des pièces d'or et d'argent. Jusqu'à la communion, Louis reste sur son trône. Quand il quitte la cathédrale, on lui met une couronne plus légère.

La fête n'est pas finie. Grâce à Rhodes et Saintot, respectivement grand maître et maître des cérémonies,

elle continue dans un ordre parfait, au palais archiépis-
copal où le souverain va prendre son repas, sur une
table surélevée de quatre pieds, pour que tous puissent
l'admirer.

Le lendemain Louis se rend avec son frère en caval-
cade à l'église Saint-Rémi. Il est en habit de toile d'argent à l'antique avec cape et toque de velours noir.
L'après-midi, il reçoit l'ordre du Saint-Esprit et remet
ensuite solennellement la décoration à Philippe.

Le 9 juin, après avoir entendu deux messes, il sacrifie
à la traditionnelle cérémonie des écrouelles. Depuis le
XIᵉ siècle, on croyait que le roi, une fois sacré, détenait
le pouvoir quasi miraculeux de guérir les malades
atteints de ces scrofules tuberculeuses. Les rois d'Angleterre, selon la tradition, jouissaient du même pouvoir. Les souverains l'exercent pendant l'année, lors des
fêtes solennelles, et bien entendu sitôt après leur sacre.
Le roi doit toucher le patient, de sa main droite
ouverte, au visage, du front au menton et d'une joue à
l'autre, avec un signe de croix et en prononçant les
paroles : « Le roi te touche, Dieu te guérit ! »

Louis se prête avec grâce à cette éprouvante mission.
Trois mille malades sont rassemblés sur une grande
place, en position couchée. Cent suisses marchent
devant le roi tambour battant, trente archers, quatre
ducs, son frère enfin. On remarque que le capitaine des
gardes, le marquis de Charost, se baisse en même
temps que Sa Majesté et soutient les mains des malheureux pour qu'ils les gardent bien jointes. Le cardinal Grimaldi les suit, en distribuant des pièces
d'argent. Louis fait son office promptement. Il ne s'arrête pour se reposer qu'une seule fois. Il est jeune !

Nul doute que l'ensemble de ces manifestations, en
particulier celle du sacre dans la cathédrale, ne laissent
dans l'esprit d'Henriette des impressions profondes et
contrastées. Couleurs, musiques, agitation de la foule
et des chevaux, solennité des gestes et du rituel,
pompe de l'Église catholique, force de la royauté, tout
risque d'émouvoir, de bouleverser même d'admiration
et d'envie cette fille de roi décapité, cette exilée, qui
commence, grâce à la bonté de la reine de France, à

retrouver une place privilégiée, et ne peut s'empêcher, au fond de son cœur, de souhaiter la garder.

Ce ne sera pas facile. Son seul appui, c'est Anne d'Autriche. Le grand frère, son protecteur naturel, va quitter la France en juillet. La vie de Charles, désormais et durant six ans, ne sera qu'errances, d'Allemagne aux Pays-Bas et en Espagne, faux espoirs d'un sursaut de ses partisans anglais, coups manqués, besoins cruels d'argent, de conseils avisés et de troupes dévouées.

« Doux et civil dans la bonne plus que dans la mauvaise fortune », comme le remarque Bussy-Rabutin, il est condamné, par la toute-puissance de Cromwell, à une oisiveté qui ne lui profite guère. Sa paresse et sa volupté naturelles, notées par le mémorialiste La Fare, prennent le pas sur sa fermeté ordinaire et ses qualités d'esprit. Il n'est pas homme à rebondir devant les difficultés. Mme de Motteville, d'emblée, l'avait jugé capable, comme beaucoup de jeunes gens, de passer de la vertu la plus rigide au relâchement le plus complet.

C'est ce qu'un exil prolongé et une attente sans issue provoquent bientôt en lui. Il surmonte avec facilité les malheurs et les humiliations qui lui paraissaient d'abord insupportables, tant son besoin de vivre, et de vivre dans les plaisirs, est grand. Il aime les dames, naturellement, comme l'écrit la bonne Motteville. Maintenant il ne compte plus ses conquêtes féminines. Cela n'enlève rien à son affection pour sa petite sœur. Disons que dans l'incapacité de la manifester concrètement, en lui rendant un statut réel de princesse d'Angleterre, il met cette affection en veilleuse.

À Paris, le roi cousin n'est pas prêt à prendre le relais de ce frère sans pouvoir. C'est le moins qu'on puisse dire. Un soir de 1655, la reine de France convie chez elle sa belle-sœur et sa nièce à venir voir le roi danser. Les invitées sont peu nombreuses et choisies, duchesses, filles ou femmes d'officiers du palais. Anne d'Autriche, pour souligner le caractère intime du bal, reçoit en cornette et robe de chambre. Toujours engouée de la fillette, elle souhaite seulement, dit Mme de Motteville, faire « admirer le roi et divertir la princesse d'Angleterre, qui commence à sortir de l'enfance et à montrer qu'elle va devenir aimable ».

Les musiciens attaquent le branle, la figure par où tous les bals commencent. Les nièces de Mazarin sont parmi les rares élues de la soirée. Louis se précipite vers l'une d'elles pour l'inviter, non pas Marie qui, pour le moment, le laisse indifférent, mais Laure, plus âgée, mariée depuis quatre ans au duc de Mercœur. La reine, surprise de son manquement à l'étiquette, se lève brusquement, repousse la duchesse et commande tout bas à son fils d'aller inviter la princesse d'Angleterre. Elle est de sang royal.

La reine d'Angleterre s'aperçoit de la manœuvre, mais ne veut pas d'incident. Elle dit, tout bas aussi, à sa belle-sœur de ne pas forcer Louis, car sa fille a mal au pied et ne peut danser. Anne d'Autriche réplique que, si la princesse ne danse pas, le roi ne dansera pas non plus. Pour ne pas faire d'incidents, la belle-sœur cède, et Louis invite sa cousine.

Trop tard. Même s'ils cachent leur déconvenue, ils sont tous mécontents. Le roi furieux de n'avoir pu agir à sa guise et d'avoir été pris en défaut de courtoisie, les deux mères, qui souhaitaient une soirée harmonieuse, déçues de ce désaccord, Henriette doublement humiliée, pour avoir été négligée par son cousin, puis invitée par lui à contrecœur.

Après le bal, devant leurs seuls intimes, la reine gronde son fils. Il lui répond qu'il n'a pas invité la princesse parce qu'« il n'aime pas les petites filles ». À seize ans, il en paraît vingt, et cette cousine de onze ans, encore chétive, ne l'attire guère. C'est la beauté de Laure, une jeune femme épanouie, qui l'a séduit. Même Marie Mancini, qui va devenir dans peu de mois sa passion dévorante, il l'a dédaignée ce soir-là. Trop jeune !

Finalement la reine regrette son geste et ses remarques. Louis est un fils tendre et respectueux. Quand elle lui voit faire une petite faute, elle réagit en mère. Cette fois, avoue-t-elle en public le lendemain, elle a peut-être été trop loin. C'est qu'aussi son fils devait avoir plus d'égards envers une princesse d'Angleterre. Elle s'est laissé emporter.

Beaucoup de bruit pour rien, pensera-t-on. Mais la réponse du roi à sa mère s'est vite répandue à la cour. Quelle vexation pour l'adolescente en herbe ! À son âge, le rang n'est pas tout. À quoi bon les honneurs, si l'on n'a pas les plaisirs ? Comme son frère, elle en est assoiffée. Maintenant qu'elle a goûté à la fête, qu'elle a dansé, qu'elle s'est amusée, elle a envie de continuer. Comment y réussir si l'on ne possède pas les attraits qui séduisent les jeunes gens ?

Il lui faut grandir. La petite fille, plus honorée parfois que les grandes personnes, regrette de n'en être pas une.

12.

« Oh, ma mère... »

Qu'Henriette soit élevée dans la religion catholique mécontente son frère aîné. Mais, comme le fait remarquer Hyde, le futur comte de Clarendon, ce roi sans trône n'a pas d'endroit ni d'argent pour recueillir sa petite sœur. Elle doit donc rester avec sa mère. Or, de l'avis de son entourage, « la passion et la résolution » de la reine sur le catholicisme sont si fortes qu'il n'y a rien à faire pour l'instant. Dans deux ou trois ans, la princesse sera capable de juger par elle-même. En attendant, elle reçoit un nouveau livre d'*Instructions chrétiennes*, spécialement commandé pour elle au père Gamaches.

La mère et la fille dépendent pour leur subsistance d'Anne d'Autriche, tout aussi dévote que sa belle-sœur. La duchesse de Savoie, Christine, sœur aînée de la souveraine anglaise, se range aux côtés des deux reines pour prôner l'éducation catholique de sa nièce. Devant cette coalition féminine, que peut faire Charles ?

Tout s'était aggravé avec l'arrivée de Henry de Gloucester. L'adolescent, toujours enfermé à Wight, a été brusquement libéré par Cromwell. Avec 3 000 livres pour son voyage, affirme Loret. Magnanimité de celui qui prend en cette année 1653 le titre de Protecteur ? Habileté plutôt. Il se sent assez fort pour n'avoir rien à redouter du jeune duc. Et il n'a pas envie de lui créer une auréole de martyr en le gardant prisonnier au lieu même où mourut récemment sa sœur Élisabeth.

Arrivé à Paris en mai, l'adolescent veut copier le mode de vie de ses frères aînés, en particulier suivre, comme eux, les offices anglicans. Cela n'est pas du goût de leur mère. Poussée par son nouveau confesseur, l'abbé de Pontoise, Walter Montagu, un des plus célèbres protestants convertis, elle essaie, comme elle l'a fait pour Henriette, d'orienter son jeune fils vers le catholicisme. Après tout, elle est dans son bon droit puisqu'il n'a pas encore quatorze ans. Et on la voit mener Henry tantôt à une représentation théâtrale chez les jésuites, tantôt à la prise d'habit de la sœur de Mme de Motteville à la Visitation Saint-Antoine.

Charles ne l'entend pas ainsi. Pendant plusieurs mois, les tensions à ce sujet vont croître avec sa mère, au point que c'est une véritable guerre de religion qui éclate entre la reine exilée et ses grands enfants. Une guerre dommageable pour la petite princesse. Une guerre étouffée la plupart du temps, parce que la France qui les accueille est catholique. Il est déjà bien beau qu'on tolère que les jeunes princes aient la possibilité de pratiquer leur religion. Après le renvoi, par l'abbé de Pontoise, de l'ancien évêque de Durham qui officiait au Louvre quand Henriette-Marie y habitait, ils assistent aux services de Sir Richard Browne, toujours ambassadeur du roi d'Angleterre, en théorie. Puisque le paraître à la cour est tout-puissant, du moins qu'ils ne fassent pas de remous.

Un accord conclu par Mazarin avec la Grande-Bretagne brusque les choses en obligeant Charles à sortir de France, où il réside depuis près de trois ans. Cromwell ne tolère pas que sa nouvelle alliée héberge le prétendant aux trônes d'Angleterre, d'Écosse et d'Irlande. Le jeune homme se résout à quitter Paris en juillet 1654. Mais il n'abandonne pas la partie avec sa mère. Au contraire. Il craint beaucoup que l'emprise maternelle et catholique ne se renforce sur son frère Henry dès qu'il aura le dos tourné. C'est pourquoi de Cologne, où il s'est réfugié, il prend le temps, au milieu de ses propres tribulations, d'écrire, le 10 novembre, à Henry une lettre très ferme sur son éventuelle conversion.

Qu'il ne se laisse convaincre ni par l'abbé Montagu ni par la reine. Sinon il peut s'attendre à ne revoir jamais ni l'Angleterre ni son frère. Qu'il ne se laisse pas impressionner non plus par la force ni par les promesses. Ils (quel mépris dans ce « ils » !) n'oseront pas employer la première et ne se soucieront pas de tenir les secondes. Qu'il refuse aussi d'aller au collège chez les jésuites et ne se prête à aucune discussion. Enfin, qu'il se rappelle les dernières paroles de leur père et s'y conforme sous peine de n'entendre jamais plus parler de lui, son frère. Le ton, les répétitions marquent la fureur et la passion de Charles.

Pour sa petite sœur, il a laissé les choses aller. Il ne pouvait faire autrement. Et puis elle est si fragile, si jeune encore. Mais Henry est d'âge à se défendre. Il reste, depuis la disparition d'Élisabeth, le seul enfant du roi à avoir entendu ses recommandations, la veille de sa mort sur l'échafaud devant Whitehall : demeurer ferme dans sa religion. Ce testament spirituel l'a marqué. Charles le sait. C'est pourquoi il s'en sert pour faire pression sur l'adolescent.

Aussi, quand la reine essaie d'apitoyer Henry, quand elle lui promet même un chapeau de cardinal s'il se convertit au catholicisme, elle le trouve inébranlable. À son tour, Montagu essaie de le faire changer d'avis. Sans succès. L'abbé de Pontoise menace : la reine ne voudra plus le revoir. C'est la rupture. Gloucester décide de partir de la cour de France et de rejoindre Charles. Avant de quitter sa mère pourtant, il vient demander à genoux sa bénédiction. On est dimanche matin. La reine se prépare à partir entendre la messe à Chaillot. Elle se détourne de son fils avec colère et, sans un regard, monte dans son carrosse.

Le jeune homme, très affecté, va à l'office de Sir Richard Browne avec son frère Jacques. En rentrant au Palais-Royal, il trouve sa chambre dévastée, ses domestiques disparus. Plus un seul de ses chevaux dans les écuries. Deux ou trois gentilshommes l'aident à organiser son départ. Puis, comptant que sa mère restera à Chaillot pour les vêpres, il va chez sa petite sœur, qu'il aime tendrement, lui dire au revoir.

Henriette, ébranlée déjà par l'atmosphère pénible qui règne dans la famille, chagrine de l'absence de Charles, bouleversée par le brusque départ de son jeune frère, fond en larmes. Elle ne comprend pas tout ce qui se passe, mais elle sait que les disputes sont incessantes depuis quelque temps entre la reine et Henry. Et elle se met à crier son désespoir à travers ses larmes : « Oh, ma mère, oh, mon frère, que deviendrai-je ? C'en est fait de moi. »

Peu importe que tous les mots de la fillette, tous les détails de la scène soient ou non exactement rapportés. Le conflit familial secoue vivement le Palais-Royal. Les témoins en parlent, écrivent ce qu'ils ont vu ou retenu. Leurs récits peuvent être imparfaits. Le sûr, c'est l'ambiance de drame qui détruit la paix familiale à cause de cette question religieuse, et ses conséquences néfastes pour l'équilibre nerveux d'Henriette.

Refusant de voir ces tensions, le père Gamaches a transformé dans ses *Mémoires* en un épisode idyllique cette réunion temporaire et agitée de la fillette et de ses trois frères autour de la reine exilée. Tous nantis de pensions convenables par la cour de France, logés royalement par elle, heureux de se retrouver loin des barbares d'Angleterre, il les montre s'assemblant autour de la même table pour les repas tandis que lui, le père Cyprien, bénit pieusement leur nourriture.

Les documents contredisent cette ambiance paisible. Ils sont pleins de violence. Dans un texte, manuscrit, Charles s'adresse à sa sœur Mary, la princesse d'Orange. Ce n'est pas une lettre en forme. Plutôt un brouillon avec des ratures et des redites, des traits tremblés, deux parties, si l'on veut, terminées chacune par un paraphe. Le ton en est heurté, triste et autoritaire à la fois. L'ensemble marque son trouble.

Il a tellement chapitré Henry, écrit-il, que redire encore son avis le bouleverserait. Mais il ne veut pas que Mary croie qu'il a tout sacrifié à son autorité et à sa sévérité. Il a parlé pour le bien des siens. Il n'a pas manqué à sa tendresse pour elle et prie Dieu que le scandale de cette malheureuse affaire s'apaise. Il subordonnera tout à l'intérêt de son frère et ne veut pas que sa sœur imagine qu'il a fait fi de leur honneur. Que tout cela demeure entre eux. Il reprend alors une partie de son texte. Puis se désole de voir que Mary a changé d'avis sur la fermeté à montrer. Leur cohésion lui est indispensable.

Le même recueil manuscrit contient un texte de Henry, où, après quelques prières banales pour le matin ou le soir, l'adolescent supplie Dieu, de manière touchante, de lui faire connaître la Vérité. Il lui demande ensuite grâce pour sa famille affligée, implorant en détail, pour chacun, mère, frères et sœurs, le bonheur en ce monde ou dans l'autre. Signes de sa piété mais aussi des chagrins qui l'assaillent.

La réponse de Mary à Charles n'est pas connue. Mais ses lettres à son frère, l'année suivante, conservées dans le même recueil, évoquent ses réactions à ces luttes familiales. Même si le papier est souvent abîmé, l'encre effacée, les mots parfois impossibles à lire. Malgré la fermeté inébranlable sur la religion dont elle fait preuve envers sa mère, Mary éprouve beaucoup de tendresse pour elle et se plaint avec douceur de ne l'avoir pas revue depuis son enfance. Elle manifeste envers Charles une grande soumission. Une de ses lettres commence par un touchant : « Vous voyez bien que vous avez été exactement obéie. » Elle souhaiterait pourtant de la part de son frère moins de raideur.

Les jeunes gens ont réagi avec vivacité, chacun selon son caractère, à ce qu'ils nomment pudiquement « l'affaire ». Le prosélytisme de la reine, les convictions de son fils aîné, de Henry et de Mary empoisonnent les relations familiales durant ces années difficiles. Eux qui ont déjà tant souffert de la guerre civile souffrent tous, à leur manière, de cette secrète guerre religieuse.

Charles en veut à sa mère de ne pas comprendre les risques qu'elle lui fait courir. Les tentatives pour convertir Gloucester au catholicisme auraient, en cas de succès, compromis à jamais son retour sur le trône de Grande-Bretagne. Même s'il est obligé, pour se concilier la faveur de l'Espagne, de la rassurer, et de tranquilliser le pape sur ses dispositions bienveillantes envers les catholiques. Jacques est celui qui s'accommode le mieux du climat religieux de la France. Apparemment, il se soumet aux volontés d'une mère autoritaire et malheureuse. Cela ne va pas durer... Mary est mise en porte à faux entre frères et mère, tiraillée par son amour filial, ses convictions et son désir de ne pas augmenter encore ses malheurs privés.

Que dire d'Henriette ? Les dissensions religieuses ne peuvent qu'angoisser ce témoin impuissant mais sensible, cette petite princesse d'une dizaine d'années, victime à nouveau de séparations insoutenables, de larmes, de disputes et de luttes incompréhensibles.

Comment réagit-elle à tant de malheurs ? Quelles traces ont laissées en elle les dangers et les errances de ses premières années ? Son corps surmontera-t-il sa fragilité première et les privations de la Fronde ? Et quelles cicatrices vont entraîner les disputes maternelles avec ses frères ? Comment supportera-t-elle l'absence de ceux-ci ? S'enfoncera-t-elle dans la mélancolie contagieuse de sa mère, « la reine malheureuse » ? Se réfugiera-t-elle dans la piété ? Cherchera-t-elle au contraire à oublier les temps de chagrins et d'austérités de sa petite enfance ? Et courra-t-elle vers toujours plus de fêtes, toujours plus de plaisirs ?

Tout est ouvert.

Parvenu à la communion de la princesse, le récit de la Visitation anticipe. La mémorialiste écrit longtemps après les faits, et les résultats de l'éducation de la princesse sur le plan religieux l'ont tellement déçue qu'elle laisse échapper une phrase amère : si Henriette avait retenu les leçons de la mère de La Fayette, elle aurait donné « plus de marques de piété dans les premières années de son mariage ».

Mais la princesse avait-elle envie de retenir ces leçons ? Meurtrie par les luttes religieuses à l'intérieur de sa propre famille, pouvait-elle même les retenir ? Ne fallait-il pas que viennent encore d'autres disparitions, d'autres dissensions pour qu'Henriette ait le désir d'écouter, après le brouhaha étourdissant des fêtes et des folies, la voix de la piété, mais aussi la promesse de la paix, la voix de Bossuet ?

13.

Une visite

Elle ne l'a encore jamais vue. À presque onze ans, Henriette découvre enfin sa sœur, de treize ans son aînée, Mary, princesse d'Orange. Avec sa mère et beaucoup de noblesse anglaise et hollandaise, elle va l'accueillir au Bourget le 3 février 1656. Toute la cour les rejoint à La Villette, puis accompagne la princesse au Palais-Royal, où, souligne *La Gazette*, elle veut loger avec la reine sa mère.

Au début de la guerre civile, par raison d'État, la princesse, fille aînée de Charles Ier, a été mariée, encore enfant, au prince Guillaume II pour fournir à l'Angleterre l'appui des Pays-Bas. Les Provinces-Unies, républiques fédérées, sont gouvernées par une assemblée d'États-Généraux. Dans chaque province, le stathouder assure le pouvoir exécutif, mais plusieurs provinces peuvent avoir le même stathouder, à qui elles confèrent de ce fait grande autorité sur le pays.

Depuis Charles Quint, il en est ainsi pour les princes de Nassau-Orange, qui ont eu tendance à s'octroyer de plus en plus de pouvoir. Le beau-père de Mary, Frédéric-Henri, stathouder général, a exercé un pouvoir quasi monarchique sur l'État et tenu à La Haye une cour brillante. En prenant sa succession, à vingt et un ans, son fils entendait bien continuer.

Sa mort prématurée à vingt-cinq ans, des fatigues de la chasse, dit-on, coupe court au conflit naissant qui l'opposait aux États-Généraux sur l'opportunité de la paix conclue avec l'Espagne. Huit jours après, Mary met un fils au monde, le futur Guillaume III. Mais la disparition du prince ouvre une ère de lutte pour le pouvoir, en rendant espoir aux riches cités marchandes attachées à leur vieille Constitution fédérale. Les Provinces refusent à l'enfant les mêmes dignités qu'à son père et à son grand-père.

Trois ans plus tard, Cromwell, en signant la paix avec les Pays-Bas, exige de la province de Hollande l'exclusion perpétuelle de la maison d'Orange au stathoudérat. Geste de haine envers la monarchie, les Stuarts et les leurs ? Sans doute. Pour Mary, c'est une période d'accablantes épreuves.

La princesse est une jeune femme brillante, mais fragile, encline à se trouver tous les maux, reconnaissant elle-même qu'elle s'imagine tuberculeuse pour quelques pertes blanches. Elle est très attachée à sa malheureuse famille et souhaite ardemment rencontrer à Paris sa mère, qu'elle n'a pas vue depuis treize ans.

Dans les querelles qui opposent la reine d'Angleterre à ses grands enfants, Mary a pris parti contre l'éducation catholique de Henry, en faisant front avec Charles. Par conviction, et aussi parce qu'il lui est cher et qu'elle n'a guère d'autres moyens de le lui montrer. Depuis la mort de son mari, elle est dans l'incapacité de l'aider à retrouver son trône. Quelques secours en argent, quelques rencontres affectueuses, à Spa ou Cologne, sont peu de chose. Au contraire, dans les difficultés qu'elle rencontre pour les affaires de son fils, c'est en Charles qu'elle met son espoir.

Sa mère la presse tendrement de venir en France. Elle voudrait y aller, se réconcilier avec elle, supprimer, écrit-elle à Charles, de La Haye en novembre 1655, « les effets des mauvais offices qu'on lui a rendus auprès de la reine et ôter aux méchants le pouvoir de [la] rendre si malheureuse ».

Or Charles est violemment opposé à ce voyage tant désiré. Son exil dure, sa situation et ses finances sont mauvaises, ses projets incertains. Sans argent, sans armée, sans appui, il ne cesse d'hésiter et de craindre. Et si les Espagnols, en qui parfois il espère, allaient prendre en mal le voyage de Mary chez les Français, leurs ennemis du moment ?

Mary rassure et supplie son frère. Ses lettres, manuscrites, de novembre 1655 à janvier 1656, sont tendres et véhémentes. Elles parlera à l'ambassadeur d'Espagne, elle aura toute la prudence imaginable. S'il le fallait, pour le bien de son frère, elle resterait sa vie entière enfermée dans une chambre. Mais ce voyage lui tient à cœur, et il serait barbare de le refuser à leur mère.

Finalement, Charles cède. Mary lui a demandé la permission d'emmener avec elle le docteur Frazer. Toujours sa santé fragile. Il y consent, et même il envoie à sa sœur de l'eau pétillante, « la meilleure [bien sûr] qu'elle ait jamais bue » ! Et la voilà qui part en plein hiver pour Paris.

Elle l'affirmait à son frère. Ce n'est pas la France ni sa capitale qu'elle veut voir, mais sa mère. Pourtant Paris et la cour de France l'accueillent en véritable reine et lui préparent des fêtes somptueuses.

Il est plus facile en effet d'offrir des bals que des couronnes. Le rusé Mazarin vient de conclure avec Cromwell, en novembre 1655, ce qu'il appelle lui-même son chef-d'œuvre diplomatique. Dans sa lutte contre l'Espagne, l'alliance avec l'Angleterre lui importe beaucoup. Mais ce premier traité, en reconnaissant le gouvernement légal du régicide, se fait au détriment des Stuarts. Alors, le cardinal peut bien les dédommager de quelques festivités. Du moment que, pour la France, le solide est assuré, pourquoi priver la fille d'un roi décapité de réjouissances futiles ?

Elles sont d'ailleurs à ce moment nombreuses à la cour. Le jeune roi, laissant la charge de l'État à Mazarin, passe son temps à se divertir avec son frère, et le duc d'York, encore en France. On chasse et on danse. Non seulement des ballets organisés, répétés à loisir, mais des bals improvisés, en petit comité, après souper. Mary est heureuse de s'intégrer à ces fêtes : ses vingt-quatre ans, sa douceur et sa grâce y font merveille.

Henriette y participe dans le sillage de sa sœur aînée. Elle n'a pas dansé en 1655 le *Ballet des Plaisirs*, il n'y avait que des hommes. Elle ne danse pas non plus le

Ballet de Psyché ou la puissance de l'amour, en janvier 1656. On l'a laissée à ses études et à sa pieuse mère, qui n'apprécie pas qu'il y ait pour la petite fille tant de mondanités et de divertissements. En revanche, lorsqu'il y a une « royale assemblée », spécialement à l'occasion de la visite de sa sœur, la jeune princesse y est conviée et légitimement mise à l'honneur.

Dès l'arrivée de Mary et en sa présence, le 6 février, le roi donne le bal au Louvre dans la salle de ses gardes et en fait l'ouverture avec Henriette. *La Gazette* précise que Monsieur mène la duchesse de Créquy et York Mme de Mercœur, la belle Laure, cause de l'humiliation de la petite à la soirée chez la reine. Quelle revanche !

Quant à Loret, le traité d'alliance avec l'Angleterre ne lui a inspiré qu'une prosaïque constatation : « On a renchéri le hareng. » Mais pour le bal du 6, il déploie tout son lyrisme : « La jeune infante d'Angleterre/Qui semblait un ange sur terre,/ Que menait le roi très chrétien,/ Dansa si parfaitement bien,/ Que de toute la compagnie/ Elle fut mille fois bénie./ On admira ce couple aimé,/ Et chacun paraissait charmé,/ (Mais moi bien plus que personne)/ Tant du roi que de la mignonne. »

Il en est de même le 26 février. Le chancelier Séguier donne chez lui un souper fastueux accompagné de musique à « six personnes royales ». À table, dans l'ordre, la reine, le roi, tout contre Sa Majesté la princesse royale d'Orange, puis Henriette, « le petit Ange, à qui l'on voit tant de douceur », son frère York, et Monsieur, qui s'est, par courtoisie, mis au bout. À une table séparée se trouvent la duchesse de Mercœur et des filles de la reine. Les dames sont parées avec le plus grand soin. Leurs pierreries, nombreuses et éclatantes, renvoient autant de lumière vers les multiples lustres, portant chacun trois cents bougies, que ceux-ci leur en donnent… Après cinq services de viandes, de délicats entremets, des fruits rares et des confitures à profusion, le roi ouvre le bal avec sa jeune cousine. Sa mère ne l'a pas accompagnée. Anne d'Autriche et Mary suffisent comme chaperons.

Et les fêtes continuent. Le 28 février, pour Mardi gras, souper et bal chez la reine. Louis mène Mary et

Monsieur Henriette. Ensuite on est en carême. On ne soupe pas, on ne danse pas, mais le roi, désireux de rappeler l'ancienne chevalerie, organise des courses de bague. Sur une grande cour sablée, les gentilshommes poussent leurs chevaux à toute allure et avec une lance doivent emporter un anneau suspendu au milieu d'une potence. Il y en a une le 16 mars, une autre le 22, suivie d'un carrousel où les cavaliers partagés en quadrilles tournoient. La plus belle course, enfin, a lieu le 1er avril, dans le jardin du Palais-Royal, juste devant l'appartement de la reine d'Angleterre. Voici Henriette au premier rang sur le balcon de cet appartement avec les deux reines, sa mère et sa tante, Mary, l'inévitable Mercœur et sa sœur Mancini. Toutes sont avides de ces spectacles. La petite n'en a jamais vu de semblable.

Les jeunes seigneurs, répartis en trois groupes, s'habillent dans un petit bâtiment du jardin, le Palais-Brion. Ils se présentent à cheval aux dames avant de s'élancer pour la course. Des trompettes, des douzaines de pages les accompagnent. Les habits, les rubans, les ornements des chevaux sont colorés, incarnat, bleu ou vert, selon le groupe. Chaque chef de groupe porte un écu orné de sa devise. Celui du roi, orné du soleil, proclame fièrement : « Ne piu, ne pari » (« Ni un plus grand ni un semblable »). Comme le suggère Mme de Motteville, on se croirait dans un roman. Entre-temps, les 2 mars et 3 avril, la reine d'Angleterre et ses filles ont assisté à une prise d'habit et à la fête de François de Paule.

De tout cela le bruit vient à Mlle de Montpensier, exilée pour son attitude pendant la Fronde. Curieuse et vaniteuse, elle est contente que la reine d'Angleterre, sa tante, veuille lui amener sa fille dont tout le monde parle. Elle vient de Saint-Fargeau à Chilly pour les recevoir. La cour de la reine est fort grosse, note l'exilée. Henriette est là aussi. Mais Mademoiselle l'ignore. Aucune importance. Témoin muet mais averti déjà des déclarations hypocrites, des sous-entendus, des piques et des fausses politesses, la petite progresse à l'école de la cour. Merveilleuse occasion pour elle d'observer l'attitude des trois femmes.

Mlle de Montpensier est obnubilée par les bijoux de
Mary, « des pendants d'oreilles les plus beaux du
monde, de belles perles, des fermoirs de bracelets de
gros diamants, des bagues de même ». Car la jeune
veuve a mis du noir par souci de l'étiquette et par courtoisie pour sa cousine, mais s'est couverte de pierreries.
Sa mère remarque l'étonnement de Mademoiselle et en
profite pour rappeler les principes d'économie qu'Henriette connaît bien : « Ma fille n'est pas comme moi, elle
est magnifique, elle aime la dépense. Je lui dis tous les
jours qu'il faut être ménagère. »

La petite le sait. Sans argent, son frère ne remontera
jamais sur le trône d'Angleterre. Donc rien d'étonnant
si sa mère entretient à nouveau la riche cousine de
mariage avec Charles. Elle insiste sur l'amour qu'il lui
porte, le souvenir qu'il garde d'elle. « Ce pauvre misérable ne saurait avoir de bonheur sans vous. » Puis, pensant à ses propres querelles avec son fils, elle ajoute
maladroitement : « Si vous l'aviez épousé, vous auriez
contribué à le faire bien vivre avec moi. » Là, Mademoiselle se rebiffe : « Puisqu'il ne vit pas bien avec Votre
Majesté, peut-on croire qu'il vécût bien avec une
autre ? » Après cela, la reine tente de rendre Mademoiselle jalouse de Mme de Châtillon, que Charles aime,
c'est connu. Peine perdue. La cousine s'en moque.

Importance des mariages, des dots et des pouvoirs en
place, ruses, vanité, jalousie, Henriette commence à
savoir tout cela. Elle devine même que l'essentiel n'est
pas dit. L'essentiel que redoute la jalouse Montpensier,
persuadée depuis son enfance qu'elle épouserait son
cousin Louis. L'essentiel qui a poussé, plus que la tendresse peut-être, sa mère à faire venir Mary en France.
L'essentiel qui arrangerait les affaires des Stuarts et de
la princesse d'Orange. L'essentiel : se pourrait-il que le
roi épouse sa cousine Mary ?

Les premiers, les espions de Cromwell aux Pays-Bas
y ont pensé quand ils ont vu la jeune femme partir en
France au cœur de l'hiver. « Je ne sais à quoi rime ce
voyage, écrit l'un d'eux, à moins que l'on espère voir le
roi tomber amoureux d'elle. » Mlle de Montpensier en
a été informée. Tout le monde dit, rapporte-t-elle dans

ses *Mémoires*, qu'elle vient « pour donner dans la vue du roi ». Lord Jermyn a informé Charles de la belle réception faite à sa sœur, des protestations d'amitié du cardinal (l'hypocrite !) et de son souci pour les intérêts du jeune fils de la princesse. Même les visitandines de Chaillot, du fond de leur couvent, ont entendu parler des grands honneurs que toute la France lui fait.

Pourtant ni elles ni la petite princesse ne peuvent espérer que Louis épouse Mary d'Orange. Même si elles ne savent pas, ou pas encore, l'amour du jeune roi pour Marie Mancini, elles connaissent les dissensions qui ont opposé mère et fille dans le paisible couvent et les déclarations péremptoires de la jolie Mary.

Sa mère a fait tout ce qu'elle a pu pour la convertir au catholicisme. Elle s'y est opposée. Elle n'a même pas voulu souffrir qu'on organisât en sa présence des controverses. Elle n'a pas dessein, quoi qu'il puisse arriver, de changer de religion et veut s'en tenir aux instructions de ses ministres. La reine d'Angleterre a fait venir à Chaillot un des plus fameux prédicateurs, mais la princesse d'Orange s'est obstinée dans sa résolution. À tel point, se désole la mémorialiste de la Visitation, que tout ce qu'elle put accorder à sa mère, ce fut d'entendre une partie de son sermon.

Dans ces conditions, à supposer qu'il ait envie de cette séduisante veuve, sa cousine germaine, le roi de la France catholique ne peut épouser Mary. Fermant les yeux à la lumière, selon l'expression de la visitandine, elle retourne en Hollande voir son fils, malade de la rougeole, à la fin de 1656.

La reine exilée n'a pas réussi la conversion ni le mariage de la princesse d'Orange. Ce qu'elle ne sait pas, la marieuse acharnée, c'est qu'il se prépare autour d'elle une union durable, une mésalliance qui va la chagriner et qui aura des effets inattendus. Son fils Jacques d'York est tombé amoureux d'une suivante de Mary, Ann Hyde. Une de leurs filles, Marie, épousera le fils de Mary d'Orange, Guillaume. Tous deux, bien plus tard, régneront sur l'Angleterre.

14.

Les « vagabonds »

Que de larmes pour la mère et la fille, quand Mary quitte Paris ! La fête est finie. Autour d'Henriette, le monde, un moment élargi, se rétrécit à nouveau. Comme le centre immobile et sans joie de sa malheureuse famille, la petite reste auprès de sa mère. Une mère déçue finalement par la visite de sa fille, désespérée par la situation sans issue de ses fils et malade de toutes ces contrariétés.

Depuis l'exécution de Charles Ier, elles ne lui ont pas manqué. Une lettre non signée, écrite de Paris en novembre 1652, et conservée dans les papiers de Charles II, donne des détails intéressants sur l'état du parti royaliste à ce moment, et sur ses difficultés.

On y apprend les noms des quatre lords fidèles, les premiers à avoir débarqué en France après la défaite de Worcester pour suivre leur jeune maître : Wilmott, Inchiquin, Jermyn et Gerard. D'autres se sont cachés après la défaite et les ont rejoints peu après : Hawley, Wentworth et Newburg. Crawford, d'abord passé en Espagne et sans argent, est arrivé de Saint-Malo en bel équipage, après qu'une de ses frégates eut fait une ou deux bonnes prises. On soupçonne que Lord Ormond, venu de Caen, ne restera pas auprès de Charles, car il n'a pas amené ses enfants avec lui.

Les querelles religieuses battent leur plein. Charles impute ses insuccès aux presbytériens écossais. Sa mère s'irrite de sa rancœur et de sa violence contre eux, car

elle s'imagine que la partie de l'Écosse encore indé-
pendante pourra envahir et libérer l'Angleterre de
Cromwell. Elle s'irrite aussi que ses enfants suivent à
Paris les cérémonies de Richard Browne, abhorré du
parti presbytérien, qu'elle veut ménager.

Enfin l'état du parti royaliste est mauvais parce que si
les Écossais s'entendent avec les « louvrians », c'est-à-
dire la reine, Jermyn et leur entourage installés un
temps au Louvre, ils sont en opposition avec les partisans de Charles, moins nationalistes qu'eux.

Quand Charles part de Paris pour Spa en 1654, il
reçoit de l'empereur beaucoup d'argent, 600 000 livres,
afin d'aider l'armée écossaise. Mais bien des royalistes
préféreraient que le roi ne soit pas restauré avec le soutien des Écossais.

Aux tiraillements sur les affaires religieuses s'ajoutent
les querelles entre Charles et Jacques. Cromwell exigeait dans son accord avec Mazarin que l'on chasse les
Stuarts de France. Pourtant, York a trouvé maints
prétextes pour rester et profiter de la vie agréable de la
cour. En 1656, quand Charles obtient des Espagnols
de lever quatre régiments et de servir dans leur armée,
il ne tolère pas que Jacques s'incruste à Paris. Il le
presse vivement de le rejoindre à Bruges. Le cadet
cède, il ne peut faire autrement. Et puis, n'est-il pas
attiré vers le nord et les Pays-Bas par sa bien-aimée
Ann Hyde, la suivante de sa sœur Mary ?

À peine réunis, les frères ont des différends à propos
de certains gentilshommes attachés à Jacques, les Berkeley et le neveu de Sir Jermyn, que l'entourage de
Charles n'apprécie pas. Dans ces petites cours qui
attendent des jours meilleurs en supportant, mal, l'ad-
versité, les divisions sont fréquentes et les humeurs
encore plus susceptibles que dans les cours puissantes.
Il faut toujours composer et user son énergie à des riens.

Tout cela, ajouté aux succès de Cromwell, bouleverse
la reine d'Angleterre. Mais c'est Henriette qui subit
directement le contrecoup de sa tristesse et de ses
maladies.

Depuis le début de l'exil, de l'avis de tous, la table
des deux femmes est frugale et leurs habits modestes.

C'est grâce à un envoi de gants fait par Christine de Savoie au moment du sacre que la reine, lors de cette cérémonie grandiose, a pu être correctement gantée. Il s'en est même trouvé de petites paires, parfaites pour sa fille, écrit-elle à sa sœur en la remerciant. Une sœur qui expédie aussi des parfums et fournit le professeur de clavecin de la princesse, Flaille.

Fait remarquable, Henriette-Marie avait écrit à Christine qu'Anne d'Autriche lui donnait 60 000 livres par an. Beaucoup moins que les sommes avancées par Mme de Motteville ou d'Ormesson. Veut-elle faire pitié à sa sœur ? Ne compte-t-elle que les dons personnels de la régente ? Toujours est-il qu'avec les soutiens aux exilés fidèles, les dépenses pour ses fils, leurs voyages, leurs serviteurs, leurs troupes, elle n'est pas riche. Si elle veut faire un présent qui lui tient à cœur, une croix de cristal par exemple à sa chère Visitation de Chaillot, c'est à Christine qu'elle en demande les moyens, dans une lettre de janvier 1657.

Pressée par le besoin, la reine décide de passer sur ses rancœurs et sa haine de Cromwell. Après tout, on a été intransigeant pour l'expulsion de ses fils mais on ferme les yeux sur sa présence et celle de sa fille à la cour de France. Elle prie donc Mazarin d'écrire de la part de Louis XIV au Protecteur, comme Cromwell se fait appeler, pour lui demander la jouissance de son douaire et de ses biens restés en Angleterre. Ainsi mettrait-elle fin à sa dépendance financière envers la France, souvent pénible à supporter.

Mazarin se réjouit de la proposition qui soulagerait les finances du royaume. La grande économie du cardinal, note malicieusement Mme de Motteville, faisait qu'il était toujours fâché de voir sortir des coffres du roi de l'argent, pour d'autres que pour lui...

Après quelque temps Mazarin vient porter la réponse de Cromwell à l'exilée. Il ne lui donnera point ce qu'elle demande, car elle n'a jamais été reconnue pour reine en Angleterre. Cette insolence abat d'abord la malheureuse, puis elle réplique au cardinal que ce n'est point à elle de se scandaliser de cet outrage, mais à Louis XIV, qui ne doit point souffrir qu'une fille de France soit traitée de concubine. Assurément les affronts qu'elle reçoit sont plus infamants pour la France que pour elle.

Belle réplique, mais la vie n'en est pas moins difficile. La reine est réduite à l'économie, et, ce qui est plus pénible encore pour la petite princesse, soucieuse et malade.

Ses frères s'agitent à travers l'Europe, amers, désespérés, avides de plaisirs, combattant, conspirant, errant comme des « vagabonds », selon l'expression même de la reine à sa sœur Christine de Savoie. Pour Henriette, le temps passe tristement. Entre les cures à Bourbon, la vie retirée de Colombes ou de Chaillot, les remèdes, les malaises et les dévotions de sa mère, il n'y a place que pour l'inquiétude. Quel sera le sort à l'armée des jeunes princes, ses frères ? Pas très exaltant quand on a treize ans !

La rumeur court en 1657 que Charles, qui participe au siège de Mardick avec les Espagnols, a été blessé, puis, en 1658, qu'York et Gloucester ont été faits prisonniers en tentant de prendre Dunkerque aux Français et à leurs alliés, les Anglais. Ce ne sont que de faux bruits. Il n'empêche qu'ils déchirent la reine, déjà troublée par la diplomatie délicate du moment.

L'alliance de la France, son pays natal, avec l'Angleterre, qui a décapité son mari, le combat de ses fils contre les siens la tourmentent. L'idéal serait que la France fasse la paix avec l'Espagne, que ces deux nations se coalisent pour chasser les régicides au pouvoir en Grande-Bretagne et rétablissent Charles comme roi. Un idéal de paix que souhaitent peut-être Mazarin et sûrement Anne d'Autriche.

Cette dernière pourrait ainsi marier Louis avec sa nièce préférée, la fille de son frère, l'infante espagnole. Stratégie matrimoniale, rêve politique de deux reines mûrissantes et amies, dont les manœuvres, banales s'il s'agissait de familles banales, engagent en fait le sort de plusieurs royaumes.

Quant à sa nièce d'Angleterre, Anne d'Autriche continue à l'aimer beaucoup. Henriette vit auprès d'elle, « sage et soumise », comme le dit Loret lors d'un retour de cure, et triste des tristesses de sa mère. La reine régente la plaint, et c'est pour cela qu'elle décide de faire participer à l'une des fêtes de l'hiver 1658 l'adolescente, qui en est sevrée depuis deux ans.

Malheureusement, Mlle de Montpensier est là. Revenue d'exil, la cousine germaine du roi, qui a dépassé la trentaine, veut reprendre à la cour la place qu'elle estime la sienne, la première, après la reine mère et ses cousins royaux, puisqu'ils n'ont pas encore pris femme.

Elle assiste aux comédies du Louvre, voit l'*Astyanax* de Salebray (totalement oublié aujourd'hui) joué par les comédiens-français. Elle va à une réception de la maréchale de L'Hospital, la femme du gouverneur de Paris, où les jeunes gens sont en masques, habillés de toile d'or et d'argent avec bonnet à plumes. Au moment de la collation, dans une pièce magnifiquement ornée, Louis lui offre l'unique chaise à bras de la pièce. Elle feint de croire à une plaisanterie. En réalité la vaniteuse est ravie.

Le 4 février, chez la maréchale encore, Mademoiselle ouvre le bal avec le roi, qui la reconduit, dit Loret, jusque chez elle, tard dans la nuit. Le 6, fête chez Séguier. Loret n'est pas invité. Comme il n'écrit ses gazettes que s'il est convié dans les règles, bien placé, pourvu de gâteries, oranges ou bons morceaux, il ne fournit aucun détail sur la soirée. En revanche, *La Gazette* précise que le roi ouvrit le bal avec sa cousine Montpensier, bal somptueux (naturellement !), coupé en son milieu par une collation splendide. Mais c'est Mademoiselle elle-même qui dévoile le dessous des cartes.

Elle ne s'est pas souciée de la présence, chez Séguier, de la petite princesse, de vingt ans sa cadette. Elle ignore cette enfant qui ne sort jamais. Elle, d'ordinaire intransigeante sur l'étiquette, a eu tort. En effet, si elles sont toutes deux cousines germaines de Louis XIV, Mademoiselle est seulement nièce d'un roi, Louis XIII, tandis qu'Henriette est fille de roi.

Sans tarder, le bruit court que la reine d'Angleterre est mécontente de Mlle de Montpensier qui a voulu, en entrant dans un salon, passer devant sa fille. On murmure que Monsieur, le frère du roi, l'y aurait incitée. Fureur de la demoiselle, qui va se plaindre à Mazarin.

La princesse d'Angleterre, dit-elle, était restée à jouer avec les petites Nemours, ses compagnes à la Visitation. C'est elle, sa cousine, qui l'a appelée et prise par la main pour entrer dans la salle de réception en même temps qu'elle.

Mademoiselle se garde de parler du bal qu'elle a ouvert avec le roi. Elle se contente d'affirmer au cardinal son amitié pour la reine d'Angleterre et pour Henriette. En fait, elle les déteste parce qu'elles ont des quantités de rois dans leur ascendance et qu'elle est jalouse de toute femme qui approche de ses royaux cousins, Louis et Philippe.

Mazarin attise le feu. Il cite la vieille tradition selon laquelle les rois d'Écosse cédaient le pas aux fils de France. « Vous seriez en droit de passer devant la princesse d'Angleterre », assure-t-il à Mademoiselle. C'est faux, bien sûr. Henriette n'est pas seulement fille d'un roi d'Écosse, mais du roi de la Grande-Bretagne.

Le différend s'aggrave. On le rapporte à Anne d'Autriche : « Mlle de Montpensier a voulu passer chez Séguier devant la princesse d'Angleterre », et son fils Philippe a lancé : « Et quand elle l'aurait fait, n'aurait-elle pas raison ? Nous avons bien affaire que ces gens-là, à qui nous donnons du pain, viennent passer devant nous. »

Désespoir de la reine exilée. Les siens seront donc traités toujours comme des vagabonds et des mendiants. Anne d'Autriche gronde son fils, lui rappelle le sort pitoyable de sa tante et de sa cousine. Mademoiselle feint de partager cette compassion. C'est pour mieux garder sa place. En d'autres temps, dit-elle, la pensée lui serait venue de disputer le pas à Henriette et de tenir tête à sa mère. Mais leur sort malheureux et la grande politesse qu'elles montrent l'en ont détournée.

De toute façon, l'étiquette décidera de tout. Que Louis XIV n'aime guère la petite fille, que Mademoiselle soit hypocrite, que Monsieur traduise l'opinion de certains courtisans lassés de supporter les exilés anglais, peu importe. Il y a des règles à la cour, et on les suivra. Sans broncher.

Quelques jours à peine après ces querelles, on danse pour la deuxième fois le *Ballet royal d'Alcidiane*, où

Louis XIV se distingue, et Lully. Selon la coutume, un bal s'ensuit, à minuit. Loret est là, assez près pour lorgner les jeunes merveilles. Et la première à danser est « cette beauté printanière/Aux doux et gracieux regards/De l'illustre sang des Stuarts », la princesse d'Angleterre. Mademoiselle, « ornement de la royale famille », n'est nommée qu'en second. De même dans *La Gazette.*

Et quand on représente *Alcidiane* devant la reine de Suède, en mars, Philippe, le frère du roi, mène Mlle de Montpensier. Mais c'est avec Henriette que le roi ouvre le bal. Le rang prévaut sur tout.

15.

Une beauté inachevée

Les adolescents grandissent, à la cour comme ailleurs. Pour le jeune et séduisant Louis XIV, les amourettes se multiplient. Entre autres, les nièces du cardinal, les « Mazarinettes », comme on les appelle, charment son cœur. Après Laure, la duchesse de Mercœur, Olympe le séduit. On la marie au comte de Soissons. Mais c'est la cadette, Marie, qui le touche véritablement. Cette fois, la Mancini n'est pas décidée à se laisser marier à un autre, fût-il comte ou duc. C'est le roi qu'elle veut comme époux.

Anne d'Autriche, on le devine, y est hostile. Elle a beau aimer Mazarin et juger considérable la qualité de nièce du ministre, Louis doit faire un mariage royal.

L'année 1658 est pleine de ces tensions et de projets pour le jeune roi de vingt ans. Il faut le détourner d'une inclination néfaste, d'une fille qui ne cesse de le suivre partout et de l'obséder, selon le mot de Mme de Motteville. Il faut le séparer d'une personne qui déplaît profondément à la reine.

Le mieux est de proposer au jeune homme d'autres partis. Henriette pourrait en être, et elle aurait, s'il le fallait, l'assentiment de la reine mère. Mais Louis s'obstine à ne pas en vouloir. Il est seul en France de cet avis, s'indigne la bonne Motteville. Il ne peut donner de raisons à ce refus, s'exclame Mme de La Fayette. Sont-elles l'une et l'autre trop partiales ? Henriette est-elle donc si laide ? Comment s'en faire une idée ?

Il n'y a pas de portraits d'elle à cette époque, quand elle a treize ou quatorze ans. Sa mère n'aurait pas apprécié qu'elle passât son temps à la futile occupation de se faire peindre. Où d'ailleurs aurait-elle trouvé l'argent pour un artiste de qualité ? Le dessin de Stockholm est celui d'une fleur en bouton. Que sera-t-elle, une fois épanouie ? À le détailler, on voit des traits réguliers, et de beaux yeux. Mais l'impression de tristesse et d'angoisse domine, absorbant tout jugement esthétique.

En revanche, les portraits littéraires de l'adolescente, les portraits en mots ne manquent pas. Les gens curieux et observateurs ont souvent envie de décrire ce qu'ils voient. À plus forte raison s'ils vivent dans l'entourage des grands, où tout leur semble remarquable.

John Reresby, un jeune Anglais venu plusieurs fois en France, a esquissé un portrait charmant de l'adolescente qui danse, joue du clavecin dans sa chambre et l'autorise à la suivre dans le jardin. Là, elle se promène et parfois s'installe sur une grosse corde tendue entre deux arbres. Voilà Reresby qui pousse l'escarpolette. Un peu plus tard, dans ses *Mémoires*, il remarquera, comme beaucoup, la grâce de la princesse qui danse admirablement avec le roi.

Les nombreuses notations de Loret, moins conventionnelles que celles de *La Gazette*, marquent aussi la grâce exceptionnelle d'Henriette quand elle danse. Il insiste de plus sur sa jeunesse et sa douceur. Aurore, beauté printanière, fille soumise, elle est dans le meilleur des cas un ange ou une angélique beauté. Ce qui ne renseigne guère sur ses attraits proprement dits.

Il existe, par chance, un long portrait littéraire écrit par Mme de Brégy, en juin 1658, au moment où l'on parle beaucoup du mariage possible de Louis et d'Henriette. Au moment, aussi, où la mode du portrait se répand en France.

Deux ans auparavant, dans le milieu des riches et des oisifs, est apparu aux Pays-Bas le jeu du portrait. Il s'agit de représenter un personnage et ses caractéristiques physiques et morales avec des mots, non avec un pinceau. Les gens d'esprit veulent-ils se mesurer aux peintres, fameux dans ce pays ? Toujours est-il que la princesse de Tarente et sa fille, alors en Hollande, se plaisent à ce divertissement. Rentrées à Paris, elles en parlent autour d'elles et font école. Le nouveau jeu de société fait fureur. Mlle de Montpensier, initiée par ces princesses à Champigny pendant l'automne 1657, s'y met avec passion. Rien d'étonnant que l'on écrive le portrait de la princesse d'Angleterre, petite personne en vue à la cour.

Pourquoi Mme de Brégy ? Elle est dame d'honneur d'Anne d'Autriche et forcément au courant du nouveau jeu quand la princesse de Tarente en parle à la reine et à son entourage. De plus, son mari a été deux ans ambassadeur aux Pays-Bas. Même si la Tarente et sa fille n'y ont pas séjourné assez tôt pour rencontrer l'ambassadeur, elles ont avec Mme de Brégy un sujet privilégié de conversation, la Hollande.

Elles ont rencontré à La Haye la sœur d'Henriette, la princesse d'Orange. Mary raconte dans une lettre à son frère Charles, en décembre 1655, qu'elle va leur rendre visite chez sa tante, la reine de Bohême. D'une sœur à l'autre, il n'y a qu'un pas. Et un nouveau sujet de conversation. Alors, si l'envie d'écrire et de s'exercer au divertissement à la mode démange Mme de Brégy, quel meilleur modèle pour un portrait que la petite princesse, choyée par la reine de France ?

Elle la peint donc sous le nom de Cléopâtre, non pas la fameuse reine d'Égypte, mais l'héroïne d'un énorme roman à la mode en douze volumes de La Calprenède, dont le dernier est paru récemment, en 1657.

Elle mêle dans son portrait lieux communs et précision. Lieux communs associés à la race de la princesse : « son air est aussi noble que sa naissance » ; « la blancheur de son teint est si grande qu'il est aisé de voir qu'elle la tient des lys d'où elle sort » ; « par tous les charmes qui sont en elle, l'on voit bien qu'elle sort du trône et qu'elle est faite pour y remonter ». À part une banalité, « ses bras et ses mains [sont] fort bien faits », et une inexactitude « ses yeux sont bleus », les autres notations, précises et vraisemblables, touchent à la grande jeunesse du modèle. « Pour commencer par sa taille, écrit Mme de Brégy, je dirai que la jeunesse la fait toujours croître et que l'on voit bien qu'elle ne s'arrêtera qu'à la hauteur où les plus parfaites demeurent. » Quel style ! Comme son père et son frère, Charles, et contrairement à sa mère, toute petite, Henriette-Anne sera élancée. Mais sa croissance n'est pas terminée. Pour sa « naissante gorge », elle est « belle ». On suppose du moins qu'elle le sera.

Au moral, « son esprit est vif et agréable ». Pour l'instant, elle n'est pas admise aux conversations des grandes personnes. Mais tout le monde remarque sa douceur. Nouvelle notation qui concerne sa jeunesse et rejoint les remarques de Mme de La Fayette sur son éducation : « Elle donne la meilleure partie de son temps à apprendre ce qui peut faire une princesse parfaite, et pour le reste de ses moments, elle les dérobe à l'oisiveté, pour en acquérir mille agréables sciences, car elle danse d'une grâce incomparable, elle chante comme un ange, et le clavecin n'est jamais touché que par ses belles mains. »

C'est le portrait assez évocateur, quoiqu'un peu embarrassé dans la forme, d'une adolescente de quatorze ans, pleine de promesses et désireuse de se perfectionner. De beauté physique il n'est pas vraiment question. Excepté les yeux, fort brillants. Pour le moment, il ne s'agit que de charme, de grâce, de douceur dans la voix. Rien de triomphant. Mais vu l'âge du modèle, on ne peut parler que d'ébauche.

De cette incertaine beauté la reine d'Angleterre s'inquiétait, quatre ans auparavant dans une lettre à sa sœur Christine de Savoie. Témoignage de première importance. Elle lui affirme que sa fille est zélée catholique (comment le mettre en doute avec une mère telle que la reine d'Angleterre ?), puis ajoute : « Je voudrais que la beauté de son corps fût aussi grande que celle de son âme, car en effet elle est bonne enfant. »

Elle se dit reconnaissante aux gens qui ont vanté à Christine la beauté de la petite. Elle s'interroge pourtant : ne l'ont-ils fait que par flagornerie, parce que Christine, qui n'a jamais vu sa nièce, ne peut les démentir ? La mère craint d'être mauvais juge dans cette affaire. Elle a tellement envie de croire que sa fille est belle qu'elle s'imagine peut-être qu'elle ne l'est pas.

Ou bien elle s'imagine qu'elle l'est trop. Et de conclure : « Je ferais mieux de me taire. »

Confidence intéressante de la part d'une femme devenue très attentive au seul de ses enfants demeuré près d'elle. Même pour cette mère, Henriette à dix ans n'est pas à l'évidence une beauté éclatante.

Elle n'est pas non plus un laideron. Comme la fille de Christine, Marguerite ! Cette pauvre princesse de Savoie, petite, au teint olivâtre, à la taille gâtée, tout le monde la tient pour laide. Sans hésitation. C'est pourtant elle que Mazarin choisit pour faire pression sur l'Espagne et l'obliger à se déclarer sur l'union de l'infante et de Louis. Et si Anne d'Autriche affirme, comme le disent Mlle de Montpensier et Mme de Motteville, qu'elle préfère pour son fils sa nièce d'Angleterre à sa nièce de Savoie, ce n'est pas grand compliment. Marie Mancini, quant à elle, déclare à Louis qu'il devrait avoir honte de se voir proposer une aussi vilaine femme.

La cour de France annonce donc à grand bruit le projet de mariage avec Marguerite de Savoie. Un cortège important part de Paris et rencontre à Lyon, le 28 novembre 1658, la cour de Savoie. Si le roi d'Espagne, Philippe IV, veut se déclarer, faire la paix avec la France et lui offrir sa fille, c'est le moment. Ou jamais.

Louis s'amuse quelques jours avec la cousine savoyarde, qui a de l'esprit. « Elle est un peu basanée », a-t-il dit à sa mère en riant, dès qu'il l'a vue. Au fond, il s'en moque. Il continue à n'avoir d'yeux que pour Marie Mancini.

Son refus d'Henriette n'a donc rien à voir avec la laideur ou la beauté de l'adolescente. Tout simplement, il n'a pas envie d'en faire sa femme parce qu'il en aime une autre. Si la raison d'État commandait, il l'épouserait sans se préoccuper de son apparence. C'est ce qu'il fera bientôt avec l'infante Marie-Thérèse, tout amoureux fou qu'il soit de la brune Mazarinette. Car l'intérêt de son royaume à ce moment, c'est la paix avec l'Espagne. Une alliance avec la Grande-Bretagne sera sans doute un jour avantageuse à la France. Pas maintenant. Cromwell vient de mourir en septembre, mais les affaires britanniques sont, comme la beauté de la princesse d'Angleterre, trop incertaines. Charles II montera-t-il sur le trône ? Quand ? À quelles conditions ?

La pression de Mazarin sur le roi d'Espagne réussit. Son envoyé Pimentel vient à Lyon parler en secret de paix et d'alliance. Le sort en est jeté. L'infante va devenir reine de France. Christine et Marguerite de Savoie n'ont plus qu'à rentrer chez elles fort humiliées, la première surtout. Les cadeaux du cardinal seuls adouciront leur déception. Il reste à convaincre le principal intéressé, Louis. Mazarin, plus soucieux des intérêts du royaume que de ceux de sa famille, va s'y employer avec l'aide d'Anne d'Autriche.

Quant à Henriette, elle reste en dehors de toutes ces intrigues. Elle demeure avec sa mère à Chaillot pendant le voyage royal à Lyon. Plusieurs mois de solitude et d'austérité, sans fêtes ni bals, sans la compagnie de ses cousins Louis et Philippe, avec seulement le regret des réjouissances à peine goûtées, plusieurs mois durant lesquels se décide aussi, de manière indirecte, son sort. Elle n'est toujours que la fille d'un roi décapité et la sœur d'un prince en exil perpétuel. Elle n'est toujours qu'une adolescente en plein âge ingrat, de santé délicate, chez qui se transforme en maigreur, si peu appréciée à l'époque, la fragilité attendrissante de l'enfance.

C'est d'ailleurs comme une enfant que Louis la voit, une petite fille effacée, sans intérêt et sans surprise puisqu'il la connaît depuis un temps infini. Et Mazarin, au fond, en est bien content. Mme de Motteville l'affirme. Le cardinal a organisé le voyage de Lyon pour presser les affaires et « pour éviter de marier le roi à la princesse d'Angleterre qui, devenant grande et agréable, pouvait enfin lui plaire ».

Une fois de plus, le rusé ministre a vu loin et juste. La beauté d'Henriette n'est pas en cause. Elle peut toucher le cœur de Louis et lui plaire. C'est ce qu'elle fera. Il suffit d'attendre.

16.

Le frère unique du roi

La princesse de quatorze ans ne doit se mêler de rien. Qu'on pense la marier au roi, qu'on lui préfère d'autres fiancées, elle n'a pas son mot à dire. Qu'on découvre grâce au jeu mondain du portrait littéraire sa notoriété grandissante, qu'on l'abandonne à Paris tandis que la cour part en fête, ce n'est pas son affaire. Même si tout cela la touche de près.

À plus forte raison quand se produisent, à peu près dans le même temps, des événements importants pour son cousin Philippe. Importants pour elle aussi, car ils vont engager sa propre vie. Elle ne le sait pas. De toute façon, elle n'a pas droit à la parole.

De l'avis de tous, à dix-huit ans, le cadet de Louis, le duc d'Anjou, est charmant. « Le joli petit Point-du-Jour » du *Ballet de la Nuit*, « de la cour le charmant bijou », ravit d'emblée tous les cœurs. Selon Loret, « il est toujours lui-même./ Il aime et on l'aime ». Les traits de son visage sont parfaits, ses yeux, noirs et brillants, ont de la douceur et de la gravité. Sa bouche, minuscule, comme une cerise, rappelle celle de sa mère. Contrairement à son frère, blond aux yeux bleus, ses cheveux sont noirs à grosses boucles naturelles. Il est petit, mais bien proportionné. Au moral, rieur, frivole, bavard et affectueux.

Aussi réussit-il dans les fêtes de cour et dans les bals qu'il sait très jeune organiser à merveille, faisant parfumer d'ambre les pièces où il reçoit, offrant les plus somptueuses collations. Spontanément, il aime les beaux meubles, les parures, les bijoux et les beautés masculines plus que les féminines. Mme de La Fayette le dira pudiquement : « Le miracle d'enflammer le cœur de ce prince n'était réservé à aucune femme. »

Petit garçon, il fréquente le fils de Mme de Choisy, épouse du chancelier de Gaston d'Orléans. Cette familière de l'entourage d'Anne d'Autriche a eu ce fils à près de cinquante ans, et elle lui a donné la bizarre habitude de se travestir. On l'habille en fille, raconte-t-il dans un passage célèbre de ses *Mémoires*, toutes les fois que Philippe vient chez lui, deux ou trois fois la semaine. « J'avais les oreilles percées, des diamants, des mouches, et toutes les autres petites afféteries auxquelles on s'accoutume fort aisément et dont on se défait fort difficilement. Monsieur, qui aimait aussi tout cela, me faisait toujours cent amitiés. Dès qu'il arrivait, suivi des nièces du cardinal Mazarin et de quelques filles de la reine, on le mettait à sa toilette, on le coiffait. On lui ôtait son justaucorps, pour lui mettre des manteaux de femme et des jupes. Tout cela se faisait, dit-on, par l'ordre du cardinal, qui voulait le rendre efféminé, de peur qu'il ne fît de la peine au roi. »

Quand on songe aux difficultés que causa à son frère, à la régente et au royaume l'ambitieux cadet de Louis XIII, Gaston d'Orléans, on comprend que Mazarin ait eu l'idée d'écarter Philippe du gouvernement en le poussant à se parer avec les filles d'honneur de la reine et à se tourner vers des occupations frivoles et des amours masculines. Le maréchal du Plessis, gouverneur du jeune prince, n'a-t-il pas pour consigne de lui inculquer que « sa véritable grandeur consiste à être dans les bonnes grâces de Sa Majesté et à ne jamais lui donner le soupçon de sa fidélité par une ambition mal réglée » ? De là à le rendre homosexuel, le remède paraît étonnant. Et qu'en pensait la pieuse Anne d'Autriche ?

Mazarin a voulu refréner les tendances belliqueuses et ambitieuses du garçon pour laisser à Louis toute l'autorité d'un monarque absolu. Mais sa tâche a été facilitée par les goûts innés de Philippe à se féminiser. Après tout, son père, Louis XIII, prisonnier des interdits de son époque et de son rang, n'avait-il pas lutté sa vie durant contre ses penchants homosexuels ?

Et puis l'amour excessif que l'enfant porte à sa mère le rend trop dépendant d'elle et incapable de s'attacher à une autre femme. Ce n'est pas Anne d'Autriche qui est une mère abusive pour son cadet. Au contraire, elle préfère en toutes circonstances Louis, à qui son frère doit obéir parfaitement. C'est Philippe qui a d'elle un besoin exagéré.

Enfant, quand il est malade, il ne peut supporter son absence. Adolescent, il se veut toujours auprès d'elle. Qu'elle aille à ses dévotions, à la comédie, vers les champs de bataille ou au jeu, il ne la quitte pas. Comme à l'époque les reines et les favorites accompagnent les combattants au plus près possible des lignes ennemies, Philippe finit par suivre l'armée en campagne, non à cheval, au front, mais à l'arrière, dans les carrosses de la reine et de ses dames d'honneur.

Loret, les gazetiers, Mme de Motteville, tous connaissent cet amour filial exacerbé, peu payé de retour. Mlle de Montpensier note l'attitude infantile de son cousin au siège de Dunkerque, en 1658. Au lieu d'être avec le roi, à l'armée, « il demeurait auprès de sa mère comme un enfant », se promenait au bord de la mer et s'amusait à acheter des rubans et des étoffes qui venaient d'Angleterre, sans taxes depuis le traité avec Cromwell.

Cette transformation du duc d'Anjou par une éducation parfois bizarre, parfois simplement amollissante, ne se fit pas sans soubresauts ni incohérence. C'est parce qu'il avait un courage certain au combat qu'on l'écarta des champs de bataille. Il y aurait acquis une gloire qui aurait pu porter ombrage à celle du roi. Ainsi à Montmédy, quand il a seize ans.

Si le jeune garçon, dépité, se réfugie dans des jeux galants, la reine se fâche contre lui, au point de commander qu'on lui donne le fouet. À son âge ! Elle se dit importunée par les plaintes de ses suivantes, dont Philippe veut relever les jupes quand il les rencontre et qu'il abreuve de déclarations lascives.

Il peut, s'il le veut, être charmeur, délicat et attentionné. Quand il tombe amoureux de la duchesse de

Roquelaure, Valentin Conrart dans ses *Mémoires* n'a pas assez de mots pour dire l'habileté de l'adolescent à exprimer sa passion. Il s'y prend de si bonne grâce qu'un homme qui aurait eu deux fois son âge et de l'expérience n'aurait pu mieux y réussir. La duchesse, qui sent lui échapper le marquis de Vardes dont elle est follement amoureuse, se force à écouter les déclarations tendres de Philippe. Elle n'y est pas insensible. Hélas, sa mort subite, en décembre 1657, coupe net les tentatives du jeune homme.

Alors, bien que sa mère lui ait commandé de ne le voir que rarement et en présence de ses précepteurs, pourquoi ne pas s'attacher encore davantage au séduisant Armand de Guiche, de trois ans son aîné ?

Bref, de cet adolescent incertain, susceptible et soumis, martial et frivole, efféminé et jaloux, Daniel de Cosnac hésite à acquérir la charge, vacante, de premier aumônier. Une querelle de rien entre le roi et son frère le décide. Ils ont dix-sept et dix-neuf ans. Le premier refuse à l'autre, à cause du carême, le plat de bouilli qu'il veut manger, tente de lui arracher son assiette, puis lance sur les cheveux de Philippe, ses beaux cheveux auxquels il tient tant et entretient avec soin, quelques gouttes de bouillon. Furieux, le cadet explose et lance l'assiette à la figure du roi.

Le bruit de la dispute se répand vite. Les spectateurs ont grossi l'affaire. Louis s'est senti obligé de menacer son frère. Il lui donne quantité de coups de pied. Philippe part dans sa chambre bouder tout le jour. Mais le « geste inconsidéré », comme il l'appelle, plaît à Cosnac. Le jeune homme a « un bon cœur qui ne peut souffrir les injures ». L'évêque, fort de l'aide financière de Mazarin, achète la charge et s'engage à servir le duc d'Anjou.

Ils sont d'ailleurs nombreux à solliciter charges et faveurs du duc. Et pas seulement pour ses beaux yeux. Il est le frère unique du roi, ainsi l'appelle à juste titre Loret à chacune (ou presque) de ses apparitions dans ses chroniques. Il est le « deuxième astre de la cour ». On l'a vu au sacre et à la prise du cordon bleu par les deux frères. De plus, il a avec Louis une intimité à nulle autre pareille.

L'anecdote que raconte le valet de chambre La Porte est connue parce qu'elle est triviale. Pendant les errances de la Fronde, les deux garçons couchent dans une même chambre, fort petite. Au réveil, le roi crache sur le lit de Philippe par plaisanterie. Celui-ci crache à son tour sur le lit de Louis, qui lui crache au nez. Alors le cadet saute sur le lit de l'aîné et lui pisse dessus. Le roi en fait autant sur le lit du duc. Puis n'ayant plus de quoi pisser ni cracher, ils arrachent leurs draps et se mettent à se battre.

On les voit aussi, tout petits, négligés parfois par leurs gouvernantes, chaparder des morceaux d'omelette que l'on fricasse aux cuisines et aller les manger tous deux dans un coin. C'est Mme de Maintenon qui le racontera. Plus sérieusement, ils passent leur enfance aussi proches l'un de l'autre que le permet leur condition. Leur faible différence d'âge y contribue, et la volonté de la reine qui aime voir auprès d'elle les deux seuls enfants qu'elle ait eus.

Peu après l'engagement de Cosnac, c'est pendant l'été 1658 toute une partie de la cour qui vire de bord et s'apprête à offrir ses services au duc d'Anjou. En effet, après la victoire franco-anglaise de Dunkerque, le roi tombe gravement malade à Calais, « d'une fièvre continue avec le pourpre ». Deux prises d'antimoine n'ont aucun effet. On va jusqu'à lui administrer le saint viatique. Alors, beaucoup de regards convergent vers le frère unique du roi, l'héritier du royaume si Louis disparaît.

Des intrigues se nouent autour de lui, afin d'écarter Mazarin du gouvernement. Elles sont menées par trois femmes. L'une, l'inévitable Mme de Choisy, bombarde depuis Paris le jeune homme de lettres contre le cardinal. Les deux autres, la Fiennes, belle-fille de la nourrice de la reine d'Angleterre, et Anne de Gonzague, princesse Palatine, cousine germaine par alliance des enfants d'Angleterre, complotent autour du maréchal du Plessis. Guiche, désormais favori en titre de Philippe, ne peut s'associer à eux. À Dunkerque, il a été blessé à la main.

Feux de paille que ces complots. Au bout d'une quinzaine de jours, Louis est rétabli. Le médecin Guy Patin rassure ses correspondants : « Le prince est bien fait, grand et fort. Il n'a pas encore vingt ans, ne boit presque pas de vin et n'est pas débauché. » Il a seulement été victime du mauvais air des quartiers maritimes et d'un excès de chaleur. Comme le dit Galien, avoir trop longtemps le soleil sur la tête entraîne beaucoup de maux...

Le plus important, c'est l'attitude de Philippe pendant la maladie de son aîné. Fraternel, tendre, bouleversé à l'idée de le perdre, il touche sa mère, satisfaite, comme elle le confie à Mme de Motteville, du « bon naturel » de son cadet. Quand elle lui défend de rendre visite à Louis de peur d'attraper son mal, elle le voit fondre en larmes, le cœur si serré qu'il reste longtemps sans prononcer une parole.

Mais pour Mazarin, le « bon naturel » est peu de chose. En cas de malheur, il a vu qu'il ne pourrait guère compter sur le duc d'Anjou, si mal entouré, pour se maintenir au pouvoir. Il punit les comploteurs, fait porter par précaution de Paris à Vincennes ses meubles précieux et ses trésors. Et, en octobre, il procure à Philippe de nouveaux amusements.

Une troupe de comédiens d'abord. Pas n'importe lesquels. Ceux de Molière qui se mettent sous le patronage du prince. Un beau domaine ensuite, qui l'occupera. En se promenant, un jour d'octobre, la cour s'arrête à Saint-Cloud chez le contrôleur des finances, Hervart. Les pièces majestueuses meublées à l'italienne, la vue à l'infini sur Paris, la volière, les jardins, les fontaines, tout enchante le duc, qui, comme un enfant, souhaite avoir ces merveilles. En un moment, l'affaire se conclut. Mazarin pense que la tranquillité n'a pas de prix. Hervart est lié au cardinal par les nombreux services qu'ils se sont rendus mutuellement dans le passé. Il est disposé à céder la propriété... pour plus de trois fois le prix qu'il l'a achetée. Dès le 12 octobre, Philippe accueille chez lui sa mère et sa cousine Montpensier.

Ses relations avec cette dernière ont toujours été agréables. Ils partagent un goût certain de l'étiquette, du souci de leur maison. Ils aiment les bals, la comédie, les loteries à la foire Saint-Germain et rire ensemble de leur prochain. Un moment, bien qu'elle soit de quatorze ans son aînée, Mademoiselle a pensé se marier avec le cadet de ses cousins royaux à défaut de l'aîné. Ainsi elle ne quitterait pas la cour de France, où la vie lui est douce.

Mais elle n'a pas grande estime pour Philippe, elle ne le trouve pas un homme, elle le sait beaucoup moins riche qu'elle. Quand on croit qu'il va succéder à son frère, elle ne le juge pas capable d'assumer le pouvoir. Il a de l'esprit, estime-t-elle, mais ni science ni expérience. Ses habitudes et ses amis le perdront et perdront l'État. Elle déteste Mme de Choisy et elle se moque de la Palatine qui, dit-on, aurait proposé au prince ses faveurs. Le meilleur moyen de le dégoûter définitivement des femmes !

Aussi, quand les empressements de Philippe cessent, Mlle de Montpensier s'en console et fait même preuve d'une grande dureté envers lui : « Le connaissant davantage, je jugeai qu'il était homme à songer plus à sa beauté et à son ajustement qu'à se rendre considérable par de grandes actions. »

Molière, Cosnac et Guiche, Vardes et la Fiennes, Saint-Cloud, ces noms investissent désormais la vie du frère unique du roi, mais aussi, bientôt, celle de la princesse d'Angleterre. Elle l'ignore encore et continue à mener son existence retirée, à l'ombre de sa mère.

Cependant qu'à Lyon, où se trouve la cour en cette fin de 1658, Philippe danse chez la maréchale de Villeroy, déguisé en femme et masqué, Guiche fait semblant de ne pas le reconnaître. « Il le tiraille fort, note Mlle de Montpensier, et en dansant lui donne des coups de pied au cul. » Elle est scandalisée, mais ne dénonce pas Guiche. De toute façon, son cousin lui passe toutes ses folies. Il « trouve tout bon de lui ».

17.
Une lettre, enfin...

Les jours se traînent. La princesse a pourtant vu revenir la cour à Paris à la fin de janvier 1659. On a quitté Lyon et abandonné les Savoyardes. Mazarin a consolé la duchesse avec des pendants d'oreilles en or émaillé de noir et ornés de petits diamants. On lui a promis qu'au cas où le mariage de Louis et de l'infante ne se ferait pas, on songerait de nouveau à sa fille...

Un seul bal pour Henriette pendant le carnaval, la veille du Mardi gras. Encore n'y est-elle guère en vedette. Le dimanche précédent, sa cousine Montpensier était apparue aux côtés de Philippe dont l'habit, disait-on, valait une province, couverte de bijoux, qui valaient un royaume... Est-ce pour cela qu'ébloui par les diamants, Loret, le lundi, ne distingue plus Henriette, se contentant de nommer dans son récit les « deux cousines germaines » ?

De toute manière, l'humeur du roi et de sa mère n'est pas à la joie. Malgré les circonstances, Louis n'a pas encore renoncé à épouser Marie Mancini. Mazarin a sondé la reine sur ce projet. Il s'est heurté à une hostilité farouche et très vite a mis son point d'honneur à sacrifier Marie et à sermonner le roi en vue du mariage espagnol. Tout cela ne va pas sans pressions, changements d'avis et déplaisir.

La mère d'Henriette non plus ne sort pas de sa mélancolie et de ses soucis. Pour les royalistes anglais, la mort de Cromwell, en septembre 1658, n'a pas changé les esprits en leur faveur autant qu'ils le souhaitaient. Richard, son fils, lui a succédé sans peine comme Lord Protecteur. Si Mazarin s'est montré fâché de cette mort, Louis XIV, onze jours après, est venu rendre visite à la reine d'Angleterre au Palais-Royal. Et ce n'est pas pour accompagner sa mère. Signe que l'on sent un possible revirement dans les affaires d'outre-Manche.

À la cour de France, beaucoup ne veulent pas prendre le deuil du régicide. Ils le devraient pour un chef d'État reconnu et allié. Mlle de Montpensier déclare bien haut qu'elle ne le fera pas, à moins d'un ordre exprès du roi. Mais, dans les mêmes jours, la mort du petit Conti épargne à la cour la honte de porter le deuil du destructeur de la monarchie britannique. Le pauvre enfant, fils d'une nièce de Mazarin et neveu du prince de Condé, est venu au monde couvert d'ulcères des pieds à la tête. Il n'a vécu que neuf jours. C'est pour lui que l'on prend le deuil.

Dans une lettre à Mme de Motteville, la mère d'Henriette avoue qu'elle n'arrive pas à se réjouir de la disparition de Cromwell, le scélérat. Est-ce grandeur d'âme ou mélancolie ? C'est surtout crainte de l'avenir. Elle sait combien est précaire la situation des royalistes anglais. Le soutien de la France est nécessaire à une restauration de Charles. Lord Inchiquin écrit de Paris au duc d'York, à la fin de mai, qu'il est allé plusieurs fois, de la part de la reine, voir le cardinal afin de le disposer favorablement envers leur roi. « Le cardinal semble écouter. » Mais une nouvelle lettre d'Inchiquin, en août, fait écho des mêmes préoccupations. Preuve que Mazarin, s'il écoute, ne se presse pas de réagir.

Richard, loin d'avoir la stature politique de son père, se montre vite incapable de juguler l'anarchie où sombre le pays. Il engage trop de dépenses. L'opinion publique souffre de la pression puritaine. L'armée ne soutient pas le nouveau Protecteur. En mai, il doit démissionner. Est-ce un espoir pour Charles et les siens ? Début juin, le sergent Dendy et le *surveyor* Embree ont ordre du conseil d'État d'aller à Hampton Court, une des résidences royales, dresser un état des lieux, des fontaines et des rivières, faire l'inventaire des marchandises, des tapisseries et des meubles, voir les serviteurs qui sont restés. N'est-ce pas que l'on pressent un retour prochain du légitime propriétaire ?

À l'ennui de ces incertitudes s'ajoute pour les exilées celui de l'isolement. Henriette et sa mère voient de nouveau partir la cour. Un cortège brillant quitte Fontainebleau le 28 juillet. Les négociations de paix sont en bonne voie, le mariage de Louis avec Marie-Thérèse, l'infante d'Espagne, aussi. Marie Mancini est oubliée. L'on s'apprête aux noces, et quelles noces ? Celles des deux plus grands royaumes du monde. On ne songe qu'à la joie de l'événement et à préparer de splendides habits.

De ces magnificences, de ces réjouissances extraordinaires que l'on projette voilà la petite princesse de quinze ans exclue. Tandis que les autres voyagent, s'amusent, elle reste seule, avec les souvenirs des rares fêtes auxquelles elle a participé. Avec pour compagnie celle d'une mère angoissée, toujours inquiète du sort de son fils aîné, involontairement jalouse du bonheur de sa belle-sœur qui va ramener d'Espagne la paix pour la France et une nièce chérie pour son fils.

Un frêle espoir s'est pourtant levé. À Londres, le nouveau gouvernement, « fagoté je ne sais comment », dit Loret, ne saurait durer. Une armée se rassemble autour de Sir George Booth. La reine d'Angleterre de son côté a su intéresser à la cause de Charles le maréchal de Turenne, alors au faîte de sa gloire. Il propose au duc d'York son propre régiment de vétérans et lui prête de l'argent. Aux troupes conduites par le frère du roi, près des côtes de la Manche, et prêtes à débarquer en Angleterre, se joindra même le jeune duc de Bouillon, neveu de Turenne. Mais le maréchal n'est pas un homme chanceux, on le sait. Les affaires dont il se mêle ne réussissent pas toujours. Cette fois, c'est le cas.

À Saint-Malo, Charles attend anxieusement les nouvelles de ses armées. Hélas, elles sont brèves et catastrophiques. En un seul combat, près de Chester, le général Lambert a écrasé les troupes royalistes. Les partisans de la Restauration n'ont qu'à baisser la tête. Et Turenne à se résigner. Il ne rentrera jamais dans ses fonds.

Alors, désespéré, Charles s'imagine que les deux grandes nations, en conférence pour la paix – cette paix non encore signée mais que tout le monde croit faite –, s'occuperont enfin de l'Angleterre. Il part pour Fontarabie. Lord Jermyn en informe la cour. Le prétendant va trouver le ministre espagnol Don Luis pour le pousser à agir en sa faveur. Mais l'Espagne, au sortir d'une guerre longue et difficile, n'en a pas les moyens. Quant à Mazarin, le jeune prince le sollicite aussi. Car il manque cruellement d'argent. L'année précédente, à Bruxelles, Lord Talbot l'a dépeint à Sir Nicholas, l'ancien secrétaire particulier de Charles Ier, cousu de dettes et s'engageant pourtant aux plus extravagantes dépenses qu'il lui ait vu faire depuis son exil. Comme s'il compensait par les plaisirs la dureté de son sort.

À bout de ressources, Charles n'hésite pas à proposer à Mazarin d'épouser sa nièce Hortense, richement dotée. Le roi lui fait beaucoup d'honneur, répond le cardinal. Mais tant qu'il y aura des cousines germaines du roi de France à marier, il ne faut pas qu'il songe à épouser une de ses nièces. Il refuse d'en parler plus longtemps au jeune homme et s'empresse d'aller tout raconter à Mlle de Montpensier.

En fait, au moment de conclure un traité capital pour la France, Mazarin a mieux à faire qu'à s'occuper de l'Angleterre. Sa mère aurait dû empêcher Charles de venir à Saint-Jean-de-Luz. Mais, écrit-elle au cardinal, elle n'a été mise au courant qu'après le départ de son fils. Doit-elle se plaindre de son peu de confiance, ou se réjouir de n'avoir pas été consultée sur un voyage qu'elle n'aurait pas approuvé ? Il y a gros à parier que, malgré leur dénuement, elle ne souhaite pas l'union d'un Stuart avec une Mancini. À tout prendre, Charles ne ferait-il pas mieux de se rallier au vieux rêve de sa mère, une alliance avec sa riche cousine Montpensier ? De toute façon, depuis que le jeune homme a quitté Paris, en 1654, et malgré les tentatives de la princesse d'Orange pour les rapprocher, les rapports de la reine et de son fils ne sont pas bons. Cette cachotterie en est une preuve supplémentaire.

Alors, pourquoi le prince, après ce nouvel échec, cherche-t-il à venir en France ? Il y est interdit de séjour, et l'ambassadeur anglais Lockart, depuis Saint-Jean-de-Luz, annonce au président du conseil d'État à Londres qu'on lui a refusé un passeport. Ses amis de Bruxelles savent depuis le début de l'été son intention d'aller voir sa mère à Paris. Ils y sont opposés. Ils estiment qu'il a mieux à faire. Après l'échec d'août, ils y sont franchement hostiles. Sans cesse désormais, ils le pressent de les rejoindre.

Si Charles s'obstine ainsi à rentrer en France, ce n'est pas seulement par amour filial. Dans ces moments de détresse, il peut souhaiter se réconcilier avec sa mère. Cela ne suffit pas. Il a envie de retourner à Paris pour y retrouver sa petite sœur chérie. La petite sœur à qui il ne cesse d'écrire, et qui tient une place à part dans son cœur.

Ce n'est pas une invention. Une lettre d'elle à son frère, manuscrite, le révèle, et révèle enfin, pour la première fois, ce que pense et ressent l'adolescente. En ces temps difficiles, le grand frère lui écrit beaucoup. L'affection particulière qui le lie à elle depuis sa naissance n'est pas un vain mot et ne le sera jamais. La lettre de la princesse n'est pas isolée, elle fait partie d'un ensemble. Et de cet échange affectueux elle est heureuse. Même si elle assure poliment qu'il lui fait trop d'honneur, même si elle craint que cela lui donne trop de travail, sa joie éclate qu'il lui écrive « si souvent ».

Joie enfantine, c'est normal. Mais ébauche aussi d'intérêt pour les affaires publiques. Elle ne se contente pas d'assister aux événements, elle en retient l'importance. La fin de la guerre entre la France et l'Espagne, cruciale alors, elle l'évoque brièvement mais avec intelligence. La paix seule peut apporter quelque changement heureux à la condition de son frère et, dans l'immédiat, lui permettrait de revenir à Paris. Elle le reverrait. Elle l'espère et le désire « avec grande passion ».

Cette lettre ne porte ni date ni nom de lieu. Et dans le manuscrit où elle se trouve, elle est placée la dernière du groupe des missives d'Henriette. Alors, comment justifier qu'il faille la mettre en tête de ses lettres connues ? Parce qu'elle ne porte pas, à la différence des autres, d'indication chronologique, on l'a numérotée de façon arbitraire. En réalité Henriette écrit au moment du départ de Lord Inchiquin, c'est elle qui le dit. Elle confie toujours ses messages à un porteur spécial et digne de confiance. Or Inchiquin s'en va en mission au Portugal en octobre 1659. En chemin, il rencontrera son maître et lui donnera le message. Que la princesse fasse écho dans sa lettre à la paix des Pyrénées n'est pas un obstacle à cette hypothèse. Le traité est signé le 7 novembre, mais on sait, bien avant, que l'accord est conclu. La mère d'Henriette, par exemple, en parle à Mazarin dès la mi-septembre.

Bientôt la joie espérée arrive. Charles part de Fontarabie, passe à Blois, précédé par Lord Jermyn, et arrive à Colombes. Après tant d'échecs, de malheurs et de séparation, les retrouvailles entre le frère et la sœur durent être parfaites, et même entre la mère et le fils. Roi sans royaume, Charles n'en reste pas moins pour sa petite cour le monarque. Quel plaisir plus grand peut-il faire à la reine, pour manifester leur réconciliation, que de nommer son fidèle Jermyn comte de Saint-Albans ? Son seul acte royal en ces temps d'exil, c'est au favori de sa mère qu'il le réserve. Comment ne pas croire, après cela, sinon les ragots abominables qui coururent sur la pieuse reine et son homme de confiance, du moins les rumeurs sur les échanges affectueux et fidèles qu'ils entretinrent toujours ?

C'est le quatrième séjour de Charles à Paris, le plus court, le plus angoissant, parce que son sort va se décider irrémédiablement. Il y est arrivé plus vaincu que jamais. Mais il se complaît dans la compagnie de cette sœur, qui a tant de joie à le revoir. Il a besoin de la douceur de l'adolescente. Il en oublie ses déconvenues, les efforts qui l'attendent pour retrouver son trône, ses amourettes même. Il n'est plus que tendresse pour l'enfant chérie qui va devenir une femme.

Son projet d'aller à Paris a déplu à ses partisans. Sa lenteur à les rejoindre leur déplaît plus encore. De Bruxelles, Sir Edward Nicholas répond de son mieux à leurs accusations, plus ou moins graves. On lui reproche d'avoir parlé espagnol pendant son dernier voyage. Cela lui était utile pour s'adresser à Don Luis. On lui reproche d'avoir des conseillers papistes. Non, répond Nicholas, personne n'a souffert et ne souffre plus pour sa religion que le roi.

Foin des critiques, le jeune homme traîne à Colombes. Nicholas doit l'excuser sans cesse. Au duc d'York il a promis, à la fin de novembre, que le roi ne resterait en France que quelques jours et serait de retour avant Noël. Il le répète dans une lettre chiffrée à Lord Hatton peu après. «Votre neveu » (Charles) ne va pas tarder à reprendre ses affaires à « Bunter » (Bruxelles). Le 13 décembre, il annonce à un nommé Johnson que le roi se hâtera la semaine suivante de reprendre ses affaires, puis à Mills qu'il sera à Bruxelles avant Noël. Le 20 décembre enfin, Nicholas capitule. Le roi arrivera avant le Jour de l'An...

18.

« Personne n'en veut »

Et puis les événements se précipitent. En moins de cinq mois, Charles est restauré sur le trône d'Angleterre. Le jour de ses trente ans, il entre à Londres comme le souverain incontesté.

La Restauration donne aux contemporains une impression de facilité paisible. Pour le père Gamaches, le roi est rétabli de manière quasi miraculeuse, « sans guerre, sans combat et sans tirer l'épée ». Pour la mémorialiste de la Visitation aussi. Selon elle, Dieu « qui tient en ses mains les cœurs des peuples, changea tout d'un coup celui des Anglais ». Même changement inéluctable chez Mme de Motteville, qui commente ainsi la nouvelle reçue par la cour de France à Saint-Jean-de-Luz : « Il y avait longtemps que ces peuples, détestant la tyrannie, soupiraient après la légitime domination de leur roi. »

À Londres, sur le lieu même du changement, l'allégresse est immense. Pepys, fonctionnaire de la Marine, remarque les innombrables feux de joie et arbres de fête dans la ville, « le plus beau jour de 1er mai qu'ait connu l'Angleterre depuis bien des années ». Et quand revient un peu plus tard le roi dans sa bonne ville, Evelyn s'arrête dans le Strand, artère passante s'il en est, entre Westminster et la Cité. Il y voit l'enthousiasme populaire et bénit Dieu pour ce retour du prince effectué sans qu'il y ait eu une goutte de sang versé.

Dix ans plus tard, le caractère soudain, irréversible, incompréhensible presque, de la Restauration éclate dans la formule éloquente de Bossuet : « Dieu alla prendre comme par la main le roi, pour le conduire à son trône. »

Pourtant, en décembre 1659, la confusion était totale outre-Manche. Impossibilité de lever les impôts et de faire respecter la loi, mépris pour le Long Parlement, renvoyé en 1648, réinstallé depuis la démission de Richard Cromwell, et baptisé ironiquement Parlement-croupion, multiplication des factions, division sur le problème religieux et sur le problème constitutionnel, échauffourées entre le peuple de Londres et l'armée. Mais, comme le dit Loret avec simplicité et bon sens : « Quelquefois, en moins de rien,/ D'un grand mal, il sort un grand bien. »

De fait, la lassitude de la pression puritaine et la peur née de l'anarchie ont préparé les esprits à un revirement total. La situation de Charles n'est pas aussi désastreuse qu'elle le paraît. De ce revirement le personnage clé est le général George Monck. Soldat de métier, bourru et secret, attaché à Olivier Cromwell plus qu'à la République, il part d'Écosse avec son armée dans les premiers jours de janvier 1660, entre à Londres au début de février, sans avoir eu besoin de livrer bataille, et s'empare des postes de gouvernement. Il ne s'était pas associé au soulèvement royaliste autour de Booth en août précédent, et rien ne prouve qu'il ait eu, dès l'origine, l'intention de restaurer le roi. Duc à la tête de bois selon Pepys, mené par sa femme selon d'autres, il laisse plutôt aller les événements qu'il ne les dirige. Mais une fois la dissolution du Parlement par lui-même votée, et acquis le principe d'élections nouvelles, il accepte en mars de dialoguer avec les envoyés de Charles.

Sur ses conseils, le roi quitte Bruxelles et s'installe à Breda près de sa sœur, la princesse d'Orange, pour rédiger, le 14 avril, une déclaration où il promet une amnistie générale et s'en remet au futur Parlement de l'Église à établir. Le 11 mai, le nouveau Parlement entend lecture de la lettre de Charles, dite déclaration de Breda, et reconnaît que le pouvoir réside dans le roi, la Chambre des lords et les Communes. Légalement, tout est parfait. L'élan populaire en faveur du retour du roi peut se donner libre cours.

Une délégation envoyée par les parlementaires part pour la Hollande demander au roi de revenir dans son royaume. Pepys, embarqué un peu plus tôt comme secrétaire de Lord Sandwich, rejoint à La Haye tous ceux qui veulent être les premiers à féliciter celui qu'ils ignoraient naguère. Il rencontre la princesse Mary et son fils, le roi et ses deux frères, Gloucester dans un costume rouge et gris, York, que Charles vient de nommer grand amiral, dans un costume garni de jaune.

Pepys note la satisfaction des Hollandais, leurs présents et leurs coups de canon joyeux. Ce qu'il ne sait pas ou ne dit pas dans son *Journal*, c'est la somme d'or très importante apportée à Charles par les émissaires du Parlement, et la joie du jeune homme qui appelle ses frères et sœur à venir contempler le précieux métal.

Le temps de débaptiser et de rebaptiser quelques navires, le *Naseby* en *Royal Charles*, le *Richard* en *Jacques* et le *Lambert* en *Henriette*, on fait voile vers l'Angleterre le 4 juin 1660. Le 5, arrivée à Douvres où Monck attend le roi pour le saluer au milieu d'une foule innombrable, cavaliers, bourgeois et nobles de toutes sortes. Le maire présente au roi le bâton blanc, symbole de sa charge, que Charles lui rend aussitôt, et une Bible magnifique qu'il reçoit avec beaucoup de joie. Puis, dans un carrosse splendide, le jeune homme, sans s'attarder, part pour Canterbury. Étape finale dans la capitale le 8. « Les vivats et la joie générale dépassent l'imagination. »

Or, en ces jours décisifs pour son avenir, où le temps, après l'inaction forcée de l'exil, est rempli de gens à voir, de réflexions à mener, de voyages à faire, Charles poursuit la tendre et fréquente correspondance qui le lie à sa petite sœur. Loin de l'abandonner, il lui écrit aux moments les plus cruciaux.

Trois de ses lettres conservées en témoignent. La première, de Bruxelles, peu avant de partir pour Breda, est datée du 17 février. Incroyablement alerte pour un homme qui a tant de soucis en tête, elle commence sur une feinte querelle dont on ignore la teneur, mais qui n'est que prétexte à dire son affection : « Je me dédis avec beaucoup de joie, puisque vous me querellez si obligeamment, mais je ne me dédierai jamais de l'amitié que j'ai pour vous. » Plus encore : « Vous me donnez tant de marques de la vôtre, que nous n'aurons jamais autre querelle que celle de qui de nous deux aimerons [*sic*] le plus l'un l'autre, mais en cela je ne vous céderai jamais. »

Querelle d'amoureux, dirait-on. Mais l'ambiguïté est tout de suite levée. Charles va donner la lettre pour Henriette à Ann Janton, « la meilleure fille du monde », qui chante fort bien et qui a appris au jeune homme « la chanson de ma queue, et quantité d'autres ». La petite sœur se sait aimée de son grand frère. Elle n'ignore pas qu'il aime aussi d'un autre amour maintes femmes de son entourage. Ce n'est pas du même ordre. La preuve, il enchaîne la chanson sur une déclaration inattendue : « Quand vous m'enverrez le scapulaire [une médaille bénite], je vous promets de le porter toujours pour l'amour de vous. »

La suite, sur le portrait que Charles a promis à Mme Desbordes, une suivante de la princesse, surprend aussi de la part d'un roi à la veille de finir un exil de quatorze ans. On a imaginé qu'il s'obligeait à parler de sujets légers de peur des espions. C'est oublier qu'il ne communique avec sa sœur que par porteurs spéciaux de toute confiance. En fait, il écrit sur ce ton à l'adolescente parce qu'il craint de l'ennuyer ou, pis, de l'inquiéter en parlant de ses préoccupations. Il ne sait pas encore que la princesse s'intéresse vraiment aux affaires des royaumes. Sa joie à propos de la paix des Pyrénées n'est pas compliment de circonstance. Très jeune, elle a compris que, pour les personnes de son rang, la politique conditionne pouvoir, richesse et donc plaisirs. Elle ne cessera de le montrer.

Une seconde lettre, écrite de Breda, le 9 mai, témoigne de la persistance et de la fréquence de leurs échanges. Le grand frère a écrit « la semaine passée ». Il a reçu une lettre du 23 avril. Comme celle de Bruxelles, il l'a adressée « à ma chère, chère sœur » et écrite en français. Et il redit sa joie de lire les marques d'amitié que la petite lui envoie : « En récompense, je vous assure que je vous aime autant que je le puis faire, et que ni l'absence ni aucune autre chose puisse jamais me détourner en la moindre façon de ce [*sic*] amitié que je vous ai promis, et n'ayez point peur que ceux qui sont présents auront l'avantage sur vous. Car, croyez-moi, l'amitié que j'ai pour vous ne peut pas être partagée. » Déclarations de tendresse qui émailleront toujours les lettres du frère à la sœur.

Ce jour-là aussi, à l'avant-veille de connaître la réaction du Parlement à sa déclaration de Breda, Charles ne parle pas de ses problèmes. Il remercie sa sœur de lui avoir envoyé une chanson, que Janton va apprendre. Et il lui demande d'aller choisir la couleur, la garniture et les plumes des habits d'été qu'il se fait confectionner à Paris par un couturier habile, Seurjean.

Plus surprenante encore, la lettre expédiée par Charles, de Canterbury, le 5 juin. Après son débarquement triomphal à Douvres, c'est l'ultime étape avant l'entrée à Londres. Malgré les discours à préparer, le cérémonial à ordonner, il écrit à sa sœur. En anglais, c'est vrai, pour aller plus vite, mais en s'excusant de n'avoir pas eu le temps de lui adresser un message de La Haye avant son embarquement. Afin de se racheter, il a laissé des ordres à la princesse d'Orange pour un cadeau à envoyer à la petite princesse. Et quel cadeau : une selle de femme en velours vert avec des incrustations d'or. Incroyable marque d'affection ! Au moment de traverser la Manche pour retrouver une patrie perdue depuis si longtemps, il pense à faire une surprise à sa petite sœur… Henriette en savourera tout le prix et se réjouira qu'il ait songé à elle tout autant que de le savoir enfin en Angleterre.

Cette fois, Charles évoque son arrivée à Douvres, l'accueil de Monck et la joie de la noblesse, comme si, touchant au but, il pouvait enfin parler à la petite de ses affaires. S'il s'en est abstenu avant, c'est par délicatesse, pour la ménager.

En France aussi la situation bouge. De Colombes, la reine d'Angleterre écrit à son fils son bonheur. Il est dans son royaume, et elle part pour Chaillot célébrer un *Te Deum* puis pour Paris, afin de faire brûler des feux de joie. Le même jour, le 9 juin, se déroule à Saint-Jean-de-Luz l'ultime cérémonie du mariage de Louis et de l'infante. Tandis que Mazarin poursuivait les négociations avec les Espagnols, la cour a passé l'hiver et le printemps en Provence. Maintenant que les fêtes du mariage se terminent, elle reprend le chemin de la capitale et prépare l'entrée solennelle à Paris du jeune roi et de sa femme.

Tous les courtisans, Mlle de Montpensier comme Mme de Motteville, ont vu pendant les cérémonies la place privilégiée occupée par Philippe, toujours avec les deux reines et son frère. Depuis la mort de son oncle Gaston, début février, au moment où Monck entrait à Whitehall, le jeune duc d'Anjou est devenu duc d'Orléans. On l'appelle « Monsieur » et non plus « le petit Monsieur ». Il est maintenant riche, très riche, il doit le devenir plus encore.

Comme d'habitude, toute cérémonie, heureuse ou triste, est pour lui occasion de parure et de toilette. Louis ne manque pas de se moquer des goûts de son frère et prédit à sa cousine Montpensier, la fille du défunt, qu'il va profiter de ce deuil pour porter un vêtement d'un effet spectaculaire, le grand manteau à traîne. De fait, Monsieur vient présenter ses condoléances à sa cousine avec un « furieux manteau », remarque-t-elle malgré son chagrin.

Pourtant, depuis un moment, le jeune homme endiamanté, fardé, enrubanné, ne cesse de dire partout son envie de se marier. Non par amour pour une femme, on connaît ses penchants. Mais parce qu'il souhaiterait avoir une « maison » comme on dit alors, réglée, hiérarchisée, brillante, et qu'il y faut une épouse. Une épouse capable aussi de lui donner des enfants. La lignée ne doit pas s'éteindre et, en attendant la naissance d'un dauphin, c'est lui le successeur de Louis.

Il ne pouvait décemment devancer son aîné. Mais celui-ci, après tant de mois de subtilités politiques et d'attente, a enfin une femme. Philippe a la voie libre. Toujours vaniteux, il veut une princesse de la plus grande qualité. Mlle de Montpensier, petite-fille d'Henri IV, aurait fait l'affaire, il riait bien avec elle. Mais elle est trop vieille, et il n'a plus besoin de son argent.

Pourquoi alors ne se tournerait-il pas vers son autre cousine, la princesse d'Angleterre, elle aussi petite-fille d'Henri IV ? Anne d'Autriche a de l'affection pour elle. Heureusement, car Philippe ne voudrait en rien contrarier sa mère adorée. Elle se serait contentée de la fillette, à défaut de l'infante, pour Louis. Nul doute qu'elle ne l'accepte avec joie comme femme pour son cadet. La princesse Palatine, proche parente des exilés anglais et surintendante de la maison de la nouvelle reine, y pousse le jeune homme. Monsieur, volontiers bavard, commence à en parler. Et, lors des déplacements de la cour, nombreux à ce moment, on en chuchote dans l'oisiveté et la lenteur des carrosses.

La curieuse Montpensier ne se prive pas d'écouter. C'est ainsi qu'elle entend un jour le roi se moquer de son frère et lui lancer avec mépris : « Vous épouserez la princesse d'Angleterre, car personne n'en veut. » Sa mère a fait des avances au duc de Savoie. Il l'a refusée. À Florence, on fait aussi la fine bouche. Et Louis de répéter : « C'est pourquoi vous l'aurez, car personne n'en veut. »

Le roi a eu tort de se moquer. Les circonstances ont changé, et le temps a joué en faveur de la princesse. Depuis l'annonce de la restauration de Charles, elle n'est plus la triste fille d'un père décapité, ni la pauvre exilée, abandonnée à Colombes avec sa mère loin des réjouissances de la cour. Plus question d'être traitée par Monsieur comme une mendiante à qui la France veut bien donner du pain. Bientôt, la maison d'Autriche recherchera son alliance. Car elle est désormais la petite sœur d'un roi puissant. Et sa petite sœur bien-aimée, tout le monde va l'apprendre. La riche selle de velours vert et les lettres fréquentes de Charles sont là pour en témoigner.

19.

Le lys et la rose

L'alliance anglaise, tout le monde en veut. Les Français comme les autres. Mazarin n'a pas mis tant d'adresse à s'entendre avec Cromwell pour renoncer à le faire avec Charles II. Certains de ses envoyés ont eu mission d'expliquer au roi restauré pourquoi la France s'était liguée avec le Protecteur et avait accrédité ses ambassadeurs. C'était pour lutter contre l'Espagne, et de peur que l'Espagne précisément ne s'allie avec Cromwell. Charles comme sa mère en avaient été ulcérés. Le mieux maintenant est de passer l'éponge. La France est devenue l'alliée de l'Espagne. Pourquoi ne resterait-elle pas celle de l'Angleterre ? Dans cette perspective, un lien personnel entre les deux pays, un mariage, par exemple, serait le bienvenu.

Louis XIV est trop intelligent pour ne pas le comprendre. Le projet matrimonial de Philippe comble ses vœux. Sa boutade contre Henriette est simple chicane fraternelle, une manière de vexer Monsieur. Ce cadet a trop souci de sa gloire. Sa satisfaction à épouser Henriette s'accroît à mesure que le pouvoir et la puissance de Charles se renforcent, que l'on voit comme il est bien reçu dans son royaume. Il faut lui rabattre le caquet.

Après la Restauration, tout au long de l'été, on voit les progrès de l'idylle. Idylle de raison, on s'en doute. Le jeudi 12 août 1660, dans sa propriété de Saint-Cloud, à cinq heures de l'après-midi, Monsieur reçoit sa mère, la princesse Henriette, plusieurs autres jeunes femmes et leurs galants. Après une comédie espagnole, la collation, puis un bal, où Philippe mène la princesse. Et les spectateurs, avec Loret, de potiner : « Ce couple est des mieux assortis./ C'est le cousin et la cousine,/ Tous deux sont de haute origine/ [...] Et le lys [emblème de la France] avecque la rose [emblème de l'Angleterre]/ Seraient une assez belle chose. »

Les allusions des gazetiers aux accordailles princières sont de plus en plus claires. Si l'on parle de la jeune fille, on la dépeint environnée de tant de grâce qu'elle est « digne d'un demi-dieu ». Ses attraits et ses beaux yeux en veulent même « au sang des dieux », autrement dit à un prince royal de la famille de France. Plus nettement encore on chuchote que de « cette princesse au teint d'albâtre/ Un beau prince est idolâtre ».

Le 10 septembre, la reine d'Angleterre parle à sa sœur Christine de Savoie d'une nouveauté, « le thé, une feuille qui vient des Indes », puis lui confie que depuis peu le roi et Anne d'Autriche lui ont fait la demande de sa fille pour Monsieur. Ils vont envoyer le comte de Soissons comme ambassadeur extraordinaire en Angleterre faire la même demande à son fils. Celui-ci presse sa mère de venir le rejoindre, mais, écrit-elle à Christine : je serais bien aise auparavant de « me défaire de ma fille, tellement que cela pourra tirer jusqu'au printemps ». La reine a de mauvais souvenirs de son ancien royaume. Elle n'est pas pressée d'y retourner. La conclusion du mariage d'Henriette lui sert de prétexte. Le fidèle Saint-Albans, qui était accouru à Londres auprès de Charles, a décidé à la fin d'août de retourner en France, puisque la reine ne veut pas aller en Angleterre avant le printemps.

Pourtant le départ de Soissons est retardé. Deux lettres conservées dans les *State Papers*, écrites de Paris à la mi-octobre, témoignent des rumeurs et des tiraillements incessants à ce sujet entre France et Angleterre. Elles sont adressées aux bons soins du fidèle Nicholas, maintenant installé au palais de Whitehall, à Joseph Williamson, garde des papiers d'État du roi. Ce ne sont pas des informations officielles, plutôt l'écho de rumeurs qui agitent les esprits. Elles n'en sont pas moins instructives.

On y devine les marchandages que suscite le mariage princier. On y met en balance la main de la princesse, la place de Dunkerque, échue aux Anglais par le traité des Pyrénées pour prix de leur aide à la France, et l'union éventuelle du roi avec Hortense Mancini.

« Le mariage de votre princesse avec Monsieur est un peu différé », lit-on à la fin d'octobre. Et deux jours plus tard : « Le mariage de votre princesse pourrait bien ne pas se faire. » Charles réclame en effet qu'on donne plus de terres à Monsieur. D'autre part il refuse de restituer Dunkerque. La France la lui demande en échange de l'alliance avec Philippe. Car celui-ci pourrait, en cas de conflit avec Louis, se retirer en Angleterre, garder un pied en France et tirer de Dunkerque du secours.

Quant au mariage avec Hortense, il semble que Charles n'y songe plus. Et cela déplaît à Mazarin. Après tout, il n'y a pas si longtemps que le jeune homme la lui avait demandée à Fontarabie. Si le cardinal a une trop haute idée de la gloire de son royaume et trop d'envie de satisfaire Anne d'Autriche pour imposer sa nièce Marie comme reine de France, il n'a pas, vis-à-vis de l'Angleterre, les mêmes scrupules. Hortense est très riche. Charles, nouvellement restauré, a beaucoup de dettes à éponger et de grandes dépenses à envisager. Comme l'écrit Bellings, catholique irlandais, à l'abbé Montagu, il se soucie moins d'arbitrer les querelles du clergé que d'avoir une épouse et de l'argent – sous-entendu l'un grâce à l'autre.

Les bruits courent. Mazarin, étonné et fâché maintenant du refus d'Hortense, retarde le départ de Soissons, veut rompre peut-être le mariage d'Henriette. C'est pourquoi la reine d'Angleterre, dans sa lettre à Christine, se montre circonspecte. Avant de chanter victoire, il faut attendre la réponse de son fils.

En réalité, à mesure que les mois passent, la situation de Charles est de plus en plus assurée. Le Parlement, le peuple et l'armée lui demeurent soumis. « Jamais roi en Angleterre n'a été plus absolu que mon fils », exulte sa mère. Inutile désormais de quémander les cinq millions du cardinal. Il peut lui tenir la dragée haute pour le mariage de sa petite sœur. Elle aura Philippe, le frère unique du roi, sans qu'il ait besoin de rendre Dunkerque ni d'épouser une Mancini.

Et la princesse, que pense-t-elle de ce projet ? Depuis la restauration de son frère, elle s'aperçoit de sa nouvelle importance. Nombreux sont les exilés anglais qui, avant de se précipiter à la cour de Charles, viennent lui demander à elle, la sœur chérie, des billets de recommandations pour le roi. Elle tâche de les rendre amusants. Un marchand, l'habile Février, se sent capable de rouler la moitié du royaume britannique. Un autre jour, elle écrit une lettre d'introduction à la place de sa mère, malade d'avoir mangé trop de fruits. Le 17 août, elle cède à la prière d'un certain Fitz-Patrick, parent de Lord Inchiquin, et qui voudrait récupérer ses terres. La voici écrivant pour la troisième fois de la journée à son frère, au risque de l'importuner. Pour l'amuser, cette fois, elle se sert d'une plaisanterie de Mme de Fiennes, dame d'atour de sa mère.

À la cour de France aussi, elle voit les gens changer de comportement à son égard. « Cette petite fille avec qui l'on ne prenait garde à rien » se met à exister. Sa cousine Montpensier la remarque. Cendrillon est recherchée par un prince, et quel prince, le premier après le roi.

Le 24 août, la jeune fille et sa mère quittent Colombes pour assister le surlendemain à l'entrée solennelle de la nouvelle reine et de Louis dans Paris. C'est ce jour même, à leur arrivée, qu'Anne d'Autriche demande officiellement la jeune fille en mariage à la reine d'Angleterre. Celle-ci le raconte en détail à son fils. Elle assure que Monsieur est « tout à fait amoureux » et fort impatient de la réponse de Charles. Pour la petite sœur, « elle n'en est nullement fâchée ». La litote en dit long.

Henriette va savourer tout au long des fastes de la cérémonie du 26 août le bonheur de se savoir promise au frère du roi. Anne d'Autriche, avec sa bonté coutumière, la place avec sa mère à ses côtés. Du balcon de l'hôtel de Beauvais, sous de grands dais d'or et de soie, car on cherche l'ombre, on aperçoit parfaitement le défilé. Mazarin et Turenne sont là aussi. Et l'on est près du trône élevé au bout du faubourg Saint-Antoine, à la place du Trône, l'actuelle place de la Nation. Louis XIV et Marie-Thérèse vont s'y installer et recevoir les hommages et les discours des corps constitués, venus en procession vers leur roi. Le cortège royal est parti en grande pompe de Vincennes. Au long du parcours sont disposés des colonels et des capitaines, avec leurs plumes et leurs épées. Plus de cent mille spectateurs se sont casés comme ils ont pu.

Ce n'est pas la première fête de cette splendeur à laquelle Henriette assiste. Mais c'est la première fois qu'elle peut s'en approprier, en secret pour l'instant encore, la gloire. Ce royaume de France, si resplendissant et puissant, va devenir le sien. Elle y vit depuis l'âge de deux ans, elle en a assimilé la langue et les coutumes mais toujours en exilée, en enfant recueillie par une riche famille. Désormais, elle aura une place légitime dans cette famille. Quant aux habitudes acquises, elle n'aura pas à en changer. Quel réconfort en un temps où les coutumes sont d'un pays à l'autre diverses et mal connues, où les princesses craignent d'être transplantées par leur mariage et de perdre alors environnement familier, habitudes vestimentaires et alimentaires ! Mlle de Montpensier, si intrépide, ne se résoudra jamais à se marier hors de France, refusant de se plier au mode de vie allemand ou espagnol. Henriette, elle, aura le bonheur de demeurer comme duchesse d'Orléans dans le pays que son grand-père Henri a gouverné.

Et ce joli Monsieur, ce prince de vingt ans, chamarré d'or, triomphant sur son magnifique cheval blanc, caracolant à la place d'honneur près du carrosse de la reine que tirent six superbes chevaux isabelle, elle l'aura. Elle aura l'éclat, les broderies, les acclamations. Et aussi les hommages des douze mille bourgeois vêtus de blanc et gris, des trois cents avocats en bonnet carré, des gens du cardinal conduits par Colbert, des secrétaires du roi en robe de satin, des hommes de loi en soutane, des gardes, des grands et petits mousquetaires, des officiers, des régiments, du corps de noblesse, bref de tous ceux qui s'avancent devant elle et qui font la grandeur de la France. Elle ne sera plus seulement la spectatrice privilégiée du cortège. Elle sera en tête du cortège.

La cousine Montpensier, ce jour-là, défile avec les princes du royaume, derrière Monsieur. Mais la pauvre a une atroce migraine et surtout l'amère déception de voir ses deux cousins royaux lui échapper. Louis est marié à Marie-Thérèse. Et voilà Philippe promis officiellement à la princesse d'Angleterre. Elle avait beau ne pas y tenir, c'est dur de le voir engagé à une autre. La demande n'est que de l'avant-veille. Mais tout se sait vite à la cour, et la Montpensier n'aime guère quitter le sillage d'Anne d'Autriche. Pendant la cérémonie, elle ne risque pas de s'évader en des rêves heureux comme la petite Henriette. De cette fête dont elle voit la grandeur mais dont elle ne peut partager la joie elle ne retient que son horrible mal de tête et l'obligation d'avoir eu à porter, en ce jeudi d'août, depuis cinq heures du matin jusqu'à dix heures du soir, son accablant manteau de cour.

De plus en plus ouvertement, la France s'engage dans le projet d'alliance du lys et de la rose. Au diable les rumeurs des diplomates et des observateurs, et leur persistance ! Mazarin sait le prix de la paix avec l'Angleterre. Il y est décidé. On discutera encore, mais on cédera à Charles. On sacrifiera Hortense s'il le faut. Un jour on arrivera bien à récupérer Dunkerque. Et puis si Anne d'Autriche veut absolument avoir sa nièce pour belle-fille....

C'est un véritable banquet d'accordailles qu'offre le cardinal aux souverains français et à la reine d'Angleterre, dans son palais, le 9 septembre. Le roi, les reines, Monsieur, maréchaux, princes, gouverneurs de province et ducs, tous sont là, brodés et dorés, et les filles de la reine, celles de la reine mère, les princes du sang, les nièces de Mazarin, forcément. Mais l'héroïne de la fête, c'est la princesse d'Angleterre.

La réception est à la mesure de l'événement. Vingt chantres romains, les vingt-quatre violons, des profusions de pâtés, de melons, de tourtes, de bisques, de fruits en pyramides, de massepains, de citrons doux. Un buffet rutilant de cinquante vases et de cinquante bassins d'or et d'argenterie. La comédie espagnole enfin. Et, chose rare, la permission de visiter les appartements d'apparat du cardinal, en particulier sa bibliothèque, riche de manuscrits précieux et de volumes persans, latins, chinois, hébreux, turcs, cosaques, iroquois, anglais et allemands, capable de rivaliser avec la bibliothèque vaticane. Loret y découvre avec délices un exemplaire de sa *Muse historique* relié en « maroquin mignon ».

Pour ne pas être en reste, la mère de La Fayette décide de donner un grand éclat à la cérémonie de baptême d'une grosse cloche que la princesse Louise, cousine germaine de Charles II et belle-sœur de la Palatine, a offerte au couvent. Louise, convertie, pensionnaire illustre du monastère, est une preuve de la réussite de la mère de La Fayette. Chaillot a excellente réputation. Le nombre de ses pensionnaires et religieuses augmente sans cesse.

Puisqu'il est de tradition de baptiser les cloches comme les enfants, pourquoi ne pas demander à la fille de la fondatrice du couvent et à celui dont on murmure qu'il va devenir son époux d'être marraine et parrain ? Voici la princesse et Philippe, frère unique du roi, venus au monastère nommer Henriette-Marie-Philippe-Auguste la cloche de Chaillot. L'évêque d'Évreux, grand aumônier de la reine d'Angleterre, préside la cérémonie. Plusieurs princesses y assistent. La reine Marie-Thérèse y est invitée. C'est l'occasion pour elle de découvrir le monastère. Pour cette première visite, Anne d'Autriche l'accompagne.

Et c'est en présence des trois reines et d'une foule de gentilshommes qu'Henriette accomplit ce geste religieux en même temps que son cousin. La supérieure a réussi. Le baptême de la cloche ne passe pas inaperçu. Il a tout l'air d'un engagement solennel des deux jeunes gens devant leurs mères, complices ravies, et devant Dieu.

Pour la jeune fille, ce baptême est un symbole. Un
avenir brillant s'ouvre à elle. Le nombre et la qualité
des participants à la cérémonie dont elle est le point de
mire en témoignent. Comment, dans ce monastère de
Chaillot et en présence de la mère de La Fayette, ne
mesurerait-elle pas le chemin parcouru depuis les
heures austères et retirées de son enfance ?

20.

« Le mieux est de se taire »

Rien n'est parfait. Certains comportements autour d'elle assombrissent un peu les joyeuses espérances de la princesse. On dirait que l'entrée de la jeune reine a ravivé les querelles de préséance. Trois ducs, Chaulnes, Uzès et Lesdiguières, ont été chassés de Paris pour n'avoir pas respecté leur rang lors du défilé. La susceptible Montpensier s'acharne contre Henriette et recommence à vouloir que la petite lui cède le pas, sous prétexte que son frère York l'a fait à Bruxelles devant Condé. Mais Anne d'Autriche ne l'entend pas ainsi. Bruxelles n'est pas la France. Les frères de la princesse ne sont plus en exil. Charles est restauré. Et la reine mère de s'emporter contre sa nièce et de la traiter de « folle ». Mademoiselle se console en se moquant de la reine d'Angleterre, « enflée de sa nouvelle fortune ».

Celle-ci ne se contente pas de ces bouffées d'orgueil. Toujours autoritaire, la voilà qui crée de toutes pièces un conflit avec sa fille aînée. La princesse d'Orange a grande envie de rejoindre Charles au plus tôt et le jeune homme l'en presse. Elle lui a été si secourable dans son exil. Mais leur mère a entrepris que Mary vienne d'abord la voir en France. Le roi et ses deux frères sont en Angleterre. Elle-même, la « matriarche », y abordera accompagnée de ses deux filles. Mary, coincée entre mère et frère, se désespère. Qu'ils se mettent d'accord. Les querelles familiales vont-elles reprendre comme jadis à propos de Henry ? La petite en a gardé mauvais souvenir.

Heureusement la situation a changé. Maintenant le roi commande. Lord Grandison porte son message. La venue de la princesse d'Orange en Angleterre est urgente. Et la reine cède. Mary n'en revient pas. Henriette non plus sans doute. Quel bonheur d'être la sœur d'un roi régnant !

Il y a plus grave. Une catastrophe inattendue s'abat sur la famille. Alors que l'on attend la princesse d'Orange et que Lord Sandwich est parti en Hollande pour l'escorter sur le même bateau qui ramena le roi d'exil, Henry, duc de Gloucester, meurt à Londres. Il a dix-huit ans.

Quelques jours avant, il avait été atteint de la petite vérole, mais on le croyait tiré d'affaire. Les notes de Nicholas à Bennet font plusieurs fois mention de ce mieux. La stupéfaction et le chagrin n'en sont que plus violents. On tenait le duc pour un garçon intelligent, plein d'avenir. Sa mort atterre la cour et le peuple. Les dames de Londres veulent porter son deuil, et Pepys s'achète des bas noirs courts pour les mettre par-dessus ses bas de soie.

Même s'ils se voient peu, les enfants princiers sont très unis. Les quatre frères et sœurs sont affligés de la disparition de Henry. Mary retarde son passage en Angleterre. York, qui était parti au-devant d'elle, retourne précipitamment à Londres. Il est si troublé qu'il en oublie de donner des ordres pour l'arrivée des navires qui doivent venir de Hollande. Que le vice-amiral s'en occupe. C'est pourquoi la bénédiction de la cloche à Chaillot est une cérémonie importante pour Henriette, mais une cérémonie empreinte de gravité, non de joie.

Peu avant, le 10 octobre, elle a écrit de Colombes à Charles une courte lettre pleine de tristesse sur « l'accident si cruel ». Elle a attendu pour lui parler de sa douleur, « ne trouvant pas de termes propres à le faire ». Le grand frère lui a déjà exprimé ses sentiments. Alors elle s'y raccroche. Elle les trouve justes, elle y prend sa part, elle les partage, répète-t-elle avec une maladresse qui trahit son trouble. Puis elle avoue : « Je crois que le mieux est de se taire. » Est-elle recrue de chagrin, incapable de dire plus ? Sans doute.

Mais il y a aussi en elle une sagesse d'adulte et une force qui la pousse à vivre heureuse en dépit des coups du sort. Après les malheurs incessants qu'ils ont supportés tous deux depuis leur enfance, et au moment où le succès semble leur sourire en même temps, pourquoi ne pas se taire ? Les mots ne changent pas l'inéluctable. Ils n'ont pas besoin de se dire la profondeur de leur chagrin. Ils en sont sûrs d'avance. Inutile de ressasser vainement et de s'apitoyer sur soi. Délibérément, la petite se tourne vers l'avenir, vers le bonheur et formule son souhait le plus cher, voir bientôt son frère.

Elle sait déjà que ce souhait va se réaliser. Charles réclame sa mère. Sa place est auprès de lui. Mais la reine ne veut plus se fier, dit-elle, à l'humeur farouche et cruelle des Anglais. Son vrai pays, c'est la France. Très vite pourtant, elle se décide à obéir à son fils et à le rejoindre plus tôt qu'elle ne l'avait dit à sa sœur Christine, sans attendre le mariage d'Henriette. Pourquoi ? Elle veut voir ce qu'il en est de ses biens restés là-bas. Cela lui tient à cœur. Dès sa première lettre de félicitations à Charles, elle l'a informé d'une donation, prévue de son vivant, par le roi son époux, pour la dédommager s'il n'avait pu assumer ses dépenses. C'est bien le cas. Elle souhaite donc régler en Angleterre sa situation financière, et tâcher aussi d'obtenir du Parlement une dot pour la princesse. La petite viendra avec elle, et sa présence sera du meilleur effet.

Un autre motif la presse à hâter son voyage. Elle n'a pas perdu l'espoir de persuader Charles d'épouser la riche Montpensier. Mais elle songe moins à marier l'aîné qu'elle ne veut, écrit-elle à sa sœur, « démarier le cadet ». Jacques a épousé en secret, début septembre, sa bien-aimée, l'ancienne fille d'honneur de Mary, la fille de Lord Hyde, enceinte de six mois. À part Charles, personne n'a été prévenu. Même pas Hyde, créé, depuis la Restauration, comte de Clarendon, et devenu, malgré leurs différences d'âge et de caractère, l'un des bras droits du roi.

Quand la nouvelle parvient en France, la reine enrage de ce mariage et de cette grossesse. L'enfant, s'inquiète-t-elle, est-il d'York ? « Une fille qui s'abandonne à un prince s'abandonnera bien à un autre. » Cette fois, c'est sûr, la petite princesse va subir à nouveau les disputes entre sa mère et ses frères.

Le bonheur du voyage vers Charles est tel qu'Henriette en oublie deuil et tensions. Le 29 octobre, elle quitte Paris avec sa mère, passe la Toussaint à Beauvais. Leurs devoirs religieux accomplis, c'est, à Crèvecœur, l'accueil chaleureux de Mennevillette, receveur général du clergé de France, et de sa femme. On les régale, elles et leur suite. De même, les jours suivants, aux étapes de Poix, Abbeville et Montreuil. Le vendredi 5, c'est l'arrivée à Calais. Enchanteresse.

Envoyée de la part du roi, une grande foule de nobles britanniques attend les deux femmes pour les saluer avant le passage de la Manche. Parmi eux, Saint-Albans et le duc de Buckingham. York, grand amiral, est là, avec sa flotte de guerre. Pas une armada, non. Mais les vaisseaux sont si bien rangés que « les mâts élevés paraissent comme de gros arbres et représentent une vaste forêt ». Le père Gamaches est émerveillé. La princesse aussi, qui n'a jamais vu un tel spectacle sur mer. Quand elle monte dans le navire qui doit la conduire, les canons des autres navires tonnent de joie l'un après l'autre, de proche en proche. On les entend à Douvres aussi bien qu'à Calais.

Impossible pourtant d'appareiller. Il n'y a pas un souffle de vent. Il va falloir passer la nuit sur mer, alors qu'avec une brise favorable la traversée, avec de tels vaisseaux, peut se faire en trois heures. Un souper fastueux est organisé non seulement pour la reine et sa fille, mais pour leurs gens, à qui « l'air de la mer calme » cause, selon Gamaches, une grande faim.

Il y a un problème. On est vendredi, dans l'octave (c'est-à-dire la semaine) de la fête de tous les saints, et la reine fait maigre. Qu'à cela ne tienne. York songe à tout. Le choix n'est pas grand à bord, mais on a de l'esturgeon. Plus heureux que ne le sera quelques années plus tard Vatel, il va le faire servir. Il faut dire que le jeune homme tient particulièrement à satisfaire la reine. Il sait l'aversion qu'elle a pour son mariage. Sans qu'il soit besoin d'en reparler, il sent cette hostilité. Loin de son frère aîné, il redoute encore plus les manières autoritaires de leur mère.

Le voyage fait diversion. Les bateaux se traînent sur une mer d'huile. Il faut deux jours pour approcher de Douvres. Un record. Mais quelle joie alors ! Peu avant l'accostage, Charles en personne rejoint les arrivantes. On est dimanche, trois heures après midi. Henriette, quatorze ans auparavant, était partie de Douvres en fuyarde, en pauvresse, déguisée en petit garçon. Elle y revient victorieuse, avec le roi, saluée par ses gentils-hommes chamarrés. Elle n'a pas, en retrouvant son royaume, les souvenirs douloureux et précis de sa mère. Elle peut se livrer aux plaisirs des découvertes et des fêtes, et chasser les chagrins silencieux.

Le soir même, Charles la reçoit à sa table au château de Douvres, avec sa mère, Jacques, sa sœur Mary et leur cousin, le prince Rupert, beau-frère de la Palatine. Gamaches affiche un peu trop de fierté à bénir les viandes, comme l'a fait avant lui le ministre protestant, et à prendre cette revanche sur les puritains qu'il déteste. Dans l'euphorie du retour de la reine, il n'y a pas d'incident.

À Canterbury, nouvelle halte, et autre accueil enthousiaste. Après Rochester, c'est Londres, le 12 novembre. La reine ne veut pas remonter la Tamise comme elle l'avait fait jadis avec son jeune époux. Ce lui serait trop douloureux. Le cortège longe donc la rivière sur la rive droite jusqu'au palais de Lambeth, et seulement alors traverse pour gagner Whitehall. C'est là qu'on a logé Mary quand elle est arrivée à la fin de septembre, accompagnée du roi et de Jacques, saluée du bruit des canons de la Tour de Londres.

Tandis que la reine revit les malheurs passés, la princesse va de joie en joie. Les dépêches de Bartet, l'agent de Mazarin, la montrent radieuse et comblée. Elle n'est pas allée à la première audience de sa mère. Elle est demeurée dans sa chambre à se reposer du voyage. Charles conduit Bartet chez elle, et la découvre en cornette, avec une robe d'indienne de mille couleurs, jouant aux cartes avec son frère Jacques et sa sœur. Elle a l'air pimpant, plus belle encore qu'autrefois dans la galerie du Louvre. La fatigue n'est qu'un prétexte pour échapper à la cohue qui se presse autour de la reine. Elle n'a que seize ans, et l'envie de s'amuser avec ses frère et sœur retrouvés.

Pepys a soudoyé un batelier pour assister à l'arrivée à Whitehall. Il n'a rien vu tant la foule était dense. En revanche, il est invité au palais à une réception de la reine qu'il juge « une petite vieille fort ordinaire ». Mais il trouve la princesse « très jolie ». Seule lui déplaît sa façon de se coiffer, les cheveux frisés court au-dessus des oreilles, à la mode de France. Et de toute façon, sa femme lui semble la plus belle du monde.

Très vite, la jeune fille devient la coqueluche de Londres. Les Communes lui envoient un présent important. Elle les remercie par une lettre charmante. En français, elle le regrette, mais, dit-elle, à défaut de savoir leur langue, elle conservera toujours un cœur anglais. Puis on lui offre un bracelet de prix. Les réceptions se succèdent, le souper et la comédie, par exemple, où Monck, devenu duc d'Albemarle, la convie avec sa mère. Ses cinq cents gardes du corps, portant collet de buffle et carabine, escortent leur carrosse. Evelyn note dans son *Journal* la grâce avec laquelle la princesse reçoit sa femme. Elle séduit tous ceux qui la voient.

À la fin de novembre, le comte de Soissons, le mari de la belle Olympe Mancini, ambassadeur extraordinaire, fait au roi la demande officielle de la main de la princesse pour Philippe, duc d'Orléans. Sa Majesté britannique l'accorde « de la manière la plus galante ». Pour montrer sa satisfaction, il complimente Soissons, lui offre une boîte couverte de brillants, d'une grande valeur, et pour sa femme une bague ornée d'un superbe diamant.

L'alliance avec la France est avantageuse à Charles. Elle peut contrebalancer la puissance hollandaise. Il s'y ajoute des raisons d'ordre privé. Dès le début de son ambassade, Soissons constate : « Le roi sait bien que

c'est faire heureuse la princesse que de la donner à
Monsieur... Il l'aime extrêmement et comprend qu'il
est de ses intérêts et du bonheur de toute sa vie que
Monsieur l'épouse. » Tous sont alors victimes de l'empressement du fiancé. C'est pourquoi Soissons est sûr
que le roi la refusera à l'empereur, qui veut se mettre
sur les rangs. Quant à l'envoyé du duc de Savoie, qui
arrive en décembre alors que tout est réglé, il ne reçoit,
raconte Bartet, qu'un « gros non ». Sollicitude fraternelle, paternelle même. Le grand frère songe moins à
l'avenir de son royaume qu'à celui de sa sœur.

Le comportement de sa mère a peut-être joué aussi.
Non qu'il soit enclin à l'écouter. Au contraire. Il entend
décider de tout pour les siens. L'attitude maternelle,
d'emblée autoritaire et violente envers Jacques, à cause
de sa mésalliance, l'irrite. Annuler ce mariage conclu
librement entre deux adultes est impossible, à moins
d'une décision du Parlement. Et Charles ne veut à
aucun prix que les chambres s'occupent des affaires de
succession du royaume. Il va forcer sa mère à reconnaître le fait accompli et à recevoir la nouvelle duchesse
d'York. En menaçant de lui supprimer, si elle s'obstine,
les rentes dont elle a grand besoin. La France, comme
le lui répète Mazarin, n'a plus désormais à l'entretenir
et blâme son attitude qui menace l'entente franco-
anglaise.

Le roi ne se soucie donc pas de l'opinion de sa mère
sur le mariage d'Henriette. Mais il voit que sa présence
fait redresser la tête aux catholiques, qu'elle embarrasse
les anciens partisans de Cromwell honteux devant elle,
quoique désireux de profiter de l'amnistie, et que la
souveraine n'a pas perdu l'habitude de s'immiscer dans
les affaires de l'État. Le mariage français de sa dernière
fille, qu'elle chérit, qui lui est soumise et qu'elle n'a pas
quittée depuis quatorze ans, entraînerait son installation en France. Bon vent ! Dès octobre, c'est la conclusion que donne un observateur diplomatique à
Williamson et à l'entourage officiel de Charles. L'union
avec Monsieur est bonne pour la Grande-Bretagne, « la
reine restant en France, et par ce moyen ne se mêlant
point de vos affaires ».

Pour tenir compte des susceptibilités de la princesse d'Orange, fâchée de la mésalliance de Jacques et d'avoir à s'incliner devant son ancienne suivante, on pensait attendre son départ en Hollande pour officialiser l'événement. On n'eut pas à attendre. La veille de Noël, elle meurt brusquement de la petite vérole à Whitehall. L'affliction est vive après ce nouveau coup du sort. Henriette, en pleine période d'euphorie mondaine et de succès personnels, est replongée brutalement dans le deuil et la tristesse. Comme à la mort de Henry, il lui faut, pour survivre, s'interdire de ressasser et de se plaindre. Elle peut à nouveau répéter : « Le mieux est de se taire. »

21.

« Tous les os
des Saints-Innocents »

La princesse d'Orange meurt à vingt-neuf ans. De la petite vérole, dit-on. C'est aussitôt l'affolement, la peur de la contagion pour sa sœur. L'un après l'autre disparaissent les siens. On se dépêche de transférer Henriette de Whitehall au palais de Saint-James, avec sa mère. Par peur de la contagion aussi, on interdit à la reine d'aller voir Mary mourante. Le père Gamaches soupçonne que c'est pour l'empêcher de convertir sa fille aînée au catholicisme.

Les malveillants daubent sur la maladie de la princesse d'Orange. De France, Guy Patin se fait leur porte-parole : « Elle n'est point morte de la petite vérole, mais d'un remède fort violent qu'elle avait pris, pour un soupçon qu'elle avait de quelque mal caché qui eût duré plus de six mois. » Mlle de Montpensier ne va pas jusqu'à affirmer Mary enceinte, elle parle de ragots à son sujet. La jeune veuve aurait épousé « le petit Germin » (orthographe française), neveu du comte de Saint-Albans.

Quoi qu'il en soit, cette mort la veille de Noël réduit à néant les réjouissances prévues dans le peuple et à la cour pour célébrer la fête en grande pompe, après tant d'années d'austérité puritaine. On ne pense qu'au deuil. Le corps de Mary est transporté à l'abbaye de Westminster pour y être enterré auprès de celui de son frère Gloucester. Le cortège funèbre est mené par York. Clarendon y participe comme chancelier de la couronne.

Dans la tristesse ambiante, un billet de son frère Charles vient réconforter Henriette et témoigne de sa tendre sollicitude. Il profite de leur séparation pour lui écrire, de palais à palais, sans objet particulier, juste pour combler l'absence. Il lui demande son affection pour un frère qui l'aime plus qu'il ne peut le dire. Il espère qu'elle est persuadée de cet amour et attend d'elle en retour des marques d'amitié qu'il s'efforcera de mériter.

De France arrivent des messages inquiets et pressants du duc d'Orléans. Que la princesse rentre au plus vite et fuie cet air malsain ! La reine d'Angleterre le souhaite aussi. Accablée de tristesse, hostile au sol anglais où elle ne trouve que deuils et chagrins, elle désire partir pour la France accompagner sa fille et la marier.

Rien ne la retient. Son difficile problème de rentes est réglé. Le Parlement lui accorde 30 000 livres par an, et le roi son fils la même somme pour ses dépenses personnelles, à condition qu'elle revienne vivre en Angleterre où est sa place, après le mariage d'Henriette. Ce n'est pas incohérence de la part de Charles. Une fois la première année de sa restauration accomplie, son sacre prévu en 1661, à la Saint-Georges, célébré, son propre mariage peut-être décidé, il sera plus solide sur son trône et ne redoutera plus les ingérences maternelles.

La princesse royale morte, les bruits calomnieux sur le père véritable de l'enfant d'Ann Hyde apaisés, la reine résignée, il est urgent de régler la situation de Jacques d'York. Le 11 janvier 1661 a lieu le baptême de son fils à Worcester House, résidence du grand-père de l'enfant, Lord Clarendon. Une lettre à Conway, secrétaire d'État aux Affaires étrangères, en parle. *La Gazette de France* le raconte. Ses parrains sont le roi lui-même et le général Monck, duc d'Albemarle, sa marraine la marquise d'Ormond. Il est nommé Charles, duc de Cambridge.

Le même jour, la souveraine donne à Whitehall, malgré son deuil, une réception avant son départ. La duchesse d'York y est admise. Elle s'agenouille devant sa belle-mère qui la relève, l'accueille comme si elle l'avait de tout temps désirée comme belle-fille, et l'embrasse. Henriette embrasse sa belle-sœur. La reine, surprise par l'affluence des curieux dans la salle et craignant toujours la contagion, fait sortir la jeune fille sans tarder.

Le soir, la duchesse d'York dîne en public, avec la famille royale – enfin ce qu'il en reste. La paix est retrouvée. Gamaches triomphe. Au moment où l'on va servir le repas, le ministre protestant et lui jouent des coudes pour se frayer un chemin parmi la foule des courtisans et bénir la table. Dans la cohue, le protestant s'embronche et « tombe à plat ». Le capucin exulte de voir l'entourage royal se moquer de lui, « renversé, abattu, terrassé ». Sans nulle charité, il se glorifie d'être « le prêtre victorieux ».

Dès le lendemain, Henriette et sa mère quittent Londres. Charles les rejoint à Guildford. Avec lui et sa suite magnifique, en deux jours, elles arrivent à Portsmouth. Sir Nicholas tient au courant Lord Bennet, ambassadeur en France, de leur parcours. Elles embarquent à bord d'un navire de guerre commandé par Lord Sandwich, le *London*. Plusieurs vaisseaux les escortent.

Le vent semble favorable et douce la mer, quand, au sortir du port très abrité, une violente tempête saisit brusquement le bateau. Le pilote fait une fausse manœuvre et le *London* s'échoue sur le Horse Sand. Il est assez endommagé pour qu'il soit nécessaire de le ramener à Portsmouth. D'autant que la princesse n'est pas bien. On a cru d'abord à un simple mal de mer. Mais la fièvre l'a prise. Par ordre de Sandwich, les commissaires de la marine sont prévenus du retour au port du *London* et de ses escorteurs, le *Swiftsure*, le *Mary* et le *Breda*.

Trois jours durant, la fièvre ne baisse pas. Comme tous, Percy Church, gentilhomme suivant de la reine, est inquiet. Va-t-on assister encore à une tragédie brutale ? Charles, en butte dès son retour de Portsmouth à une révolte des « Fanatiques », prend soin d'envoyer à sa sœur chérie deux de ses médecins personnels. Dont le docteur Frazer, qui veut la saigner, comme il l'a fait pour Henry et Mary. L'entourage de la jeune fille refuse. Son traitement a si bien réussi... Finalement des boutons de rougeole apparaissent sur le corps d'Henriette. Ce n'est pas la petite vérole si redoutée. On attend qu'elle reprenne quelque force et l'on appareille pour Le Havre.

Heureuse à son arrivée à Douvres, heureuse auprès de Charles pendant son séjour londonien, heureuse de son affection, elle a surmonté le malheur. Elle s'est épanouie. Pour la deuxième fois elle quitte son pays natal, non plus furtivement comme la première, mais dans la gloire. Son frère est un grand roi, et elle va rejoindre, pour l'épouser, le frère unique du plus grand roi du monde.

Au moment de quitter son frère, sa fragilité se manifeste. Malgré son contentement profond, elle cède à l'anxiété de la séparation et donne prise à la maladie. Depuis les drames de sa naissance et de sa petite enfance, les convulsions d'Exeter, elle n'a jamais été robuste. On a noté sa minceur, ce que ses admirateurs comme l'évêque de Cosnac appellent « finesse », et l'envieuse Montpensier « grande maigreur ». La jalouse va même plus loin dans la méchanceté envers sa cadette. Seule ou presque de tous leurs contemporains, elle qualifie Henriette de « bossue ».

On a trouvé cela piquant et on l'a cru. La cousine va jusqu'à affirmer l'invraisemblable. Monsieur ne se serait aperçu de la difformité de la jeune femme qu'après son mariage, tant sa mère prenait soin de bien l'habiller ! Comme si la mode des robes décolletées permettait, même à la plus habile des mères, de tricher sur les épaules féminines... S'il est possible qu'Henriette ait eu une déviation de la colonne vertébrale due au rachitisme et à la malnutrition, susceptible de s'aggraver avec les années, cela n'a rien à voir avec une bosse. Les portraits, que l'on commence à peindre d'elle et qui vont se multiplier, sont là pour en témoigner. En revanche, l'époque n'aime pas les maigres et les décolletés profonds ne favorisent pas les adolescentes graciles. Et les années difficiles de sa petite enfance laisseront toujours à Henriette une dangereuse fragilité.

C'est pour en tenir compte qu'après leur voyage mouvementé la mère décide une halte au Havre. L'accueil des deux femmes y est des plus magnifiques. Canonnades, tambours, trompettes et clairons se déchaînent dès qu'on voit leur navire entrer dans la rade. Nobles, bourgeois, gens d'Église, envoyés étrangers, milice les assurent de leurs respects. Sir Nicholas annonce à Bennet que, par ordre de Louis XIV, de grandes manifestations les attendent tout au long du chemin jusqu'à Paris. Il faut être en bonne forme.

La princesse affiche un charme rayonnant. Les dragées qu'on lui a distribuées à profusion au Havre ne suffisent pas à l'expliquer. Ni l'hospitalité fastueuse du gouverneur de Normandie dans son château de Longueville. Grâce à lui, on a évité Rouen où sévit une épidémie de petite vérole, décidément menaçante. Outre son bonheur d'être accueillie si triomphalement en France, Henriette resplendit d'être aimée et désirée. Le papillon est sorti de sa chrysalide.

À Londres, les jeunes gentilshommes l'ont admirée et courtisée. La cour de Charles est loin d'être un modèle de vertu. On y pense beaucoup à l'amour après les années de guerre et d'exil, et le roi donne l'exemple. Quel délice pour l'adolescente, jusque-là dans l'ombre de sa mère, d'être le point de mire de ces brillants adorateurs ! Les kilos ne font rien à l'affaire. Ses admirateurs anglais ne se s'y sont pas trompés. Ils ont apprécié son teint, comparable à la rose et au jasmin, ses yeux brillants, ses dents blanches et fines, son nez parfait.

Mais surtout ils ont vu, les premiers, apparaître les signes certains du charme de la princesse, son don de plaire, cette douceur qu'on ne trouve point dans les autres personnes royales, sa manière facile et touchante qui la rend, avec tant de qualités divines, la plus humaine au monde, le feu contagieux de ses yeux, son goût de régner dans les cœurs par ses charmes et la beauté de son esprit, « un agrément inexprimable » à tout ce qu'elle fait, comme est forcée de le reconnaître la jalouse Montpensier. Bref, les qualités éclatantes que tous vont découvrir bientôt à la cour de France.

L'un de ces adorateurs est très empressé. Il a de qui tenir. C'est le fils du célèbre Buckingham, favori de Charles Ier, décapité lui aussi et qui séduisit autrefois Anne d'Autriche. Lui-même duc de Buckingham, il était de ceux qui avaient accueilli Henriette à Douvres. Attiré par sa grâce, amoureux au point d'en perdre la raison, dit Mme de La Fayette, il l'accompagne partout à Londres.

Il la conduit à Portsmouth dans la suite de Charles, mais là ne peut se résoudre à la quitter. Avec la permission du roi, heureux de voir l'admiration que suscite sa petite sœur, il s'embarque avec elle, sans équipage et sans les choses nécessaires à un pareil voyage. Il part sur un coup de cœur. Désespéré par la maladie de la princesse, il s'irrite des soins que lui fait prodiguer Lord Sandwich et songe à provoquer le vice-amiral en duel. Il se comporte si follement qu'une fois débarquée au Havre, la prude et prudente reine d'Angleterre, pour couper court à ses empressements intempestifs, l'envoie à Paris annoncer au duc d'Orléans que sa promise est enfin arrivée à bon port.

Les rumeurs courent. Monsieur les entend. Il n'a pas été troublé par la maladie de la princesse, se contentant de faire les gestes de politesse nécessaires. Mme de Motteville doute de sa sincérité et ne le ménage pas. « Son intention du moins était d'être affligé », écrit-elle. Il n'empêche. En apprenant les folies amoureuses de Buckingham, il se comporte comme le chien du jardinier et manifeste une jalousie féroce, qui ne le quittera plus.

Il se précipite au-devant de sa fiancée, comme le relate *La Gazette*. Puisque Longueville doit escorter la princesse et sa mère jusqu'à Saint-Martin de Pontoise, chez l'abbé Montagu, grand aumônier de la reine d'Angleterre, Philippe les rejoint à Magny, au-delà de Pontoise. Le 19 dans l'après-midi, c'est l'arrivée à l'abbaye avec un souper offert par le prieur. Le 20, c'est la rencontre protocolaire avec le roi et la jeune reine à Saint-Denis. Mlle de Montpensier et la cour conduisent les deux femmes jusqu'au Palais-Royal.

Le duc d'Orléans est enthousiasmé par la métamorphose de sa fiancée. Si son goût n'est pas tourné du côté des femmes, il s'aperçoit qu'aucune n'est plus digne d'être aimée que celle qui va être la sienne. Mme de Motteville remarque avec finesse le changement d'Henriette. Sa jeunesse l'avait jusqu'alors comme cachée au public, mais il était aisé de juger que lorsqu'elle serait sur le grand théâtre de la cour de France, elle y ferait un des principaux rôles. Elle regrette sa maigreur, non qu'elle enlève rien à sa beauté, mais parce qu'elle semble menacer la princesse d'une prompte mort. Est-ce crainte prémonitoire ?

Et Louis XIV, que pense-t-il ? Le mariage de son frère avec la princesse d'Angleterre a été voulu surtout par sa mère. Mazarin y a souscrit par diplomatie. Lui-même n'a jamais eu beaucoup d'inclination pour cette alliance, prétendant qu'il sentait pour les Anglais l'antipathie traditionnelle entre les deux nations. La petite lui a toujours paru sans attrait. Il est de son temps et préfère les rondes.

Pendant le séjour de sa cousine à Londres, il n'a pas désarmé et il a continué à se moquer de la fiancée de son frère. Quand il a vu Philippe contrarié des retards à son mariage, deuils, voyage et maladie, Louis a eu un mot atroce. Faisant allusion à la maigreur de la fiancée et au cimetière des Saints-Innocents, proche de l'église Saint-Eustache, fort connu à l'époque pour la célèbre *Danse macabre* qui ornait une de ses galeries, il a conseillé à Philippe de calmer son ardeur et de n'être pas si pressé : « Mon frère, lui a-t-il lancé, vous allez épouser tous les os des Saints-Innocents. »

22.

« M. le Cardinal »

Si Philippe est tellement pressé de se marier, c'est aussi pour entrer en possession de ses revenus. Traditionnellement en effet, le roi donne à un cadet son apanage, c'est-à-dire les biens attachés à son titre, après son mariage. Les apanages de Monsieur sont de qualité, duchés d'Orléans, de Valois et de Chartres, seigneurie de Montargis, que le duc reçoit en 1661, Villers-Cotterêts, Sèvres, Nemours, Dourdan, Romorantin, qu'il recevra plus tard. Au départ, plus de 200 000 livres de revenus annuels (8 millions de francs), qui monteront bientôt au quadruple.

Avant même de toucher ses apanages, Philippe n'est pas à plaindre. Les cadeaux de son frère sont et seront considérables. Comme si Louis achetait avec eux la non-ingérence de Philippe dans les affaires de l'État. À chacun sa spécialité. Au cadet le choix de l'argenterie, les collections de maîtres flamands, les conseils sur le cérémonial, les subventions aux troupes de théâtre. À l'aîné l'autorité et le gouvernement de la France.

Henriette, de son côté, a reçu du Parlement d'Angleterre une dot considérable à laquelle son frère ajoute le double, en or, bagues et pierreries. Selon l'usage, son futur époux, assisté de Louis, lui accorde un douaire de 40 000 livres annuelles (1,6 million de francs), et le château de Montargis, meublé. Fort de son trône retrouvé, Charles a pu veiller au confort de sa petite sœur.

Le couple est riche, même s'il doit mener un train de vie considérable. Il possède Saint-Cloud, acheté par Mazarin pour Philippe en 1658 et que le jeune homme n'a cessé depuis d'embellir. C'est l'un de ses plaisirs. Et il y fait preuve de goût comme son ancêtre Valois, Henri III. Il n'hésite pas à disposer lui-même les sièges chez lui et, à l'armée, orne ses tentes de lustres et de miroirs.

À Paris, le duc occupe aux Tuileries l'ancien appartement de Mlle de Montpensier, le plus agréable du monde, disait-elle. À la fin de la Fronde, le roi en a délogé sa cousine pour la punir de son infidélité à sa cause, et y a installé son frère. Enfin, par la force des choses, le Palais-Royal, prêté à la reine d'Angleterre pendant son exil, est devenu sa résidence et celle de la princesse, lors de leurs séjours parisiens. Henriette l'occupera de plus en plus. Monsieur aussi.

Depuis son arrivée à Paris, la princesse participe à la vie de cour. Le roi est occupé à répéter et jouer le *Ballet de l'Impatience*. Est-ce hasard ou clin d'œil malicieux aux sentiments de son cadet ? Il le danse pour la première fois le 25 février. Le 28, Henriette y assiste avec Philippe, dans toute sa gloire nouvelle. Elle admire Villeroy, dix-sept ans, surnommé « le Charmant », en « débauché », Armand de Gramont, comte de Guiche, vingt-trois ans, Louis de Lorraine, fils aîné du comte d'Harcourt, vingt ans, qui, avec François de Vendôme, duc de Beaufort, et Saint-Aignan, plus âgés, appartiennent aux danseurs « de la suite » de Louis. Le roi représente lui-même « un grand amoureux ».

Henriette ne cessera plus de les voir autour d'elle, beaux, galants, pleins d'ardeur impatiente. Comme eux, la jeune fille de seize ans et demi sait qu'il faut se presser pour être heureux. Elle veut oublier les chagrins du passé et vibre de fièvre et d'espérance en entendant les vers de Benserade : « Courons où tendent nos désirs,/ Il n'est pas toujours temps de goûter les plaisirs,/ On ne peut en avoir trop tôt la jouissance. » En fait, ce n'est pas de se marier qu'elle est impatiente, mais de goûter les plaisirs dont ses noces lui ouvrent le chemin.

Pour s'unir, le lys et la rose ont besoin d'une dispense du pape, car ils sont cousins germains, le père de

Monsieur, Louis XIII, et la mère d'Henriette, veuve de Charles Ier, étant frère et sœur. En attendant que la permission arrive de Rome, la princesse et sa mère se retirent à Chaillot pendant les premiers jours du carême.

Cependant M. le Cardinal agonise. Depuis l'automne 1660, Mazarin ne va pas bien. L'humeur de la goutte « remontée des jambes à l'estomac » lui cause des étouffements, explique à sa manière Mme de Motteville. À la mi-février, pour voir si le changement d'air lui procurera un mieux, il se fait porter à Vincennes. C'est là qu'à son retour en France la reine d'Angleterre va le saluer et saluer la reine mère, le roi et la jeune reine. Le 9 mars 1661, il meurt, détesté de tous pour son avarice et son manque de cœur, regretté seulement du roi, son filleul... qui se réjouit pourtant à l'idée de gouverner lui-même, enfin !

Ce même 9 mars arrive de Rome la dispense attendue. Dès lors, bien qu'on soit en carême et la princesse en deuil d'un frère et d'une sœur, les choses vont vite. Le 16, le comte de Saint-Albans fait son entrée à Paris comme ambassadeur extraordinaire d'Angleterre. Reçu à Saint-Denis par les ambassadeurs de Venise, d'Espagne et de Savoie, escorté avec magnificence, visité au nom du roi et du duc d'Orléans, il a désormais un titre officiel à ne plus quitter sa bien-aimée reine Henriette-Marie. Il servira d'intermédiaire entre elle et le roi, son fils.

Au Louvre, le mercredi 30 mars, il signe au nom de Charles le contrat de mariage d'Henriette que paraphent, pour l'autre partie, Louis XIV et les deux reines. Dans la soirée, il assiste aux fiançailles officielles dans le grand salon du Palais-Royal. Peu de monde, mais du plus grand. Le roi, sa jeune femme, les deux reines mères, Mlle de Montpensier, les princes et princesses du sang, quelques invités de haut rang. Tous les assistants et surtout la princesse sont fort parés.

Le matin, Philippe s'est préparé à la cérémonie en faisant ses dévotions à Saint-Germain-l'Auxerrois, sa paroisse. Il a communié des mains de son premier aumônier, l'évêque de Valence, Daniel de Cosnac. De son côté, Henriette a reçu l'absolution et communié à Saint-Eustache, paroisse du Palais-Royal.

Le 31, le mariage religieux est célébré à midi dans la chapelle du Palais-Royal. Le parement d'autel est l'ouvrage des visitandines de Chaillot. Les bouquets en colle de poisson de toutes couleurs, mêlés de fleurs d'or et d'argent, sont leur spécialité. Pour l'occasion, elles ont réalisé des roses sur un fond argent. Dans les armes de la fille de Charles Iᵉʳ s'ajoutent désormais aux trois léopards d'Angleterre, au lion d'Écosse et à la harpe de l'Irlande les trois fleurs de lys de la France.

Avant même la mort de Mazarin, il y a eu querelle de préséance pour savoir qui présiderait, de Cosnac ou de Montagu, grand aumônier de la reine d'Angleterre. Comme il s'agit d'un engagement de Monsieur, le premier soutient qu'il doit en avoir l'honneur mais reconnaît que Montagu peut le lui disputer puisque la cérémonie se fait chez la reine. Le roi décide. Cosnac célébrera le mariage, mais en fera la « civilité » à Montagu. Le registre de Saint-Eustache, paroisse de la jeune fille, contient l'acte avec ses signataires. Il note aussi, outre la dispense du pape pour second degré de consanguinité, celle des bans, et la permission de faire cette cérémonie en plein carême. La princesse signe Henriette Anne. Désormais duchesse d'Orléans, elle est couramment appelée Madame.

Les gazetiers soulignent la joie de la fête et la somptuosité des habits de la jeune mariée. La mémorialiste de la Visitation jubile : « Les reines mères étaient au comble de leurs souhaits, ayant désiré avec passion cette alliance. » Loret a beau proclamer : « Et Dieu sait si le sacrement/ Fut suivi de chères caresses,/ De félicités, de tendresses,/ Et, bref, de toutes les douceurs/ Dont les amants sont possesseurs/ Quand leur ardeur est couronnée/ Des fraîcheurs de l'hyménée », qu'en est-il de la jeune épouse ? Le soir du 31, elle reste au Palais-Royal où le roi vient souper. Le 1ᵉʳ au soir, on la conduit aux Tuileries – ou le lendemain, dit Mlle de Montpensier, « je ne sais plus ». À vrai dire la cousine s'en moque, déçue dans ses espérances matrimoniales.

Son hésitation n'est pas sans intérêt. Gamaches parle de « quelques jours » qui se passent entre la cérémonie et l'installation de la princesse chez son époux aux Tuileries. « Chose juste et selon Dieu », dit-il de cette installation, mais « accompagnée de difficultés et d'ennuis ». Quel drame imaginer ?

En réalité, Gamaches force le trait et privilégie le point de vue de son idole, la reine d'Angleterre. Il explique avec émotion la douleur violente de cette mère à se séparer d'une fille qu'elle n'a jamais quittée. Ce qui n'est pas exact, et assez ridicule quand on songe à la distance entre le Palais-Royal et les Tuileries.

C'est la correspondance de Charles et de sa sœur qui révèle les secrets de cette nuit de noces. On ne s'y attendait pas. La lettre de la princesse qui la racontait est perdue, mais celle de son frère, de Portsmouth, du 2 juin 1662, montre qu'elle lui en a donné les détails les plus intimes. Complicité des cœurs, complicité des sens. Le grand frère est toujours tout pour elle, son univers, son confident, le roi, le substitut du père, en l'occurrence aussi celui de la mère ou d'une amie très proche.

Plus d'un an après le mariage d'Henriette, à l'occasion de sa propre nuit de noces avec Catherine de Bragance, il regrette que la malchance se soit acharnée sur leur famille. Il ne s'agit pas de politique. Il lui est arrivé, confie-t-il à Madame, la même mésaventure qu'à Philippe. « M. le Cardinal m'a fermé la porte au nez. » Métaphore pudique pour évoquer le non-dit. Métaphore parlante de rouge et de sang, puisque le cardinal est toujours vêtu de rouge. Métaphore populaire que Charles écrit en français, parce qu'elle lui est familière. En clair, les jeunes femmes, Henriette et Catherine, ont eu toutes deux leurs règles le soir de leurs noces.

Charles se démarque tout de suite de son beau-frère. Monsieur a été furieux, lui pas. Il va laisser passer tout cela avant de rejoindre le lit de son épouse. Il entend bien, écrit-il, dès que cela sera possible, lui procurer une meilleure nuit que Philippe ne l'a fait pour sa sœur. Signe que, pour la pauvre princesse, ce n'a pas été la fête.

Monsieur racontera beaucoup plus tard à Mlle de Montpensier avoir aimé sa femme quinze jours... Insuffisante ardeur, qui ne l'empêchera pas de s'acquitter de son devoir conjugal pour assurer la survie de sa race. Sans se soucier de la santé fragile de la jeune femme, reprocheront certains. À moins que...

De toute façon, Henriette n'a jamais cru faire un mariage d'amour. Elle est princesse et de son temps. Elle a d'autres satisfactions. À seize ans et demi, la voici intégrée à la cour du puissant Louis XIV, participant, avec sa belle-sœur Marie-Thérèse, au quatuor des premiers jeunes gens de France. Argent, plaisirs, honneurs, jeunesse, elle dispose de tout. Même, et c'est une nouveauté, d'une notoriété naissante parmi les gens de lettres, trop contents de lui faire leur cour et de gagner quelque pension.

La Fontaine compose une ode à sa louange. Les vers sont parmi les plus détestables qu'il ait écrits. Mais les compliments sont étourdissants. Beauté, don digne des cieux, trésor du firmament, ornement de nos climats, gloire de notre âge, mélange heureux de la reine de Cythère, de Junon, du soleil et de l'aurore, la princesse tient des cieux. Elle a refusé le mariage avec le Portugais indompté, avec « le voisin du fier Croissant » (l'Autrichien), avec le « monarque florissant des Alpes chenues » (le duc de Savoie). Tant pis pour la poésie ! Il suffit que l'inspiratrice soit à la mode. En remettant en juillet l'ode entre les mains de Fouquet, surintendant des finances, La Fontaine sait ce qu'il fait.

Bref, la nouvelle duchesse d'Orléans peut être contente. De son union avec Monsieur jamais apparence ne fut si belle. Rien n'est contre, et tout est pour. Et puis, Louis XIV ne se contente pas d'écrire à Charles II, le lendemain du mariage, sa joie de leur alliance et du rapprochement de leurs nations grâce à l'union de leur frère et sœur respectifs. En ce mois d'avril, il est fort attiré par la petite cour des Tuileries. On y est jeune. On s'y divertit. On y est reçu par une séduisante Madame. Sa jeunesse l'avait jusqu'alors « cachée au public ». Maintenant on la découvre.

Louis est-il comme le public ? Découvre-t-il enfin ce trésor caché ? Abandonne-t-il ses préjugés cruels contre la petite cousine ? Connaît-il en la voyant de près combien, selon la superbe formule de Mme de La Fayette, « il avait été injuste en ne la trouvant pas la plus belle personne du monde » ? Sans doute.

Mlle de Montpensier remarque qu'il va presque chaque jour aux Tuileries.

23.

Les songes des nuits d'été

« Ce fut une nouvelle découverte de lui trouver l'esprit aussi aimable que tout le reste. » Mme de La Fayette s'émerveille de l'épanouissement de la princesse. Elle confirme l'opinion de Mme de Motteville. La petite était tenue de trop près par sa mère et « ne parlait quasi point ». Depuis le voyage de Londres, tout est changé. On l'entend rire, répondre avec esprit et chanter en s'accompagnant au clavecin. C'est une explosion de vie, une explosion de joie.

Depuis son mariage, toute la France vient chez elle. Les hommes ne pensent qu'à lui faire la cour, les femmes qu'à lui plaire. Parmi celles-ci, les plus proches ne sont pas toujours de grande vertu. La princesse de Monaco, Mme de Créquy, Mme de Châtillon, ancienne maîtresse de Charles surnommée Bablon, Mlle de La Trémouille, Mme de Chalais, Mme de La Fayette, qui mène une vie agréable à Paris, loin de son époux, désormais retiré en Auvergne.

Elles passent leurs après-dîners chez Madame. Elles la suivent au Cours, le Cours-la-Reine, la promenade à la mode. Au retour, on soupe chez Monsieur. Et l'on accueille les gentilshommes qui viennent ensuite. On consacre la soirée aux plaisirs de la comédie, du jeu et des violons. Henriette apporte à ces distractions sa fougue juvénile et son ardeur. Elle n'est pas blasée. Les plaisirs qu'elle voyait passer devant elle, elle entend maintenant y mordre à pleines dents – de ses jolies dents blanches et régulières.

Il y a évidemment les inévitables cérémonies religieuses avec la pieuse Anne d'Autriche, la jeune reine toujours dans le sillage de sa belle-mère, et Monsieur, qui devient à l'imitation de sa mère de plus en plus dévot. En ce mois d'avril 1661, les jours saints se succèdent. Le 8, fête de Notre-Dame de la Pitié aux filles de la Miséricorde du faubourg Saint-Germain. Le 10, les Rameaux dans la chapelle du Louvre. Après les vêpres, Henriette avec Philippe, le roi et la reine, rejoignent la reine mère au Val-de-Grâce. Le 16, Samedi saint, messe et salut du saint sacrement au Louvre, avec matines aux prêtres de l'Oratoire. Ainsi de suite.

Qu'importe ? Madame a l'habitude de ces cérémonies. Désormais, elle y occupe une place de choix, couverte de beaux habits, entourée de ses dames d'honneur. Cela la change de Chaillot. Le 14, Jeudi saint, la jeune reine, qui commence une grossesse et se trouve fatiguée, ne peut assurer sa tâche de laver les pieds des pauvres dans la cour du Louvre. Henriette tient sa place. Cela se reproduira souvent, et dans des circonstances plus agréables.

D'autres fonctions de représentation sont plaisantes. Henriette découvre avec le couple royal et son époux une « épinette-sonnante », sorte de piano mécanique, machine surprenante inventée par un habitant de Troyes, Raizin. Elle en a la primeur tandis que les autres, courtisans, ducs, pairs et maréchaux, doivent attendre pour admirer. Elle assiste au contrat de mariage de Marie Mancini avec le riche prince romain Colonna, à celui de la demi-sœur de Mlle de Montpensier avec le grand-duc de Toscane. Dire qu'elle aurait pu l'épouser... Et quitter la cour de France, comme le font ces deux jeunes femmes, ses contemporaines et un temps ses rivales. Comment ne pas hypocritement les plaindre, plaindre aussi la Montpensier, obligée d'escorter un moment sa sœur puis d'aller, malade de dépit, perdre son temps à prendre les eaux de Forges ?

Quelle satisfaction d'amour-propre, au contraire, de voir, les 22 et 23 avril, le nonce de Sa Sainteté et tous les ministres des princes étrangers en poste à Paris, conduits par Saintot, l'introducteur des ambassadeurs,

venir la féliciter ainsi que Monsieur de leur mariage !
Puis l'évêque de Béziers, envoyé extraordinaire du duc
de Toscane, prendre d'elle-même et de son époux son
audience de congé au moment de quitter la France,
comme il l'a fait auprès de Louis XIV. Ces visites sont
de règle pour les ambassadeurs à leur départ du
royaume et à leur arrivée. Quand on a dix-sept ans, il y
a de quoi se sentir flattée.

Philippe ne s'attendait pas à pareille métamorphose
de la petite cousine effacée. Il n'en est pas mécontent.
Enfin, il a quelque chose de mieux que son frère, sa
femme. Henriette brille d'un éclat que la jeune reine
n'aura jamais. Marie-Thérèse est petite, ignorante, sans
esprit. Elle aime manger, prier Dieu et dépenser son
argent au jeu. Elle est incapable d'écrire la moindre
lettre et ne réussit qu'à signer maladroitement son prénom au bas des nécessaires missives que l'on rédige
pour elle. Son application aux pratiques religieuses, son
admiration et son amour pour son royal époux réjouissent Anne d'Autriche. Mais la jeune femme aime un
peu trop la retraite, plus que le devrait une reine de
France, qui appartient au public.

Madame, avec la grâce et l'emportement de ses dix-
sept ans, fait au contraire merveille aux Tuileries. Elle a
vu partir sans chagrin le duc de Buckingham. Elle ne
l'aimait pas. Elle n'aimait que d'être aimée. Devant la
jalousie de Monsieur, elle avait assuré à sa mère qu'elle
jugeait ridicule la passion du duc. La belle-mère l'avait
dit à son gendre, qui s'était un peu rasséréné. Il en avait
pourtant parlé à sa propre mère. Anne d'Autriche,
pleine d'indulgence pour Buckingham à cause de
l'amour que son père lui avait jadis témoigné, apaisa
son fils et promit qu'on renverrait sans tarder le jeune
homme en Angleterre. Ce qui fut fait.

Avec l'intuition des amoureux, Buckingham, avant
de partir, a repéré dans l'entourage d'Henriette un
concurrent dangereux, celui auquel la jeune femme pourrait un jour céder, Armand, comte de Guiche. Il le trouve,
dit-il à la jeune femme, l'homme le plus séduisant de la
cour, avec ses grands yeux noirs et sa belle taille. Elle
pourrait être un jour de cet avis. Henriette ne dit rien.

Par ailleurs, son époux, plein de fierté, prend plaisir à la faire admirer à ce même Guiche, « moqueur, léger, présomptueux et brave », son compagnon d'enfance, son favori déclaré, qui a ses entrées à toute heure chez lui. Henriette ne dit encore rien.

En son cœur, elle est convaincue depuis son arrivée en France que l'homme le plus séduisant de la cour, c'est le roi. Il s'est moqué d'elle, l'a méprisée dans son exil et sa pauvreté. Soit. Maintenant, elle est sa belle-sœur et la sœur du roi d'Angleterre. Quand elle voit son assiduité chez elle à Paris, elle sent poindre la possibilité d'une revanche. Bientôt elle sait qu'elle la tient entre ses mains.

À la fin d'avril, le couple va à Saint-Cloud. Promesse de gloire et de félicité encore. Philippe projette de rendre, avant deux ans, son domaine un des plus beaux lieux de l'univers. Tel qu'il est, il est plaisant et frais, avec des jeux d'eau surprenants. La demeure ravissante de Jérôme de Gondi a été encore embellie par Hervart. Elle offre des pièces fastueuses meublées à l'italienne, une vue infinie vers la Seine, des jardins enchantés avec plusieurs fontaines dont l'une lance l'eau à quarante pieds, et une cascade jaillissant d'une grotte en coquillages, nommée le Parnasse, pour rebondir de vasque en vasque vers le canal dominé par Neptune. Le duc et la duchesse d'Orléans doivent demeurer l'été dans cette agréable villégiature.

Mais un billet pressant de Louis, scellé de deux cachets noirs aux armes de France, parvient à Henriette. Écrit le vendredi 29 avril de Fontainebleau, il l'engage à venir l'y rejoindre. Le roi voudrait être lui-même à Saint-Cloud, non pas à cause des grottes, ni du parc, ni de la fraîcheur des ombrages – il a aussi bien à Fontainebleau –, mais à cause de ceux qui s'y trouvent. Dans la même phrase, il passe abruptement de cette compagnie à celle de la seule princesse. Il a trop d'envie d'aller là-bas. Brusquement le ton se fait plus vif et insistant. « Si je ne croyais vous voir demain, écrit-il à Henriette, je ne sais quel parti je prendrais et si je pourrais m'empêcher de faire un voyage auprès de vous. » D'une manière un peu recherchée mais ardente, il l'assure de ses sentiments. Qu'elle n'oublie pas l'amitié qu'il lui a promise et qui est de nature à la satisfaire. Henriette ne peut désirer plus si elle souhaite qu'il l'aime beaucoup.

On ne résiste pas à un billet pareil du roi de France. Le frère est bien sûr compris dans l'invitation. Et, le 30, Philippe et Henriette quittent séance tenante Saint-Cloud pour Fontainebleau. Le roi y est venu le 23 avril surveiller l'avancement des travaux du grand canal, qui sera poussé jusqu'au parterre du vaste jardin, selon un projet d'Henri IV. Il s'y est installé avec la reine, enceinte et languissante, à qui l'air et la fraîcheur feront du bien. La reine mère les a rapidement rejoints. Mais c'est de sa jeune belle-sœur que Louis a besoin pour profiter des plaisirs de son été. Henriette jubile.

Jamais la cour ne fut plus jeune ni plus belle. Un roi et une reine qui n'ont pas vingt-trois ans, une foule de courtisans de leur âge. Et pour les accueillir, le domaine splendide créé par François Iᵉʳ, mais que les Bourbons précédents n'ont pas délaissé. Henri IV s'est occupé des jardins, peu à peu couverts de sculptures et de fontaines. Il s'est soucié aussi de la décoration intérieure. Tableaux représentant les amours de Théagène et Chariclée, l'histoire de Tancrède et Clorinde, ou les travaux d'Hercule, fastueuse cheminée en marbre polychrome ornent chambres et salons. À Louis XIII revient le majestueux escalier en fer à cheval. Bref un séjour idyllique de luxe, d'eau courante, d'allées et de forêts où l'on s'adonne au plaisir favori de la chasse. Pour Louis, les bois qui entourent Fontainebleau demeureront le lieu privilégié de ce passe-temps. Même après la création de Versailles, il y reviendra fidèlement à chaque début d'automne.

Le roi ne s'est pas trompé en appelant Henriette auprès de lui. Après l'avoir découverte dans sa gloire de ville, il apprécie le charme rayonnant de sa belle-sœur aux champs. Le jeune femme se jette à corps perdu dans tous les plaisirs. Svelte et hardie, elle monte à ravir. La selle de velours vert n'était qu'un début. Son frère Charles ne la laissera jamais manquer des plus beaux chevaux. Elle participe aux chasses parmi une troupe d'admirateurs, aux promenades en calèche, l'après-midi, le soir. Elle se baigne, danse, applaudit aux comédies, se promène en gondole sur le grand canal, déploie une séduction juvénile et fougueuse aux yeux stupéfaits de Louis.

On trouve dans *La Gazette* le calendrier de ces folles équipées. Le 8 mai, en galiotes sur le grand canal, avec les Condé et un accompagnement de fanfares. Le 22, promenade à l'Hermitage, puis collation magnifique. Le 25, Philippe donne le bal et, le 27, le roi va à la chasse, suivi de dames à cheval en un équipage fort leste. Henriette est de toutes ces courses, tandis que Marie-Thérèse suit en chaise à porteurs ou demeure au château. Le 30, Monsieur et Madame vont à Colombes congratuler la reine d'Angleterre sur le couronnement de Charles qui a eu lieu à Westminster le 3 mai. Un numéro spécial de *La Gazette*, de dix-neuf pages, raconte l'événement dans toute sa magnificence. La circonstance ajoute au prestige d'Henriette. Quand elle revient à Fontainebleau au bout de quatre jours, Louis va au-devant d'elle à l'Hermitage. Et la fête reprend le 3 juin avec un bal chez la reine. C'est Madame qui l'ouvre avec le roi.

Même les exercices des mousquetaires dans la cour des Fontaines le 6 juin, même les cérémonies religieuses ont un côté galant. Le 5 juin, jour de la Pentecôte, c'est sans interruption que les festivités diverses se succèdent. La promenade nocturne dans le parc s'enchaîne aux dévotions en l'église des carmes des Basses-Loges et à la prédication de l'évêque de Rodez. Le 16, pour la Fête-Dieu, la procession dans la cour du Cheval-Blanc tendue jusqu'aux fenêtres des tapisseries de la couronne, le reposoir couvert de drap d'or à fond cramoisi et l'autel paré de dix grands lustres répètent sur un autre registre l'éclat particulier et la magie des feuillages éclairés la nuit par d'innombrables flambeaux.

Le 27 juin, brève interruption des réjouissances. La reine mère emmène Monsieur et Madame à Villeroy, puis à Dampierre. Ils sont reçus avec honneur dans ces magnifiques propriétés, ici par le maréchal de Villeroy, là par le duc de Luynes et son fils. Ils admirent mobiliers et jardins, soupent et couchent à Dampierre, la

maison de campagne de la duchesse de Chevreuse. Le
30, ils sont de retour à Fontainebleau, accueillis par le
roi, venu au-devant d'eux.

Et la fête continue. Chasses au sanglier, bals, promenades aux flambeaux, feux d'artifice, comédies et l'apothéose, le nouveau *Ballet des Saisons*, que l'on danse le
26 juillet. On le dansera encore le 30 et le 3 août. La
musique est de Lully, les vers de Benserade. Le clou de
la représentation est une scène mobile, roulant « sur les
fortes échines de plus de douze cents invisibles
machines », qui s'avance illuminée dans la nuit depuis
le bout d'une allée d'arbres. Arrivée devant les spectateurs, elle laisse apparaître un chœur de bergers, puis la
nymphe de Fontainebleau. Elle se réjouit que les soupirs, les plaintes, les larmes, le bruit des armes soient
bannis de ce lieu enchanteur. Tous les échos ne parlent
que d'amour.

Alors paraît Madame, un riche et lumineux croissant
dans les cheveux. Diane dans les bois, Diane dans les
cieux, Diane qui brille en tous lieux. L'étiquette veut
qu'on la nomme « de l'Univers la seconde lumière ».
Cette concession faite à la reine, on peut célébrer sans fin
Madame : « Elle enchante les cœurs, elle éblouit les yeux,
Glorieuse sans être fière, Adorable en toute manière. »

Les vers suivants en revanche laissent perplexe. Pourquoi proclamer qu'on a très bonne opinion de la vertu
de Madame et qu'on ne saurait jamais y trouver à
redire ? Et si Philippe par son joli visage peut évoquer
Endymion, le berger éternellement beau de la mythologie, quel besoin de souligner que Diane passe ses
nuits avec lui ?

La Gazette, malgré son énumération minutieuse, ne
dit pas tout. Plus fin, Loret admet qu'il présente de la
cour « la visible peinture ». Pour « les intrigues des
cœurs » et « les sentiments des politiques », il se reconnaît ignorant. Que cachent donc les nuits d'été et les
mois enchanteurs de Fontainebleau ?

24.

Jeux interdits

Ses nuits, Diane les passe auprès du roi. C'est facile. En ces mois de beau temps, les occasions ne sont pas rares de s'aimer sous les étoiles, en calèche, en gondole, sous les grands arbres. Les apparences sont sauves. Avec Louis, elles le seront toujours. Formaliste et plein de respect pour Marie-Thérèse, il prendra soin de rejoindre le lit conjugal au sortir du lit de ses maîtresses. Devant la Montpensier, la pauvre s'étonnera plus tard avec naïveté du travail nocturne et contraignant de son époux, occupé à lire et écrire tant de dépêches si tard.

Loret est circonspect en ne s'arrêtant qu'aux apparences. En cet été, à Fontainebleau, les divertissements sont moins innocents et les intrigues des cœurs plus embrouillées qu'il ne paraît. Louis n'a pas résisté au charme de la jeune femme. Il n'a pas hésité non plus à s'emparer de l'épouse de son frère. Tout lui est dû. Ainsi, grâce à son don de plaire, Madame tient sa vengeance. Le cousin, hier méprisant, est à ses pieds. Avec son art consommé du sous-entendu, Mme de La Fayette, confidente de la jeune femme, dit qu'il lui témoigne une « complaisance extrême ». Toutes les fêtes se font pour elle, et il paraît que le roi n'y a « de plaisir que par celui qu'elle en reçoit ».

Quant à Monsieur, il désire comme toujours satisfaire son frère. À cause du prestige de son aîné, de son roi, et des biens qu'il peut en recevoir, il étouffe sa jalousie naturelle. Mme de Motteville, bien placée pour connaître le dessous des cartes, le juge avec sévérité : il voit que la considération de Louis pour Madame lui est avantageuse. On ne saurait être plus complaisant !

La reine mère n'accepte pas aussi facilement les fréquentes et tendres promenades des jeunes gens. Certes, Marie-Thérèse s'afflige souvent pour un rien et ne supporte pas de perdre seulement de vue son royal époux. Mais Louis n'a pas le droit de l'inquiéter. Aussi, pour tâcher d'arranger les choses, elle met Henriette en garde : les veilles et les parties de chasse continuelles sont dangereuses pour sa santé fragile. La belle-fille se moque des menaces de la belle-mère. Elle n'accepte plus ni tutelle ni contrainte et ne pense qu'à son plaisir.

Elle a tort. Anne d'Autriche a toujours été à la cour son meilleur soutien. Désormais, vieillie, fatiguée, écartée du pouvoir par le jeune roi triomphant, elle supporte mal de voir son fils la délaisser et passer son temps avec cette petite fille. C'est exprès qu'elle emmène à Dampierre Monsieur et Madame, pour tenter de rompre le cours des galanteries. Peine perdue. À leur retour, les divertissements du roi et de sa jeune belle-sœur reprennent de plus belle.

Avec prudence, car elle parle de l'épouse du frère unique du roi, mariée à peine depuis trois ou quatre mois, et déjà attirée par un autre homme, Mme de La Fayette décrit les sentiments ambigus mais tenaces, les jeux ardents mais interdits de ces très jeunes gens. Au début, Madame « ne pensa qu'à plaire au roi comme belle-sœur. Je crois qu'elle lui plut d'une autre manière ». Elle crut « qu'il ne lui plaisait que comme un beau-frère, quoiqu'il lui plût peut-être davantage ». Enfin, comme ils étaient infiniment aimables et se voyaient sans cesse au milieu des plaisirs, « il parut aux yeux de tout le monde qu'ils avaient l'un pour l'autre cet agrément qui précède d'ordinaire les grandes passions. Cela fit beaucoup de bruit ».

On s'en doute. Que l'on imagine ce « tout le monde », cette foule de privilégiés venus faire leur cour, respectueux en apparence mais curieux, malicieux, murmurant, épiant ces « galanteries qu'on cache avec le plus grand soin », comme l'avoue la bonne Motteville. Les folies d'Henriette, sa soif de plaisirs bousculent la belle ordonnance de la cour et commencent à lui aliéner le cœur de sa belle-mère.

Une rivalité secondaire, entre la comtesse de Soissons et la duchesse de Navailles, n'arrange pas les affaires. La duchesse remplit la charge de dame d'honneur de la jeune reine, la plus belle à la cour, dit-on, pour une femme de qualité, mais elle supporte mal d'avoir auprès d'elle une surintendante de la maison de la reine. Charge récemment créée pour la Palatine, maintenant occupée par Olympe de Soissons, une des nièces de Mazarin. Louis, dont elle a été la maîtresse, l'y a nommée peu avant le séjour de Fontainebleau.

La lutte est âpre entre les deux femmes pour la préséance. Le roi tente de mieux définir leurs fonctions. À l'une, l'honneur de présenter la serviette et de donner la chemise. À l'autre, le service à table et la première place dans le carrosse. Rien à faire. La Navailles veut partir. La reine la retient. La dame d'honneur reste, mais refuse de faire quoi que ce soit : elle ne peut servir la reine à table sans avoir la prérogative de lui donner la serviette... On parle de duel entre les maris des dames. Dieu merci, le duel est passé de mode. On se contente de discuter du bon droit de chacune.

Toute la cour se divise. Marie-Thérèse n'oublie pas la tendresse passée de son époux pour la belle Olympe. Elle en tient pour la Navailles. La reine mère la suit. Henriette, au contraire, se déclare pour Mme de Soissons. La comtesse est sotte, elle a vingt-deux ans et envie de s'amuser. Elle a besoin de protection. Tout cela assure à Madame sa totale soumission. La surintendante nommée par le roi sera une compagne parfaite. Et voilà la jeune femme dans le camp opposé aux deux reines.

C'en est trop. La belle-mère commande à Mme de Motteville d'aller raisonner l'étourdie. Tâche délicate. Henriette écoute avec douceur les avis qu'on lui donne. Et... n'en fait qu'à sa tête. À son tour, la reine d'Angleterre, inquiète de ce qui se passe à Fontainebleau, écrit une lettre à Mme de Motteville pour lui recommander sa fille, « un autre petit moi-même, qui est fort de vos amies, je vous assure. Continuez d'être des siennes, c'est assez vous dire ». Bref, empêchez-la de continuer ses folies.

Ne doutant décidément de rien, la reine mère engage la bonne Motteville à « unir d'amitié » ses deux belles-filles. Comme par ailleurs elle pousse Monsieur à se fâcher contre sa femme, que Madame se plaint au roi des observations reçues, que Louis tâche de rassurer sa mère, et que celle-ci redit à son cadet ce que lui raconte l'aîné, cela fait « un cercle de redites et de démêlés » qui ne donne pas un moment de repos ni aux uns ni aux autres. Et c'est l'officieuse Motteville qui doit supporter le courroux du roi...

Pour comble, les Anglais s'en mêlent. Anne d'Autriche s'est plainte à Montagu du manque de mesure d'Henriette. Plus maladroit qu'il n'est permis, l'inévitable Saint-Albans propose à la reine mère de « laisser aller les choses selon les désirs de la jeunesse et les plaisirs qu'ils estiment innocents ». Moyennant quoi, Madame s'entremettra pour la reine, sa belle-mère, auprès du roi.

Fureur d'Anne d'Autriche. Elle est satisfaite des manières de son fils envers elle et n'a besoin d'aucune recommandation. L'exercice du pouvoir lui est désormais indifférent. Elle ne souhaite que le bien de Louis. Si par malheur elle découvrait la nécessité d'un tiers pour se faire entendre de lui, elle ne le supporterait pas et s'enfuirait au Val-de-Grâce pour la fin de ses jours.

Louis, en réalité, continue de bien s'entendre avec sa mère. Il aime son plaisir, il aime les femmes. Et après ? À tout péché miséricorde. La pieuse et indulgente reine le sait, et aussi qu'un homme de cet âge ne peut s'empêcher de se divertir. Surtout s'il passe tant d'heures à travailler.

Car le roi ne se contente pas de ses jeux galants. Il travaille. Sa décision de s'occuper lui-même du royaume à la mort de Mazarin n'est pas vaine. Tout désormais passe par lui. Si les ombrages de Fontainebleau cachent bien des remous dans les cœurs, ils cachent aussi de sévères desseins politiques. Même en villégiature, le roi sait prendre le temps de réfléchir aux problèmes d'importance. Il écoute, expédie, rogne, taille, refuse, accorde.

Depuis quelques mois, il rumine un coup d'éclat, l'élimination de Fouquet, surintendant des finances, l'un des trois, avec Le Tellier et Lionne, à faire partie du « Conseil d'en haut », à être ministre d'État. Victime de Colbert et de sa coterie, bouc émissaire idéal pour dégager la mémoire de Mazarin de tout soupçon de malhonnêteté, Fouquet, ambitieux et maladroit envers le jeune roi, doit être éliminé brutalement, sans soupçonner ce qui l'attend. À la cour, seule Anne d'Autriche est dans le secret.

On laisse donc la reine d'Angleterre, Madame et Monsieur se rendre à une invitation à souper du surintendant dans son merveilleux château de Vaux-le-Vicomte, décoré par Le Brun. On est le 11 juillet 1661. Le domaine est dans tout son éclat. Outre un repas somptueux et un concert, Fouquet leur offre *L'École des maris*, de Molière, une nouveauté. Le roi à son tour se fait représenter la pièce à Fontainebleau. Sujet de circonstance ?

Puis la cour tout entière se rend à l'invitation que Fouquet, plein de vanité, propose au monarque à la mi-août. Il veut briller à ses yeux. Le résultat dépasse ses espérances. Louis est si surpris et émerveillé des richesses de son ministre, de ses tableaux, de ses meubles, de la décoration de son château, de son incomparable jardin avec ses statues de marbre, allées, canaux, parterres, balustrades, jets d'eau, cascades (plus de onze cents), qu'il étouffe de rage.

Comment le surintendant ose-t-il dépasser son maître en magnificence ? Où a-t-il pris l'argent pour le faire, sinon dans les caisses de l'État ? La réception de Vaux est la goutte d'eau qui fait déborder le vase. Selon Mme de Motteville, le roi ne veut plus attendre pour punir son serviteur de son outrecuidance. Il le ferait arrêter en pleine fête sans la persuasion de sa mère et le rappel des lois de l'hospitalité.

Pour Henriette, la soirée n'est pas réussie. Elle est déjà venue à Vaux le mois précédent, elle en connaît les merveilles. Ce soir-là, elle est malade. Les prédictions pessimistes de sa belle-mère se révèlent justes. Elle a abusé de sa résistance physique et doit se faire porter chez Fouquet en litière. Elle n'est pas en état d'apprécier à leur valeur *Les Fâcheux* de Molière, coupés d'intermèdes en musique et de ballets dansés par des professionnels. Pourtant, le spectacle est féerique, le théâtre dans le jardin même, et la scène ornée de véritables fontaines et de véritables orangers. Le feu d'artifice qui suit et le bal qui dure jusqu'à trois heures du matin ne l'enchantent pas non plus. Que lui arrive-t-il ?

D'abord, elle commence une grossesse, et puis les choses ne sont pas aussi simples qu'elle l'avait cru dans sa fougue juvénile et son plaisir de plaire. Louis n'est pas homme à se perdre dans l'adoration d'une femme. Il est plus sensible à l'attachement qu'on a pour lui qu'à l'agrément ou aux mérites des personnes. D'autre part, la reine mère et Monsieur font pression pour détourner les soupçons et faire taire les bruits sur les jeux du roi et de Madame. On décide que le roi fera l'amoureux d'une jeune personne de la cour.

On lui en propose trois, pas moins. Mlle de Pons, parente du maréchal d'Albret, récemment arrivée de province, Mlle de Chemerault, fille de la reine, fort coquette, et Mlle de La Vallière, fille d'honneur d'Henriette, de même âge qu'elle. De concert avec sa belle-sœur, Louis fait l'amoureux des trois. Puis il prend parti pour la dernière, cette Louise, jolie, douce et naïve, aux beaux yeux bleus, à la chevelure blonde, argentée selon certains.

Orpheline de père et d'une fortune médiocre, elle plaît beaucoup en arrivant à la cour. Guiche, séducteur impénitent, s'en est amouraché. Mais il n'est pas assez amoureux pour s'opiniâtrer contre un rival tel que le roi. Celui-ci est donc libre de ses mouvements, et Henriette le voit avec tristesse s'attacher à Mlle de La Vallière. Elle n'est pas vraiment jalouse mais vexée. Guiche se propose pour la consoler. Cela flatterait sa vanité. N'est-il pas le favori de Monsieur ? Pourquoi ne serait-il pas celui de Madame ? Pendant les répétitions du *Ballet des Saisons*, où les jeunes gens dansent dans la même entrée, Guiche se montre de plus en plus empressé auprès de la princesse.

Ainsi, à partir du mois d'août, assiste-t-on à un chassé-croisé amoureux. Nul doute qu'il ne perturbe la jeune femme, forcée de renoncer à être la préférée du roi. Elle a envie de s'amuser. Elle n'est pas habituée encore à la liberté et à la cruauté de ces jeux galants.

Pas habituée non plus à perdre, et à se voir préférer sa fille d'honneur. Encore moins à lui servir de paravent. Car Louis garde le plus grand secret sur cette nouvelle liaison. Sa mère l'a sévèrement chapitré. Pour sa réputation et pour l'enfant que porte la jeune reine, il doit modérer ou du moins cacher ses ardeurs. Alors, à la promenade du soir, Louis sort de la calèche de Madame et, à la faveur de l'obscurité, se glisse dans celle de Mlle de La Vallière dont la portière est rabattue. La jeune reine, enceinte de six mois, ignorera tout jusqu'à la naissance du dauphin. Quel dépit pour Henriette !

Impensable pourtant que Louis la repousse ou lui enlève la moindre parcelle de son amitié. Il a trop besoin d'elle. Par sa grâce et son art de la danse, elle est sa partenaire idéale dans la merveilleuse machine de pouvoir qu'est pour lui le ballet de cour. Et si Louise de La Vallière paraît pour la première fois dans le *Ballet des Saisons*, c'est en qualité de second rôle. Une parmi les autres nymphes qui sont là pour entourer et faire valoir Henriette. De plus la demoiselle est boiteuse. Madame ne l'a pas conseillée à son beau-frère sans arrière-pensée.

Tout apparemment demeure inchangé. Pas pour la jeune belle-sœur du roi. Elle a joué avec le feu. Elle s'est brûlée.

À moins que ce ne soit elle qui, par son étourderie et sa coquetterie envers Guiche, n'ait blessé le roi. Il aurait séduit La Vallière par dépit amoureux.

25.

« Ma chère Minette »

La belle saison s'achève et Madame se morfond à Fontainebleau. Elle a eu trois mois de gloire et de bonheur éclatants auprès du roi. Ils sont passés. Ainsi finissent les songes des nuits d'été. Les dernières semaines ressemblent à une villégiature de bourgeois. La mère d'Henriette vient de Colombes la rejoindre et rendre visite à ses parentes, Anne et Marie-Thérèse. Réglant leurs affaires et laissant leur petite famille au frais, Louis et Philippe vont et viennent.

Celui-ci, mandaté par son frère, va à la cour des aides, à Paris avec deux conseillers d'État pour la vérification de quelques édits. Celui-là part pour la Bretagne où il fait arrêter, le 5 septembre, le surintendant Fouquet à Nantes par d'Artagnan, puis revient à bride abattue à Fontainebleau. Cet événement capital pour le royaume, symbole de la prise du pouvoir personnel par Louis et prélude à un retentissant procès, se perd pour Madame et son entourage dans la torpeur de la fin de l'été.

D'autant que ce même jour, pour l'anniversaire de son frère, absent, Philippe, après une promenade en galère sur le grand canal, donne une grande collation aux trois reines, à Madame et à leurs filles d'honneur. Seule manque Louise de La Vallière, indisposée. Mme de La Fayette est là, et la charmante comtesse de Guiche. Pour couronner ce bonheur calme, les jeunes épouses des deux frères attendent un enfant. Et souhaitent un garçon.

Il ne faut pas s'y tromper. Henriette vit à la cour de Louis XIV, vase clos où s'exacerbent passions, ambitions et complots. Les chantages, les ragots, les galanteries, les adultères n'ont l'air de rien. Ils sont pourtant en ce début de règne le tremplin obligé de certaines promotions et gratifications. Mieux, ils reflètent le pouvoir des clans, celui des marquis ou des libertins, par exemple, ou celui du roi, pour l'instant en rébellion contre toute tutelle et contre le parti dévot. Autour de la jeune Madame, inexpérimentée, fragile et jalousée, commencent à se nouer les intrigues qui empoisonneront sa vie. Et les mauvais génies ne vont pas lui manquer.

La passion de Guiche, ses manèges en juillet pendant les répétitions du *Ballet des Saisons* où, à côté de Monsieur, il danse un vendangeur, n'ont échappé à personne. Tel Mascarille criant dans *Les Précieuses ridicules* au vol de son cœur, il fait mine de fuir Madame disant qu'il est « en grand danger » auprès d'elle. Ses familiarités ont déplu à Philippe, qui s'en est expliqué vivement avec lui. Au point que le maréchal de Gramont a rappelé son fils à Paris et l'a privé du voyage à Nantes avec le roi.

Lorsqu'il revient à Fontainebleau, Mlle de Montalais, une fille d'honneur de Madame, bourdonnante d'intrigues, lui promet d'agir auprès de la jeune femme qui, fatiguée par sa grossesse et de tenaces insomnies, l'appelle souvent la nuit pour qu'elle lui tienne compagnie et lui fasse la lecture. La Montalais lui parle de Guiche, lui glisse les trois ou quatre lettres que le jeune homme, imitant les héros de roman, lui écrit chaque jour. Quand Madame, toujours souffrante, regagnera Paris en litière, Montalais lui en donnera un gros paquet. Par désœuvrement, Henriette les lira.

Ce ne sont plus alors que ruses de la demoiselle pour introduire le soupirant auprès de sa maîtresse. Déguisé en servante, en diseuse de bonne aventure, la tête couverte d'un béguin, il poursuit, comme dans ses lettres, ses moqueries contre Philippe, contre le roi même – des moqueries qui font rire Madame.

Il n'y a pas d'amour sensuel là-dedans. Seulement un désir de s'amuser et un jeu galant semblable à ceux des romans. Il y a aussi, pour Henriette, le plaisir de choquer la reine mère, une revanche sur l'attachement de Louis pour La Vallière, la satisfaction inavouable d'être la rivale heureuse de son mari, si peu aimant. Pour Guiche, c'est l'attrait du défendu. Le beau jeune homme ne risque pas de faire du mal à une femme, c'est connu. En voyant cette fragile duchesse, souvent couchée, isolée de la cour par une grossesse difficile, entourée d'une nuée de suivantes, curieuses, désœuvrées, plus ou moins bienveillantes, il a envie de la séduire par ses plaisanteries, de l'emporter sur ses soupirants de la première heure, de braver Monsieur, son mari, de braver le roi, qui l'a aimée.

Intrigues qui commencent et se poursuivent, Mme de La Fayette, confidente privilégiée, les remarque. Mais aussi les résidents florentins, en particulier Philippe Marucelli, installé à Paris en octobre 1661. Observateurs aigus, narrateurs impersonnels, ils ne jugent pas, ils transmettent au grand-duc de Toscane, leur maître, de quoi se faire un jugement. Les événements politiques importants constituent leur gibier et aussi ce que la cour de France cacherait volontiers, ce qui détruirait son image d'ordre et de bienséance et dont ils peuvent, grâce au chiffre, parler librement.

Ces « avis de la France » insistent beaucoup alors sur la santé de Madame, continuellement malade, incommodée d'une « fluxion qui lui tombe du cerveau sur l'estomac avec une dysenterie à quoi l'on ne peut, à cause de sa grossesse, porter remède ». Elle est enrhumée, mais elle a une « toux sèche, menaçante par ses progrès rapides ». Elle va finir comme l'une de ses sœurs morte phtisique, « maladie commune aux Anglais »... De plus, « elle a la fièvre et crache du sang ». Aux dires de sa cousine Montpensier, elle est très maigre et ne dort qu'à l'aide de grains d'opium.

De leur côté, les envoyés anglais remarquent la mauvaise santé de la jeune femme. Ils sont venus congratuler Louis XIV de la naissance du dauphin, à Fontainebleau, le 1er novembre. Fragile au lendemain de la Fronde et représentée dans le *Ballet de la Nuit*, la gloire du roi, la gloire du Roi-Soleil éclate avec la venue d'un héritier et la survie de sa race. Charles choisit pour féliciter son beau-frère et son allié de prestigieux messagers. Le fidèle Lord Crofts, qui avait officiellement annoncé à la France la restauration du roi, Sir Charles Berkeley, qui avait fait de même au nom du duc d'York, et le fils du chancelier Clarendon.

À Paris, ils s'aperçoivent de la pâleur, de la nervosité et de la faiblesse de Madame. Ils en font part à leur souverain. Le 26 décembre 1661, Charles manifeste son inquiétude à sa sœur dans une lettre fort tendre. C'est la première, de celles qui subsistent, où il l'appelle en français « ma chère Minette », c'est-à-dire ma plus petite, ma protégée.

Il la supplie de se soucier de sa santé, qui lui importe plus que la sienne. Il est ravi qu'elle ait dit à Crofts son envie de le revoir très vite. À Dunkerque, l'été prochain. Pourquoi pas ? Il en est impatient. Puis il parle de Louis. Attentif à l'attitude du roi de France envers sa sœur, il est content que le jeune souverain lui maintienne sa confiance et sa tendresse. Il y tient. C'est sa meilleure raison d'aimer le roi de France. Une raison suffisante même. Il s'excuse pour finir d'écrire en anglais. Cela lui est plus commode. Il le fait aussi pour que sa sœur n'oublie pas cette langue.

De loin, au contraire du résident florentin, Charles ne croit pas à une maladie durable de la jeune femme. Il redoute une fausse couche. C'est tout. Bien que sa réponse, comme nombre d'autres, soit perdue, on s'aperçoit que « Minette » a vite pris soin de le rassurer sur sa santé et de lui parler des intérêts de la Grande-Bretagne. Le 2 janvier, il se réjouit – à tort – de la savoir rétablie.

En revanche, elle l'a inquiété en lui annonçant que, pour manifester sa puissance, Louis refuse désormais de baisser pavillon devant les navires anglais comme le font toutes les autres nations. C'est un droit reconnu, s'indigne Charles. Si on le mettait en question, il conclurait, écrit-il en français, qu'on lui cherche « une querelle d'Allemand ». Malgré l'humour, le ton est ferme. Il est décidé à ne pas abandonner ce privilège.

D'autant que des nuages se sont élevés en septembre 1661 entre la France, l'Angleterre et l'Espagne
lors de l'entrée de l'ambassadeur de Suède à Londres.
Louis, pour affirmer son prestige international, donne
pour règle à ses diplomates de montrer le plus de faste
possible et d'être les plus soucieux de préséances. Il a
voulu dans cette circonstance, à quelque prix que ce
soit, que son ambassadeur, le comte d'Estrades, précé-
dât celui d'Espagne, Watteville.

Charles y aurait consenti. Watteville s'y est opposé.
Les bateliers de la Tamise et le peuple s'en sont mêlés
et se sont déclarés pour l'ambassadeur d'Espagne.
Pepys l'écrit dans son *Journal* : « Nous aimons tout
naturellement les Espagnols et nous haïssons les Français. » Échauffourée sanglante. Les chevaux de D'Estrades sont tués, son fils blessé. Watteville l'emporte.
Les Français n'osent plus sortir. Le duc d'York et la
coterie francophile sont désolés.

Louis XIV est furieux. D'Estrades lui explique que la
bienveillance de Charles II n'est pas en cause. Puissant
sur mer et dans le monde, il ne maîtrise pas toujours le
peuple de Londres. Pour montrer sa force, Louis a
chassé l'ambassadeur extraordinaire d'Espagne, Fuen-
saldagne, et obligé son beau-père, le roi d'Espagne, à
des excuses et au rappel de Watteville.

Les choses se calment. La France est satisfaite de
voir se conclure à la fin de l'année 1661 le mariage
du roi d'Angleterre avec l'infante du Portugal,
royaume catholique, traditionnellement en rivalité
avec l'Espagne. Provisoirement, le problème des
saluts en mer s'estompe. En pratique, les flottes française et anglaise évitent de se rencontrer... Mais cette
affaire, qui agitera les deux pays après la mort d'Henriette et même celle de Charles, prouve qu'aucune
maladie, aucune raison personnelle n'empêchera
Henriette de s'occuper des intérêts de son frère,
d'être l'intermédiaire privilégié entre lui et son beau-
frère, de jouer, en toute bonne foi, le rôle d'un charmant espion.

Dans sa propre maison, elle ne discerne pas aussi
bien les embûches qui la guettent. Parce que l'état de

Madame lui paraît grave, Guiche se trahit devant un ami, le marquis de Vardes, en laissant voir son anxiété. Il lui avoue sa passion pour elle. Mlle de Montalais, qui a réussi à entrer dans la familiarité de La Vallière, en parle à son tour à celle-ci. Le roi devine que Louise lui cache quelque chose. Maladroite, elle se trouble et reconnaît qu'elle sait des choses considérables, mais ne doit point les dire. Louis se met dans une grande colère et la quitte. Ils étaient convenus que, quelles que fussent leurs brouilleries, ils ne s'endormiraient jamais sans se raccommoder. Aussi, après une nuit atroce, à la fin de février, Louise, désespérée du silence du roi, s'enfuit des Tuileries pour un couvent de chanoinesses à Chaillot.

Louis, avec une petite escorte de trois hommes, la retrouve bientôt, l'oblige à tout avouer et la fait ramener en carrosse. Où ? Chez Madame, bien sûr, quoique Monsieur ait dit sa satisfaction du départ de cette fille. Se glissant par un escalier dérobé, c'est le roi en personne qui vient supplier Henriette de la reprendre. Il sait tout des audaces de Guiche. Elle s'étonne qu'il les sache. Elle ne peut les nier. Elle promet de rompre avec le comte et reprend sa fille d'honneur.

Olympe de Soissons, jalouse des faveurs accordées par le roi à Mlle de La Vallière, cherche à la faire renvoyer de la cour. Elle imagine avec Vardes, son amant, de la dénoncer à la reine comme la maîtresse du roi. On simulera que la lettre vient d'Espagne en la mettant dans un vieux « dessus », une vieille enveloppe, provenant du père de Marie-Thérèse et ramassé chez elle. On la fera passer par Dona Molina, première femme de chambre, toute dévouée à la reine.

Quelqu'un doit traduire la lettre en espagnol. Ce sera Guiche. Il n'a rien à refuser à Vardes, ce confident diabolique qui sait tout de ses intrigues. Nul doute que Madame soit au courant du projet par Guiche, qui ne sait rien lui cacher, et par Vardes, qui, soit ambition, soit affection, se met à en faire l'amoureux. Elle ne s'oppose pas à la dénonciation, parce que, selon l'heureuse formule de Mme de Motteville, elle n'aime pas « à être haïe pour une autre ». Or Marie-Thérèse, voyant toujours le roi chez elle, la jalouse et la déteste. La reine s'est laissé prendre au piège. Le roi ne vient assidûment chez sa belle-sœur que pour rencontrer sa fille d'honneur.

La lettre anonyme ne sert à rien. La Molina, flairant d'instinct l'origine douteuse du message, se garde de le remettre à sa maîtresse et le donne au roi. Louis entre dans une colère épouvantable et, mal inspiré, charge du soin de trouver le coupable... son ami Vardes. Celui-ci ne trouve rien. Évidemment. Pour Henriette, loin d'être délivrée de la haine de Marie-Thérèse, la voilà impliquée dans cette stupide affaire de lettre espagnole, véritable bombe à retardement dont le roi ne percera le secret que trois ans plus tard.

Pour l'heure, la chère Minette se prépare à accoucher. Maintenant que le terme approche, on lui permet de sortir plus souvent de son lit. Comme le sacré, à l'époque, n'est jamais très loin du péché, que la crainte de l'enfer est vive chez beaucoup et le bon exemple à donner obligatoire pour les grands, elle assiste, avec Monsieur et le roi, à quelques sermons du premier carême que Bossuet prêche à la cour. Elle s'installe avec son époux au Palais-Royal afin d'être auprès de sa mère pour ses couches. Le 21 mars 1662, elle accompagne sa belle-mère au Val-de-Grâce, le 24 sa belle-sœur pour une audience de l'ambassadeur d'Espagne. Tiraillée entre ses devoirs de cour et le tumulte intérieur des intrigues qui l'accaparent, elle donne naissance, le 27 mars, à une fille. L'accouchement, quoique un peu prématuré, se passe bien.

La jeune femme est si anxieuse du sexe de son enfant, elle voudrait tant mettre au monde un garçon comme sa belle-sœur l'a fait en novembre qu'« au milieu même des douleurs du passage, elle y porta la main pour le savoir plus tôt. Ayant trouvé que c'était une fille, elle dit qu'il fallait la jeter à la rivière ». Scandale dans l'entourage. Sa belle-mère l'exhorte à accepter ce qui ne dépend que de Dieu et, pour la consoler, lui présente l'enfant comme la femme possible du petit dauphin. On a tellement l'habitude à la cour de se marier entre soi.

Henriette se remet lentement. Le 30 avril, elle est pourtant à Saint-Eustache pour la cérémonie des pains bénits. C'est pour apprendre ce que le résident florentin savait et notait déjà le 25. Le roi envoie des troupes en Lorraine. Elles quittent incessamment Paris pour Nancy. Sous le commandement du comte de Guiche.

26.

Dunkerque

Madame est surprise et peinée de ce départ qu'on lui a caché. Vardes a intrigué auprès du maréchal de Gramont pour éloigner son fils sous couleur d'une promotion. Et il intrigue aussi pour que la jeune femme s'apaise. Guiche accepte de partir à condition de revoir Henriette. Mlle de Montalais organise la rencontre.

On enferme le comte dans un oratoire jusqu'après le dîner – notre déjeuner. La princesse fait alors semblant d'aller se reposer et retrouve le jeune homme dans une galerie. Monsieur arrive mal à propos. On n'a que le temps de cacher le galant dans une cheminée à deux volets. La tradition veut que le mari ait eu envie d'y jeter l'écorce de l'orange qu'il finissait de manger et qu'une fille d'honneur, Mlle d'Artigny, se soit précipitée pour lui en prendre des mains les morceaux. Elle adore l'écorce d'orange... Voire. On imagine mal le frère du roi se préoccupant de ses épluchures. De toute façon, la Montalais tire Guiche de sa cachette et se réjouit : Madame est sauvée.

Elle se trompe. La d'Artigny a tout vu. Elle prévient la reine mère qui alerte à son tour Monsieur. Celui-ci ne cherche pas à étouffer le scandale. Refusant de faire tomber sa colère sur son cher Guiche, il s'en prend à la Montalais et la fait chasser. Puis il va au Palais-Royal se plaindre auprès de la reine d'Angleterre, qui chapitre sa fille... et l'informe avec précision des soupçons de Monsieur. Ainsi, Henriette peut n'avouer à son époux que ce qu'il sait déjà, deux ou trois billets, une entrevue. C'est rassurant. Pas question de la lettre espagnole.

Au tour de Mlle d'Artigny de servir d'intermédiaire entre le roi et Mlle de La Vallière. Mais la diabolique Montalais veut se venger. Elle apprend que la rapporteuse est enceinte – quelle honte pour une fille d'honneur –, se débrouille pour avoir quelques-unes de ses lettres à son amant et les donne à Madame pour qu'elle renvoie la coupable. La jeune femme, qui en serait ravie, se heurte à l'opposition de La Vallière, qui protège la d'Artigny, et donc au refus du roi. Voici Henriette fâchée contre Louis. Si elle ne peut même plus renvoyer à sa guise une fille de sa maison...

Cette saison, décidément, ne ressemble guère à l'été glorieux et enchanteur de 1661. Il y a eu pourtant, le 21 mai, le baptême en grande pompe de la fille d'Henriette, Marie-Louise, Louis XIV en personne comme parrain, la reine mère d'Angleterre comme marraine. Pas de querelle de préséances cette fois entre les officiants. Cosnac, grand aumônier de Monsieur, étant absent, l'abbé Montagu a célébré la cérémonie dans la chapelle du Palais-Royal. Mais l'héritier si désiré par Madame est encore à venir.

Le même jour, un tournoi à la manière ancienne a lieu dans le jardin des Tuileries. Il annonce le brillant carrousel du 5 juin, longuement préparé, formé de cinq quadrilles représentant les cinq nations : la romaine conduite par le roi, la persane par Monsieur, la turque par Condé, l'indienne par Enghien et l'américaine par le duc de Guise. Mme de Motteville est éblouie par la richesse des habits, la galanterie des devises choisies par les gentilshommes et la diversité des couleurs. Bussy note que le prix, remporté par le fils du duc de Lesdiguières, est un diamant offert par Anne d'Autriche.

Henriette est là, à l'honneur, comme elle est à la chasse à courre donnée par Louis à Versailles un peu plus tard. Elle y chevauche à la perfection, coiffée d'un chapeau gris à plumes, la plus gracieuse de toutes les dames. Elle est là, mais c'est Mlle de La Vallière la véritable reine de ces fêtes. Destiné en principe à manifester la joie de la naissance du dauphin et à célébrer la gloire du roi, le carrousel est surtout conçu pour réjouir sa nouvelle maîtresse. Henriette progresse dans le difficile apprentissage de la jalousie.

Nouvelle ombre au tableau, sa mère doit partir pour l'Angleterre et s'y installer. Depuis sa restauration, Charles l'y appelle. C'est sa place normale de reine mère. Elle doit aussi justifier par sa présence la pension octroyée par l'Angleterre, dépenser là-bas plutôt qu'en France les sommes nécessaires à son entretien, enfin faire la connaissance de la toute nouvelle reine, cette Catherine de Bragance, dont Saint-Albans, retour de Londres, lui a dit qu'elle est grande, brune et semble la meilleure créature du monde. La reine l'a écrit à sa sœur de Savoie et s'est félicitée que la jeune femme soit catholique.

La séparation coûte aux deux femmes. Au fil des ans, elles ont vécu très proches l'une de l'autre. La mère a concentré son affection sur la seule fille qui lui reste. Même si elle blâme ses excès, elle admire sa vivacité, sa grâce, son esprit. Avec son départ, Henriette se voit privée d'une tendresse et de conseils non négligeables. Son grand frère est loin, son mari est ce qu'il est. Elle-même, trop vulnérable, trop avide de plaisirs, sans méfiance ni prudence, réagit mal devant les pièges de la cour. À dix-huit ans, elle a encore besoin d'une mère qui l'aime, la guide et lui apporte un élément d'équilibre dans son couple, car pour Monsieur, le titre de reine donne à sa belle-mère un prestige certain.

Cette fois, il ne s'agit plus pour Henriette de quitter sa mère et d'aller du Palais-Royal aux Tuileries, chez son mari, mais de mettre la Manche entre elles. Quand se reverront-elles ? Il semble peu probable que la duchesse d'Orléans quitte la France ni la reine son royaume. Alors, en attendant le jour du départ, la jeune femme passe le plus clair de son temps à Colombes ou à Saint-Cloud avec sa mère. Elle néglige Saint-Germain, où la cour est installée depuis Pâques, où ses appartements et ceux de son époux sont marqués au Château-Neuf. Le 25 juillet, elle accompagne la reine avec Monsieur jusqu'à Beauvais. Là, c'est la séparation. Les larmes d'Henriette ne sont pas feintes. Frères, mère, l'Angleterre retient loin d'elle désormais ses trésors les plus chers.

Heureusement, il y a les lettres. Elles vont passer la mer, nombreuses entre les deux femmes. Avec la Restauration et les relations normales entre France et Grande-Bretagne, elles peuvent prendre le chemin postal ordinaire. Un courrier par semaine, le dimanche. Elles subissent parfois des tempêtes, des retards, des naufrages, souvent on les ouvre. L'ardeur épistolaire d'Henriette ne faiblit jamais, ni pour son frère ni pour sa mère. Hélas, beaucoup d'envois à Charles ont disparu, et il ne subsiste aucune des lettres destinées à la reine.

C'est d'autant plus dommage qu'elles étaient chargées non seulement de tendresses filiales, mais aussi de nouvelles pour Charles. Pas question que le grand frère ne lise pas toutes les lignes de sa petite sœur très chère. Il est occupé, il a la réputation d'être paresseux pour écrire, il s'accuse au besoin comme d'une *faute* d'être en retard dans son courrier avec Henriette. Pour le lui dire et le souligner, il emploie le mot français. Mais jamais il ne néglige sa correspondance avec elle.

Le 18 septembre, il montre qu'il sait toute les difficultés de sa sœur, « sa querelle » avec Louis XIV, « le K », comme il l'appelle. Au retour de Beauvais, Monsieur et Madame se sont installés définitivement au Palais-Royal, dont le roi a laissé la jouissance à son frère depuis son mariage et que le départ de la reine d'Angleterre laisse vide. Henriette y a retrouvé ses difficultés avec La Vallière. Pour la d'Artigny, elle a cédé et l'a gardée dans sa maison. Les pressions de Vardes n'ont pas été étrangères à sa décision. Mais elle ne supporte plus le manège de Louis qui, sous prétexte de la voir, vient au Palais-Royal pour rencontrer sa maîtresse. Chandelier, c'est un état humiliant, pénible à vivre. Plus encore quand s'y ajoute la haine de Marie-Thérèse, la seule à n'être pas au courant.

Pour éliminer La Vallière, Mme de Soissons a poussé le roi dans les bras d'une fille d'honneur de la reine, Anne-Lucie de La Mothe-Houdancourt. La ruse a failli réussir. Le roi se cache comme un collégien pour la voir et exile à Londres le chevalier de Gramont, frère consanguin du maréchal, qui a osé courtiser la jeune fille. Alors, au risque de perdre sa place, la vertueuse duchesse de Navailles fait murer des portes et des fenêtres à Saint-Germain, sous prétexte que des inconnus marchent sur les toits la nuit et s'introduisent par les cheminées dans les chambres des demoiselles. Bientôt le jeune roi se lasse d'Anne-Lucie, comme de bien d'autres. La Vallière reste la préférée.

Henriette obtient sur elle une petite satisfaction. La maîtresse du roi habite toujours le Palais-Royal, mais dans des appartements séparés. Un peu plus tard, elle ira dans le Palais-Brion, un pavillon situé dans les jardins, à la hauteur de la rue de Richelieu. Elle ne fait plus partie de la suite de Madame. Les deux femmes n'ont plus à se rencontrer en privé.

Charles est content que toute cette affaire, à la fois romanesque et délicate, soit finie. Il désire la paix entre France et Angleterre. Il se réjouit de voir le chevalier de Gramont regagner la France. Sans savoir que c'est pour peu de temps. Tout en affirmant à sa sœur qu'elle a eu parfaitement raison, il se garde bien de condamner le roi. Son jugement sur lui est prudent et vague. Il a trop d'esprit, écrit Charles, pour ne pas avoir fait ce qu'il a fait. À sa place, il aurait agi de même.

L'identification est intéressante. Les jeunes rois, en compétition pour la domination du monde occidental, ont plus d'un point commun. Intelligence, ambition, mais aussi goût pour la chasse, le grand air, les constructions grandioses et les aventures féminines nombreuses. Charles n'a-t-il pas avec la duchesse de Castlemaine les mêmes problèmes que Louis avec La Vallière ? Comment introduire à la cour des maîtresses attitrées ?

Néanmoins la situation du roi d'Angleterre est moins florissante que celle de son beau-frère. L'enthousiasme pour la Restauration s'est un peu refroidi. En 1661, l'ambassadeur d'Estrades a signalé l'agitation persistante des esprits, les vices de la cour qui la font mépriser et les besoins d'argent que personne n'ignore. La preuve, des négociations s'engagent pour la vente de Dunkerque à Louis XIV, Dunkerque, l'enjeu de tant de luttes passées et de morts, la tête de pont anglaise sur le sol français, le moyen de surveiller, d'attaquer ou de secourir, au choix, les deux rivales, la Hollande et la France, Dunkerque, le lieu de refuge où la petite sœur espérait naguère retrouver son grand frère. Mais Charles tirera de la vente de cette place et de celle de Mardick, avec leurs canons et leurs munitions, 5 millions de livres (200 millions de francs).

Loret signale le départ du convoi d'or pour Londres dans sa lettre du 4 novembre 1662. Le roi d'Angleterre tourne au boutiquier, raille Bussy-Rabutin. Il nous vend Dunkerque. Demain, il espère que nous lui achèterons Londres ! Mais le mécontentement du peuple anglais est plus pénible que les moqueries des Français. Alors, dans ces difficultés, Charles II regarde vers Louis XIV, son allié, son frère, vers celle surtout qui, résidant en France, peut lui apporter le secours de son esprit et de son charme.

Peu après avoir bradé Dunkerque, il envoie par le très jeune Ralph Montagu deux lettres à sa sœur, l'une en anglais plus personnelle où il parle de ses retards à lui payer sa dot, l'autre en français pour qu'elle la fasse lire à son beau-frère. Il y affirme l'utilité de l'alliance franco-anglaise. C'est dans cet esprit qu'il a traité de Dunkerque. Il souhaite que sa sœur soit le lien épistolaire le plus étroit entre lui-même et Louis : « que nous puissions communiquer nos pensées par cette voie particulière », écrit-il. Montagu entretiendra Madame et le roi des détails de son projet. Avec une certaine solennité, il assure Henriette de son désir qu'elle soit « témoin et caution commune de l'amitié » des deux monarques.

Charles a raison de mettre sa confiance en sa sœur. Elle le prouvera. Mais en ce 5 novembre 1662, il s'engage sans savoir. Ne veut-il pas, en lui donnant ce blanc-seing, l'encourager dans la voie des responsabilités, loin des folies de jeunesse ? Ne veut-il pas surtout montrer à Louis XIV combien il tient à elle et suit de loin tout ce qui lui arrive, combien il entend la protéger de ses égarements mêmes ? Un pareil statut d'agent de liaison privilégié, secret et de confiance, délivré par le roi d'Angleterre a de quoi assurer à Henriette bien des satisfactions à la cour de France.

Elle a en vérité besoin de ce soutien fraternel. Elle ne risque plus de trouver auprès d'Anne d'Autriche les secours d'une mère. La reine est fâchée du bruit fait autour de Guiche et de Madame. Tout ce qui peine Marie-Thérèse, cette nièce chérie, espagnole comme elle, lui déplaît. Et le changement d'Henriette l'ulcère. Quoi, cette couventine si sage, si pitoyable, si douce, se sert de sa douceur pour séduire les jeunes hommes, roi ou gentilhomme, et rejette allègrement la protection de sa belle-mère, naguère indispensable dans le temps de l'exil ! Quelle ingrate et quelle dévergondée ! La jalouse Montpensier, qui affecte de ne pas s'intéresser à ces « tracasseries », à ces « choses que l'on dit tout bas et que tout le monde sait », ni à « ce grand fracas » entre Monsieur et Madame, est ravie d'entendre Anne d'Autriche, mécontente d'Henriette, lui lancer : « Si vous aviez été ma belle-fille, vous auriez bien mieux vécu avec moi. »

Mlle de Montpensier pourtant va commettre une faute impardonnable. Elle refuse de se marier avec le roi de Portugal comme le voudrait le roi de France. Or l'alliance portugaise lui importe comme contrepoids à la puissance espagnole, et même à la puissance anglaise, puisque Charles II vient de s'allier à une Bragance. Alors, sans pitié, Louis exile sa cousine à Saint-Fargeau.

Au moins, avec sa jeune belle-sœur, il est tranquille. L'alliance avec l'Angleterre, préconisée par Richelieu, conseillée, voulue par Mazarin, ne peut lui échapper. Henriette est charmante. Son frère est coiffé d'elle. C'est un gage de paix pour leurs familles et pour leurs royaumes.

27.

Métamorphose d'une bergère

Monsieur s'applique à se montrer toujours poli. À plus forte raison à l'égard de son beau-frère, le roi d'Angleterre. Ses lettres à Charles, assez brèves, écrites en français, fermées de rubans, souvent roses, cachetés de ses armes, manifestent sa crainte perpétuelle de l'importuner en l'obligeant à répondre. On sait que Sa Majesté n'aime pas écrire – sauf à sa sœur !

Les prétextes de Philippe à prendre la plume sont divers, congratulations, condoléances, remerciements pour une attention, un cadeau, déplacement d'un ambassadeur qu'il ne veut pas laisser partir sans nouvelles, tout simplement satisfaction de l'amitié royale. Il prie Sa Majesté de la continuer et d'être persuadée qu'il n'y aurait « rien au monde qu'il ne fît pour lui témoigner l'estime qu'il en a ».

Dans un tel système d'échanges, les recommandations sont messages obligés. La plupart du temps, Madame s'en charge, comme elle le faisait déjà au début de la Restauration. À la fin de novembre 1662, elle sollicite son frère pour Bablon, Mme de Châtillon, l'une des héroïnes de la Fronde. Bussy-Rabutin la dépeint « infidèle, intéressée et sans amitié » mais elle sait charmer quand elle le veut. Charles, prince exilé, l'avait aimée en 1654 au point de songer à l'épouser.

Elle demande maintenant quelque privilège lucratif au roi d'Angleterre par l'intermédiaire d'Henriette. Les temps et les sentiments ont changé. Charles refuse, non sans humour : ces sortes de rentes sont convoitées de ce côté de la Manche comme de l'autre. Quand il apprendra le mariage de Bablon avec le duc de Mecklembourg, il ironisera. Si elle avait vécu comme lui en Allemagne, elle aurait supporté bien des tourments en France avant de partir dans ce pays-là. Pour le moment, il enveloppe son refus de phrases gracieuses. Une demande présentée par sa sœur requiert toute son attention. Il réfléchira.

En cet automne, Monsieur demande lui-même à Charles un service. Quelques mois auparavant, au sortir d'un bal au Palais-Royal, le marquis de La Frette et le prince de Chalais se sont pris de querelle et ont voulu régler leur différend par les armes, à trois contre trois. Le comble est qu'ils ont engagé un fils de Saint-Aignan, envoyé par la cour pour leur rappeler l'interdiction de se battre... à se battre avec eux. On a trouvé un huitième partenaire. Le duel a eu lieu à quatre contre quatre. D'Antin, frère du grand chambellan Vivonne, a été tué et les autres, blessés ou pas, ont dû s'expatrier.

Monsieur est intervenu auprès de Louis pour Chalais et son beau-frère Noirmoutier. En vain. Il écrit donc au roi d'Angleterre pour qu'il l'appuie. Celui-ci, le 1er décembre, annonce à sa sœur qu'il enverra en France Lord Garet plaider la cause des duellistes. Peine perdue. Louis tient trop à son édit contre les duels. Ce même jour, Charles met en garde Henriette contre les méfaits de la poste, qui ouvre régulièrement leurs messages et en perd beaucoup. Ne lui confiez, écrit-il avec son humour habituel, que ce que vous voulez faire savoir.

Elle le sait. Ce n'est pourtant pas crainte de l'indiscrétion des courriers, mais pure désinvolture si quelques jours après elle se dispense d'une lettre de compliments à sa belle-sœur, la nouvelle reine d'Angleterre. Elle écrirait volontiers à sa femme, déclare-t-elle à Charles, mais Catherine ne comprendrait rien à ce qu'elle lui dirait...

Avec ce même entrain juvénile, cette même légèreté, Henriette, en meilleure santé, protégée de loin par son frère, réconciliée avec Louis, reprend en cet hiver 1662-1663 la première place à la cour de France. À la plus grande satisfaction de Monsieur.

La petite princesse Anne-Élisabeth, que la reine de France a mise au monde en novembre, est morte en décembre. Cela n'empêche pas le roi de se jeter dans une saison de plaisirs effrénés. Marie-Thérèse se confine dans la jalousie et la dévotion. Louise de La Vallière est obligée de vivre plus ou moins cachée. Seule Madame resplendit. Elle commence à comprendre les manigances de cour. L'inclination du roi pour elle n'est pas exclusive, mais sa bienveillance et son affection sont agréables. Elle non plus n'a pas besoin de s'attacher à fond. Il y a tant de choses intéressantes dans la vie. Dans les plaisirs cependant demeure en elle une mélancolie mêlée de déception et d'inquiétude.

C'est peut-être son remarquable portrait par Sir Peter Lely, à la National Portrait Gallery, qui reflète le mieux la personnalité d'Henriette ces années-là. Sur cette peinture, elle est très belle, sans que ses traits soient irréprochables. Son nez, par exemple, est un peu trop long, mais l'ovale du visage le fait oublier. Sa bouche, adorable. Coiffure, bijoux, maquillage, tout est parfait, à la mode et du meilleur goût. Sa robe d'un taffetas d'or, ornée de satin blanc et relevée de grosses perles brunes, témoigne de sa splendeur, éclatante alors, et s'accorde idéalement à la fierté de son port de tête. Elle se tient plus droite et avec plus d'assurance que sur le dessin de Stockholm. Ses yeux attentifs, d'une douceur extrême, intelligents et graves, demeurent pourtant, comme autrefois, d'une tristesse certaine.

Pour illustrer les magnificences de cet hiver-là, on cite d'ordinaire une représentation de Molière et celle du *Ballet des Arts*. Il y en eut bien d'autres. Il faut lire page à page *La Gazette* et *La Muse historique* de Loret pour se rendre compte du tourbillon de fêtes dans lequel est emportée la jeune femme.

Le 6 janvier, jour des Rois, Louis donne un festin pour douze personnes, avec un concert de violons et *L'École des femmes*. Molière la dédie à Madame comme à la personne la plus en vue de la cour, chez qui on rencontre « gloires sur gloires, qualités sur qualités », dont on admire la douceur et l'affabilité, les grâces du corps, celles aussi de l'esprit et de l'âme capables de soutenir les gens de lettres de son époque.

Le 8, c'est au Palais-Royal la création du *Ballet des Arts*, entendons des techniques, où les entrées ont noms « L'agriculture », « La navigation », « L'orfèvrerie », « La peinture », « La chasse », « La chirurgie » et « La guerre ». Henriette y est toute lumière, tant par ses habits précieux que par l'éclat de ses beaux yeux. Rien n'égale le charme de sa danse. Elle est « la première ».

Dans « L'agriculture », où le roi danse un berger, elle est auprès de lui la bergère, qui conduit quatre demoiselles, entre autres Mlles de La Vallière et de Sévigné, chargées de la mettre en valeur. Benserade, l'auteur du livret, qui fait parler les acteurs à la troisième personne, met dans la bouche d'Henriette ces vers : « Quelle bergère, quels yeux/ À faire mourir les Dieux. » Plus loin : « Enfin les plus belles choses/ Près d'elle n'ont point d'éclat,/ C'est une douceur extrême,/ Il est vrai tout le monde l'aime. »

Pour que la princesse soit blanchie de toute rumeur scandaleuse, pour qu'il n'y ait pas d'ambiguïté sur sa conduite, pas de trace de la passion de Guiche ni de l'été à Fontainebleau, elle chante en finissant : « Mais après son devoir, ses moutons et son chien, je pense qu'elle n'aime rien. » Pauvre bergère ! Dans ces divertissements de cour, chaque parole compte. Les vers de Benserade sont-ils là pour gommer le couplet anonyme qui court partout et égratigne aussi sa mère et Anne d'Autriche ? « C'est la bergère d'Angleterre/ Qui à Saint-Cloud s'en va chantant,/ Est-ce si grand mal/ Que d'avoir fait un amant ?/ Vous souvient-il bien, ma mère,/ Du comte de Saint-Albans,/ Et vous, ô ma belle-mère,/ De Jules [Mazarin] et de Buckingham ? »

Dans « La guerre », Madame représente Pallas, et ses quatre suivantes des Amazones. Les vers sont plus anodins. Sans arborer la redoutable mine de la déesse, Madame en a les vertus, « l'esprit, le noble cœur ». Elle « cache sa fierté sous beaucoup de douceur ». Comme elle est aussi Junon et Vénus, elle aurait mérité la pomme de Pâris. Mme de Sévigné, malgré sa préférence absolue pour sa fille, doit reconnaître la beauté, la jeunesse et la parfaite habileté à danser de Madame. « Les siècles entiers auront peine à la remplacer. » Toujours partiale, cette mère ne retiendra, de tous les personnages du divertissement, que les bergères et les amazones...

Le ballet sera dansé quatre fois encore jusqu'au carême. Outre ces représentations, il y a, le 21, un bal chez Monsieur en l'honneur du prince héritier de Danemark. Quarante-quatre invitées et Madame, « la principale de cette allégresse royale », comme dit Loret, qui danse avec Louis, « cela va sans dire ». Le 31, bal chez le roi. Loret n'épargne à son lecteur aucune des gourmandises contenues dans les 18 grands bassins garnis de rubans or, argent, vert et azur. Il recense 500 poires, 440 citrons doux, 450 grenades, 80 douzaines d'oranges et 2 600 pommes d'api !

Plus intéressante et plus rare est la description précise, par *La Gazette de France*, de la grande salle des gardes, où se tient la fête. Elle permet d'imaginer l'estrade, avec un dais de velours violet semé de lys d'or pour Leurs Majestés, Madame et les princes du sang. Puis, sur deux plans inclinés allant jusqu'au sol et partant à droite et à gauche de l'estrade, des sièges réservés aux privilégiés qui prendront part à la danse. Enfin à l'autre extrémité, « le reste de la cour » sur deux grands amphithéâtres. Le reste de la cour, c'est à l'estimation de Loret « quatre ou cinq cents belles ». Même s'il exagère un peu, il faut y ajouter leurs compagnons...

C'est devant ce parterre qu'éclate la gloire d'Henriette. Tandis que le roi, ce soir-là, n'a ni perle, ni rubis, ni diamant, et ne compte pour séduire que sur sa taille et son visage, Marie-Thérèse porte, aux dires des gazetiers, pour six millions de bijoux. Il n'empêche. C'est avec sa belle-sœur que Louis ouvre ce bal mémorable. Le 4 février, au Palais-Royal, il l'ouvre encore avec elle, « qui se fait aisément reconnaître pour la principale de l'assemblée ».

Le 6 enfin, Mardi gras, veille du carême, il y a bal masqué au Palais-Royal. Le roi refuse d'y conduire

Marie-Thérèse, préférant la compagnie de Mlle de La Vallière. Alors, pour adoucir le chagrin de sa belle-fille et puisque seuls les gens en masque peuvent entrer au bal, la pieuse Anne d'Autriche, qui a passé tout le jour en prière aux Grandes-Carmélites, n'hésite pas à revêtir une mante espagnole de taffetas noir par-dessus son habit ordinaire pour accompagner la reine. Quand ils le savent, les dévots la blâment. La reine mère, quoique confuse, le supporte avec patience. Comme elle le confie à Mme de Motteville, les apparences sont contre elle. Mais la gaieté qu'elle a affectée « exprès » au Palais-Royal n'est que la marque de sa tendresse pour Marie-Thérèse.

Montagu, l'envoyé de Charles II, qui rentre alors en Angleterre, ne manque pas de raconter au roi les fêtes de la cour de France, et même l'anecdote de la reine masquée. Aussitôt, le frère confie à Henriette ses réactions. Il est accablé de soucis et confronté à une agitation religieuse croissante. Comme toujours, il suit de près cependant les occupations de sa petite sœur et de son entourage. Comme souvent, il s'amuse avec elle, même lorsque pour lui les problèmes s'amoncellent. De février à mai 1663, on a une dizaine de ses lettres à sa sœur. Elles manifestent leur complicité et leur tendresse souriante.

Il a déjà parlé à Henriette de la révolte des anabaptistes. Il doit publier maintenant une déclaration solennelle, que *La Gazette de France* reproduit en entier dans son numéro 19 de février. Il y affirme sa volonté de maintenir le bonheur de ses peuples et, conjointement, les intérêts de la religion protestante. Le 1er mars, il fera une déclaration analogue à Westminster devant les deux chambres.

Sa lettre de février, quand il commente les nouvelles apportées par Montagu, se veut franchement drôle. Moqueuse d'abord. Monsieur ne devrait pas tolérer auprès de Madame un Montagu, qui en est tombé amoureux et a offert à Charles une très belle épée avec son baudrier, uniquement parce qu'il est son frère. Gentiment envieuse ensuite. Il voudrait bien imiter les splendeurs des fêtes parisiennes. Impossible : il n'y a pas un seul homme à la cour de Londres capable de faire une *entrée* (en français) supportable. En revanche, il a poussé sa pieuse femme à se masquer pour imiter la dévote Anne d'Autriche. Il aurait bien aimé voir la tête de Saint-Albans en pareille occasion. Pour l'instant, la reine Catherine se contente de faire exécuter des contredanses dans sa chambre par son grand aumônier et deux de ses chapelains...

Le 26 février, il est plus sérieux. Une lettre à Henriette en anglais parle d'une affaire qui pourrait avoir des conséquences pour lui. Dans une autre lettre du même jour, en français, il charge Henriette d'une mission et officialise son statut d'agent de liaison entre les deux rois. La bergère quittera ses moutons. Elle expliquera à Louis les difficultés de Charles et lui fera « bien entendre les intentions » de son frère en cette occasion.

Quelle occasion ? Une de celles qui engagent la gloire des souverains, l'entrée de l'ambassadeur français à Londres.

28.

Des lettres, encore

Cominges, le nouvel ambassadeur de France en Angleterre, ne comprend pas un mot d'anglais et il refuse de l'apprendre. Il n'arriverait jamais à le prononcer. Il succède à d'Estrades, que sa réussite diplomatique pour le rachat de Dunkerque promeut ambassadeur extraordinaire en Hollande. D'Estrades y part en novembre 1662. Cominges arrive à Londres au début de janvier 1663 dans un yacht du duc d'York, après une tempête épouvantable. Il a cinquante ans, une généalogie impressionnante, un caractère difficile et une santé ruinée. Il trouve les Anglais « fâcheux et hargneux », et quand il dresse pour son roi un tableau des arts et lettres en Angleterre, il ne nomme pas Shakespeare, dont vient pourtant de paraître la troisième édition.

Pour son entrée officielle, on craint le pire si Louis XIV maintient ses exigences. Charles ne peut accorder aux carrosses français de préséances particulières ni revenir sur le décret qu'il a pris pour éviter la répétition des bagarres de rue dont s'est accompagnée l'entrée de l'ambassadeur suédois. C'est pourquoi il envoie officiellement en France Trevor, un de ses proches conseillers, mais charge aussi sa sœur d'expliquer au roi sa position. Il est « désireux de le satisfaire dans la mesure où le bien de son État le permet ». L'affaire des carrosses est d'importance pour lui. Il y va de la paix et de la sécurité dans sa capitale.

Madame et Trevor réussissent. Louis cède. En contrepartie, on accorde à Cominges des honneurs exceptionnels, mais sans danger. Depuis Greenwich, où il est accueilli en fanfare, il remonte la Tamise dans un bateau de parade. Cent quatre coups de canon tirés de la Tour de Londres le saluent et le carrosse du roi l'emmène jusque chez lui.

Ces questions d'apparence légère cachent des soucis de suprématie, lourds de conséquences pour les deux pays. Les jeunes rois veulent établir entre eux une alliance étroite. C'est sûr. Mais ils s'observent comme chat et souris. Chacun redoute d'être le premier à entamer les négociations de peur d'être en position de faiblesse.

Leurs intérêts ne sont pas identiques. Louis ne veut pas s'engager à soutenir Charles en cas de troubles intérieurs en Angleterre. Il souhaite une assistance accrue au Portugal, menacé d'un effondrement qui servirait l'Espagne. Tandis que Charles, époux d'une Bragance, est moins disposé à soutenir un État qui tarde à lui livrer Bombay, promis dans son contrat de mariage, et à lui payer la dot de sa femme, dont il est d'ailleurs de moins en moins épris.

Leurs situations politiques diffèrent. Charles doit tenir compte de son peuple et des députés. Louis, monarque absolu, méprise le système constitutionnel anglais et déplore la misère des « princes abandonnés à l'indiscrétion d'une populace assemblée ». À la lecture du remarquable rapport de Cominges sur le Parlement d'Angleterre, il conclut qu'on ne saurait trop soigneusement réprimer cette audace tumultueuse. En France, heureusement, toute autorité ne vient que de lui. Il en sera de même pour son fils, le dauphin.

Bref, chaque roi rejette sur l'inertie des ambassadeurs de l'autre les lenteurs de leur projet d'alliance. D'autant que les obstacles ne vont pas manquer et que leurs diplomates n'arrangeront rien. En face d'un Cominges qui soulève des difficultés en toutes circonstances, Hollis, nommé en France en juin 1663, est d'une remarquable inefficacité. Tous deux se montrent susceptibles et cupides.

Le roi de Grande-Bretagne n'écrit pas à sa sœur seulement pour la charger de mission. Il aborde des sujets de moindre importance que la sécurité à Londres. Ce printemps-là, les réponses d'Henriette manquent souvent. On devine néanmoins leur plaisir à correspondre.

Le roi parle de tout. Le 15 mars, du rhume qu'il a, comme tout le monde après la fin du gel, et qui l'empêche de tenir la tête baissée pour écrire. De la migraine, qui a accablé la reine la nuit durant et dont elle a été soulagée par une saignée. Le 30 avril, il informe Henriette du mariage de son fils James, qu'il a eu, très jeune, en exil, de Lucy Walter. Le roi l'a retiré à sa mère quand il a eu sept ans. Il a été élevé en France sous la tutelle de la reine d'Angleterre. Il vit maintenant à la cour de son père. Charles l'aime beaucoup et le traite de plus en plus comme son fils légitime, peut-être parce que la reine lui paraît incapable d'avoir des enfants, peut-être pour empêcher son frère York de se poser en héritier. Pour ce mariage, on va danser et mettre les époux au lit. Cela n'ira pas plus loin, car ils sont bien jeunes.

Le 7 mai, c'est une lettre de pure tendresse. Hamilton, chargé d'apporter les messages de Madame, était trop fatigué à son arrivée pour les transmettre à Charles. Peu importe. Il n'a pas besoin de nouvelles pour écrire à Henriette. Il n'a qu'à laisser parler son cœur. Qu'elle soit persuadée que son frère l'aime autant qu'il est possible. Il hasarderait tous ses biens pour la servir. Rien ne lui tient plus à cœur que de trouver les occasions d'exprimer à sa « très chère Minette » sa tendre passion. Il garde au plus profond de lui tout ce qui lui vient d'elle. Quel bonheur pour Henriette à lire ces mots, doux et charmants, qui viennent d'un roi occupé de mille affaires, parlementaires ou diplomatiques, d'intrigues amoureuses et du souci de son royaume !

Frère et sœur s'entretiennent de la maladie d'Anne d'Autriche, qui s'est déclarée au sortir du carême pendant lequel, malgré son âge, elle a beaucoup jeûné. Jusqu'à la Pentecôte, fièvres, tierce ou double tierce, évanouissements, saignées, mieux et rechutes. Ses fils sont accablés. Madame paraît moins gaie, note Mme de Motteville. Monsieur remercie le roi d'Angleterre des marques d'amitié qu'il a témoignées à sa mère pendant sa maladie. La cour est affligée et, contrairement à l'habitude, demeure à Paris jusqu'en août.

Sous le calme apparent, les passions couvent, les tiraillements s'accentuent. Louis a laissé en mars les dévots juger et brûler Simon Morin, faux Messie. Tout en persistant dans sa passion adultère pour La Vallière, enceinte ce même mois, il demeure auprès de sa femme quand elle a la rougeole. Il l'attrape à son tour. À la fin de mai, Vallot, son premier médecin, le juge perdu. Henriette, malgré le risque de contagion, n'hésite pas à lui rendre visite. Elle prévient son frère, qui, le 4 juin, dépêche Lord Mandeville aux nouvelles, et lui glisse une lettre de tendresse pour elle. En attendant l'issue de la maladie, il ne trouve rien à dire, sinon lui répéter le bonheur incomparable qu'il puise dans son affection. Le même jour, il lui écrit un autre message d'encouragement. Il le confie à un porteur qui vient de France et qu'il renvoie aussitôt. Toutes les occasions lui sont bonnes.

Se sachant en danger de mort, Louis a pensé confier le royaume non pas aux reines, l'une trop vieille, l'autre incapable, ni à Monsieur, trop indifférent aux affaires de l'État, ni à Condé, qu'il déteste toujours depuis la Fronde, mais à Conti, plein d'esprit autrefois, toujours excessif, converti aujourd'hui à une religion rigide. Faut-il que le jeune roi ait peur de l'enfer pour penser, au moment de mourir, se racheter de ses fautes en remettant le sort de la France au plus bigot de son entourage ! En fait, Louis guérit très vite. La santé recouvrée et la crainte passée, le plaisir l'emporte. Il retourne à ses conquêtes féminines.

La reine, de plus en plus méfiante, voudrait en savoir plus. Un soir où la famille royale est réunie autour de la reine mère convalescente, on parle de la jalousie des femmes. Marie-Thérèse demande à Madame si elle serait jalouse au cas où Monsieur lui en donnerait sujet. Non, répond-elle. La jeune reine admet qu'en effet c'est inutile. Elle sait d'expérience combien la sensibilité des femmes endurcit le cœur des maris et les importune.

Le roi fait cesser cette dangereuse conversation, mais la situation demeure horriblement fausse. Henriette endure avec peine d'être soupçonnée à la place de La Vallière. Elle se réjouit du nouveau projet de la comtesse de Soissons, qui, sans cesse à l'affût du cœur du roi, veut perdre sa maîtresse. Puisque la lettre espagnole n'a servi à rien, la comtesse décide de raconter à la reine en tête-à-tête les amours de son époux.

Peu après la guérison – provisoire – de la reine mère, l'entretien a lieu dans le parloir des carmélites de la rue du Bouloi, que Marie-Thérèse aime fréquenter. En pratique, il ne sert pas à grand-chose. Le roi ne renvoie pas sa maîtresse. Seul changement. Au lieu de dire tous les jours à la reine qu'il se rend chez Madame, il lui avoue sans vergogne qu'il a été ailleurs. On imagine les désespoirs de la pauvre reine de France.

C'est tout de même mieux pour Henriette. Sa lettre du 22 juillet, une des rares qui soient conservées pour l'année 1663, montre son insouciance. Elle commence, il est vrai, par des regrets. Charles a renoncé à un voyage en France, et elle est triste de ne pas le revoir dans un avenir proche. C'est sa marotte. Elle s'imagine qu'il va lui apparaître par miracle, à un moment inattendu, comme quand elle était enfant. Elle remarque aussi la satisfaction que l'on a « ici » de l'annulation du voyage. « Les plus hautes », écrit-elle avec maladresse, les plus hautes personnes, en ont autant de joie qu'elle en a de douleur. Qui désigne-t-elle ? Le roi, prudent jusqu'à l'hypocrisie et désireux de tenir encore secret son projet d'alliance avec Charles. Henriette sait reconnaître les manœuvres, souvent tortueuses, des gouvernants et les différences, à la cour, entre apparence et réalité.

Dans les affaires d'amour aussi. Elle s'amuse à taquiner son frère sur ses galanteries et à dénoncer gentiment son hypocrisie. Quoi ? On lui a rendu de mauvais offices auprès de la reine, sa femme ? Comment est-ce possible ? Lui, l'innocence même ? Elle s'en étonne. Puis elle abandonne la raillerie. Catherine est, dit-on, dans une douleur extrême. « Je crois que c'est avec raison », assure Henriette. Elle sait les infidélités de son frère, à sa femme comme à ses maîtresses, son attachement, inébranlable malgré son mariage, à la Castlemaine, favorite en titre, et les débuts de sa liaison avec la jeune Frances Stuart, venue de France en janvier 1662 munie de la lettre de recommandation qu'elle-même lui a faite pour son frère. Comparant ces intrigues à celles de Paris, elle écrit : « Pour ce qui est de ces sortes d'affaires, il y a bien du ravage ici. » Elle les raconte à Crofts, le porteur de la lettre. Si Charles veut les savoir, il n'a qu'à les lui demander.

Toute vérité n'est pas bonne à dire. Pratiquant le système qu'elle sait dénoncer chez autrui, Henriette garde le silence sur ses propres intrigues. Comment avouer au grand frère que plusieurs autour d'elle souhaitent prendre la place d'amoureux laissée vacante par le départ de Guiche en Lorraine, que Marsillac, le fils aîné de La Rochefoucauld, lui conte fleurette, que Vardes, le diabolique, l'amant de la Soissons et de Mme d'Armagnac, le séducteur enragé, l'entoure de déclarations passionnées et la presse avec insistance depuis la rougeole du roi, qu'enfin elle n'est pas insensible à ce tourbillon amoureux ?

Le ravage s'étend encore. En août, Louis part en Lorraine prendre possession de la forteresse de Marsal, que lui cède le duc Charles IV, selon leurs nouveaux accords. Monsieur et une foule de courtisans l'accompagnent. Les troupes françaises quitteront ensuite le duché. Mais le roi les verra à son arrivée. Henriette craint par-dessus tout la rencontre de Guiche et de Louis. Si l'un racontait à l'autre toute leur intrigue ? En hâte, elle écrit au comte de n'en rien faire. Trop tard. Il a parlé quand le message arrive. Le perfide Vardes en avertit Madame, qui envoie à Guiche une lettre pleine d'aigreur. Il la reçoit au moment de partir pour la Pologne, où il s'est engagé « contre les Moscovites ». Dans son désespoir, il s'expose à tous les dangers. Il reçoit dans la poitrine un coup qui aurait pu le tuer. Le portrait d'Henriette, enfermé dans une grosse boîte qu'il porte toujours contre son cœur, le sauve en amortissant l'impact.

Vardes a les mains libres. Monsieur, jaloux de tous, jaloux de Marsillac, à l'attrait duquel il n'est pas insensible, ne l'est pas de lui. Il le tolère auprès d'Henriette.

Dommage pour la jeune femme, étourdie, avide de liberté et de plaisirs, mais dont l'innocence ne fait pas le poids face au fourbe. Il peut lui faire beaucoup de mal. Les lettres de Guiche à Madame, moqueuses et même insultantes pour le roi, celles où il l'appelle un fanfaron, où il conseille de ne pas vendre Dunkerque (« Nous menacerons de là le roi et lui ferons faire, le bâton haut, tout ce que nous voudrons »), c'est la Montalais, la complice de Vardes, qui les a gardées. Depuis son emprisonnement à Fontevrault, elle les a confiées à d'autres personnes, plus ou moins recommandables, dont Corbinelli, un parasite mondain, languedocien comme Vardes. Celui-ci a convaincu Madame de la nécessité de reprendre et de brûler les lettres. Les intrigants ne les ont pas toutes rendues. Trois demeurent en leur possession. Henriette ne s'en est pas aperçue.

Ignorante de cette épée de Damoclès, elle participe à la vie de cour qui reprend au retour de Marsal. Son frère, soucieux de bonnes relations avec Monsieur, lui a envoyé quatre superbes chevaux choisis par lui parmi vingt autres. Philippe s'acquitte de son devoir conjugal. Henriette se trouve enceinte en octobre 1663.

Sans lui laisser de répit, une lamentable affaire de lettres, encore, éclate dans son entourage. Vardes, toujours machiavélique, en garde de compromettantes de la coquette Mme d'Armagnac, la belle-sœur du chevalier de Lorraine, nouveau favori de Monsieur. Naïve et complaisante, Henriette s'imagine pouvoir les récupérer et les rendre à leur propriétaire.

C'est le coup d'épée dans le dos. La superbe Athénaïs de Mortemart, récemment mariée au marquis de Montespan, fait mine d'en féliciter Madame et lui joue en réalité un très vilain tour. Elle murmure à Mme d'Armagnac que Madame ne veut ses lettres que pour avoir un moyen de chantage sur elle... Pourquoi cet acharnement contre Madame ?

29.

« Des choses de rien »

Plutôt que la personnalité de Madame, c'est le système des relations humaines qui est en cause. Chacun, dans le petit monde de la cour, tente de prendre le plus de pouvoir possible. Souvent la faveur décide. Peu nombreux, apparentés ou alliés, envieux, ambitieux, infidèles, les privilégiés n'hésitent pas à se déchirer en fonction de leur intérêt sous le regard curieux et attentif des gazetiers, des ambassadeurs, du reste de la cour, des indicateurs.

Des gens comme Madame sont à ménager. Elle est très proche du roi, et tout ce qui touche au maître absolu, femme, maîtresses, frère ou belle-sœur, est de première importance, surtout si la belle-sœur est elle-même la sœur d'un roi. En même temps, il faut surveiller sans cesse son crédit et prendre si possible barre sur elle. Si des gens particulièrement méchants ou avides s'en mêlent, on court à la catastrophe.

C'est ce qui arrive avec le couple d'amants diaboliques, le marquis de Vardes et la comtesse de Soissons. Elle a été la maîtresse du jeune roi, qui l'a rejetée et cédée au capitaine des Cent-Suisses de sa garde, l'intrigant Vardes. Une soif de vengeance et d'ambition les unit. Sans le vouloir ni le savoir, la naïve Henriette, nouvelle venue dans le cercle des favorites du roi, va les aider. Ils ont intérêt à la flatter, à gagner sa confiance et à l'impliquer dans leurs intrigues. À travers elle, ils règlent leurs comptes avec leurs rivaux et les éliminent par leurs calomnies.

Il peut y avoir des ratés dans leurs sombres desseins, trop de violence dans leurs sentiments. Mme de Soissons est jalouse d'Henriette « jusqu'à la folie ». Vardes en tombe amoureux. Cela ne les rend que plus féroces. Les chantages ne leur font pas peur, ni de jouer les clans les uns contre les autres. Car la cour de Monsieur est en perpétuelle tension avec celle de Madame. En 1663, ce n'est rien encore... Bref, dans ces milieux fermés et puissants, antipathies et préférences se manifestent avec une vivacité et un acharnement incroyables, tout en se traduisant par de petits gestes ridicules, mais symboliques.

Dans le cas d'Henriette, jeunesse et maladresse se combinent à la malchance. Tout de suite après son mariage, son aventure avec le roi l'a perdue dans l'esprit des deux reines. Avec Monsieur, la situation est instable puisqu'il ne tolère les caprices ou les galanteries de sa femme que pour faire oublier les siens.

Les femmes qui parviennent aux places les plus enviées de l'entourage d'Henriette, les plus proches d'elle, risquent d'être les plus avides, les plus intrigantes et les moins sincères. Ainsi la princesse de Monaco, sœur de Guiche, bête noire de la reine mère, si tendre pour Henriette qu'on murmure qu'elles se livrent ensemble à la débauche, montrera, plus tard, à la seconde femme de Monsieur « les mêmes petites mines et les mêmes petites façons » qu'à la première. Mme de Sévigné en sera outrée.

Heureusement, quelques personnes sont dévouées à la princesse et le resteront. Cosnac, l'évêque de Valence, pourtant premier aumônier de Monsieur, ou Mme de La Fayette, fidèle à jamais, dont l'appui sera de plus en plus précieux. Et Mme de Saint-Chaumont, rouage important de la cour d'Henriette, gouvernante des enfants du couple, sœur du maréchal de Gramont, tante de Guiche, de la princesse de Monaco et du chevalier de Gramont qui va épouser une Hamilton.

Par jalousie, Mmes d'Armagnac et de Montespan entreprennent de faire chasser Bablon – devenue Mme de Meckelbourg – de l'entourage de Madame. Prétextant que cette Bablon a mauvaise réputation, elles excitent contre elle Monsieur et la reine mère. Pour la première fois, dans une querelle avec son entourage et son époux, Madame fait appel à Louis. La Montespan n'est encore rien pour lui. Il cède facilement à Henriette, pour qui, depuis Fontainebleau, il garde un faible, pas fâché de mécontenter sa mère et son frère, et de faire plaisir à Charles, ancien amant de la dame.

Le roi d'Angleterre y est sensible, et au cas que Louis fait de sa sœur. Il l'écrit à celle-ci le 12 novembre 1663. Une colique a retardé sa réponse aux compliments du K et de Monsieur sur la guérison de sa femme. Il ne dit pas que le chagrin de ses infidélités a conduit la pauvre reine aux portes de la mort. Il est heureux que le K ait pris le parti d'Henriette. En toute impartialité, assure-t-il, elle a raison. Sans la nommer, il s'étonne qu'Anne d'Autriche (« des gens plus âgés ») ne l'ait pas senti. Elle aurait éclairé Monsieur.

Dans la même lettre, il se désole qu'il y ait eu un nouvel incident avec Cominges le grincheux. Invité par le Lord-Maire de Londres à un dîner d'apparat, l'ambassadeur doit s'asseoir à la table du chancelier Clarendon et des membres du conseil privé, tandis que le Lord-Maire présidera à l'autre bout de la table. Quand Cominges arrive, à l'heure dite, le chancelier et ses compagnons sont déjà attablés tandis que le Lord-Maire se fait toujours désirer. L'ambassadeur ironise à haute voix sur l'appétit des convives, qui ne l'ont pas attendu. Clarendon, qui ne l'aime pas, reste de marbre. Personne ne se lève ni ne profère le moindre mot de regret. Cominges part, ulcéré de « cette incivilité grossière et barbare ».

Aucune excuse du Lord-Maire ne l'apaise. Pas même sa venue à l'ambassade française en grande pompe, avec une douzaine de carrosses, pour l'inviter à dîner chez lui, à la date de son choix. Il faut que Charles dise lui-même combien il est navré de l'incident. Il s'en plaint à Henriette. L'ambassadeur est difficile à satisfaire ! Monsieur, dès le 18 novembre, s'empresse de remercier son beau-frère de son geste d'apaisement. Leur amitié lui est si précieuse !

Peu de jours après s'élève une dispute à propos de l'entrée officielle de Hollis, le nouvel ambassadeur d'Angleterre en France. Les princes du sang ont entrepris de faire passer leurs carrosses avant les siens. Charles renâcle avec véhémence dans une lettre à Madame du 7 janvier 1664. Il n'a jamais cédé le pas au roi d'Espagne. Il ne s'inclinera devant aucun roi, quel qu'il soit. Et il explique longuement son point de vue à Henriette pour qu'elle sache bien que dire à ce propos. Il veut l'amitié de Louis mais ne l'achètera pas au prix d'un marché déshonorant. Il se fonde sur les témoignages ou les mémoires des précédents ambassadeurs. Le 14 janvier, il insiste. Les envoyés de son père passaient les premiers. Malgré sa haine des disputes, il ne renoncera pas à ce privilège. Il est confiant, écrit-il enfin le 28, dans les documents qu'il a produits.

Charles n'a pas de chance. Cette stupide querelle arrive au moment où éclatent dans le nord du pays des révoltes d'importance, où il doit envoyer son frère Jacques mater les « coquins du Yorkshire ». Mais il a le bonheur d'avoir une sœur qui joue à merveille son rôle d'ambassadeur officieux. Elle s'entremet entre les parties. Comme l'affaire traîne et que personne ne veut céder, elle propose que l'entrée solennelle soit abandonnée. Hollis sera présenté au roi à Saint-Germain, sans cortège. On se rallie à sa proposition.

L'entrevue de Hollis avec Louis XIV se passe fort bien. L'ambassadeur anglais, aussi pointilleux que son collègue Cominges, a fondu devant le charme de Madame. Il reconnaît les obligations que le roi et lui-même lui doivent, et il écrit à Charles que l'affaire n'a été résolue que grâce à l'habileté et à la sagesse de la princesse. Le grand frère est ravi. L'affaire est réglée au mieux. Il dit à Henriette, le 27 mars, sa satisfaction. Si son entremise ne peut rien ajouter à son immense affection pour elle, il a grande joie de sentir la tendresse de sa sœur en toutes occasions. Il s'efforcera toujours de la mériter. C'est ce qui compte le plus au monde pour lui.

Les occupations n'ont pas manqué à la jeune femme pendant sa négociation. Malgré sa grossesse, elle se jette comme d'habitude à corps perdu dans les plaisirs des fêtes de cour. L'année précédente, elle a fait une fausse couche, dont on a peu parlé, après la série de représentations du *Ballet des Arts*. Cela ne lui sert pas de leçon.

Le Mardi gras, 26 février, dernière réjouissance avant le carême, elle va au bal masqué que donne la reine mère, pour faire plaisir à son fils, dans le salon de son appartement rénové du Louvre. *La Gazette* fait écho à cette mascarade éblouissante, et Loret se pique de nommer plus de trente-six des masques présents. Ni l'une ni l'autre ne font allusion à deux chutes remarquables à divers égards, qui se produisent ce soir-là. Spécialistes des succès mondains, les gazetiers ont tendance à en omettre les incidents fâcheux ou cocasses.

Le prince de Condé les raconte à la reine de Pologne, sa parente. Le cardinal italien Maldaquin, homme de peu de vertu et nouvellement arrivé à Paris, se présente au bal avec une robe et un masque rouges. On ne le connaît pas. Il y a du monde. Nul ne l'accueille. Il a peine à entrer et pousse avec tant de force qu'il est emporté par son élan. Il tombe et fait voir à toute l'assemblée qu'il n'a point d'habit sous sa robe. Gros rires. Condé ajoute : « Madame, qui est grosse, tomba aussi. Je ne crois pas qu'elle soit blessée. Elle garde pourtant le lit. »

Empêtrée dans un ruban mal attaché, gênée par le poids de son encombrant costume surchargé de lourdes pierreries, la jeune femme a glissé. Par bonheur, son premier écuyer, Clérambault, la retient avant que sa tête ne frappe une grille d'argent. Elle ne perd pas l'enfant qu'elle attend, mais contrainte de rester au lit, elle ne peut, le 28 février, assister à Saint-Germain-l'Auxerrois au baptême du premier fils de Molière, dont elle est la marraine.

Elle se fait représenter par la duchesse de Choiseul et le roi, qui est parrain, par le duc de Créquy. Complices une fois de plus, Louis et sa belle-sœur manifestent par leur geste leur soutien à l'homme de théâtre, malmené peu avant par une requête de Montfleury, comédien de l'hôtel de Bourgogne, la troupe rivale de Molière. Il l'accuse d'avoir autrefois couché avec Madeleine Béjart et d'avoir épousé sa fille, Armande.

Madame ne peut non plus participer à Versailles, début mai, aux merveilleuses fêtes organisées par Molière, *Les Plaisirs de l'île enchantée*. Les privilégiés assistent, entre autres, à la création de *La Princesse d'É-lide*, à l'embrasement du palais de la magicienne Alcine, à la représentation d'un *Tartuffe* en trois actes, une comédie de Molière contre les hypocrites. La reine mère y voit une critique des dévots. Elle en est furieuse. C'est alors, précise Mme de Motteville, qu'elle ressent les premières atteintes de son cancer au sein.

La pression de la Compagnie du Saint-Sacrement est telle que le roi doit interdire les représentations publiques de *Tartuffe*. Mais les lois ne sont pas les mêmes pour tous. Molière joue la pièce en privé chez le cardinal Chigi, neveu du pape, en mission diplomatique à Paris. Il fait de même en septembre, à Villers-Cotterêts, pour Madame, navrée d'avoir manqué les fêtes de mai et toujours désireuse de soutenir le comédien. Elle devine l'importance pour lui d'un déplacement de huit jours à Villers-Cotterêts, chez les Orléans, d'un engagement pour y jouer cinq pièces dont *Tartuffe*, avec la nourriture de la troupe et 80 000 livres de gages.

Henriette n'a que vingt ans, un goût effréné des plaisirs dans une cour qui l'a toujours éblouie, mais aussi du bon sens et de l'application, s'il le faut. C'est avec beaucoup de sérieux qu'elle s'occupe des affaires de son frère. Comme Ruvigny, elle s'inquiète parce que le traité franco-anglais n'avance pas.

En Grande-Bretagne, on ne supporte pas la concurrence maritime et commerciale des Hollandais, jaloux des établissements britanniques sur la côte de Guinée, jaloux de la Compagnie d'Afrique que préside le duc d'York, qui fait le commerce des esclaves et de la poudre d'or. Jaloux et dangereux. Peuple et Parlement anglais sont favorables à une lutte armée. Charles, moins belliqueux, garde néanmoins rancune au stathouder De Witt pour son attitude hostile lors de son exil et pour avoir écarté du pouvoir les princes de la maison d'Orange. Toute l'année 1664, les menaces de guerre grandissent.

Quelle sera la réaction de la France en cas de conflit ? Louis XIV, toujours habile, souhaite l'alliance anglaise mais entend garder un équilibre entre les deux nations. Il ne faut pas que l'une surpasse l'autre et acquière la domination absolue des mers. Il s'est engagé avec la Hollande par un traité d'avril 1662. Si elle était attaquée, il devrait lui prêter main-forte après une tentative de médiation n'excédant pas quatre mois. Et il lui a accordé les garanties de pêche qu'elle souhaitait.

La situation face à la Grande-Bretagne est donc tendue. L'ambassadeur Hollis recommence pourtant ses récriminations et ne veut s'occuper que de ses « petites affaires ». C'est le mot de Madame à son frère, le 22 juin, depuis Fontainebleau, où elle doit sous peu faire ses couches. Elle s'en désespère. Les dépêches diplomatiques du moment sont pleines de discussions mineures à propos des taxes à payer par Hollis sur les vins destinés à sa consommation particulière, et des comparaisons avec les privilèges de Cominges à Londres. Le ministre français des Affaires étrangères, Lionne, est exaspéré. Son cabinet doit rappeler le privilège aboli pour les ambassadeurs de France de manger à la table du roi d'Angleterre et les droits que paient les Français à Londres pour leurs cheminées.

Il est juste, écrit Madame, que Hollis ait des privilèges, mais qu'il se conforme donc à la mode du pays. Qu'il cesse de se plaindre de Lionne et du chancelier Séguier sous prétexte qu'ils ne lui donnent pas de l'« Excellence ». Il ne leur rend jamais la pareille et répond à leurs politesses par un « vous » offensant. Ils se sont lassés. Elle-même a dit à l'ambassadeur acariâtre qu'il n'avait « pas raison de tant s'acharner sur des choses de rien ».

Elle doit abandonner sa lettre. Il est l'heure d'aller à la comédie. Elle prend pourtant le temps de porter sur la situation un jugement perspicace et d'insister auprès de Charles sur les problèmes réels de l'entente franco-anglaise : « Cependant rien n'avance, dont je suis au désespoir. »

30.

« Labyrinthe »

Henriette a raconté à sa mère l'opération délicate qu'a subie Julie, la fille unique du duc de Montausier, peu avant son mariage. Comme d'habitude, Charles a lu la lettre de sa petite sœur. Comme d'habitude, les soucis de la guerre et de la paix ne le détournent pas des plaisanteries lestes. Il répond à Henriette que les opérations de ce genre sont rares, et que les maris, la plupart du temps, ont besoin de fil et d'aiguille plutôt que de couteau.

Il feint de croire à l'innocence de sa correspondante. Elle n'a pas saisi le sens de ce qu'elle écrivait et elle ne comprendra pas sa raillerie. Elle pourra se la faire expliquer, il en est sûr, sans aller en Sorbonne. Pas plus qu'Henriette ne croit à la fidélité de Charles pour sa femme, il ne croit à l'ignorance de sa sœur. Il a raison. Au moment même où il la taquine vient à la jeune femme une idée qui n'est pas d'une âme pure.

Elle se tourne vers son amie, la comtesse de La Fayette, belle-sœur de l'abbesse de Chaillot, de dix ans son aînée et qui vit dans son sillage depuis la retraite de son mari en Auvergne. Sans qu'elle l'ait avoué, la comtesse a écrit une *Princesse de Montpensier*, court roman dont les personnages calquent à merveille ceux de la cour de Louis. Son aventure avec Guiche, dont elle lui a raconté des bribes, Henriette va la lui détailler. La comtesse l'écrira avec son talent particulier, et cette *Histoire de Mme Henriette d'Angleterre* pourra servir — qui sait ? – à la justifier.

L'entreprise n'a rien d'innocent. Comme le reconnaîtra Mme de La Fayette, « c'était un ouvrage assez difficile que de tourner la vérité, en de certains endroits, d'une manière qui la fît connaître et qui ne fût pas néanmoins offensante ni désagréable à la princesse ». Et puis, en ce printemps 1664 où Madame doit garder le lit pour préserver la vie de l'enfant qu'elle attend, où, sevrée de distractions, elle trouve le temps long, quel plaisir coquin de revivre, en la racontant, cette « jolie histoire », de se remémorer les « circonstances extraordinaires », comme elle le dit, de la passion de Guiche pour elle.

La preuve, quand Guiche revient en France, au début de juin, couvert de gloire militaire, pardonné par le roi, accepté par Monsieur à condition qu'il ne revoie jamais Madame, elle renonce aux confidences à son amie. Il n'est plus temps de se souvenir. Il faut vivre.

Si Charles avait cru à la vertu de sa sœur, il aurait vite changé d'avis. Tout l'été et l'automne 1664 sont occupés à la cour par les disputes perpétuelles qui opposent Guiche et Vardes à propos de la jeune femme. Le premier, inquiet des racontars de son prétendu ami, le soupçonne de l'avoir, pendant son absence, desservi auprès de Madame. Le second, fort de la faveur royale et gêné par le retour de son rival, veut à tout prix le perdre.

On a l'écho de ces intrigues dans les lettres détaillées écrites à la reine de Pologne par le duc d'Enghien, mari de sa nièce et fille adoptive Anne-Marie de Bavière, et par son père, le prince de Condé. Elles sont pleines de ces chicanes et des ordres, répétés et sans réplique, donnés par le roi à Guiche et Vardes. Qu'ils cessent de se quereller, qu'ils n'en viennent pas aux extrémités – au duel –, qu'ils se saluent. Le procès de Fouquet, qui débute en septembre, test capital du pouvoir du jeune roi, passe, au milieu du bruit incessant de ces intrigues, presque inaperçu dans la correspondance des princes du sang.

On dirait que le retour de l'exilé a mis le feu aux poudres. Les passions s'exacerbent. Guiche feint d'être amoureux de Mlle de Grancey, mais furieux de ne pouvoir rencontrer Madame, qu'il aime, ne pense qu'à éprouver ses sentiments. Vardes est décidé à la faire céder grâce aux fameuses lettres gardées en sa possession. Mme de Soissons, toujours atrocement jalouse de la passion de Vardes pour Henriette, tente de s'en éclaircir auprès d'elle. Cela ne sert qu'à brouiller les cartes.

Quant à la princesse, passé le huitième mois de sa grossesse, elle recommence à participer aux fêtes. Rancunière, elle s'entête à refuser de rencontrer Mmes d'Armagnac et de Montespan. Lors d'un médianoche à Fontainebleau où Louis l'a priée, elle exige qu'elles soient exclues de la (délicieuse) promenade de nuit sur le canal et des concerts de violons. Monsieur prend le parti des dames, ses amies, et entend exercer son autorité de mari. La reine mère, toujours hostile à sa belle-fille, l'y pousse. Le roi ne veut pas qu'on mécontente Madame. Philippe doit céder. Les deux commères enragent.

Le mercredi 16 juillet 1664, la naissance du duc de Valois à Fontainebleau fait une diversion heureuse. Madame a été délivrée entre neuf et dix heures du matin, après un travail rapide. Le roi et les deux reines ont été constamment présents. Tout le monde sait l'importance que le duc et la duchesse d'Orléans attachent à un héritier. Des deux côtés de la Manche, les messages circulent, d'annonce heureuse et de félicitations. Grâce à ce fils, prénommé Charles-Philippe, Henriette n'a rien à envier à Marie-Thérèse qui, depuis l'arrivée du dauphin, ne donne le jour qu'à des filles, bientôt disparues. « Un bel enfant », écrit Monsieur au roi de Grande-Bretagne, en lui envoyant pour messager son premier maître d'hôtel, Boyer. « Nouvelle bénie », s'exclame Hollis. « Réalisation de nos désirs », s'attendrit Louis XIV. « La mère et l'enfant se portent bien », précise-t-il dans la lettre qu'il fait porter à Charles par l'abbé Montagu, chargé aussi de prévenir la reine mère.

Le répit dure peu. Vardes réussit à se faire recevoir de Madame, juste après la naissance de son fils. Elle garde encore le lit. Guiche l'accuse, dit-il, de s'être servi de ses lettres pour la faire chanter et tenter de la séduire. Qu'elle le disculpe. On cachera les coquetteries compromettantes de la jeune femme. C'est comme une révélation. Henriette se rend compte de la gravité des fourberies de Vardes et des risques qu'il fait courir à sa réputation. En pleine euphorie, jeune mère d'un fils destiné éventuellement au trône de France ou du moins à de grandes fonctions, cajolée par la cour et même par sa belle-mère, émue de ce nouveau petit enfant, elle prend peur de cet intrigant. Exaspérée de tant de mensonges, elle ne veut plus d'autre justification que la vérité. Elle refuse de partager avec Vardes la moindre cachotterie.

Il ne se tient pas pour battu. Il sort de sa poche une lettre que Guiche lui a confiée pour elle. Le malheureux, tourneboulé par les récits contradictoires de son prétendu ami, a écrit pour la supplier de lui dire ses véritables sentiments. Pressentant un piège, Henriette refuse de la lire. Bien lui en prend. Pour la perdre, Vardes le fourbe, persuadé qu'elle ne résisterait pas au plaisir de la lire, l'a déjà montrée au roi ! Alors, voyant qu'il n'a plus barre sur la jeune femme, il joue le désespoir, éclate en sanglots et se cogne la tête contre les murs. Elle refuse de s'apitoyer sur ses extravagances d'amoureux éconduit.

Ses refus sauvent Madame. Quand le roi vient la voir, elle lui raconte la scène. Rassuré sur sa bonne foi, sinon sur sa vertu, il lui promet de l'aider contre le menteur. La sincérité d'Henriette va lui permettre de sortir de ce « labyrinthe ». Le mot est de la plume de Mme de La Fayette, mais c'est la princesse qui le lui a soufflé.

Malgré la confiance du roi et sa joie d'avoir ce fils tant désiré, elle est épuisée. Elle se plaint à sa mère dans une longue lettre dont son frère a connaissance. Lui qui avait eu tant de joie à la naissance du petit Valois et qui l'avait exprimée de manière si charmante à sa sœur (« Tout ce qui vous touche sera toujours proche de mon cœur ») s'assombrit. Il voit bien, écrit-il le 1er août, qu'on en use mal envers elle. Il est content que ce ne soit pas le cas du roi, toujours affectueux et juste. Mais ses allusions aux bigots désignent sans la nommer la reine mère.

Rumeurs, intrigues continuent. Guiche, malheureux du refus de sa lettre, va tous les jours chez Mme de

Gramont, une Anglaise, afin qu'elle intervienne pour lui auprès de Madame. Monsieur « a fait un peu de bruit, il a un peu menacé, mais ce n'a pas été grand-chose », écrit Enghien. Malgré l'amitié de Louis, un bref séjour à Vincennes, où la cour s'est installée, ne peut apporter beaucoup de paix à la princesse. Il y a trop d'agitation. Elle a la fièvre. Le château de Villers-Cotterêts lui offre un lieu de retraite idéale en ce mois de septembre.

Les médecins pensent venir à bout de la fièvre de la jeune accouchée par un repos absolu et un traitement au lait d'ânesse. Patin n'est guère optimiste. Il la juge « fluette, délicate et du nombre de ceux qu'Hippocrate dit avoir du penchant à la phtisie ». En réalité, elle s'est à la fois trop usée, amusée et inquiétée. La pause de Villers-Cotterêts lui fait du bien. À son retour à Versailles, en octobre, elle se trouve mieux.

Elle n'est cependant pas encore sortie du « labyrinthe ». Vardes choisit une superbe occasion et des personnages idéalement ciblés pour se venger d'elle par une cruelle insolence. Un des fils du comte d'Harcourt, le séduisant chevalier de Malte, Philippe de Lorraine, du même âge qu'Henriette et frère cadet du comte d'Armagnac, « fait comme on peint les anges », dit l'abbé de Choisy, commence à fréquenter la cour des Orléans. Monsieur est attiré par sa beauté. Mais le chevalier ne néglige pas les belles femmes. Il est très amoureux de Mlle de Fiennes, Élisabeth, nièce de Mme de Fiennes, liée à l'entourage de la reine mère d'Angleterre. Cette Élisabeth, à la gorge d'une blancheur éblouissante selon Loret, a été un temps fille d'honneur de la grande-duchesse de Toscane. Elle l'est depuis peu de Madame.

Quand Vardes voit Lorraine débiter des douceurs à la Fiennes, il n'hésite pas. En pleine chambre du roi, il dit au chevalier qu'il s'amuse trop bas, qu'il doit viser plus haut et faire l'amoureux de la maîtresse. « Il y réussirait. » C'est une femme facile… L'insolence ne passe pas inaperçue. Impressionnés, Condé et Enghien la racontent le même jour, chacun de son côté, à la reine de Pologne. Henriette, mise au courant par le marquis de Villeroy, un ami de Guiche, est désespérée. Il est fâcheux pour elle d'avoir toujours de pareils tracas et de se donner si souvent en spectacle à tout le monde.

Elle tente de frapper un grand coup, exige du roi qu'il chasse Vardes. Il commence par le mettre à la Bastille, « on ne sait pourquoi », remarque Guy Patin. Seuls, en effet, les proches des protagonistes sont au courant. La punition tourne court. Les amis de Vardes vont en foule voir le prisonnier, qui n'est pas au secret. On murmure que Madame n'a pas réussi à le faire chasser. Alors, humiliée, elle demande à Louis d'exiler l'insolent dans son gouvernement d'Aigues-Mortes, à l'autre bout de la France.

Ceux qui ne savent pas tout trouvent la requête excessive. Mais Louis et son frère sont enragés contre Vardes. Pour avoir tenté de calmer Madame et envoyé un compliment à l'exilé, Enghien se fait réprimander par Monsieur. L'honneur de la duchesse d'Orléans est sacré. L'honneur ? Oui, mais aussi l'affection que lui porte le roi d'Angleterre. Car, en cette période de trouble et de crainte, elle a appelé à l'aide son recours, son grand frère.

Sa lettre, conservée, affiche son désarroi. Pour les événements, elle s'en remet au récit qu'elle a fait à sa mère, mais c'est à Charles que, sur le fond, elle choisit de s'adresser, avec une solennité qui ne lui est pas habituelle : « J'ai prié l'ambassadeur de vous envoyer ce courrier pour vous pouvoir instruire véritablement de l'affaire qui est arrivée au sujet de Vardes. »

Elle le supplie ensuite avec véhémence : « C'est une chose qui m'est d'une telle importance que peut-être tout le reste de ma vie s'en ressentira. » Elle envisage deux hypothèses. En cas d'échec, « ce me sera une honte qu'un homme particulier ait pu me tenir tête et que le roi l'ait soutenu ». Sinon, à l'avenir ce sera un exemple pour tout le monde de « n'oser pas s'attaquer à moi ». Son frère est mécontent quand on la maltraite, elle le sait. Cette fois, c'est grave. Elle veut l'exil de « cet homme ».

Que Charles écrive donc à Louis et, surtout, qu'il n'ait pas l'air de douter que le roi de France veuille donner satisfaction à sa sœur. On lui demande seulement d'achever ce qu'il a si bien commencé, « car il faut se garder de lui témoigner qu'on n'est pas content de lui ». Perspicace Henriette, qui connaît le cœur de son royal beau-frère... L'essentiel est dit. Elle insiste encore. Son frère doit montrer qu'il s'intéresse à cette affaire par amitié pour elle. Pour l'ébranler définitivement, elle évoque les « suites terribles » en cas d'échec, et les yeux de « toute la France » tournés vers elle.

Charles ne saurait résister à une petite sœur troublée, angoissée, malheureuse. Il fera ce qu'elle demande. En réalité, recours et plaidoyer étaient inutiles. Dès le 24, avant même que le roi d'Angleterre ait eu le temps de répondre et d'intervenir auprès de Louis, on sait à la cour que Vardes doit sortir de la Bastille et partir en exil pour Aigues-Mortes, dans son gouvernement. La Soissons est furieuse. Elle n'a pas dit son dernier mot. Mais Henriette peut triompher. Louis XIV lui a cédé.

Il connaît le prix des satisfactions sentimentales. Au moment où la guerre est imminente, où il devra tenir un difficile équilibre entre les deux belligérants, la Hollande, son alliée, et l'Angleterre, à qui il souhaite s'allier, comment prendre le risque de mécontenter la sœur du roi ?

Confiante dans le crédit et l'appui de Charles, sûre d'être entendue, elle s'est d'ailleurs, sa lettre écrite, tout de suite apaisée. Dès le 19 décembre, elle reprend avec son frère le ton de la négociatrice qu'elle n'a cessé d'être toute l'année, malgré sa grossesse, sa toux, le « labyrinthe » de ses histoires de cœur, les mesquineries de son entourage, sa peur de Vardes. L'entente franco-anglaise est devenue son affaire.

31.

« Une femme d'Exeter »

Henriette partage les préoccupations du roi d'Angleterre. En retour, il la tient au courant des rivalités avec les Hollandais, « ces marchands enrichis », et des escarmouches plus ou moins sérieuses, qui aboutiront, en 1665, à de véritables combats.

Il lui détaille les plus importantes. Attaque de Tanger, pourtant passé aux Anglais au titre de la dot de la reine Catherine, et massacre du gouverneur, de plusieurs officiers et de deux cents soldats. Envoi comme résident britannique à La Haye de Sir George Downing, un homme hardi et dur, qui sous Cromwell déjà avait extorqué aux commerçants hollandais des sommes considérables. En octobre 1664, reconquête capitale par Nicholls, gouverneur du Massachusetts et bras droit de Jacques d'York, de New Amsterdam. La ville, importante pour le commerce par sa situation et son voisinage avec les possessions de Nouvelle-Angleterre, est rebaptisée New York en l'honneur du duc, frère de Charles.

Celui-ci ne se cantonne pas dans un rôle d'informateur. Il cherche auprès d'Henriette des conseils sur des points épineux. Quelle sera l'attitude de Louis en cas de conflit avec les Pays-Bas ? Respectera-t-il le traité de 1662 ? Il veut persuader sa sœur — et donc le roi de France — de sa volonté sincère d'alliance et de la nécessité de la conclure vite. Par un traité général et par un traité particulier de bienveillance et d'amitié entre les

Charles Ier et Henriette de France, père et mère de la princesse Henriette d'Angleterre. (Doc. Collection Viollet)

Le roi Charles Ier est décapité devant Whitehall. Henriette n'a pas encore cinq ans. (Doc. Collection Viollet)

Charles II enfant, le frère chéri d'Henriette.
(Doc. ND-Viollet)

La petite «Minette» comme
la surnomme
affectueusement son frère.
(Musée de Stockholm, D.R.)

La duchesse d'Orléans
et sa chienne Mimi
dans toute leur gloire.
(Doc. Giraudon)

La «femme d'Exeter» peu avant sa mort.
Ce portrait ne quitta jamais le *Guildhall*
de sa ville natale. (D.R.)

Daniel de Cosnac, évêque de Valence. (D.R.)

Philippe duc d'Orléans, Monsieur,
l'époux d'Henriette. (Doc. Giraudon)

Villers-Cotterêts. (D.R.)

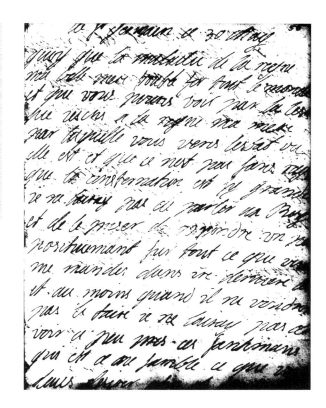

Au reste, l'on dit que Molière
Paroissant dans cette Carriere,
Avecque ses charmans Acteurs,
Ravit ses Royaux Spectateurs:
Et sans épargne, les fit rire,
Iusques à nôtre graue Sire,
Dans son Paysan mal marié,
Qu'à Versaill', il auoit joüé,
Et dans son excellent Auare,
Que ceux de l'Esprit plus bizare,
Ont rencontré fort à leur goût,
Du commencement, jusqu'au bout.

Extrait d'une lettre en vers adressée à
Madame par le gazetier Robinet. (D.R.)

Lettre autographe
d'Henriette à son frère.
(D.R.)

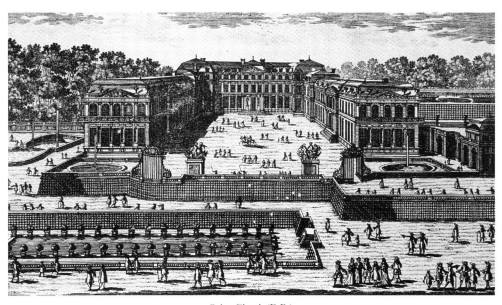

Saint-Cloud. (D.R.)

Louis XIV, le séduisant beau-frère d'Henriette.
(Doc. Collection Viollet)

La Famille royale de France. Couronnée de fleurs, Henriette rayonne. (Doc Giraudon)

La comtesse de La Fayette, la fidèle amie.
(Doc. Collection Viollet)

Fête à Versailles. Au fond, une branche de «l'allée étoilée». (D.R.)

Pompe funèbre d'Henriette d'Angleterre, duchesse d'Orléans, à Saint-Denis. (Doc. Collection Viollet)

Titre de l'oraison funèbre.
(Doc. Collection Viollet)

Bossuet, qui prononça les mots
célèbres : «Madame se meurt !
Madame est morte !» (Doc. Bulloz)

deux rois. Henriette croit que les retards viennent du côté anglais. Cela peine son frère. Et c'est faux. Si les ambassadeurs ne font pas leur travail, doit-on croire que c'est la faute de leurs maîtres ? Hollis a été chapitré. Il fera mieux désormais.

Charles développe longuement ces points le 2 septembre 1664. Beaucoup de ses lettres à sa sœur sont conservées pour cette période. Dans chacune il insiste sur son désir de rapprochement avec la France. Sous sa plume revient à tout moment le mot *frindship* (*sic*), « amitié », accompagné des adjectifs « sincère », « solide » et « rapide ».

Sans cesse il affirme que Madame est au cœur de cette alliance. Par sa tendresse particulière pour elle, par l'affection que lui porte le roi de France et dont Charles se réjouit, par l'attachement qu'elle-même a pour son frère et dont il est persuadé. Enfin, parce qu'« elle est une femme d'Exeter », une femme d'Angleterre.

Exeter, lieu de la naissance d'Henriette sur le sol anglais, de leur première rencontre en pleine guerre civile, inoubliable pour Charles, Exeter, symbole des malheurs communs de leur jeunesse et de leur espérance d'une entente inébranlable. Ce rappel des origines est un argument sensible, qui ne saurait laisser la jeune femme indifférente. Son frère l'emploie, parce qu'il souhaite ardemment son aide. Il le lui répète à plusieurs reprises, personne n'est capable autant qu'elle (« *nobody so fitt, so proper* ») de contribuer à cette alliance. Elle est le meilleur garant de la sincérité de Charles.

Pour le roi de France aussi, l'entente franco-anglaise passe par Henriette. C'est elle qui de Vincennes, après son accouchement et malgré sa mauvaise santé, transmet la proposition de Louis de se servir, comme bases de l'accord, de traités antérieurs, afin de gagner du temps. C'est elle qui, le 4 novembre, s'occupe de la question brûlante des « cinquante sous ». Une taxe que la France, en vertu de son accord de 1662 avec la Hollande, doit percevoir sur tous les vaisseaux étrangers à leur sortie des ports français, et dont la Grande-Bretagne voudrait être dispensée.

C'est elle qui, pour la première fois, le 28 novembre, suggère la possibilité d'un traité secret entre les deux

rois. Charles ne doit pas exiger de Louis la promesse de
ne pas assister ses alliés hollandais. « Vous comprenez
bien qu'il ne peut le promettre hautement. » Il faut se
« contenter de faire la chose sous main ». Sa petite
sagesse de vingt ans l'explique avec simplicité : « En ce
monde, l'on paye de belles apparences, et cette affaire
les requiert. » Elle recommande à son frère le marquis
de Ruvigny, un diplomate huguenot d'expérience, que
le roi de France lui envoie officieusement. Elle revient,
le 19 décembre, sur le traité secret et emploie pour la
seconde fois l'expression « sous main ».

Louis la charge, en mars 1665, de rendre compte à
son frère d'une querelle qui a opposé, sur les quais de
Bordeaux, trois ou quatre excités de nationalités différentes à propos de l'éventualité d'une guerre anglo-hol-
landaise. Un Anglais a dit que les siens ne feraient
jamais la paix à moins d'être dédommagés des frais de
guerre. Un Hollandais, nommé Oyens, répliqua qu'on
les paierait avec quelque chose qui ne sent pas bon. Il a
même insulté le duc d'York. « D'ordinaire, écrit Henriette, on ne prend pas garde aux propos des gens dans
la rue. » Mais Hollis met son point d'honneur à venger
son pays. Que souhaite Charles ? S'il y tient, on fera
chercher et punir l'insolent. Moins pointilleux que son
ambassadeur, le roi ne juge pas utile de poursuivre et
répond par un vieux dicton anglais : « Plus on remue la
merde, plus elle pue. »

Le 22 mars, Henriette s'interroge sur les « géhennes
terribles » exercées par des Britanniques contre des
Français soupçonnés d'intelligence avec la Hollande.
Elle proclame partout que c'est impossible, que son
frère, si généreux, ne souffrirait pas qu'on torture ses
ennemis, encore moins les Français, ses amis. Elle voudrait pourtant savoir ce qu'il en est. Et conclut en ser-
monnant Charles. La puissance doit servir à se faire
aimer de ses amis, craindre de ses ennemis et à empêcher toute violence.

Grâce à la princesse s'établit entre les deux rois un
échange constant, parallèle à l'action des diplomates et
plus important. L'habileté de la jeune femme, sa finesse
et sa vivacité d'esprit éclatent dans toutes ses lettres.

Les affaires personnelles des souverains ne sont pas absentes de leurs échanges. La princesse prend plaisir à redire au roi les compliments dont son frère la charge. « Il reçoit si bien tout ce qui vient de votre part. » Elle tient Charles au courant de la maladie de Marie-Thérèse, enceinte, saisie de fièvre violente et d'effroyables douleurs dans les jambes. Elle lui conseille d'envoyer exprès un messager savoir des nouvelles, car « ce n'est pas une maladie à finir du jour au lendemain ». La lettre où Henriette annonce l'accouchement prématuré de la reine, le 16 décembre, est perdue. Dommage. L'événement fait du bruit. L'enfant de Marie-Thérèse, raconte Mlle de Montpensier, ressemble à un petit Maure, que le duc de Beaufort lui a ramené de Gigeri. Il était toujours avec la reine, et l'on a mesuré trop tard les risques que la vue constante d'un enfant noir fait courir à une femme enceinte...

Le cocasse est que Cominges, lisant dans la dépêche de l'ambassadeur anglais que la reine de France a mis au monde une fille maure, s'étouffe d'indignation et l'écrit à son ministre des Affaires étrangères, Lionne : le français de ce pauvre Hollis est si mauvais qu'il a écrit une « fille maure » pour une « fille morte » !

On s'en doute, l'enfant va mourir. Henriette, comme beaucoup dans son entourage, s'en rend compte. Le 10 décembre, elle a conseillé à son frère de ne plus envoyer de félicitations pour la naissance. Ce sont des condoléances qu'il faudra, car la reine, qui allait mieux, est prise depuis deux jours de convulsions si graves que l'on s'attend au pire. En fait, Marie-Thérèse guérit. La petite fille meurt, la veille de Noël.

Plus agréables sont les messages que Madame doit faire tenir à Le Nôtre, par exemple. Les deux jeunes rois partagent le même goût pour les jardins, les fontaines, l'aménagement des bassins ou des rivières qui, en des étés très chauds, comme celui de 1664, sont appréciés. Louis XIV a permis que deux ans auparavant son « contrôleur général des jardins » aille en Grande-Bretagne pour conseiller le roi et l'aider à concevoir les ornements de ses parcs. Malgré les soucis de la guerre, Charles prie sa sœur de dire à Le Nôtre qu'il poursuive le projet en train – on ne sait malheureusement pas lequel. Que l'on pourra amener l'eau au sommet de la colline, et qu'une cascade ajoutera beaucoup à la beauté du terrain en pente.

Quant à la traduction des lettres de son frère à Louis, Henriette s'en charge, cela va sans dire. Elle parle anglais couramment. Pendant deux ans, ce fut sa langue maternelle, c'est la langue qu'elle a entendu parler autour d'elle par les exilés, quand elle était petite fille, celle dont elle se sert pour accueillir les visiteurs britanniques ou communiquer avec les ambassadeurs. Mais elle l'écrit fort mal. La seule lettre qui reste d'elle en anglais, plus tardive, est un tissu de fautes d'orthographe grossières.

Elle s'exprime avec son frère en français. Son orthographe, sans être correcte, est moins mauvaise. Surtout si on la compare avec celle de femmes de son temps, réputées pour leur esprit, Mlle de Montpensier ou Mme de Sévigné, qui font parfois des erreurs inattendues et monumentales. Si la célèbre épistolière écrit « laudicée » pour « l'Odyssée », la plume de Madame fait des fautes du même ordre.

On refuse alors aux filles la possibilité de faire des études. Voilà le résultat. Rares sont celles qui bénéficient d'une instruction complète et systématique. Les autres, même dans les milieux privilégiés et malgré les efforts de certains couvents, peuvent acquérir beaucoup de connaissances en des domaines particuliers, mythologie, religion, histoire, développer des qualités de goût dans leur jugement littéraire, de finesse dans leur approche des problèmes contemporains. Elles n'ont qu'une instruction anarchique.

C'est le cas d'Henriette, capable de s'intéresser à la politique ou au théâtre, et ignorante de la façon de bien écrire les mots qu'elle emploie. Que dire de sa mère, princesse de France et reine d'Angleterre, qui orthographie de travers le nom du royaume sur lequel elle régna ?

Charles, au contraire, écrit correctement le français. Il le connaît parce qu'il l'a appris, de même que l'espagnol. Les garçons, surtout quand ils sont destinés à être rois, reçoivent une éducation plus poussée que les filles.

Si Louis XIV ne parle et n'écrit que le français, s'il a besoin des traductions d'Henriette, c'est qu'il applique dans tous les domaines l'orgueilleux principe de la supériorité française. Inutile d'apprendre d'autres langues que la sienne...

Si, en revanche, Charles, dans ses lettres à sa sœur, emploie l'anglais, c'est pour aller plus vite et parce qu'il est de naturel paresseux. Il a feint dans sa jeunesse de ne pas comprendre un mot de ce que lui disait Mlle de Montpensier. Il la comprenait fort bien, mais ne voulait pas répondre à ses avances, ni lui dire des douceurs, ni lui laisser le moindre espoir de mariage. En fait, il pratique le français avec aisance, on l'a vu dans ses premières lettres à Henriette, quand il n'a pas encore les soucis du royaume et peut prendre le temps de s'exprimer dans une langue étrangère.

Ses hésitations sur un mot ne sont que des coquetteries, une manière de lui donner plus de poids. Ainsi le 27 octobre 1664, il appelle sa sœur *my harte* (c'est la forme de l'époque). Il ne se risque pas, prétend-il, à l'écrire en français. Henriette saura le traduire.

Or il ne peut pourtant ignorer la traduction de *my harte*. « Mon cœur », « ma chérie », c'est banal et connu de tous les amoureux des deux côtés de la Manche. A-t-il reculé, en cette fin de lettre, devant l'emploi du mot trop tendre qui lui était venu sous la plume ? S'est-il abrité derrière la confuse excuse de la traduction ? A-t-il au contraire voulu attirer sur le mot l'attention de la petite sœur bien-aimée en lui laissant le soin de le traduire ?

32.

Sortie du « labyrinthe »

À cette belle-sœur de vingt ans, charmante, pleine de finesse, de douceur et de bon sens, son alliée inconditionnelle dans sa politique de rapprochement avec l'Angleterre, que pourrait refuser le roi de France ?

Elle découvre la trace de bijoux dérobés à ses parents lors de la Révolution, cordon de chapeau en brillants, quantité de bagues, chaînes d'or, miniature du prince Henry entourée de gros diamants. Elle mène une enquête secrète, n'en parle qu'à Louis XIV, qui lui promet son aide et tous les arrêts nécessaires. C'est ainsi qu'elle fait mettre en prison et interroger les receleurs. Ils ont déjà dispersé la plupart des joyaux, volés, disent-ils, à un certain Fontenay.

Henriette n'a pas mis son frère au courant des recherches pour lui faire une surprise, en cas de succès. Elle n'a pas informé non plus l'ambassadeur de son enquête. Hollis finit par la connaître. Vexé et craignant d'être taxé de négligence, il dépêche ses agents pour la continuer. Il accuse même une dame de l'entourage de Madame, sans dire laquelle. Il y a donc, à la fin de 1664 et au début de 1665, de nombreux rapports envoyés en Angleterre. Ceux d'un chargé de mission, Petit, occupent plusieurs pages des *State Papers*. Les pierreries, pourtant, ne seront jamais retrouvées, ni le vol éclairci, sans doute par manque de preuves et indifférence de Charles II.

Dans cette affaire policière, Louis XIV a apporté à sa belle-sœur une aide sans réserve mais, par la force des choses, cachée. Dans le même temps et d'une manière éclatante, il lui marque sa faveur en lui confiant « la conduite » (ce sont les termes du livret) du nouveau ballet, *La Naissance de Vénus*, au début de 1665.

L'année précédente, on avait appelé « ballet de la reine » celui des *Amours déguisés*. Pour la première et dernière fois, Marie-Thérèse s'était débarrassée de ses préjugés religieux, de ses problèmes d'étiquette et dansait dans un ballet de cour. Lourde, courte, maladroite, elle figurait Proserpine. Curieusement, dans l'entrée, « L'Enlèvement », Benserade n'avait prévu aucun dieu pour venir l'enlever, seulement huit jeunes beautés, les Amours déguisés, qui l'entouraient et lui faisaient ombrage. Ce fut un échec. Personne ne porta Proserpine dans ses bras, et dans le public elle ne transporta personne.

Avec Henriette, Louis n'a rien à craindre. « J'ai vu trente ballets en France », écrit Loret. *La Naissance de Vénus*, qu'on appelle « ballet de Madame », est le plus beau. Il est sa chose et son apothéose. Tout se fait grâce à elle et chez elle. On danse au Palais-Royal, dans son appartement. Les conditions techniques sont un peu différentes, la scène est plus petite qu'à l'ordinaire, la mise en scène plus modeste. S'il y a moins de machines, on verra pourtant Vénus sortir de l'onde et s'élever vers les cieux dans une nacelle brillante. Une centaine de personnes sont mobilisées, sans compter le roi, une quarantaine de dames et de gentilshommes, trente-huit maîtres à danser, dix chanteurs et dix solistes. On mise sur le raffinement des étoffes, des lumières, le luxe et la perfection, le nombre des répétitions, « deux par semaine », écrit Condé.

Lully s'est surpassé dans l'ouverture. Benserade aussi dans le livret. Madame, Vénus en personne, apparaît après le prologue. Neptune et Thétis y ont annoncé la venue de Vénus. « Quelle gloire pour la mer ! » Les Tritons chantent ces vers étonnants pour une divinité qui sort de l'onde : « Elle va tout enflammer. » Et Loret d'orchestrer : « Elle embrase non seulement l'onde,/ Mais l'air, le ciel et tout le Monde/ Par ses grâces et ses beautés. » Douze Néréides ravissantes l'accompagnent.

Elle n'en paraît que plus belle. « Tout reconnaît ses lois, tout cède à son pouvoir », écrit Benserade, qui, parmi les jeunes femmes, a casé Monsieur, figurant à nouveau le Point-du-Jour.

Voici la merveille, la dernière entrée, « admirablement belle », juge Condé. Entouré de nombreux héros et héroïnes mythologiques, parmi lesquels Mlle de Sévigné en Omphale, Villeroy en Achille, Saint-Aignan en Orphée, le roi paraît sous le déguisement d'Alexandre, « ni moins généreux ni moins brave » que lui. Henriette en Roxane resplendit : « Aussi le Monde entier n'a rien de si parfait », « Il n'est rien de si doux, rien de si charmant », et quand elle danse avec Louis, c'est le duo idéal, le clou du spectacle.

Pour finir, faisant allusion à ses succès en amour, Madame-Roxane proclame qu'elle copie Alexandre le Grand et entasse conquête sur conquête. Mais, vertu princière oblige, comme la bergère qui n'aimait que ses moutons dans le *Ballet des Arts*, elle ne veut « rien garder de tout ce qu'elle prend ». Rien garder de ses amours, des yeux, des lèvres, des mains des jeunes hommes qu'elle a charmés ? Voire...

Peu de jours avant ce ballet, glorieux pour elle, du 26 janvier, la jeune femme a fait une rencontre inattendue, celle de Guiche, qu'il lui est pourtant défendu de revoir. Nul doute qu'elle ne garde en son cœur le souvenir merveilleux de ces retrouvailles. Il lui souffle l'ardeur et le désir qu'elle donne à son personnage de Vénus pendant les répétitions et jusqu'à la première représentation. C'est grâce à lui qu'elle incarne si bien en dansant la mère des Amours.

La rencontre est romanesque. Son amie La Fayette, à qui elle la raconte, n'aurait pas inventé mieux. Le financier La Vieuville donne un magnifique bal masqué. Monsieur et Madame sont si bien déguisés, dit Enghien, qu'on ne les reconnaît point. Henriette a fait habiller ses filles avec luxe, tandis qu'elle-même et son époux portent des capes modestes et arrivent dans un carrosse d'emprunt. À la porte, ils rencontrent une troupe de masques. Monsieur leur propose de se joindre à eux et en prend un par la main. Sa femme en fait autant. Elle a peine à retenir un cri de surprise. La main qu'elle a saisie n'est autre que celle, mutilée jadis au combat, reconnaissable entre toutes, de Guiche.

Le comte reconnaît le parfum de la jeune femme, des « sachets » dont ses vêtements et ses coiffes sont imprégnés. Émotion. Joie. En quelques minutes, tout est dit. Il est fâché qu'elle ait écouté les discours de Vardes, le fourbe. Elle lui reproche son manque de confiance et sa galanterie avec Mlle de Grancey. Ils se pardonnent.

Monsieur appelle sa femme. Guiche, de peur d'être reconnu, quitte le bal assez vite et s'attarde au pied de l'escalier des La Vieuville. Madame sort à son tour avec son époux. Elle le sent perplexe. Avec qui a-t-elle si longtemps parlé ? Elle a peur de sa suspicion et se hâte pour couper court à un interrogatoire. Dans son trouble, le pied lui manque. Elle trébuche et tombe jusqu'au bas de l'escalier où, par bonheur, Guiche la rattrape. Elle commence une nouvelle grossesse. Il lui sauve la vie.

« Tout semble aider à leur raccommodement. » Mme de La Fayette pratique la litote. Nul doute que la surprise et le plaisir n'aient enflammé Vénus à son tour. La romancière parle de lettres échangées et d'une rencontre fortuite chez la comtesse de Gramont, où Philippe devait rejoindre sa femme pour un médianoche. Peut-on aller plus loin, croire que les jeunes gens ne se sont pas arrêtés au simple « raccommodement » et que les ragots de la seconde épouse de Monsieur, plus tard, sont vrais ?

Selon elle, Henriette se rend un jour voir ses enfants, chez Mme de Saint-Chaumont, leur gouvernante. En fait, pour rencontrer Guiche. Un valet de chambre, Lannois, fait le guet. Bientôt il voit arriver le mari, s'affole. Guiche ne peut plus s'enfuir. Alors Lannois s'élance au-devant de son maître, lui heurte violemment le nez avec sa tête et crie en même temps : « Pardon, monseigneur, je ne vous croyais pas si près. Je courais vous ouvrir la porte. » Madame et la gouvernante se précipitent avec des mouchoirs soulager Monsieur, qui saigne abondamment. Elles lui couvrent si bien le visage et les yeux qu'il ne peut voir Guiche s'enfuir.

L'anecdote est peu crédible. Elle ressemble trop à celle des épluchures d'orange et de la cheminée. Surtout, malgré son plaisir à se voir aimée de Guiche, Henriette n'a pas envie d'exposer à nouveau sa réputation. Vertueuse ? on peut se le demander. Comme le dit avec beaucoup de nuances La Fare, « elle est adorée de tout le monde » et « bien aise d'être aimée ». Difficile dans ces conditions de rester de marbre. À ce moment de sa vie, néanmoins, la coquetterie marque le pas, non par vertu mais par sagesse.

Grâce à l'appui affectueux du roi, elle s'est tirée des calomnies et des médisances. Pourquoi risquer de perdre la confiance et l'amitié de Louis pour un jeune homme que chacun sait être un piètre amant ? La joie d'être, à travers les personnages de Vénus et de Roxane, la véritable reine de la cour mérite qu'on renonce aux folies. Elle va avoir vingt et un ans. Elle a passé l'âge où l'on croit que le danger donne de l'agrément à la vie.

La chute dans l'escalier des La Vieuville paraît sans conséquence. Madame danse Vénus le 26, le 29. Pourtant, quand Loret va voir le ballet, elle a dû, « lasse ou indisposée », laisser la place à sa fille d'honneur, Mlle de Fiennes, la bien-aimée du chevalier de Lorraine, celle qui est à l'origine de l'impertinence de Vardes et de son exil. Henriette a perdu beaucoup de sang. Le 6 février, Enghien affirme qu'elle est mieux. On avait peur que, à deux mois et demi, elle ait fait une fausse couche. Non. Dans quelques jours, elle se lèvera et dansera comme si de rien n'était.

Pendant son oisiveté forcée, elle est heureuse de voir que Louis, « pour la réjouir », organise à son intention une petite fête. Il envoie chercher des violons, amène avec lui trois ou quatre personnes qu'il fait habiller en masques. Voici un ballet prêt en vingt-quatre heures. Que le roi étoffera un peu et dansera ensuite en public. Il ne faut jamais perdre sa peine... Bref, Madame savoure son empire à la cour, si bien qu'elle ne s'embarrasse guère de délicatesses envers les autres. En deux circonstances analogues, elle choque belle-sœur et belle-mère.

Elle rend visite à Marie-Thérèse, malade, parée, comme pour aller au bal, d'une multitude de rubans jaunes, au lieu de mettre une coiffe grossière et d'avoir l'air affligé. La reine en est blessée. Des années après, elle en parlera encore à Mlle de Montpensier.

Le 29 janvier, c'est au chevet d'Anne d'Autriche, prise la veille d'un malaise alarmant et de maux de reins, qu'elle se rend. On doit donner ce jour-là la deuxième représentation de *La Naissance de Vénus*. Madame a revêtu son costume dès le matin. Est-ce goût de la parure, plaisir enfantin à se préparer le plus tôt possible à l'événement du jour ? Toujours est-il que, sans se changer, elle va chez sa belle-mère. Quand on songe qu'elle dispose de quatorze femmes de chambre, de deux lingères et d'une empeseuse pour s'occuper de ses robes, les lui mettre et les lui enlever, on est stupéfait de sa légèreté à aller voir une grande malade en habit de bal.

Surtout que le roi a décidé, vu les circonstances, qu'on ne danserait pas. La soif de plaisirs d'Henriette force, dirait-on, le destin. Pour qu'on ne la croie pas trop malade, Anne d'Autriche prend un « petit remède » pour se soulager et veut que le ballet ait lieu. À juste titre, Mlle de Montpensier remarque : « À dire le vrai, en ce temps-là, Madame avait peu d'égards. »

Elle en a moins encore avec son ancienne amie la comtesse de Soissons, « enragée » d'être à cause d'elle séparée de son amant, Vardes. Les hostilités, feutrées depuis le départ du marquis, éclatent quand, en mars, Henriette fait descendre la comtesse de sa tribune lors d'une représentation au Palais-Royal. Mme de Soissons, furieuse, menace. Elle a entre les mains de quoi perdre Madame – toujours les fameuses lettres de Guiche. La jeune femme ne s'en soucie pas. Si la comtesse lui manque de respect, elle lui fera couper le nez, qu'elle a fort long ! Alors Olympe de Soissons charge Guiche auprès du roi. Il a écrit à la duchesse d'Orléans des lettres peu respectueuses envers le souverain. Elle les lui montrera.

« Forcée », selon Mme de Motteville, de la gagner de vitesse, Henriette avoue à Louis tout le passé. Elle se voit « dans la nécessité de perdre » Vardes et Mme de Soissons pour se sauver et sauver Guiche, dit Mme de La Fayette.

Comment parvient-elle à calmer la colère du roi devant ces mystères et ces tromperies ? Les deux femmes, pourtant proches d'Henriette, ne le précisent pas, se contentant de parler de sincérité et d'éclaircissement. Condé et son fils mettent aussi l'accent sur la nécessité pour Madame de « prévenir » la Soissons, mais ils insistent sur la révélation qu'elle fait au roi des auteurs de la lettre espagnole. Curieux moyen pour se faire pardonner d'avouer une nouvelle faute. Car c'est Guiche qui a traduit la lettre, et Henriette était complice.

Les paroles n'auraient pas suffi si la jeune femme n'avait apporté, dans ces entretiens secrets avec son beau-frère, toute la douceur et le charme dont elle était capable, et si le roi n'y avait été sensible. À Fontainebleau, quatre ans plus tôt, Louis a modifié son appréciation injuste d'adolescent et reconnu que sa belle-sœur était « la plus belle personne du monde ». En digne petit-fils d'Henri IV, il ne s'est pas cantonné dans cette amourette, ayant l'habitude de saisir, selon son bon plaisir, toutes celles qui passent. Mais l'affection particulière qu'il conserve à Henriette, dont il vient d'éprouver encore les bienfaits en cet hiver 1665, n'est pas étrangère à son pardon.

Ainsi s'expliquent le triomphe de Vénus et la sévérité des punitions infligées à ses ennemis. Vardes est arrêté à Aigues-Mortes et conduit à la citadelle de Montpellier. Il restera près de vingt ans exilé en Languedoc. Le 30 mars, la comtesse de Soissons, mais aussi son mari, « si grand par sa naissance et par le sang de France mêlé au sien », quittent la cour. Ils ont reçu l'ordre secret de se retirer dans une de leurs maisons.

Sans Henriette, la considération accordée au maréchal de Gramont n'aurait pas suffi à sauver Guiche. Le jeune homme est pardonné, mais son père, effrayé, honteux peut-être de ses intrigues, préfère qu'il parte pour la Hollande. Désespéré de quitter à nouveau Madame, il veut lui dire adieu. Elle refuse. Malade de chagrin, il revêt la livrée des valets de Mlle de La Vallière et parvient à chuchoter quelques mots à sa bien-aimée quand on la porte en chaise au Louvre. Le jour prévu pour son départ, enfin, rongé de fièvre, toujours habillé en valet, il se poste sur le trajet de Madame. Bouleversé, il veut lui parler mais tombe évanoui dans la rue.

Henriette le voit et s'afflige de son état. Elle redoute tout à la fois qu'on le reconnaisse et qu'on le laisse sans secours. Mais elle ne peut plus rien pour lui. Elle est sortie du « labyrinthe ». Elle ne le reverra jamais.

33.

« Sur des épines »

Jusqu'aux révélations d'Henriette sur les auteurs de la lettre espagnole, le roi a soupçonné tout le monde, même la bonne Motteville. Fort étonnée, celle-ci entend Le Tellier, ministre d'État, lui dire qu'elle est désormais hors d'affaire. Sans doute avait-elle senti une certaine froideur de la part de Louis XIV. Sans doute avait-elle regretté qu'on ait choisi, pour gouvernante des enfants de Madame et de Monsieur, Mme de Saint-Chaumont, alors que les deux grand-mères, reines douairières de France et d'Angleterre, la préféraient dans ce poste. Mais elle ne se savait pas soupçonnée. La voici bien aise de ne l'être plus.

Toujours attentive à l'entourage d'Anne d'Autriche, elle se rend compte des changements qui s'opèrent chez Madame. Elle s'assagit. Elle « vit beaucoup mieux » avec sa belle-mère. Elle partage « avec le roi les honnêtes plaisirs de la cour » (pas plus !), et cette insistance sur l'adjectif « honnêtes » en dit long sur le passé. Si elle ne comprend pas encore que les divertissements qu'elle recherchait avec tant d'ardeur ne peuvent « satisfaire le cœur humain », elle y est presque…

Son esprit et son intelligence, par ailleurs, éclatent aux yeux de tous. Le gazetier Loret est mort en mai 1665. L'un de ses « continuateurs », comme on dit, Robinet, décide d'adresser ses lettres hebdomadaires à Madame, « cette divine Henriette », « ce grand astre de la cour », celle surtout qui a plus d'esprit que Minerve.

Au même moment, un portrait la représente avec les attributs de la déesse de la Sagesse, casque, lance et bouclier.

Son rôle d'intermédiaire entre les royaumes de France et de Grande-Bretagne ne passe pas inaperçu. Depuis longtemps, c'est l'une de ses préoccupations majeures. Désormais, avec le glissement vers un conflit ouvert entre Angleterre et Hollande, s'y ajoute une inquiétude nouvelle. Sa correspondance avec Charles en reçoit une coloration différente, plus pathétique, plus engagée.

L'actualité scientifique, pour laquelle son frère a un faible, allège un peu cette gravité. Une comète est apparue à Paris et agite diversement les esprits. On l'admire, on s'interroge sur elle, on craint, comme du temps des Romains, qu'elle n'annonce de terribles malheurs et l'on émet sur son passage quantité d'hypothèses. Henriette veut savoir si Charles la voit aussi à Londres. Rassurée, elle lui conte avec esprit les résultats des réunions qui ont lieu chez les jésuites.

Tous les savants y vont, et ceux qui ne le sont pas. Les avis sont très partagés. On discute de la matière dont est composée la comète, et de son identité. Est-ce la même, mais « retournée », qu'on voit chaque nuit ou non ? Charles se pose aussi la question. Il a d'abord vu une comète, très basse sur l'horizon, la queue en l'air. Le temps était si couvert qu'il ne l'a pas revue. Une dizaine de jours plus tard, il en a distingué une autre, beaucoup plus haute dans le ciel, et l'a observée deux nuits durant. Elle était plus brillante la seconde.

Henriette feint d'afficher son ignorance sur ce sujet. En fait, elle se gausse de l'inutilité de ces questions. « Comme il faudrait y aller voir pour savoir la vérité... » Elle ne peut se retenir de railler « messieurs les savants, sans contredit tous fous, ou peu s'en faut ».

Le frère et la sœur s'appliquent à parler de ce qui les divertit, vêtements ou musique. Henriette envoie à Charles un patron des nouvelles vestes à la mode, « à la turque », dit d'Ormesson. Avec la belle taille qu'a le roi, elles lui iront parfaitement. Charles envoie à Henriette quelques morceaux pour guitare du compositeur italien

Francesco Corbetta, en vogue à Londres. Toute la « guitarerie » de la cour anglaise se met à l'apprendre, raconte Hamilton, et Dieu sait la « raclerie » universelle que c'est.

Cependant, le cœur n'y est pas. L'impression qu'Henriette donne d'elle le 11 janvier 1665 est celle d'une sœur appliquée, dévouée, de plus en plus soucieuse des affaires de Grande-Bretagne. Elle lit « bien régulièrement » les papiers que Charles lui confie, fort aise d'être instruite de tout pour en faire bon usage en France, quand on la questionne. Et la disproportion dans ses lettres entre les sujets de divertissement et les autres est flagrante.

Son frère souhaite qu'elle l'aide à persuader le roi de France que les Hollandais sont les agresseurs. Point capital. En ce cas, Louis ne serait pas obligé de se conformer au traité de 1662 et de soutenir la Hollande. Mais il est difficile à Charles de contenir ses compatriotes « affamés de guerre » et de présenter de son peuple une image pacifique.

Même avec la France, et pour de lointaines possessions d'Amérique, les forts de Pentacoët, Saint-Jean et Port-Royal pris en Nouvelle-France, des querelles ont éclaté en juin 1664. Les Anglais ne veulent pas les rendre. Ils appartiennent au roi de Grande-Bretagne comme roi d'Écosse, car ils ont été occupés par son père et aïeul dès 1606. Louis XIV n'a aucun droit sur eux.

Avec la Hollande, il ne s'agit plus de querelles diplomatiques ni de dépêches, mais de véritables actes de guerre. Sir Robert Holmes, envoyé par la Royal African Company, que préside York, pour ravitailler les bâtiments britanniques de la côte de Guinée, s'est emparé de Cap Verde et des forts hollandais de l'île de Gorée. Sous prétexte que le gouverneur des possessions néerlandaises de la côte soudoie les indigènes et les pousse à se révolter contre les Anglais. Après avoir détruit des comptoirs, Holmes a traversé l'Atlantique et rallié New York.

Aux récriminations violentes du stathouder De Witt, Charles II répond que Holmes a agi sans ordres et sera puni dès son retour à Londres. Persuadé que le roi ment, De Witt ordonne secrètement à l'amiral

Ruyter, qui croise en Méditerranée à la poursuite des corsaires, de faire voile vers la Guinée. Ruyter capture par surprise des vaisseaux de commerce anglais. Représailles. La flotte britannique écume la mer du Nord et s'empare de navires hollandais, qu'elle retient dans ses ports.

Qui donc est l'attaquant ? L'ambassadeur des Pays-Bas en France, Van Beuningen, veut persuader Louis XIV que c'est le roi d'Angleterre. Celui-ci s'en plaint à sa sœur. Ruyter a commencé. Quant à Cominges, il agace Charles. Il n'est véhément que pour lui parler de la perspective désagréable du soutien de la France à la Hollande. En fait, l'ambassadeur français croit lui aussi que le roi ment à propos de Holmes. Comment aurait-il pu agir sans ordres ? Charles maintient ses dires et annonce à Henriette, quelques jours après, qu'à son retour en Angleterre l'audacieux Holmes vient d'être emprisonné à la Tour de Londres. Il laisse à sa sœur la délicate responsabilité de montrer ou non sa lettre à Louis.

La tension monte. Les plaintes contre les agressions de Charles se multiplient, par exemple celles des villes de la Ligue hanséatique, Brême, Hambourg et Lübeck. Henriette a la difficile tâche de les transmettre à son frère. Heureusement, le marquis de Ruvigny l'aide à éclaircir l'affaire. La Grande-Bretagne demandait seulement à ces villes la liste de leurs vaisseaux. On avait peur de les confondre avec les navires hollandais... Mais Charles met Ruvigny, envoyé officieux, dans une position fausse en préférant discuter avec lui plutôt qu'avec Cominges. Le marquis demande et obtient son rappel en France, où il travaillera à convaincre Louis de la sincérité des Britanniques.

Leur roi a beau écrire qu'il ne veut que la justice, déteste les hasards de la guerre et le sang versé, toutes les occasions leur sont bonnes pour guerroyer. Ils ont perdu deux vaisseaux à Gibraltar. En riposte, près de Cadix, sept de leurs navires attaquent la flotte hollandaise de Smyrne. Les ennemis avaient trente navires, ils en ont pris trois, coulé deux, de grand prix, auraient fait mieux encore si le temps n'avait été affreux. L'amiral hollandais aurait coulé aussi s'il n'avait été si près du port. Il y est entré avec sept pieds d'eau dans la cale...

Avec inquiétude, Henriette voit l'ardeur guerrière des Anglais gagner son frère. Il n'est pas tendre avec l'adversaire en racontant le combat à sa sœur le 11 février. Se défendre si mal, avec quatre vaisseaux de guerre pour escorte et des navires marchands équipés de trente canons chacun ! S'il tarde ensuite à écrire à cause du froid qui lui gèle les doigts, il se rattrape le 19 février et ne mâche pas ses mots. Pourvu que Louis ne soutienne pas les Hollandais, il lui donne « carte blanche » pour leurs accords. Et il annonce son succès du matin au Parlement, où il a fait passer un projet de loi de deux millions et demi de livres sterling pour la guerre. Cela ne l'empêche pas de s'intéresser à « l'enflure de ventre » de sa sœur et de lui apprendre la naissance, facile pour la duchesse d'York, d'une fille, Anne, dont il ne se doute pas qu'elle régnera un jour sur la Grande-Bretagne.

Avec un si gros budget et l'appui de ses belliqueux parlementaires, Henriette est sûre que Charles va déclarer la guerre. Il le fait début mars dans une déclaration contre les États-Généraux des Pays-Bas, que *La Gazette* publie sur onze pages dans son numéro 40 de 1665. Tout en faisant frapper sur une nouvelle monnaie de cuivre à son effigie une arrogante devise : « *Quatuor maria vindico* » (« Je revendique quatre mers »), il accepte la médiation française et une cessation des hostilités pour deux mois. Henriette reprend espoir.

Une nouvelle fois, le 8 avril, elle propose à son frère de signer un traité « en sous main » avec Louis XIV. Elle le conseille avec beaucoup de clairvoyance. Le roi d'Espagne, père de la reine Marie-Thérèse, va très mal. S'il disparaît, Louis fera valoir les droits de sa femme sur des territoires de Flandre espagnole. Ces acquisitions françaises gêneront les Hollandais. Ils s'y opposeront. Le traité de 1662 en sera rompu. Ce serait excellent pour l'Angleterre, qui pourrait même, en cas de conflit, apporter son aide à la France.

Madame a raison. Un rapprochement franco-anglais peut s'appuyer sur une lutte commune contre la puissance espagnole. L'énorme document rédigé par Lionne à ce propos le montre. L'Espagne est menaçante parce qu'elle est en constante liaison avec l'empereur et que ses possessions encerclent le royaume de France. Mais si Henriette voit juste, elle voit trop loin. Après tout, le roi d'Espagne n'est pas encore mort.

En attendant, la haine ne cesse de croître entre Français et Anglais. La jeune femme la sent, présente. Son rôle entre les deux nations n'en est que plus délicat. Cela l'oblige à mettre Charles en garde. Qu'il ne dise « jamais » que c'est sa sœur qui lui a parlé « la première » de ces affaires. Ses ennemis à Paris sont si féroces qu'ils la suspecteraient de trahison. Tout projet doit avoir l'air de venir de lui.

En Angleterre, le peuple est en majorité hostile aux Français. Les vieux francophiles mêmes se demandent si Louis XIV joue franc jeu avec leur roi et considèrent, comme le répète Hollis à Bennet, que la France penche du côté de la Hollande. Henriette n'y peut rien. Rien non plus pour dynamiser les trois ambassadeurs « extraordinaires ». À Cominges, déjà sur place et dont elle connaît les défauts, se joignent le propre oncle de Louis, le duc de Verneuil, bâtard d'Henri IV, âgé, malade, mécontent de son allocation et de celle accordée pour son équipage, et Courtin, dont les trente-huit ans sont sympathiques à Charles.

La spectaculaire ambassade, arrivée à Londres dans un somptueux déploiement de carrosses et de luxe, ne sera pas d'un grand secours. Personne n'est dupe. La guerre est voulue et commencée depuis longtemps. La période de médiation achevée, un combat rangé est inévitable. Charles en est sûr, comme de son issue. Au début de juin, il n'attend plus que la décision de son frère York, prêt à affronter les Hollandais. Nul doute, écrit-il avec fierté à sa sœur, qu'il les rende plus raisonnables.

Quelques jours avant, en deux lettres pathétiques, Henriette lui a montré son affolement. Elle n'ose plus parler à Louis des problèmes de Grande-Bretagne. On vient d'apprendre la sortie de la flotte hollandaise. « Le combat est certain. » C'est « une chose qui me fait trembler », avoue-t-elle le 27 mai. Elle espère le succès anglais, mais elle sait que la fortune décide de tout en ce monde. Elle enrage, elle ne peut souffrir qu'« une petite poignée de misérables » tienne tête à Charles. Constatant son inutilité, elle s'abandonne à l'inquiétude et s'en excuse : « Chacun a son humeur. La mienne est d'être fort sensible à tous vos intérêts. » Que son frère ne lui en veuille pas. Elle l'aime plus que personne.

Le 30, elle promet de surmonter ses craintes et de parler à Louis. Au moins pour savoir ses intentions. Aidera-t-il ou non les Hollandais ? Elle a beau se raisonner, remercier son frère de sa confiance, on sent qu'elle a peur. Peur des combats, peur que les nouvelles qu'elle donnera à Charles ne soient pas favorables, peur de se tromper, de « n'y voir pas clair » en lui rendant compte. Pour finir, elle laisse échapper un cri d'angoisse : « Je suis sur des épines. »

34.

Guerre et peste

Aux épines des relations franco-anglaises s'ajoutent celles qui égratignent la réputation de Madame. Quinze jours après la pathétique lettre à Charles, le 17 avril 1665, le comte de Bussy-Rabutin, académicien, maître de camp général de la cavalerie légère, est mis au secret à la Bastille. Quel rapport avec la jeune femme ?

Il a quarante-six ans et vient souvent la voir. Il l'amuse. Elle aime son ironie, son esprit, sa désinvolture, et il est l'ami de ses amis. En 1659, dans la partie sacrilège de Roissy, où les quatre participants ont enfreint les règles du carême et mangé gras le Vendredi saint, Guiche était avec Bussy. À l'époque où elle est séduite par le brillant Vardes, l'amitié de Bussy pour lui joue en sa faveur. Bref, quand le comte lui confie son inquiétude d'être puni et se plaint qu'on lui attribue la paternité de la première raillerie venue, Madame rit.

Mais elle l'aide à réclamer les arriérés impayés de sa pension d'officier, puis à obtenir de Louis XIV une entrevue. Toute sa vie, le comte s'en souviendra. Il écrit sur elle des lignes pleines de reconnaissance et d'admiration, la trouve, « pour l'esprit et la personne, la plus aimable princesse qui fut jamais ». Il ne peut en dire plus sous peine d'être taxé de flagornerie et voudrait n'avoir jamais été honoré de ses bienfaits pour avoir le plaisir de s'abandonner à la louer.

Bussy n'est pourtant pas d'un naturel tendre. C'est même parce qu'on le soupçonne d'avoir écrit un roman satirique contre le roi et ses proches, dont le manuscrit court sous le manteau, qu'il cherche à se disculper en parlant à son maître.

Madame ne dramatise pas. Elle est persuadée qu'on lui en veut pour l'affaire déjà ancienne de Roissy où il a chanté sur des airs de cantiques des couplets orduriers contre Mazarin, la reine mère, le roi ou Marie Mancini. Elle intervient cependant pour lui avec insistance, malgré l'hostilité de Louis XIV, furieux de voir un de ses officiers généraux faire des plaisanteries sur tout le monde. Henriette riposte en parlant de la bravoure de Bussy. Le roi s'impatiente. Il n'est pas question de sa bravoure mais de sa méchanceté. Et il menace sa belle-sœur : « Vous serez bien heureuse si vous y échappez. »

Pas un instant elle ne s'imagine et ne s'imaginera la cible des moqueries de Bussy. De fait, pas une ligne de l'*Histoire amoureuse des Gaules* n'attaque Madame. Quand, de son exil bourguignon, il lui demande, comme à d'autres grandes dames, comme à sa fidèle amie Montpensier, son portrait pour orner les murs de la tour dorée de son château, elle le lui envoie sans tarder. Elle ne l'aurait pas fait si elle l'avait soupçonné de méchanceté envers elle.

Or le roi et son ministre Le Tellier craignent que le railleur ne s'en prenne à Madame. Les aventures de la jeune femme, personnage en vue, mariée au frère unique du roi, prêtent le flanc à la critique. Louis le sait. Il a cédé à sa belle-sœur et exilé ses ennemis. Il lui a pardonné. Il n'en a pas moins été furieux de découvrir les intrigues embrouillées de ses proches et n'a pas envie de voir déballer par écrit puis imprimer les amours de sa belle-sœur ni les siennes.

Il est persuadé que Bussy ment et lui a présenté un manuscrit tronqué de son roman, que, de toute façon, une suite, plus dangereuse encore pour leur réputation, est prête. On a signalé au lieutenant de police La Reynie un livre anonyme, sorti des presses de Hollande, les *Annales amoureuses de la France*. Est-ce la suite du roman de Bussy ? Est-ce d'un autre ? Peu importe. Au moment où Louis entend l'aveu d'Henriette et met de l'ordre autour de lui, quinze jours après le départ des Soissons, il fait embastiller le grand seigneur. Même s'il n'a pas su les détails des intrigues de Madame, il est le bouc émissaire parfait. Avis aux pamphlétaires, quels qu'ils soient.

L'arrestation de Bussy ne le transforme pas en coupable aux yeux de la princesse. Elle n'en a pas non plus de peine. Elle est trop au-dessus de lui. À travers le geste de Louis, elle sent néanmoins le mécontentement, le coup de semonce. Pour protéger sa réputation, elle ne peut compter que sur le roi. Elle sait qu'elle est la partenaire idéale de ses jeux de cour. Jusqu'à quand ? Et puis la suite satirique que le public attend avec impatience et que le roi redoute, elle la redoute aussi. Dans son chemin vers la sagesse, la menace de cette nouvelle épée de Damoclès est difficile à supporter.

D'autant plus qu'Anne d'Autriche est très malade, et Henriette dans une situation fausse vis-à-vis d'elle. La reine mère, qui a protégé pendant toute son enfance la petite fille chassée de son royaume, qui l'a imposée à la cour de France, s'est détournée d'elle depuis son mariage. Elle lui en veut d'avoir aimé Louis, d'avoir bafoué Philippe, fait souffrir de jalousie sa nièce chérie Marie-Thérèse, espagnole comme elle. Elle lui en veut de s'être compromise avec de jeunes étourdis et de s'être un temps laissé prendre aux fourberies du malfaisant Vardes, de vingt-trois ans son aîné. Elle ne lui trouve pas d'excuse dans le fait d'avoir pour mari « cette fille fardée, minaudière et coquette » qu'on appelle Monsieur.

Les sentiments de Madame envers sa belle-mère n'ont pas changé. Elle écoute son bon plaisir et vit selon ses caprices. Elle ne veut pas lui faire de mal. Aussi est-elle réellement peinée de sa longue et douloureuse agonie. Mais les réticences d'Anne d'Autriche dévalorisent les manifestations de sa compassion. On ne la croit pas sincère, et par rapport à ses cousins son affliction paraît de piètre aloi.

Le roi fait quérir sans cesse de nouveaux médecins et incite ceux dont il dispose à chercher de nouveaux remèdes. Monsieur est fou de douleur de voir souffrir

sa mère bien-aimée. Henriette a beau rester de longs
moments avec Marie-Thérèse auprès de la malade, lui
prêter sa barge, la belle barque plate ornée de velours
bleu et d'or que son frère lui a donnée après son
mariage, cela ne compte pas.

Grâce à cette barge, on peut conduire, en avril 1665,
Anne d'Autriche à Saint-Germain. Elle veut y rejoindre
la cour. Si elle doit mourir, elle aime autant que ce soit
là qu'à Paris. En partant, elle s'est fait porter chez les
visitandines de Chaillot, puis chez son fils à Saint-
Cloud. Elle y a passé une mauvaise nuit et ne peut plus
se déplacer en chaise à porteurs. Elle doit poursuivre
son voyage sur la Seine, emmenée par cette merveille
qui glisse sur l'eau sans secouer ni fatiguer. Hollis
raconte tout cela à son maître.

L'installation à Saint-Germain est laborieuse. Pis, le
27 mai, un frisson de fièvre y saisit la reine pendant six
heures, ensuite une violente chaleur. Un érysipèle lui
couvre le bras et l'épaule du côté de son cancer. Ce
bras est si gros et enflé qu'il faut couper la manche de
sa chemise pour la lui ôter. On murmure confession et
testament. « Toute la suite de la cour, écrit d'Ormesson,
s'ennuie fort. Chacun ne parle que de misère. »

De temps en temps, la fièvre de la reine mère diminue. Dans ces moments de rémission, Louis veut
s'amuser. Il est le seul à se divertir tous les jours à la
chasse. On n'y trouve pas à redire. Si Madame veut
l'accompagner dans ses plaisirs, on dit au contraire
qu'elle ne se ménage pas assez. La « bonne » Motteville
s'interdit de la juger, mais on peut imaginer sa mine
pincée quand elle écrit que d'ordinaire les plaisirs et le
repos ne vont pas ensemble.

Pourquoi cette nécessité du repos ? Parce que, à vingt
et un ans, la jeune femme est enceinte pour la quatrième fois. Comment la fatigue de son corps, fragile
depuis la naissance, fragilisé encore par des grossesses
répétées, ne s'ajouterait-elle pas aux épines et aux tristesses du moment ? On a craint à la mi-mai qu'elle ne
se fût « blessée ». Non, assure Condé.

Voici que le combat naval tant redouté lui apporte un
surcroît d'émotions. « Les Anglais et les Hollandais se

sont cognés à cette fois. Ce n'est plus frime ni grimace », annonce Robinet fin juin. Depuis le début du mois, les nouvelles sont confuses, même sur la date de la bataille, et Madame souffre de ces incertitudes. On a parlé de succès du duc d'York, puis de tempête, puis d'échec anglais et du naufrage de son frère. Elle en a été malade d'inquiétude. Crises nerveuses, contractions utérines, elle n'avait pas besoin de ces émotions.

En fait, le combat, qui s'est déroulé à partir du 13 juin à la hauteur de Lowestoft, sur la côte du Suffolk, est un succès pour la Grande-Bretagne. D'Ormesson et Robinet en donnent les détails. L'amiral Obdam, qui commande les Hollandais, n'est pas aimé des États. Il a souhaité relâcher un peu, avant d'attaquer, pour prendre à son avantage le vent, qui lui est contraire. On lui maintient l'ordre d'attaquer. C'est le désastre pour sa flotte.

Lui-même est tué dès les premiers engagements. Six heures après, son navire saute, car le feu prend aux poudres de réserve. C'est au tour de l'amiral Cortenaer de périr. Le jeune Tromp prend le commandement. Le vice-amiral de Zélande refuse de lui obéir et se retire sans combattre. Tromp doit abandonner et baisser pavillon. Les Hollandais perdent neuf vaisseaux. Les Anglais leur en prennent dix-sept et n'en perdent qu'un seul. Le prince Rupert est loué, et surtout York, comparé par un gazetier à Hector et Mars à la fois.

Henriette respire. Son bonheur est complet quand elle reçoit la lettre de son frère confirmant le succès des siens. Le roi déplore pourtant, entre autres, la mort dans la bataille de Sir Charles Berkeley, comte de Falmouth, son ami, qui combattait aux côtés d'York, sur le prestigieux *Royal Charles*. Il répète à sa sœur son désir d'entente avec la France. Sa victoire n'y change rien. Si l'accord franco-anglais ne se fait pas, ce sera la faute des Français. Il raille le gouverneur de Dunkerque, Montpezat, qui a fait allumer des feux de joie dans sa ville, trop tôt, croyant à la victoire des Hollandais.

À l'annonce du succès, Monsieur n'attend pas pour féliciter son beau-frère de sa victoire et rappeler son « impatience mortelle » des nouvelles du combat. Quant à Louis XIV, il fait preuve d'une satisfaction que Madame n'aurait pas espérée. Elle le raconte à Charles le 22 juin. Le courrier du comte de Gramont qui porte la nouvelle arrive alors qu'ils sont tous à la messe. « Cela fit un grand vacarme. Le roi même cria à ses ministres qu'il se fallait réjouir. Ce qui me surprit fort. Quoique dans le fond de son âme, il vous souhaite tous les avantages possibles, je croyais qu'il ne l'aurait pas voulu témoigner publiquement, par les engagements qu'il a avec les Hollandais. »

Elle est contente de la foule qui vient les congratuler, elle et son époux. Elle ne s'y attendait guère. Elle connaît l'état d'esprit des marchands, gênés dans leur commerce avec les Pays-Bas par les navires de guerre anglais et « assez portés à souhaiter du bien aux Hollandais ». Dans l'ensemble, les premières rumeurs de l'échec britannique avaient été bien accueillies par les Français. Hollis s'en était lamenté, même s'il avait remarqué que Condé, Elbeuf et quelques autres en étaient désolés.

À Londres, parallèlement, les habitants manifestent dans les rues leur animosité aux Français qu'ils rencontrent. On les accuse d'être alliés virtuels des ennemis. Furieux que les ambassadeurs de Louis XIV n'aient pas fait de feux de joie devant leurs palais pour la victoire navale, ils cassent leurs vitres à coups de pierre et marquent à la craie leurs portes comme s'ils avaient la peste.

Ce n'est pas figure de rhétorique. Le terrible fléau s'est abattu sur la capitale depuis quelques mois. Dès le 17 mars, Ruvigny a signalé à Lionne deux maisons infectées. On traite le mal par l'isolement, en indiquant à la craie les demeures des contagieux. On croit le prévenir en brûlant certaines herbes, mais on ne sait pas le guérir. La contagion, qui se fait par la piqûre des puces (non par contact), est extrême en ces temps où l'hygiène laisse à désirer. Le nombre des pestiférés progresse très vite. Avec la chaleur de juin, on compte presque un millier de morts par semaine. Au début de septembre, il y en a 8 250.

C'est pourtant le fléau de la guerre qui épouvante le plus Madame. Dans une lettre très intéressante du

22 juin, malgré sa fatigue et sa grossesse avancée, elle exhorte longuement et à deux reprises son frère à cesser le combat. Il sait triompher. Il l'a prouvé. Qu'il montre qu'il souhaite la paix « par clémence aussi bien que par force ». La paix est honorable, elle est sûre, tandis que la continuation du combat ne l'est pas. Elle confortera le roi de France dans son amitié pour l'Angleterre. Enfin, insiste Henriette, son plaidoyer ardent pour la paix ne vient pas d'une timidité de femme, mais seulement de l'intérêt qu'elle porte à son frère. Du côté de la gloire, il n'a plus rien à gagner. « Une guerre de chicanes » l'empêcherait de se faire des amis.

Les difficultés de Charles ne détournent pas Louis XIV de se rendre de temps en temps dans son cher Versailles. Le 12 juin, on y rejoue au rabais *Les Plaisirs de l'île enchantée*, triomphe de l'année précédente auquel Madame, enceinte et lasse, n'avait pu assister. Moins de magnificence, moins d'heures de fête. Au lieu de *La Princesse d'Élide* et de *Tartuffe*, *Le Favori*, une pièce de Mlle Desjardins. Mais verdures, jardin d'espaliers, bocages, labyrinthe, cascades, orangers et jasmins sont là, enchanteurs, et les quatre divinités qu'évoque le gazetier, Louis, Thérèse, Philippe et Henriette.

C'est au cours d'un de ces séjours versaillais que Madame accouche prématurément, le 9 juillet 1665. On n'a pas le temps d'aller chercher une sage-femme à Paris. On en prend une de Saint-Cloud. L'enfant est une fille, « toute pourrie », dit Mlle de Montpensier. Elle était morte dans le sein de sa mère depuis dix ou douze jours. Monsieur veut qu'on l'enterre à Saint-Denis. Le curé de Versailles refuse de la baptiser. Mme de Thianges le menace : « On ne refuse jamais le baptême à un enfant de cette qualité. » La reine mère se désole que la jeune femme ait accouché d'une morte qui ne peut être baptisée et accuse sa belle-fille de ne s'être pas assez ménagée.

La malheureuse Henriette s'excuse, comme elle peut, sur les malheurs de la guerre. Depuis sa violente inquiétude pour le duc d'York, elle ne sentait plus bouger son enfant.

35.

Des ambassadeurs, pour quoi faire ?

À quelque chose malheur est bon. La peste chasse la reine mère d'Angleterre vers son pays natal. Elle y retrouve sa fille chérie, dont elle est séparée depuis trois ans.

Le climat de Londres ne lui réussissait pas. Malgré le rétablissement de son fils sur le trône, elle ne se plaisait pas dans un royaume qui lui rappelait les mauvais souvenirs de la Révolution. Six mois après son arrivée dans la capitale, elle était malade, maigrissait et toussait. On conserve les lettres officielles envoyées en octobre 1663 par Louis XIV, Marie-Thérèse, Monsieur et Anne d'Autriche pour l'assurer de leurs souhaits de prompte guérison. Elles témoignent du souci réel qu'on se fait pour sa santé.

Sans ambages, Cominges écrit au roi de France que l'air d'Angleterre est « mortel » pour elle. Ses médecins pensent que le climat, plus doux, de France et les eaux de Bourbon, dont elle s'est déjà bien trouvée, lui seront bénéfiques. L'épidémie de peste est donc l'occasion pour elle de fuir (une fois de plus !) son royaume. Il n'est pas question d'exposer une si délicate personne aux risques de contagion.

La reine mère d'Angleterre se persuade que son absence durera peu. Le temps de guérir. De plus, elle est satisfaite de voir ses efforts pour la diffusion de la

religion catholique en bonne voie. Elle peut partir tranquille. Le fidèle Gamaches et les visitandines de
Chaillot, en relations épistolaires avec elle, peuvent se
rassurer. Sa belle-fille, la reine Catherine, « si vertueuse », prendra soin de ces affaires, et Charles laissera
ouverte au culte sa chapelle que desserviront huit capucins, comme si elle était là.

Fort à son aise en Angleterre, l'inévitable Saint-
Albans consent pourtant à partir en France, tant il est
soucieux de la santé de la reine. En juillet 1665, la voici
qui s'embarque pour Calais. Le roi et une partie de la
cour descendent la Tamise avec elle et l'accompagnent
loin sur la Manche. La séparation de la mère et du fils
est douloureuse. Encore ne soupçonnent-ils pas qu'ils
ne se reverront jamais. Pour la reine, Henriette, l'enfant
chérie, est au bout du chemin.

Mal remise de ses couches, Madame ne peut aller
accueillir la voyageuse. Après la réception du gouverneur Chaulnes, en Picardie, Monsieur vient la saluer à
Beauvais, escorté de la petite Mademoiselle et du duc
de Valois, les petits-enfants qu'elle ne connaît pas
encore. L'abbé Montagu la reçoit avec magnificence
dans son abbaye de Saint-Martin de Pontoise, où le roi
lui-même lui rend visite. Marie-Thérèse la rejoint à
Poissy et la mène vers Anne d'Autriche à Saint-Germain. Tendresses, émotion de l'une à voir l'autre en si
mauvaise santé. Enfin la reine arrive à Versailles et
retrouve Henriette. Tendresses, émotion de l'une et de
l'autre à se voir en médiocre santé.

Sans idéaliser leurs retrouvailles et parler comme
Gamaches de « joies inexprimables », il est certain
qu'Henriette se réjouit de revoir la reine dans un
moment difficile, marqué par la fatigue douloureuse de
son accouchement et ses soucis pour l'Angleterre. Sa
mère l'aidera dans ses efforts pour éviter la guerre.

Après une journée auprès de sa fille, elle se retire chez
elle à Colombes. Il lui faut se reposer avant de prendre
les eaux de Bourbon. Chaque jour pourtant, elle se rend
à Versailles voir Henriette. Une lettre de Saint-Albans à
Charles, du 25 juillet, l'atteste. Il lui parle du bon
accueil fait en France à sa mère, et des fatigues que lui

infligent, après un long voyage depuis Londres, les allées et venues quotidiennes à Versailles. Le vendredi 31, Madame ira à Saint-Germain. Sa mère se reposera.

Pour Henriette, cette visite à sa belle-mère, de plus en plus souffrante, est une épreuve. Elle part avec Louis, trop souvent à Versailles au goût de sa mère. Une seconde tumeur, sous le bras, s'est déclarée du côté opposé à la première. On va l'opérer. Il est normal que ses enfants soient auprès d'elle. Madame est là quand, le 1ᵉʳ août, on perce de plusieurs coups de lancette le nouvel abcès. Fièvre, pouls intermittent, plaie « sèche, flétrie et noire », la reine mère reçoit communion et extrême-onction, bénit le roi et Marie-Thérèse, Monsieur et Madame. Puis on la met entre les mains du médecin Alliot, de Bar-le-Duc, un charlatan selon Guy Patin, mais en qui on espère beaucoup.

Le 12 août, Henriette attend à la porte de la malade. Avec son époux, le roi et la reine, elle l'aide à s'installer dans une chaise de velours noir spécialement aménagée pour la transporter. Une petite machine qui fait penser à un cercueil, s'attriste la bonne Motteville. La cour rentre à Paris. Madame rejoint le Palais-Royal. Anne d'Autriche voudrait rester au Val-de-Grâce où on l'a conduite selon son désir. Mais les médecins, et surtout les « personnes royales » dans l'obligation de la visiter chaque jour, trouvent le trajet trop long... On verse de l'eau de chaux dans la plaie de la malheureuse et on la ramène, dans sa chaise, au Louvre.

Du spectacle pénible de cette agonie interminable Henriette ne sort que pour retrouver les problèmes de Grande-Bretagne. Elle n'a cessé de s'en soucier et de correspondre avec son frère malgré son malheureux accouchement. À la fin de juillet, elle reçoit de lui une longue lettre de récriminations contre la France. Il rappelle les avances pressantes pour le traité d'amitié qu'elle-même, Berkeley et Ruvigny ont transmises de sa part à Louis XIV. Sans succès. Il a misé sur l'action des ambassadeurs extraordinaires, et ils n'ont parlé que de médiation. Après son succès naval et l'argent dépensé pour la guerre, il serait fou de paraître faible en faisant de nouvelles avances.

Il parle net. Si la France soutient les Hollandais, il prendra parti pour l'Espagne. Avec le seul chagrin de sentir le rôle pénible qu'aurait alors sa sœur entre frère et beau-frère. Elle lui en a parlé. Il la comprend. Qu'elle ne désespère pas. L'accord viendra peut-être. Elle doit se tenir prête à le faciliter. Ce sera une tâche rude. Mais il croit en sa discrétion et son habileté. Il l'assure de sa tendresse et sait ce qu'il lui doit.

Il reprend sa lettre. Après avoir relu le long message d'Henriette, il voit mieux ses efforts pour le persuader que le roi de France n'est pas hostile. Il en est convaincu. Il a bonne opinion de lui...

La petite sœur a courageusement défendu son beau-frère contre les ragots. Tiraillée entre deux royaumes, entre deux affections, chargée d'une difficile négociation entre deux jeunes monarques ambitieux et rivaux, elle a bien besoin de lire les dernières lignes de Charles, où il l'assure à jamais d'une amitié et d'une tendresse totales. Quelque tour que prennent ses affaires, rien ne prévaudra contre l'amour qu'il lui porte.

Devant la menace d'élargissement du conflit, la France fait un geste. Louis XIV vient à Colombes, le 21 août, saluer la reine mère d'Angleterre avant son départ pour Bourbon. Abrégeant les politesses, il se retire avec elle dans sa chambre. Condé, Saint-Albans, Hollis sont à l'affût de ce qui se passe. Ils voient bientôt Madame rejoindre sa mère et son beau-frère.

Pour ce qui touche aux liaisons franco-anglaises, elle est en effet indispensable. Tout passe par elle. Même si Louis n'est pas mécontent de lui montrer qu'il dispose maintenant d'un nouvel interlocuteur, sa tante, et qu'il ne dépend jamais de personne pour gouverner, force lui est d'admettre que c'est à la petite sœur que Charles écrit, se confie, donne ses directives. Le roi d'Angleterre aime sa mère. Pour ses affaires, il n'a pas confiance en elle, l'enragée papiste qui a contribué à la chute de son royaume. Elle le sait. En admettant sa fille au conciliabule, elle confirme au roi de France le pouvoir d'Henriette sur son frère.

L'entrevue ne donne rien. Tandis que Charles inspecte les travaux de fortifications de Portsmouth et les installations de l'île de Wight, le roi de France refuse de céder. Il a fait d'excellentes propositions d'entente avec l'Angleterre. Si elle ne les accepte pas, ce sera la guerre. On imagine l'émotion croissante d'Henriette. Bien que ses lettres d'alors soient perdues, on lit dans celles de son frère l'écho de ses craintes continuelles.

À la mi-septembre, il doit la rassurer sur certains mouvements de la flotte anglaise. Elle s'est affolée, il ne s'agit pas de retraite. Il se moque des « fameux marins de Paris », prompts à critiquer les Anglais. Ils feraient mieux d'écouter le proverbe de leur pays. Pour se fier à une nouvelle, « il faut [le roi l'écrit en français] attendre le boiteux », c'est-à-dire que la nouvelle soit confirmée, et arrivé le messager le moins rapide.

Quant à Hollis, vexé d'avoir été écarté de l'entrevue de Colombes, il choisit cet été crucial pour faire une de ses insupportables crises de susceptibilité. Un incident de peu de chose, collision et bagarre de rue, est pour lui affront irréparable. Sa femme va avec Madame voir la reine au Louvre. La princesse l'a prise dans son carrosse tandis que le carrosse de l'ambassadeur, vide, les suit. En approchant, un autre carrosse, qui monte la rue Saint-Honoré – on saura que c'est celui de Mme de Carignan –, laisse passer l'équipage de Madame, mais stoppe celui de l'ambassadeur. Une douzaine de valets de pied frappent l'un des chevaux à la tête, puis attaquent les domestiques de Hollis, moins nombreux et sans armes. Fureur de l'ambassadeur.

Jusqu'à la fin de l'année, les dépêches officielles vont être occupées de ses récriminations. Il refusera les excuses de Mme de Carignan et fera même une longue digression sur l'événement dans son audience de congé à Louis XIV, en décembre. Il faut une fois de plus toute la patience d'Henriette, à qui le roi laisse le soin de régler l'affaire, pour calmer l'irascible diplomate. Dommage qu'elle use ses forces à de telles broutilles.

Elle les use aussi à se divertir. De plus en plus, elle oublie ses soucis en s'étourdissant dans les fêtes. Elle se tue à imiter Louis qui, dès que sa mère est un peu mieux, part à cheval ou au bal. À la mi-septembre, on va de nouveau à Versailles. Le 13, Madame participe à la chasse, vêtue en amazone, et l'on sait combien elle y montre d'ardeur et d'élégance. Le 14, la troupe de Molière rejoint la cour pour donner *L'Amour médecin*. Depuis un mois, elle appartient à Louis et non plus à Monsieur, et se nomme Troupe du roi. À Paris, elle continue à jouer au Palais-Royal et Henriette garde à Molière sa préférence et son soutien. La semaine suivante, c'est elle qui, avec son époux, reçoit la cour à Villers-Cotterêts pour cinq ou six jours. Habits magnifiques, justaucorps, danse, comédie, chasse, ce ne sont que plaisirs, écrit Mlle de Montpensier.

En rentrant à Paris, le 26, on apprend la mort, prévisible, du roi d'Espagne. Anne d'Autriche et Marie-Thérèse, sa sœur et sa fille, en sont fort peinées. Louis XIV n'en presse pas moins sa mère malade d'exposer à l'ambassadeur d'Espagne, venu présenter ses condoléances, les prétentions nouvelles de la France. Selon le « droit de dévolution », appliqué dans plusieurs provinces des Pays-Bas espagnols, Marie-Thérèse devrait hériter de ces provinces, comme enfant du premier lit du roi défunt, à l'exclusion des enfants du second. Ces prétentions font fi du contrat de mariage par lequel Louis et Marie-Thérèse renonçaient à la succession de Philippe IV. Mais la France invoque précisément le non-respect par l'Espagne du contrat et la dot de la jeune femme toujours impayée. Ambition dangereuse, on le verra.

Si Hollis se contente à Colombes d'assister, impuissant, aux entrées et sorties du roi et de Madame chez la reine mère d'Angleterre, ses homologues français ne font guère plus. Tout se passe au plus haut niveau. L'épidémie de peste n'arrange rien. De Londres, le 13 juillet, Courtin se plaint à son correspondant : « Je vous écris d'un désert », car les gens riches, le roi, les parlementaires ont fui la contagion dans leurs domaines. Les trois ambassadeurs extraordinaires, effrayés de voir des cadavres de pestiférés à chaque coin de rue, rejoignent la cour, réfugiée d'abord à Hampton Court, puis à Salisbury et Oxford.

C'est là, dans le hall de Christ Church, que, le 20 octobre, Charles annonce qu'il refuse les propositions

de Louis XIV. Malgré la réaction violemment hostile
du chancelier Clarendon, les deux chambres envisagent
avec satisfaction la guerre avec la France. Même les
plus francophiles autour du duc d'York s'y résignent.
Les rapports avec Courtin s'enveniment. Charles se
plaint qu'il soutient des restes de la faction de Cromwell contre lui. En représailles, on retient une vingtaine
d'heures le courrier des ambassadeurs français et on
leur met des gardes. La France doit se résoudre à les
rappeler. Ils quittent Oxford le 10 décembre, évitent
Londres – toujours la peste –, passent par Canterbury
et Douvres. Une fois en France, ils restent en quarantaine à Cayeux, dans une maison délabrée et glaciale, et
rédigent leurs rapports.

Madame les voit revenir avec plus de tristesse encore
qu'elle n'a eu de joie au retour de sa mère. Cette fois,
la guerre entre la France et l'Angleterre n'est pas loin.

36.

La reine morte

Henriette ne croit plus à la paix. Si l'ambassadeur Hollis s'attarde encore à Paris, le 7 janvier 1666, ce n'est pas pour saisir une ultime chance de réconciliation, mais pour vendre, avant de partir, sa provision de charbon, qu'il ne veut pas perdre... Madame le sait. Aucun « accommodement » n'est désormais possible. Elle l'écrit dans une lettre découragée du 16, l'avant-dernière à son frère que l'on possède. Comme elle n'aime pas ce qui est inutile, il ne lui reste plus rien à faire. Que Dieu inspire Charles le mieux possible !

Philippe, son époux, espère encore en cet « accommodement ». Il écrit à son tour, longuement, au roi de Grande-Bretagne. Protestations d'amitié, déclarations lénifiantes (il ne faut jamais abandonner ses alliés), souhaits pieux (que dure l'entente entre leurs deux royaumes !), tout cela paraît peu convaincant. L'idée du duc d'Orléans est de proposer à son beau-frère ses services pour la paix. S'il pouvait y travailler, il serait très heureux. S'il faut un médiateur, pourquoi pas lui ?

En fait, Monsieur, d'un tempérament jaloux, est jaloux de sa femme, de son esprit plus que de son corps. Il supporte mal ses conciliabules perpétuels avec son frère ou son beau-frère. Selon lui, la politique ne la regarde pas. Ses reproches sur ce point précis aigrissent ses relations, déjà difficiles et ambiguës, avec Henriette. Ils ont des intérêts communs forts, souci de leur rang, le premier en France après le couple royal, de la race, du patrimoine. Tout aussi forts sont leurs désaccords, leur manque d'amour et leur envie de chercher ailleurs de quoi se réjouir.

Que Louis ait pour sa belle-sœur des sentiments fluctuants, qu'il la désire, admire son esprit, partage sa soif de plaisirs, refuse ou non son attachement pour lui, profite de ses liens privilégiés avec le roi d'Angleterre, lui cède ou pas, Philippe s'en moque. Son frère est le maître. Il agit comme il l'entend. Le rang et les pensions de M. le duc d'Orléans n'en souffrent pas.

En revanche, le mécontentement croissant d'Anne d'Autriche à l'égard d'Henriette n'est pas étranger à l'attitude de plus en plus hostile de Monsieur envers elle. Il adore sa mère. Même si celle-ci a été toujours plus attachée à son aîné, la dévotion filiale du cadet, son dévouement constant ne peuvent manquer de la toucher. Au fil du temps, leur intimité a crû, et la reine mère exerce sur Philippe une influence capitale.

La maladie de l'une renforce l'affection de l'autre. La bonne Motteville n'en finit pas de citer les gestes attendrissants et les paroles pieuses de ce fils aimant. Il ne quitte pas le chevet de la patiente, lui baise les pieds, voudrait prendre sur lui la moitié de ses maux, lui promet d'avoir pour son frère une amitié éternelle, la supplie de l'aimer encore au ciel et de prier pour lui. C'est par elle qu'il se fait consoler du chagrin de sa fille mort-née. Encore une chance pour Henriette qu'il ne croie pas, comme sa mère, que l'accident soit imputable uniquement aux imprudences de la jeune femme !

Jusqu'au bout, Anne d'Autriche traite la princesse avec distance. Sa rancune est tenace. À la dernière bénédiction qu'elle donne à ses enfants, elle fait approcher chacun séparément, confie une bénédiction spéciale pour le dauphin à Marie-Thérèse, une autre à Philippe pour ses deux enfants. Elle ne parle point à Madame en particulier. La perspicace Motteville, attentive à ces sortes de comportements, le remarque. Selon elle, la reine pense impossible de changer la jeune femme et de la ramener dans la voie du salut. Elle croit son cœur endurci dans l'impiété et ses pratiques religieuses de pure convenance.

Guerres de religion, querelles et pressions autour de son frère Gloucester, sectarisme de sa mère, indifférence épicurienne de Charles, dévotion formaliste de son époux et même du roi de France n'ont pas contribué à conduire la petite visitandine docile de la mère de La Fayette vers une vie de sainteté et de foi vraie. Anne d'Autriche le sait. Pourquoi donc user ses dernières forces à souhaiter à sa belle-fille, dans un tête-à-tête vibrant, la bénédiction de Dieu ? Pour elle, un geste collectif suffira.

L'entourage d'Anne d'Autriche ne s'en choque pas. Au contraire. Madame n'y est guère épargnée. L'ambassadeur d'Espagne, le comte de Las Fuentes, a coutume de dire à la reine mère que de Madame à la reine, toutes deux ses nièces, il y a toute la distance d'une belle-fille à une fille. Il est vrai, continue l'excellente Motteville, que la longueur de la maladie de sa belle-mère émousse l'application de Marie-Thérèse et qu'elle ressemble à la fin « un peu trop à la belle-fille ». Charmant pour Henriette !

La longueur de la maladie émousse aussi les douleurs des fils. Louis, le premier, est vite retourné à ses chasses, à ses maîtresses et aux devoirs de sa charge, dont il faut le reconnaître, réceptions, ballets et représentations font partie. Monsieur suit son exemple. Il donne le 5 janvier, veille des Rois, une fête magnifique dans la grande galerie du Palais-Royal, ornée d'antiques, brillante de torches et de miroirs. Madame, qui semble « tout en flammes », dit le gazetier, par l'éclat de ses beaux yeux et par celui de ses joyaux, paraît avec le roi, couple parfait. Il est en velours violet, couvert de pierreries blanches, perles et diamants, agréable façon de porter le deuil de son beau-père. Marie-Thérèse est absente. Après le concert magnifique, c'est, dans la petite galerie, une pièce, *La Coquette,* jouée par les comédiens de Molière, mais sans leur directeur, malade. Souper délectable enfin, accompagné de musique et servi à quatre tables. Madame est à la première, avec le roi. Qui croirait que la reine mère agonise ?

Dans ses derniers moments pourtant, il n'y a plus autour d'elle que larmes et tendresse. Louis s'évanouit quand il la croit morte et s'enfuit, outré de douleur. Philippe demeure auprès d'elle, jusqu'à la fin. Il se cache même pour qu'on ne le fasse pas sortir de la chambre de la mourante. Quand Louis l'appelle auprès de lui, il répond qu'il ne peut la quitter. Pour la première fois de sa vie, il refuse d'obéir à son frère et promet que ce sera la dernière.

Quand, le mercredi 20 janvier, entre quatre et cinq heures du matin, le roi entend la grosse cloche de Notre-Dame, il sait que tout est fini. À soixante-cinq ans, Anne d'Autriche quitte le monde et les douleurs intolérables de sa longue maladie. Le roi part pour Versailles, puis Saint-Germain. Monsieur s'enfuit à Saint-Cloud avec Henriette cacher son chagrin.

Avec la disparition de sa belle-mère, la jeune femme ne perd pas une protectrice. Depuis longtemps, elle n'en est plus aimée. Elle ne gagne pas non plus un surcroît d'indépendance. Depuis longtemps, elle a rejeté sa tutelle, quitte à commettre des erreurs ou des imprudences. Pour ses deux fils, en revanche, la mort d'Anne d'Autriche est une libération. Par sa personnalité, son autorité, l'estime qu'elle inspirait à tous, elle leur en imposait. Au diable désormais les contraintes auxquelles ils se soumettaient à cause d'elle, parce qu'ils la craignaient et l'aimaient à la fois !

Ils ont vingt-sept et vingt-cinq ans. Leurs caractères vont s'affirmer sans entraves, leurs préférences naturelles s'accentuer, les conséquences de leurs nouveaux choix marquer leurs proches, particulièrement Henriette, belle-sœur de l'un, épouse de l'autre. À travers eux, la mort de la reine mère change la vie de Madame et multiplie ses malheurs.

C'est évident avec Louis. « Dès lors, le roi ne se contraignit plus, et cela parut fort », observe Mlle de Montpensier. « La reine mère rabattait l'impétuosité du roi, qui lâcha davantage la bride à ses plaisirs », écrit le marquis de Montglas. Une semaine après la disparition d'Anne d'Autriche, à la messe qu'il préside et qui suit les condoléances des cours souveraines et des parlementaires, venus à Saint-Germain les lui présenter, Louis XIV amène avec lui à l'église Mlle de La Vallière et la place près de Marie-Thérèse. Il ne l'aurait jamais fait du vivant de sa mère.

Le conseiller d'État d'Ormesson trouve d'ailleurs la jeune femme peu attirante, « les joues cousues », la bouche et les dents laides, le visage long. Il remarque l'acte d'autorité du roi et la soumission de Marie-Thérèse, qui accepte « par complaisance » pour son époux la présence de sa rivale. À plus forte raison, Madame doit se taire devant cette intrusion d'une maîtresse de Louis dans une cérémonie à la mémoire de la reine mère de France. Même si elle a souffert d'avoir vu le roi lui préférer La Vallière et de lui avoir servi de chandelier.

Passe encore pour La Vallière déjà sur le déclin. Quelques jours auparavant, Louis a fait avaler à Henriette une couleuvre d'une autre taille. Il a ordonné que l'évêque de Valence célèbre les fiançailles du comte du Roure et imposé à sa belle-sœur que la cérémonie ait lieu au Palais-Royal, dans son appartement. Toute la cour est là, chez Henriette, précise le gazetier. Et qui est l'heureuse fiancée que le roi a richement dotée ? Sa protégée, l'amie de La Vallière, la plus douée des intrigantes, l'ancienne suivante de Madame qui a dénoncé trois ans plus tôt à Anne d'Autriche son aventure amoureuse avec Guiche, Mlle d'Artigny.

Le lendemain, le mariage, célébré à l'époque tout de suite après les fiançailles, commence par un festin de noce somptueux chez le duc de Créquy, parent du marié, se continue par la représentation de l'*Antiochus* de Thomas Corneille, un bal et un ballet. Pour montrer sa volonté d'honorer le nouveau couple, le roi en personne, assisté de son frère, donne la chemise au comte quand il se met au lit. Et à qui le monarque impose-t-il de donner la chemise à l'épouse, cette fille de rien, espionne et maître chanteur née, dont une grossesse hors mariage a déjà fait scandale à la cour en 1662 ? À Madame. Et la charmante Montespan, l'étoile montante, la nouvelle préférée du roi, accompagne la princesse dans ce geste rituel. Comme si Louis voulait signifier à sa belle-sœur qu'il pouvait à son gré bannir de son cœur toute affection, toute considération, même pour elle.

Pis encore. Anne d'Autriche, en vieillissant, avait pris la guerre en horreur, et Louis freinait son penchant au combat et sa soif de conquêtes. Sa mère morte, il n'a plus à se retenir. Le 26 janvier, il déclare la guerre à la

Grande-Bretagne. Le 27, le jour même de la messe mémorable de Saint-Germain, le lieutenant civil fait annoncer à son de trompe sur toutes les places de Paris le début des hostilités. Louis n'a plus à ménager Henriette. L'affection de son grand frère ne la protège plus, puisque la France est en guerre avec lui.

Une ordonnance du roi de France, obligé de satisfaire à la parole donnée à la Hollande et de courir sus aux Anglais, défend à ses sujets d'avoir commerce avec eux, sous peine de mort. Que seront ses relations avec Charles ? Tout de suite après la déclaration de guerre, celui-ci tâche de la rassurer. Il se conformera à ce qu'elle décidera et rien ne diminuera l'affection qu'il lui gardera jusqu'à la mort. Mais il ne sait quelle espèce de correspondance ils pourront conserver désormais.

En comparaison de cette guerre et de ce drame, les innombrables cérémonies à la mémoire de la reine mère, auxquelles Henriette participe ou qu'elle préside, sont faciles à supporter. Visites, service solennel à Saint-Cloud le 24, condoléances des députés du clergé le 25, chant des vigiles le 27, ainsi de suite.

Le 10 février, inhumation dans la basilique de Saint-Denis. Madame mène le deuil, car le roi et la reine ne participent jamais aux enterrements. Comme le dit le gazetier, ils ne vont à Saint-Denis qu'une fois... Le corps de la défunte y a été porté, le 28 janvier, tôt le matin, par un froid horrible, sous la conduite de cinq altesses royales et trois cents officiers d'Anne d'Autriche, tous en grand deuil, tenant à la main des flambeaux de cire, les chevaux des carrosses caparaçonnés de drap noir traînant à terre.

Avant l'inhumation, les honneurs sont rendus à la reine morte, son drapeau et sa couronne placés au bord de la fosse. Auprès de Madame, Mlle de Montpensier et sa demi-sœur, Mlle d'Alençon, princesses du sang. Monsieur, le prince de Condé, le duc d'Enghien les accompagnent. Les princesses sont en mante de deuil. La traîne de Madame est portée par le comte d'Albon, son chevalier d'honneur, Clérambault, son premier écuyer, et le comte de Vaillac, premier écuyer de Monsieur. Pendant la messe, à l'offrande, Monsieur salue l'autel, va chercher son épouse. Tous deux s'approchent de l'officiant, l'archevêque d'Auch, assis près de quatre autres prélats. Le maître des cérémonies présente à Madame un cierge auquel sont attachés dix louis d'or, symbole de son offrande. À genoux, elle baise l'anneau de l'archevêque. Monsieur la ramène à sa place. Tout se termine par un superbe dîner, dit *La Gazette de France*. Bien insuffisant pour apaiser le chagrin de la princesse ni surtout celui de son époux.

La douleur du prince est réelle. On le croit incapable de sentiments profonds parce qu'il est infantile et égoïste. Il faut compter avec la place à part que sa mère tenait dans sa vie. Il a raison d'être affligé. Comme le dit Mme de Motteville, il perd avec la reine à la fois son amie, sa mère, sa confidente et celle qui pouvait adoucir toutes ses peines.

Peu après, son frère lui envoie dire de revenir de Saint-Cloud pour la lecture du testament de leur mère et recevoir la clé de son coffre à bijoux. Voilà Philippe, le jeune homme superficiel occupé de parures et de pierreries, susceptible et jaloux de son rang, qui refuse de venir, se désintéresse de ses affaires, s'excuse auprès de son frère et s'en remet à lui pour tout. Il préfère rester chez lui et savourer sa douleur à longs traits. Ce n'est pas pour l'enterrement de sa mère qu'il se préoccuperait, comme jadis pour celui de son oncle Gaston, de la longueur de la traîne de son manteau de cérémonie.

S'il revient à Paris et se soucie d'étiquette, c'est pour rendre à la défunte les hommages les plus fervents. Ainsi le service solennel qu'il ordonne au Val-de-Grâce, le 8 février, deux jours avant l'inhumation, et où il fait tendre tout le bâtiment de noir. Anne d'Autriche, dans son testament, a demandé que son cœur soit porté dans la chapelle Sainte-Anne de cette église, dont elle charge le roi de faire achever les bâtiments.

Que Monsieur soit un fils abusif ? Sans doute. Mais la violence de son chagrin n'est pas incompatible avec un désir de changement. Le temps adoucit toute peine. Jusqu'ici soumis à l'autorité maternelle et heureux de l'être, Philippe sera heureux d'en être débarrassé. Qu'en adviendra-t-il pour Madame ?

37.

Qui gouverne la maison ?

À l'exemple de son frère, Philippe est décidé à se débarrasser de tout scrupule concernant sa vie privée. Il gardait une certaine retenue à l'égard de sa pieuse mère pour ne pas afficher devant elle son goût pour ses jeunes favoris. Il n'en gardera plus désormais. Moins encore à l'égard de sa femme, dont il sait ce que valent la vertu et la piété.

Pourquoi Philippe se gênerait-il ? N'est-ce pas parce que Guiche, son favori d'alors, est tombé amoureux de Madame que le chevalier de Lorraine a pris sa place ? N'est-ce pas devant le chevalier que Vardes, repoussé par la princesse, l'a insultée en parlant de ses mœurs faciles ? La reine mère disparue, le charmant Lorraine de simple favori devient tout-puissant chez Monsieur, disposant de toutes les grâces, et « plus absolu qu'il n'est permis, constate l'abbé de Choisy, quand on ne veut pas passer pour le maître ou la maîtresse de la maison ». Avec Henriette, qui voit cela « avec horreur », c'est une lutte sans merci qui s'engage.

Pour ce qui est des affaires publiques, un désir d'émancipation gagne aussi Philippe. Mazarin et sa mère ont toujours poussé le délicieux adolescent à des occupations frivoles. Ils l'ont transformé en une sorte de poupée, attentive à ses plaisirs et à sa petite cour de mignons. Loin de lui, le plus loin possible, les soucis du pouvoir et de la guerre. Il ne fallait pas que se crée de rivalité entre le roi et lui. L'éducation a porté ses fruits.

Monsieur a entrepris très jeune de magnifiques embellissements à Saint-Cloud, orné avec goût l'intérieur du Palais-Royal. Il ne s'occupe pas des affaires de la France.

Le lendemain de la mort de sa mère, quand Cosnac, son premier aumônier, le rejoint à Saint-Cloud, il est stupéfait. Philippe semble transformé. Jamais il ne lui a parlé avec tant de confiance ni de détermination. Il se plaint de la perte qu'il a subie, puis lui confie que son frère l'a fort aidé à se consoler. Par des paroles pleines de bonté et aussi en lui accordant la permission d'assister au Conseil tous les vendredis. Il est décidé à changer de conduite. Il sait que son grand attachement pour la reine sa mère lui a nui dans le monde et qu'on s'est imaginé qu'il n'avait ni esprit, ni ambition. À l'avenir, il fera voir qu'il aime la gloire.

Lorsque, un mois plus tard, survient avec la mort du prince de Conti la vacance de la charge de gouverneur du Languedoc, Monsieur se met sur les rangs pour l'obtenir de son frère. Comme il se trouve avec Henriette à Villers-Cotterêts, au retour du camp de Compiègne, il charge Cosnac de porter sa demande à Saint-Germain. L'évêque plaide avec zèle pour le « frère unique » du roi. « Je croyais que les gouvernements de provinces étaient au-dessous de sa dignité », se moque Louis. Cosnac insiste. Le roi refuse : « Dites-lui qu'en France les princes du sang ne sont jamais bien ailleurs qu'à la cour », c'est-à-dire sous l'œil du maître. Philippe, mécontent, demeure quelques jours chez lui à bouder, puis revient chez son frère qui, en compensation, le comble, comme à l'ordinaire, de bonnes paroles et de présents.

C'est une malchance pour Madame. Louis prend en quelque sorte le relais de sa mère. Il barre à Philippe toute initiative, toute possibilité d'intervention dans les affaires. Il l'enfonce dans sa vie de plaisirs et garde les mains libres pour gouverner. Henriette en paie le prix. Son époux ne se délivre de l'autorité maternelle que pour s'écarter un peu plus d'elle et se tourner sans remords vers les favoris qui le gouvernent. Elle a de moins en moins d'influence sur Philippe et dans sa propre maison.

Et quelle maison ! Un monde grouillant, hiérarchisé à l'extrême, où les charges importantes se paient, se revendent et donnent lieu à un véritable trafic, dont profite le premier le trésorier Boisfranc. Un monde d'intrigues et de rivalités où chacun des époux a ses propres serviteurs, hostiles et jaloux les uns envers les autres. Un monde où le personnel, qui ne coûte pourtant pas cher à l'époque, perçoit 800 000 livres de gages annuels (plus de 30 millions de nos francs actuels), avec des frais de table, pour la maison de Madame seulement, de 10 000 livres (400 000 francs) par mois.

Le service de santé de Monsieur, par exemple, comprend neuf médecins, trois consultants, un apothicaire avec son aide, un premier chirurgien, un chirurgien ordinaire, un du commun (!), six autres, un dentiste, cinq barbiers, dont un pour les bains et étuves.

Il y a pour Madame dix-neuf officiers ecclésiastiques, hiérarchisés, depuis le premier aumônier jusqu'au « confesseur du commun ». Il y en a vingt-sept pour son époux, avec à leur tête l'évêque de Valence, Daniel de Cosnac. Pour ses écuries, Madame dispose d'un « cocher du carrosse du corps », de cochers pour ses trois autres carrosses et leurs postillons, de palefreniers, bourreliers, charrons, maréchaux de forge, porteurs de chaise et d'un chirurgien de l'écurie. Monsieur, qui déteste la chasse, entretient plus de quatre-vingts personnes à la vénerie, piqueurs et valets de chiens ordinaires, petits valets de chiens courants et de chiens couchants, veneurs pour le renard et pour le loup, « chef des oiseaux pour le vol des champs », maître fauconnier pour la pie, bien d'autres.

Bref, ce personnel, instrument du pouvoir d'un grand, est aussi vitrine de son pouvoir. Comme le sont les maisons qu'il occupe. Au retour de la reine mère d'Angleterre, Monsieur et Madame n'ont pas quitté le Palais-Royal où ils s'étaient installés à son départ. La reine dispose désormais à Paris de l'hôtel de La Bazinière, splendide demeure sur le quai Malaquais. Très souvent, quand elle n'est pas en cure à Bourbon, elle occupe sa maison de Colombes. Ses relations avec la

Visitation de Chaillot sont toujours excellentes, même si elle y séjourne moins. Sa fille n'y est plus pensionnaire, et Saint-Albans est souvent là.

Villers-Cotterêts, échu en apanage à Monsieur, et Saint-Cloud, son Versailles, dont l'embellissement est l'objet de ses soins, demeurent ses maisons de campagne préférées, lieux de fêtes, parfois de retraite ou de bouderie. Au Palais-Royal, Henriette a choisi pour chambre la plus belle pièce sur la façade, à droite du corps de logis central qu'avait occupé Anne d'Autriche. Le plafond est peint par Coypel, le parquet orné avec cuivre et étain par l'ébéniste Jean Macé, la décoration de stucs réalisée par le sculpteur Marsy. Amoureuse des jardins, elle se réjouit de ceux qui s'étendent sous ses appartements, du balcon doré à fleurs de lys et des arcades à jours aménagés par sa belle-mère, après lesquelles commence le parc.

Henriette n'a pas changé grand-chose à l'oratoire ni aux bains. Aux tapisseries elle préfère les soies couvertes de broderies précieuses qui drapent portes et fenêtres et entourent les piliers d'or de son lit à la manière d'une alcôve. Parmi ses tableaux personnels, on trouve un *Jugement de Pâris* par Véronèse, une *Madeleine* du Corrège et une *Vierge* du Pérugin, un *Cupidon* par Le Guide, deux portraits de son père Charles Ier, ainsi qu'un tableau de Van Dyck, *La Famille royale d'Angleterre*. Ils témoignent de son attachement aux siens plus que d'un goût particulier pour la peinture. Dans les lettres à son frère conservées, elle parle de musique, de vêtements, de chevaux, pas de tableaux ni de meubles.

Nul doute que la tentation ne soit grande d'exercer son emprise sur Monsieur et Madame pour gouverner une telle maison. Cosnac se sent de taille. Il a acheté sa charge avec l'espoir d'aider Philippe à s'imposer face à son frère. Après le refus du gouvernement de Languedoc, il ne se décourage pas. Pourtant les ministres, Colbert surtout, qui ne l'aime pas, voient d'un mauvais œil ce prélat intelligent, apprécié par ses pairs de l'assemblée du clergé, tenter de diriger le jeune et superficiel duc d'Orléans. La ligne de conduite à son égard ne change pas : l'exclure des affaires. La promesse de

Louis de l'accepter au Conseil est pure hypocrisie. On connaît trop la paresse et la frivolité du jeune homme.

Pour lutter contre cette réputation déplorable, Cosnac conseille à Philippe de tenir sa langue. Chacun sait qu'il a la faiblesse de répéter tout ce qu'on lui dit. Il l'encourage à la lecture. S'il ne peut lire une heure par jour, qu'il s'enferme du moins pour faire semblant. Il lui dicte une série de conduites à observer envers le roi, les ministres et le reste de la cour. Philippe doit louer son frère en toutes occasions, se montrer aussi accueillant envers les gens que Louis est dur et peu enclin à faire plaisir.

L'évêque a beau se dépêcher de parler, le jeune homme ne peut fixer son attention. En une demi-heure il quitte Cosnac dix ou douze fois donner des ordres pour telle ou telle bagatelle. Les progrès seront rudes.

En revanche, Cosnac se rend compte des qualités de négociatrice de Madame et de son influence sur le roi. Quand celui-ci annonce qu'il accorde le gouvernement de Languedoc au duc de Verneuil (pour le récompenser de son inutile ambassade ?), il le fait à Compiègne à l'occasion d'une revue des troupes, sans prévenir Monsieur. On devine la bouderie du cadet. Mais grâce à l'initiative de Madame, une rencontre entre les deux frères a lieu à Versailles, à la fin d'avril. Le mécontentement du roi et l'aigreur de Philippe cessent.

Dans la maison d'Orléans, un clan se forme donc avec l'évêque de Valence, séduit par le charme d'Henriette et son habileté, jaloux du chevalier de Lorraine qu'il déteste, et avec la gouvernante des enfants, Mme de Saint-Chaumont, que Lorraine critique sans arrêt. L'évêque, entré au service du mari, devient le plus inconditionnel partisan de la femme. Quoique Monsieur lui ait promis d'écouter ses conseils, « il trouve à propos, écrit Cosnac, de ne s'en pas servir ». Cela le dispense de récompenser son conseiller en lui donnant telle ou telle abbaye vacante. L'évêque en est furieux. Il se venge en remarquant que le beau monde, qui se presse constamment au Palais-Royal et dont Monsieur est si fier n'y vient pas pour lui mais pour l'amour de Madame.

Désireux toutefois d'obliger son maître et peut-être de le tenir par l'argent, Cosnac se propose de doubler Boisfranc. Il connaît celui-ci comme un homme de peu de naissance, qui n'a pu payer sa charge que grâce au trésorier d'Anne d'Autriche. Pour arriver à une fortune pareille, juge l'évêque, ne faut-il pas qu'il ait confondu le bien de son maître et le sien ? Boisfranc menace sans cesse de quitter Monsieur, le persuade que sa maison ne vit que par son crédit et se flatte de le gouverner. C'est intolérable. Cosnac prendra sa place et avancera à son maître l'argent dont il a besoin.

Car c'est un comble : Madame et Monsieur, qui brillent au sommet de l'État, emploient des quantités de gens, vivent dans la profusion et sont adulés par ceux qui attendent d'eux pensions ou charges, n'ont pas d'argent ! Ils engloutissent des sommes énormes pour leurs fantaisies et leurs dettes de jeu, l'occupation universelle et enragée des courtisans à l'époque. À tout instant ils ont besoin d'avances sur leurs pensions, leurs fermages ou leurs rentes. Comme eux, du haut en bas de l'échelle, les gens de cour vivent à crédit et au-delà de leurs moyens. 3 000 pistoles (environ 1,2 million de francs) : Monsieur pour un premier emprunt à son aumônier n'y va pas de mainmorte ! Malgré la défection du receveur du clergé, ce Mennevillette qui reçoit si bien la cour quand elle passe par la Normandie et avec lequel, du coup, Cosnac se brouille, l'évêque finit par trouver l'argent auprès de trois prêteurs. Il veut faire aussi bien que Boisfranc.

Grand seigneur, Philippe le remercie et lui propose même un billet de reconnaissance de dettes. Au cas où il viendrait à mourir, dit-il. Cosnac se récrie. La perte du prince serait pour lui si catastrophique qu'il ne songerait à rien d'autre. Il refuse le billet. Il ne pouvait faire autrement, écrit-il dans ses *Mémoires*...

L'évêque perd aussi l'argent qu'il avance à Madame. L'affaire est plus grave que le paiement d'une dette de jeu ou de bagatelles coûteuses. Le libelle que la princesse craignait tant paraît en Hollande au début de juin 1666. Un exemplaire en parvient à Louvois, qui le remet au roi. Monsieur est mis au courant par Boisfranc. La jeune femme, bouleversée, s'enferme chez elle et appelle à l'aide Cosnac : « Je suis perdue, lui dit-elle. Que pensera le public ? »

Ces exemplaires imprimés qui affolent Henriette, l'évêque s'attelle à les faire retirer de la circulation. Poussé par son admiration pour la princesse, il y met tout son zèle. De son propre aveu, cela lui coûte beaucoup de peine et d'argent. Il envoie en Hollande un homme habile, Charles Patin, le fils du médecin, qui réussit à obtenir des États qu'on ne réimprime plus le volume et rachète à différents libraires les dix-huit cents exemplaires déjà tirés.

Choisy, son ami, embellit et dramatise, dans ses *Mémoires*, le rôle joué par Cosnac. Sans en rien dire à la princesse, il serait parti lui-même en Hollande. Après avoir laissé dix jours Madame sans nouvelles, il se serait présenté le onzième à son lever et aurait tiré de sa soutane trois cents exemplaires pour qu'elle les brûle. Inutile d'enjoliver. Le dévouement de l'évêque se suffit à lui-même. Pourquoi ne pas se fier à son témoignage ? Qui est mieux au courant que lui ?

Deux exemplaires du libelle ont été gardés, l'un pour Louis XIV, l'autre pour le roi d'Angleterre. Madame est sauvée. Malgré la diligence de l'évêque, certains comme Condé ont eu vent de l'affaire. Ils ne sont pas légion. Mais l'histoire d'une princesse amoureuse, que ce soit d'un galant ou de son roi, pique les curiosités. Les romanciers satiriques la reprendront.

Quand Henriette remercie Cosnac et demande à Monsieur de le rembourser de ses frais, l'évêque refuse. Il ne sera pas ruiné pour autant, répond-il en riant. Cette fois, il écrit dans ses *Mémoires* qu'il n'est que trop payé par la reconnaissance de Madame.

Cependant son intervention, même gratuite, ne plaît pas à Monsieur. Elle souligne trop que la réputation de sa femme n'est pas sans tache. Pourquoi se laisserait-il gouverner par cet aumônier trop adroit ? N'est-il pas libre d'imposer dans sa maison un chevalier qui lui doit tout ?

38.

La tempête

Un dégel soudain, le matin du 30 janvier, entre la mort d'Anne d'Autriche et son inhumation. Trois violents coups de tonnerre et des éclairs éblouissants, le soir. Il n'en faut pas plus aux bonnes gens, et même aux gens instruits et raisonnables comme le conseiller d'État d'Ormesson, pour voir dans ces phénomènes de mauvais présages. Madame, à bon droit, peut croire à l'arrivée de malheurs. L'année 1666 est une des pires de sa vie, pourtant mouvementée.

Déclaration de guerre à la Grande-Bretagne, parution du libelle désastreux, voici que se mêlent à ces angoisses celles des combats au jour le jour. La reine mère d'Angleterre a obtenu avant son départ que York passe le commandement de la Marine à Lord Sandwich. Même si son frère cadet est moins exposé, le sort de son pays natal n'est pas indifférent à Henriette. Ses liaisons avec Charles sont interrompues. Saint-Albans, par faveur spéciale, est autorisé depuis la déclaration de guerre à rester en France et parvient de temps en temps à donner au roi des nouvelles de sa famille. Rares sont les missives qui se glissent entre le frère et la sœur. Deux entre janvier 1666 et août 1667 ! Quel manque insupportable pour la jeune femme habituée à une correspondance si abondante et chaleureuse. Quel supplice quand les mots de Charles, par la force des choses, l'inquiètent !

En mai, il se plaint des dispositions hostiles de la France. Sa mère et Louis XIV parlent en secret de

paix. Ce n'est qu'un leurre. Charles ne peut s'empêcher de fanfaronner un peu. En janvier déjà, il a feint
de croire que les troupes passées en revue par Turenne
dans la plaine picarde devaient envahir l'Angleterre. Il
les attend de pied ferme. Il se flatte d'un nombre de
matelots plus grand que l'année précédente, alors que
les Hollandais en ont peu. Il souhaite envoyer des chevaux à sa sœur. On lui en a promis deux qui lui
conviendraient. Mais la peste s'est mise aussi dans ses
écuries...

Piètres nouvelles en vérité, et menaçantes. Pour la
flotte, Henriette sait que Charles ne plaisante pas. On
murmure qu'il a envoyé une cinquantaine de vaisseaux
en Méditerranée pour brûler Toulon. Beaufort est
chargé de les neutraliser avec les galères de Marseille.

La rougeole de sa fille préoccupe Madame en mars.
Plus encore l'état de santé de son fils en mai. Non seulement il a été « assez mal », comme l'écrit Condé, mais
sa maladie est occasion de nouvelles querelles dans la
maison d'Orléans, à propos des soins donnés à l'enfant
par sa gouvernante, Mme de Saint-Chaumont. Pour
Lorraine tout est matière à critiquer le clan de Madame.

Comment écouter sans broncher les nouvelles,
contradictoires selon les moments, de la « bataille de
quatre jours » qui oppose du 10 au 14 juin Hollandais
et Anglais ? De la côte, on a entendu le canon. On sait
que près de soixante-dix vaisseaux hollandais et zélan-
dais sont sortis sous le commandement de Ruyter, que
celui-ci a fait renvoyer soixante chaloupes pour enlever
à ses marins la tentation de se sauver avec. Soudain on
voit arriver à Ostende un navire anglais, l'*Arc-en-ciel*,
sans mât, ni voile, ni cordage, qui suppose un succès
hollandais.

Plus de nouvelles jusqu'à ce que l'on apprenne que
les Anglais ont perdu plus de trente vaisseaux, dont un
de grand prix, leurs ennemis quatre seulement. L'un de
ces derniers a pris feu. Guiche et Monaco, qui s'étaient
engagés aux côtés des Hollandais et se trouvaient à son
bord, ont failli périr et n'ont dû leur salut qu'en se
jetant à la mer. Madame les connaît bien, le premier
surtout, et s'intéresse à son sort.

Elle connaît aussi ceux d'en face, Monck, duc d'Albemarle, le restaurateur de la royauté, obligé de combattre dès le début avec une flotte inférieure en nombre, cinquante-quatre navires contre quatre-vingt-cinq. Et le prince Rupert, le cousin fidèle, qui ne peut rejoindre les siens que le quatrième jour, mais qui, avec son escorte de vingt-huit vaisseaux, redresse la situation et empêche que le combat ne soit pour son pays un véritable désastre. La preuve, les Anglais refusent de se croire battus et allument chez eux des feux de joie. Elle connaît même les navires, qu'elle a vus, jeune fiancée, lors de sa visite en Angleterre, ou dont elle a entendu parler. Tel celui qu'on nomme *Pavillon blanc*, « mouvante roche », dit un gazetier, capable de porter quatre-vingt-douze canons, maintenant aux mains des Hollandais.

Cet été-là aussi, il lui faut vivre la vie de cour. Les fêtes, interdites jusqu'après Pâques par la mort d'Anne d'Autriche, reprennent. Louis s'amuse à des tournois et à des courses de tête. Molière fait jouer son *Misanthrope*. Marie-Thérèse régale à Fontainebleau trente-six invités dans une salle de feuillage. Henriette et son époux reçoivent plusieurs fois la cour à Saint-Cloud. La reine mère d'Angleterre va à ses eaux de Bourbon et en revient. Et l'un des successeurs du gazetier Loret, peu futé, associe sans cesse, parce que la rime en est commode, « Monsieur et Madame/Qui brûlent d'une même flamme », ou « De qui le corps n'a qu'une âme ».

Côté guerre, à chaque instant, l'alternative d'inquiétudes et d'espoirs. Les combattants sont allés dans leurs ports réparer leurs avaries. Les Hollandais sortent les premiers. Voici Ruyter, début juillet, à l'embouchure de la Tamise avec vingt-quatre vaisseaux de guerre et vingt brûlots. Quelle audace ! Quoique les Anglais ne se montrent pas tout de suite, un nouveau combat est inévitable. Si Beaufort parvient à rejoindre les Hollandais, qui l'attendent avec impatience, la flotte de Charles risquera gros.

Dans les mêmes jours, le roi emmène, avec la reine et le dauphin, Madame, Monsieur et la cour voir le camp de Moret. Des troupes françaises y sont stationnées. Elles ont fait leur devoir contre le prince-évêque de

Munster, qui a demandé et signé la paix à la fin d'avril. Ruyter n'a pour l'instant pas besoin d'elles sur ses bateaux. Le roi les passe en revue. Les escadrons nombreux, les tentes de couleur, la prairie verte, les uniformes rutilants et les chemises blanches sont magnifiques à voir. Mais ces soldats sont, pour Henriette, ceux qui ont aidé les Hollandais, les ennemis de son frère. Au moment où le sort de celui-ci se joue sur mer, le spectacle pour elle perd ses couleurs.

Par bonheur, l'issue du combat naval est favorable à Charles. Ruyter se retire en Hollande après le repli de l'escadre de Zélande, découragée par la mort de son amiral, Jean Leersen. Tromp a pris le large. Les États se plaignent du retard de Beaufort. Ils disent à d'Estrades, l'ambassadeur de France, que Louis XIV les trompe, veut les ruiner et conclure une paix séparée avec les Anglais. Ceux-ci, enhardis par leur succès, détruisent quarante vaisseaux marchands hollandais richement chargés. Monck, guidé par un traître, le capitaine Heemskerk, brûle dans l'île de Schelling un grand nombre de maisons et plus de cent navires. La division s'installe chez les Hollandais. Tromp et d'autres sont soupçonnés d'intelligence avec l'ennemi.

Brève satisfaction pour Henriette. Quoique les combats successifs soient rares à l'époque, on s'attend à un troisième affrontement sur mer. Avec cette fois la participation de Beaufort, qui arrive enfin de La Rochelle. Le prince Rupert pense l'arrêter à son entrée dans la Manche. D'autant que Ruyter, blessé par l'étincelle d'un canon, refuse d'aller plus loin que Boulogne et ne pourra être d'un grand secours.

Une tempête s'élève, si violente que les Anglais doivent chercher refuge près de Wight. Beaufort, qui les croit loin, passe au large de l'île en plein midi et parvient à Dieppe, sans être inquiété. Les Hollandais, lassés de l'attendre, victimes du gros temps et de la maladie de Ruyter, se sont réfugiés dans leurs ports. On ne peut combattre avec un vent pareil.

Sur mer, l'aide de Louis XIV aux États-Généraux de Hollande est terminée pour cette année. Les Condé et d'Ormesson sont d'accord sur le déroulement général de l'action. Beaufort, dans l'impossibilité d'affronter seul les Britanniques, suit le conseil du marquis de Créquy et décide de regagner Brest. Il y arrive sans encombre. Que font donc les Anglais ?

Depuis Wight, ils ont eu le vent contraire et n'ont pas imaginé les allées et venues des Français. Et puis une catastrophe épouvantable s'est abattue sur Londres. Dans la nuit du 11 au 12 septembre, le feu prend, chez un boulanger, dit-on. La sécheresse de l'été a rendu les maisons en bois particulièrement inflammables. Le vent du nord ne cesse de souffler et propage à toute allure l'incendie. Quatre-vingt-dix paroisses, plus des quatre cinquièmes de la ville, sont détruits. C'est une désolation. Le roi et York font des efforts inouïs pour arrêter le désastre. En faisant sauter les bâtiments alentour, ils isolent l'église du Temple, l'abbaye de Westminster et le palais de Whitehall. La Tour de Londres aussi, qui renferme une grande quantité de munitions.

Le peuple croit à un acte criminel des ennemis. Les Français et les Hollandais qui ont le malheur de s'aventurer dans les rues sont maltraités. Charles redoute un soulèvement. Il rappelle en hâte Monck et les principaux officiers de sa marine. C'est « le miracle », écrit Condé, grâce auquel les navires de Louis XIV sont passés deux fois sous le nez des Anglais et ont évité une rencontre périlleuse de quarante contre cent. Une victoire sur mer difficile, une capitale dévastée, les Londoniens sans abri, il y a de quoi attrister Henriette.

Côté cœur aussi, c'est la tempête. Toujours des ragots prêts à la maltraiter. Mlle de Montpensier en est le témoin, la cause parfois. Pour des riens, on irrite la reine contre Henriette. Et la reine se laisse faire. Sa jalousie pour sa charmante belle-sœur ne désarme pas. D'autant qu'Henriette est toujours très courtisée par de jeunes étourdis, tel Sault, le fils aîné du duc de Lesdiguières.

Elle, en fait, n'a d'yeux que pour Louis. Si elle jette dans ses bras son amie Mme de Monaco, revenue d'exil à la mort d'Anne d'Autriche, c'est pour qu'il se détourne enfin de La Vallière. Des amourettes, il en faut à ce jeune monarque fougueux. Madame le sait. Un attachement durable, elle ne le supporte pas.

Choisy remarque qu'« elle ne peut pardonner à Mlle de La Vallière d'avoir su si parfaitement se faire aimer du roi ». Il ajoute avec finesse : « Je ne sais si elle eût pardonné à une autre maîtresse. » On verra que non avec Mme de Montespan...

De ces intrigues la réputation de la jeune femme souffre. La susceptibilité de Monsieur, qui de l'amour pour sa femme n'a gardé que la jalousie, frémit à tout moment. Il lui en veut de plus en plus, et son clan ne se prive pas de la mettre à mal. Depuis le 19 juillet, la cour est à Vincennes. Un jour de la mi-septembre, le chevalier de Gramont, un de ceux qui gouvernent le prince, entre dans le salon où il se trouve avec le maréchal du Plessis et quelques autres. Gramont contrefait l'aveugle et se cogne partout. « Qu'il fait sombre ici, on n'y voit qu'à tâtons. » Monsieur répond en riant qu'il y fait fort clair. Il faut que son ami ait perdu la vue. Celui-ci insiste, Monsieur aussi. Enfin Gramont s'écrie : « Si vous pouviez voir clair, vous verriez comme Lorraine, Armagnac et Lauzun baisent Madame. »

Que les détails de la scène soient parfaitement exacts, on ne peut en jurer. En revanche, Condé authentifie l'affaire dans une lettre à la reine de Pologne. Il ajoute que Monsieur a chassé Gramont de chez lui. Il lui avait débité sur Madame des « contes ridicules ». Celle-ci a demandé à son époux de l'éloigner. Une chance qu'on l'écoute, cette fois. Quand, exaspérée contre Lorraine, elle lui supprime, en octobre, son appartement du Palais-Royal, elle doit endurer que le roi lui en accorde un au Louvre. Cuisant camouflet !

Ce n'est pas le seul qu'il lui inflige. Alors que la cour est installée à Saint-Germain depuis le 15 octobre, il permet peu après aux Soissons de revenir de leur exil. On s'interroge. Beaucoup murmurent que c'est pour donner « une mortification » à Madame. « Elle ne les aime pas », précise Condé dans une lettre à la reine de Pologne du 28. Superbe litote ! C'est elle qui avait obtenu qu'ils fussent chassés.

Coïncidence ? dans cette même lettre, Condé annonce que la princesse vient de faire une fausse couche. Elle n'est pourtant pas tombée. Coïncidence, non. Conséquence, plutôt. Le retour de son ennemie, qu'elle reçoit comme un désaveu insultant du roi, ajoute à la série de déplaisirs et d'angoisses qui pleuvent sur elle depuis un certain temps. Elle s'use les nerfs à trop se soucier de la guerre, de sa réputation, du sort de la Grande-Bretagne, à souffrir du dédain de Louis. Sa constitution fragile, fragilisée encore par sa grossesse, ne supporte pas ce nouveau coup. Une fois encore, elle perd l'enfant qu'elle attendait.

Quelques jours auparavant, elle a reçu une lettre de Charles, heureux que la fin de la campagne permette la reprise de leur correspondance. Il lui répète son affection. Il voudrait que, pour rétablir la confiance, Louis XIV lui parle de paix en termes moins vagues. Il pense que la guerre n'est bonne ni pour la France ni pour l'Angleterre et souhaite que sa sœur prenne part à tout ce qui peut la terminer.

En plein désarroi, Henriette se raccroche au message de son grand frère. Voilà le salut : dans l'intérêt de son royaume, Louis doit la ménager. Prétextant sa fausse couche, « elle se met au lit de chagrin », dit d'Ormesson, et proclame bien haut qu'elle est fille de roi. Si on la maltraitait, elle a un frère roi qui la vengerait.

L'effet est immédiat. Le 5 novembre 1666, Enghien parle d'une grande conversation entre le roi et Madame, « il y a trois jours ». Auparavant, Louis paraissait mécontent d'elle. Depuis, il la traite mieux et la voit souvent. Rien n'est encore déclaré avec la Montespan – il y « songe un peu », seulement. Alors Henriette s'apaise, met sa jalousie en veilleuse et participe aux répétitions du prochain ballet de cour. Elle ne sait pas que se prépare pour elle un drame affreux.

39.

Mort du fils

On accuse les dents. Elles sont sorties trop vite et fatiguent l'enfant. D'Ormesson se fait l'écho de la rumeur selon laquelle le duc de Valois, le fils unique de Madame, en a vingt-quatre à un peu plus de deux ans.

Depuis l'alerte de mai 1666, il ne va pas bien. Il y a près d'un an qu'il est malade, note Condé. « Languissant », « atteint de langueur », ce sont les mots de ceux qui le voient. Cosnac, arrivant de son diocèse de Valence le 13 novembre, le trouve en mauvaise santé. Le 23, son père et sa mère quittent en hâte Saint-Germain pour aller le voir à Paris. Il est plus mal. Ils demeurent quelques jours au Palais-Royal, où ils l'ont fait transporter depuis Saint-Cloud. Esprit, premier médecin de Monsieur, a la charge délicate de soigner le petit duc, que Mme de Saint-Chaumont entoure de sa tendresse.

Le 25, le gazetier Subligny annonce que six dents percent à la fois. On espère un mieux. Aussitôt les réjouissances reprennent au Palais-Royal. Nouvelle représentation du *Misanthrope* par Molière. Se fiant à Esprit qui pense que la guérison est en vue, Monsieur et Madame repartent pour Saint-Germain.

Une affaire d'importance les attend. La création du *Ballet des Muses*, le 2 décembre. La cour doit rester là-bas jusqu'en janvier. Car les travaux entrepris au Louvre pour « le purifier, le chauffer, le laver », comme dit un gazetier, s'achèvent à peine en cette fin de novembre. Le roi, qui n'aime guère Paris, encore moins depuis la mort de sa mère, s'y plaira peut-être davantage.

Le surlendemain de la première représentation, Henriette et son époux regagnent en hâte le Palais-Royal. Valois va très mal. Si mal qu'on songe à le baptiser. Comme un fils de roi, il a été ondoyé à sa naissance. On réserve son baptême pour sa septième année. Vu son état désespéré, Cosnac, à la demande de son père, organise immédiatement la cérémonie. La reine est sa marraine, mais une grossesse la retient à Saint-Germain. Mlle de Montpensier tient sa place. Le fils de Condé tient celle du roi d'Angleterre, le parrain. L'enfant est baptisé Charles-Philippe, les prénoms de son oncle maternel et de son père. La cérémonie a lieu dans la chapelle du Palais-Royal, où l'on avait célébré les noces de Philippe et d'Henriette. Le curé de la paroisse Saint-Eustache est là, ainsi que la reine mère d'Angleterre, grand-mère de l'enfant, et un grand nombre de princes et princesses.

Le mercredi 8, à sept heures du soir, c'est la fin. Selon Mlle de Montpensier, témoin de l'événement, l'enfant agonise tout le jour et meurt en parlant. La douleur de Madame est insoutenable. Elle perd ce fils si désiré, la gloire des Orléans, l'espoir du royaume même, car le dauphin semble peu vigoureux et Marie-Thérèse, pour le moment, met au monde des filles qui meurent les unes après les autres. Quant à Monsieur, il s'efforce, dit Cosnac, de paraître affligé, beaucoup plus qu'il ne l'est. Il joue si mal son personnage que les moins observateurs remarquent qu'il est incapable d'un vrai chagrin. L'évêque n'est pas toujours bienveillant envers son maître. En l'occurrence, il a raison. Le plus grand souci du prince après la mort de son fils est de récupérer la pension annuelle de 150 000 livres (6 millions de francs), que Louis XIV donnait à l'enfant.

À la cour, même dans les rues, la tristesse semble générale. Le petit garçon était charmant, bien fait et donnait de grandes espérances. Mlle de Montpensier, pourtant avare de compliments, l'a noté. Et puis cette disparition trouble les gens. On ne la comprend pas. Devant l'inexplicable, la reine mère d'Angleterre se sent coupable. Sans raison elle s'attribue, comme par magie, la cause de la disparition de son petit-fils. Elle confie à ses chères visitandines son désarroi. À peine retournée en Angleterre, elle a vu mourir successivement son fils Gloucester et la princesse Mary. À peine revenue en France, elle assiste à la mort du petit Charles-Philippe. Elle porte malheur.

Les religieuses, attachées à leur fondatrice et à la famille royale d'Angleterre, sont affectées. Elles garderont, dans leur salle de réunion, les portraits de la reine en sainte Élisabeth, de sa belle-fille en sainte Catherine et celui de Madame présentant à saint François de Sales ses trois enfants, le duc de Valois, sa fille aînée, plus tard reine d'Espagne, et la seconde, qui deviendra duchesse royale de Savoie. Portrait symbolique, bien sûr, puisque, à la mort de son frère, la troisième n'est pas encore née.

La mémorialiste de la Visitation souligne que les condoléances de la cour, reçues par la grand-mère au couvent, ne gênent pas la paix de Chaillot. Tout se fait si discrètement qu'à part les deux religieuses qui accompagnent la reine, les autres ne s'aperçoivent de rien. La visitandine souligne aussi le réconfort que tente de donner la mère à sa fille. Elle accourt près d'elle sitôt l'enfant mort, la conjure d'accepter, malgré sa douleur, la volonté de Dieu, qui a jugé bon de prendre avec lui l'enfant qu'elle avait mis au monde. Henriette doit adoucir sa peine en pensant à la gloire de son fils. Il n'est pas sûr que ces saintes paroles aient eu quelque effet sur la jeune femme désespérée.

De quoi donc est mort Charles-Philippe d'Orléans, duc de Valois ? Sûrement pas d'une crise subite, cardiaque ou intestinale, par exemple. D'une maladie qui a traîné, les contemporains en témoignent. Probablement d'une infection qui s'est déclarée au printemps et qu'on n'a pas su soigner.

La consanguinité n'est pas un mal en soi, elle ne fait qu'augmenter le risque de transmission de tares récessives. Elle explique peut-être la forte mortalité des enfants de Louis et Marie-Thérèse, cousins germains comme Philippe et Henriette. Elle n'en est pas seule responsable. Surtout avant deux ans, la mortalité infantile est très forte au XVIIe siècle. Les princes ne sont pas épargnés. Quand il s'agit d'enfants riches, on se résigne en disant qu'ils ont été trop couvés. Mme de Sévigné entonne souvent ce refrain. Il n'est pas faux. Dans l'impossibilité où l'on est de soigner correctement, l'abandon à la bonne nature, seul recours des familles pauvres, peut donner de temps en temps de meilleurs résultats que des thérapeutiques intempestives.

Y a-t-il eu chez le petit duc un rachitisme grave qui aurait stoppé son développement ? Le nombre impressionnant, et sans doute inexact, de ses dents contredit cette hypothèse. À coup sûr, le manque d'hygiène, les saignées à l'époque fréquentes ont diminué la résistance de l'enfant à une agression microbienne. *La Gazette de France*, la seule à donner quelques précisions, parle de fièvre continue, de redoublement de fièvre, d'une « forte agitation d'humeurs au cerveau », de convulsions enfin qui emportent l'enfant, extrêmement maigre et trop faible pour supporter le moindre remède. On ne peut s'empêcher d'évoquer les convulsions d'Henriette juste après sa naissance, sa maigreur d'adolescente, ses toux répétées.

Il ne faut pas oublier l'accident survenu à la jeune mère durant sa grossesse. Les médecins du temps surveillent peu et soignent mal les femmes enceintes ou en couches. Henriette est tombée pendant qu'elle attendait Charles-Philippe, et elle a perdu du sang. On s'est vite rassuré en constatant qu'elle reprenait sa vie agitée, ses bals et ses sorties. C'était aux dépens de son système nerveux et donc de l'enfant qu'elle portait. L'absence de soins appropriés à la mère ne pouvait qu'être néfaste pour la santé du bébé à venir.

Les feuillants, avec plusieurs prêtres de Saint-Eustache et l'évêque de Valence, veillent le corps de Charles-Philippe, exposé le lendemain, jeudi, sur un lit de parade. Le soir, on l'ouvre pour l'embaumement. On porte le cœur au Val-de-Grâce, près de celui de sa grand-mère Anne d'Autriche, et les entrailles aux Célestins, dans la chapelle des ducs d'Orléans. Cosnac, accompagné par le curé de Saint-Eustache, l'abbé Montagu et des aumôniers de Monsieur et Madame, prononce chaque fois un « beau discours ».

La supérieure du monastère du Val-de-Grâce et le prieur des Célestins lui répondent.

Le vendredi 10, en présence des mêmes ecclésiastiques, a lieu la levée du corps. Quatre gentilshommes de Monsieur le mettent dans le carrosse de Son Altesse royale. Le convoi part à six heures du soir pour Saint-Denis. L'enfant sera inhumé dans la basilique royale. La petite Marie-Anne, fille du roi et de la reine, morte à un mois, l'y a précédé de peu. Cosnac, premier aumônier, manque avoir une querelle de préséance avec le comte de Saint-Paul, chargé par Monsieur de mener le deuil. Tout s'arrange. Les deux hommes montent dans le même carrosse.

Le cortège est impressionnant. Une infinité de pages, de valets de pied, de suisses, de gardes du corps du duc d'Orléans, portant chacun un flambeau de cire blanche, les carrosses vides, selon la coutume, de Madame, du dauphin, du roi, de la reine en procession, les évêques en camail, les princes, les ducs et pairs, une foule grouillante, en pleurs, dans les rues et aux fenêtres, une lumière comme en plein jour. Puis les discours à Saint-Denis de l'évêque de Valence et du supérieur de l'abbaye. Mme de Saint-Chaumont a suivi tout le cortège, avec la sous-gouvernante de l'enfant, Mme des Cornets. On met le corps dans le chœur sur un mausolée bien éclairé, puis on le porte dans le tombeau des rois de France. La pompe funèbre de Charles-Philippe est digne d'un fils de roi.

Est-il le fils du roi ? Une telle supposition était impossible en son temps. Les biographes de Madame au XIXᵉ siècle étaient trop pudibonds pour l'évoquer. Seul Michelet le suggéra. Il souligna l'indifférence du mari, les rapports privilégiés d'Henriette et de son beau-frère, la joie du roi à la naissance de ses neveu et nièces et sa tristesse à leur mort, relevées par Cosnac comme par Mme de Motteville. À sa suite, un professeur de la faculté des lettres de Caen posa nettement la question dans son cours d'agrégation de 1890. De fait, les gazetiers notent le chagrin de Louis XIV à la mort de Charles-Philippe, l'eau bénite qu'il vient lui-même lui donner. Mais son empressement, remarqué aussi, à venir consoler les parents s'adresse autant à son frère qu'à Madame.

Et puis, pourquoi cet enfant serait-il de Louis, plutôt que les autres ? Ou faut-il entendre que Louis est le père de tous ? Il en serait capable. Son appétit des femmes et son inclination pour la princesse ne sont pas un mystère. Mais comme il vit constamment près de sa belle-sœur, on ne peut se fier à telle ou telle visite, ponctuelle, pour déterminer la possibilité d'une rencontre amoureuse, ni se fier aux dates pour affirmer que tel ou tel enfant de la princesse est ou non de lui. Tous les moments étaient bons.

Par ailleurs, Philippe entend faire son devoir conjugal pour assurer la survie de sa race. Pour asservir, affaiblir sa fragile épouse, « en représailles », a-t-on même suggéré. Pas question qu'il soit mis hors jeu. De toute façon, à sa seconde épouse, dépourvue des grâces d'Henriette, il fera trois enfants en cinq ans. Et les fera lui-même, la laideur de sa femme interdisant qu'on soupçonne un galant de les lui avoir faits. Alors ?

Financièrement, la somme exorbitante de 40 millions de francs (un million de livres) et les pierreries superbes qu'Anne d'Autriche lègue à Marie-Louise, la fille aînée d'Henriette, surprennent. Comme si elle craignait que la petite ne soit pas aussi riche que les enfants de Louis. La prise en charge dès sa naissance de l'éducation de l'enfant par sa grand-mère surprend aussi. Mais comment oser mêler la pieuse Anne d'Autriche à une histoire de cocuage d'un de ses fils par l'autre ? Même si l'enfant a été conçue pendant l'été radieux de Fontainebleau, le favoritisme de l'aïeule ne désigne pas forcément Marie-Louise comme l'enfant de Louis. De toute manière, elle est sa petite-fille, qu'elle a plaisir à combler de biens. Et n'a-t-elle pas une satisfaction maligne à retirer la conduite de la fillette à sa belle-fille Henriette, qu'elle juge frivole et irresponsable ?

La rente du roi à Valois, qu'il refuse catégoriquement, malgré les supplications de son frère, de lui transmettre, est significative. Louis entendait verser ces 150 000 livres annuelles à Charles-Philippe, non à la maison d'Orléans. Le refus irrite Monsieur. Il en gardera longtemps une vive rancœur et, pour récupérer la pension, exigera de sa femme qu'elle pousse Charles à faire pression sur Louis. Cela prouve son avidité. Qu'il ait senti un traitement particulier dans la largesse accordée par son frère à Charles-Philippe, ce n'est pas sûr.

Avoir le roi pour père modifie le train de vie d'un bâtard, si sa mère est d'origine plus ou moins modeste. L'octroi inattendu de titres nobiliaires, de terres ou de rentes incite le public à s'interroger, ou plutôt le conforte dans ses soupçons. Les privilèges accordés aux nombreux enfants naturels de Louis XIV susciteront pendant des dizaines d'années des polémiques, et la verve d'un Saint-Simon. Ce ne peut être le cas des enfants d'Henriette. Comme le dit Benserade, « elle est de trop haute origine ». Rien de commun avec Mlle de La Vallière ni même avec la marquise de Montespan dont les bâtards seront dotés, enrichis, royalement mariés, à la fureur de certains. La seconde dame du royaume est capable d'assurer à ses enfants un mode de vie quasi royal. Qu'ils soient du roi ou de son frère n'y change rien.

Et les sentiments ? Il est évident que la lettre de condoléances du roi de France à Charles II sur la mort du petit Valois tranche sur les banalités, fréquentes dans la correspondance officielle en de telles circonstances. Louis envoie au frère d'Henriette un billet bref, mais d'une grande sensibilité. Il parle de perte commune, de chagrin réciproque. Les deux rois sont touchés au plus intime de leur être par le malheur. Louis l'a senti quelques jours plus tôt que Charles. C'est la seule différence. Le billet est plein de finesse. Il sous-entend une amitié réelle du roi de France pour Charles et sa sœur. Il n'est pas une reconnaissance de paternité...

Si l'abbé de Choisy témoigne qu'alors Madame pleure souvent et que le roi la console, rien ne prouve que ce soit pour la mort de son fils, encore moins pour la mort de leur fils. Des bâtards, Louis n'en manque pas et s'en soucie peu. Parce qu'elle lui est nécessaire pour sa politique, parce qu'elle est aimable et pleine d'esprit, il s'intéresse à Henriette, il lui est même attaché. Certes. Il n'a pas besoin de s'encombrer des enfants qu'elle a.

40.

La chienne Mimi

Pour chasser la mort, elle brûle sa vie. Elle fuit sa peine en s'étourdissant de plaisirs. L'enfant est inhumé le samedi. Dès le lundi, Henriette part de Paris avec son époux, regagne Saint-Germain et la cour. Rien ne l'arrête, pas même l'accident de carrosse de ses filles d'honneur et la blessure à la tête de l'une d'elles. Louis XIV et sa tyrannie ont bon dos. À condition que cela ne s'éternise pas, la jeune femme serait libre de cacher sa douleur et de faire retraite, comme l'ont fait Monsieur à la mort d'Anne d'Autriche ou Marie-Thérèse à celle de son père.

La princesse préfère tuer son chagrin dans les divertissements ou, comme le dit le gazetier Robinet, « faire la figue au souci » dans les réjouissances. Il lui a souhaité une année 1667 pleine d'allégresse – la pauvre en a besoin – et un fils dans neuf mois. Aura-t-elle la force de porter un enfant à terme ? Le 6 janvier, elle assiste au souper donné par le roi à Versailles, « séjour des ris, des amours et des grâces ». Le 9, Robinet la félicite d'avoir repris sa place dans le *Ballet des Muses*, inauguré juste avant le drame. Sortant d'une année troublée, d'une fausse couche et d'un deuil abominable, c'est en effet de la part de la jeune femme un exploit.

Assez conventionnel, à dominante pastorale et mythologique, le ballet, comme souvent, laisse passer, à travers sa galanterie apparente, nombre d'allusions à la réalité. Dans la contestation entre les Muses et les Piérides, leurs rivales, filles du pays d'Orphée dont le rôle est tenu par Lully, la muse Heudicourt manifeste son respect à Madame, une Piéride, mais La Vallière, une Piéride, conteste aussi. Point besoin de tant de respect. La personne fait tout, la qualité n'est rien. À Henriette de clore le débat. Elle le fait en arguant de son bon plaisir. « Cette longue dispute à la fin me déplaît. »

À côté du roi, en berger, Madame n'est plus la seule bergère. La Montespan, La Vallière et Mlle de Toussy l'accompagnent à égalité. Mais sa longue tirade (sept fois deux alexandrins et deux vers de quatre pieds) est significative de son pouvoir à la cour toujours souverain. Le pouvoir de son corps d'abord : « Jamais rien n'égale ces manières, cet air et ces charmes vainqueurs. » On est habitué à ces louanges.

On n'est pas habitué à entendre chanter sa puissance ravageuse : « Elle vous prend d'abord, vous enchaîne, vous tue,/ Vous pille jusqu'à l'âme, et puis après cela,/ Sans être émue,/ Vous laisse là. » La douce princesse est devenue redoutable. Le roi l'a soutenue et ses amants ne sont pas près de revenir de leur exil. La mort, assure Benserade, eût mieux valu pour eux.

Alors pourquoi ne punit-on pas la cruelle ? Toujours pour la même raison. L'impudent qui lève les yeux sur la bergère se perd. Il croit qu'il peut l'aimer impunément. Il se trompe. « Son origine vient de trop haut. » Le poète a su les récriminations récentes de Madame et retenu la leçon. Il connaît ses liens de parenté avec la couronne d'Angleterre et proclame la puissance de la princesse. Louis, le berger royal, qui censure le moindre vers du livret, y consent. Fille de roi, sœur de roi, la bergère adorable et cruelle triomphe encore une fois.

Son chien même, l'indispensable chien de la bergère, participe de cette puissance. Benserade évoque Mimi, chien de manchon, minuscule boule blanche que les peintres ne se lassent pas de portraiturer sur les genoux de la princesse. Et voici que la petite bête à l'air inoffensif, gardien de troupeau bien fragile, se transforme, par la force de sa maîtresse, en un animal terrifiant. « Tous les loups, affirme le poète, tremblent devant Mimi. »

Quant au berger, il n'a rien à craindre. Il proclame sa vigueur. Il ne dort pas sur la foi de ses chiens. Il vante son action inlassable et éclairée contre les loups. Il ne craint pas non plus la bergère. S'il ressent parfois quelque élan du cœur pour elle, il ne souffrira pas. Il ne sera pas, comme les autres, contraint à soupirer, sangloter et se taire. Pour quiconque, la charmeuse peut être implacable et indifférente, à sa guise. Il sait qu'elle ne le sera jamais pour lui.

Mélange de dits et de non-dits, allusion à des heurts, des pressions et des victoires, la représentation du ballet est pour Henriette un délicieux moment de complicité avec son partenaire royal. À mots couverts, mais devant la cour, elle lui permet d'affirmer, encore, sa première place. Elle s'y jette avec ardeur. Quel meilleur remède à la tristesse ?

Pendant le carnaval, c'est une frénésie de fêtes. Elle est à Paris cinq jours avec Monsieur. Ils sortent le soir en masques, habillés comme des bourgeois, escortés des seigneurs et des dames de leur cour, déguisés en hommes de loi ou en gardeuses de troupeaux. Ils vont dans la maison d'une ancienne fille de Madame, où se tient un bal ouvert à tout venant. Plaisir de s'encanailler et, le lendemain, de donner dans son palais une fête digne des plus merveilleux romans. La danse des altesses, auxquelles se mêlent des masques, est suivie d'une fabuleuse collation de confitures et liqueurs, « qui ragaillardissent les cœurs ». Encore des bals, chez les Saintot, chez le duc de la Ferté-Senneterre, en masques et avec des violons, déplacement à Saint-Germain pour danser le *Ballet des Muses*.

Retour à Paris pour un dîner au Palais-Royal. La petite Marie-Louise et la chienne Mimi, devenue à la mode, y assistent. À nouveau des bals masqués. Deux nuits durant Henriette avec son époux et une troupe de compagnons court la ville. Elle essaie en vain, dit un gazetier, de se cacher sous un déguisement. Son allure, son air de déesse, le feu qui sort de ses beaux yeux, son teint unique la désignent à tous. Elle retourne à Saint-Germain pour danser de nouveau les *Muses*. Molière y a ajouté une quatorzième entrée introduisant sa comédie du *Sicilien ou l'amour peintre*. Henriette y paraît avec Louis. Robinet apprécie cette scène de « Mores ».

La Gazette de France juge le ballet toujours plus agréable avec les scènes et embellissements qu'on y ajoute. Du 13 au 20 février, on danse les *Muses* trois fois, dont une devant les ambassadeurs. Encore un bal chez Mme de Monaco, qui relève de couches. Et Madame suit la cour à Versailles.

Le roi veut attirer ses courtisans dans ce « paradis en miniature » pour la fin du carnaval. Il prévoit bals et festins, trois jours de masques, et même un extraordinaire carrousel. D'Ormesson remarque le peu d'empressement des gens à s'y rendre. Le roi en est chagrin. Raison de plus pour s'amuser follement entre soi. Après le banquet et le concert, on improvise un bal dont la beauté efface celle des étoiles. Le roi et la reine sont habillés mi-persan, mi-chinois, Monsieur et Madame croulent sous les perles. Le lendemain, le camp du carrousel a été dressé devant l'orangerie par Vigarani, les costumes rivalisent de pierres et de broderies.

Enfin, voici le carrousel. Le plus remarquable est qu'Henriette, au lieu d'y assister sagement, assise près de Marie-Thérèse et de Mlle de Montpensier, y participe. À la tête d'une troupe de jeunes femmes en mantes et capelines, elle avance sur un « coursier de prix ». L'on sait son goût pour l'équitation et son allure souveraine à cheval. Mais quelle folie de s'exposer à de telles fatigues !

Bien d'autres femmes, il est vrai, accouchent, vont à la chasse et au bal, bravant dans les palais le contraste des salles glaciales et des coins de cheminée surchauffés, supportant les rigueurs de l'étiquette, les révérences et les inévitables stations debout, les robes incommodes, alourdies de pierreries, trop chaudes l'été, trop décolletées l'hiver, les festins interminables et indigestes, les chevauchées épuisantes. Elles sont d'une constitution normale.

Madame, au contraire, est d'une santé délicate. Tout le monde le sait. En 1664, alors qu'elle n'a que vingt ans, le gazetier Loret parle de son faible tempérament. Elle subit le contrecoup des maux qui lui viennent de son enfance et y résiste à grand-peine. Elle les traîne comme un boulet. Parfois un régime à base de lait lui apporte quelque amélioration. Parfois sa faiblesse est telle qu'elle semble à son entourage sur le point d'expirer.

Trois ans après, les choses ne se sont pas arrangées. Quand, le 13 mars, Robinet annonce qu'elle est de nouveau enceinte, on frémit. Quand, huit jours après, il le dément, on respire. Pour peu de temps. En avril, à moins de vingt-trois ans, Henriette commence une nouvelle grossesse, la septième. Comment se fier entièrement au portrait qu'en fait alors le comte de Chesterfield ? Qu'elle ait gardé ses manières gracieuses, ses yeux brillants, unanimement vantés, la vivacité de ses reparties, son art des rapprochements et des trouvailles dans la conversation, soit. Mais où est passée sa beauté ?

Le marquis de Saint-Maurice, nouvel ambassadeur de Savoie, arrive en France en ce printemps 1667. D'une famille illustre, le gentilhomme ne s'en laisse pas conter. Dans ses lettres à son maître, Charles-Emmanuel II, le fils de Christine et le cousin germain de Madame, il donne un avis tranché sur tous les sujets. D'emblée il constate que la jeune femme ne se divertit guère à Saint-Cloud et passe beaucoup de temps à Colombes chez sa mère. Surtout, il la trouve très enlaidie. « Il lui manque des dents et celles qui lui restent sont fort gâtées. Sa taille aussi devient difforme. Elle commence de ressembler à sa mère. » Pauvre Henriette ! Sa mère a cinquante-huit ans, et sa silhouette rabougrie est célèbre. Quant à la jeune femme, elle manque de calcium. Avec tant de grossesses, ce n'est pas étonnant.

Dès le 13 mai, Saint-Maurice envoie au duc de Savoie la *Suite de l'histoire du Palais-Royal*, c'est-à-dire du pamphlet qui a fait trembler Madame l'année précédente. De toute évidence, les éditeurs exploitent le filon des scandales princiers. Mais Henriette peut se rassurer. La cour ne s'y laisse pas prendre. L'ambassadeur juge le pamphlet sans intérêt. Ce ne sont que « fadaises et menteries ». Les gens qui l'ont écrit ont voulu gagner de l'argent. Ils ne fréquentent pas la cour et ne parlent que par on-dit. Malgré le mot « Suite », on y traite du commencement des amours du roi et de Mlle de La Vallière.

L'ambassadeur apporte une information intéressante. Il sait, de source sûre qu'il ne donne d'ailleurs pas, que le roi était amoureux de Madame quand il commença ses visites quotidiennes au Palais-Royal. Ayant trouvé la jeune femme « préoccupée de passion pour Guiche, il s'attacha ailleurs ». Loin d'avoir été quittée par le roi pour sa fille d'honneur, loin d'avoir été le chandelier de La Vallière, Madame aurait dédaigné Louis pour Guiche.

Dès la fin du bienheureux été de Fontainebleau ? Peut-être. Trop sûre d'elle, trop éblouie par le plaisir, rétive aux sages conseils de son entourage, elle n'a pas accepté que l'on fasse passer La Vallière pour la maîtresse du roi. Et sa facilité à recevoir les assiduités de Guiche aurait duré jusqu'au retour à Paris. Elle et Louis ont été victimes, chacun à sa manière, de leur jalousie possessive.

Henriette a senti trop tard le prix de l'amour du roi. Son regret explique que, malgré sa légèreté, elle se soit attachée à lui durablement. Malgré ses multiples conquêtes féminines, Louis n'a pu se débarrasser de cette expérience douloureuse de dépit amoureux. Il en a gardé une rancune tenace envers Guiche, de tendres et irrésistibles retours vers Henriette.

En introduisant dans leur idylle un élément étranger, les vigilantes reines mères de Fontainebleau ont gagné. Six ans plus tard, ce qu'ont retenu les gens de cour, ce qu'ils racontent à l'ambassadeur, c'est l'amour de Madame et de Guiche, du roi et de La Vallière. Pas d'inceste dans la famille. Les pudibondes ont transformé les jeux interdits du roi et de sa belle-sœur en des sentiments ambigus d'attirance et de rancœur, de satisfaction et de déplaisir.

Bref, quand Saint-Maurice rencontre Madame, elle est dans une mauvaise passe. Nerveuse, épuisée, elle se ronge en d'inutiles jalousies. Le roi officialise la situation de Louise de La Vallière, reconnaît sa fille, appelée désormais Mlle de Blois, et leur accorde à toutes deux un duché-pairie. Cadeau de rupture ? C'est mauvais signe. En revanche, l'étoile de Mme de Montespan grandit, et la jalousie d'Henriette s'en agace. L'abbé de Choisy avait raison.

Madame conseille bientôt à La Vallière de rejoindre en hâte le camp de Louis XIV à Avesnes. La maîtresse y court. Elle est mal reçue. On s'offusque de sa venue, car elle n'a pas été appelée par le roi. Mlle de Montpensier et Mme de Montespan en font des gorges chaudes. Pourtant Henriette n'a pas donné le conseil par malice. Elle s'est imaginé à tort qu'en poussant La Vallière dans les bras de Louis, elle en chasserait la Montespan. Maladresse des jaloux.

De ces chicanes de femmes, des piques d'Henriette avec la reine, toujours en retard d'une maîtresse, Saint-Maurice se fait l'écho vigilant. Le chagrin de Madame le frappe, et ses visites fréquentes à Colombes. Elles ne l'étonnent pas. Quoi de plus naturel pour la jeune femme que de se faire consoler par sa mère ?

Il ne sait pas tout. Un accord se prépare entre la France et la Grande-Bretagne pour mettre fin à la guerre. Charles manque d'argent pour payer ses troupes, et Louis XIV ne pense qu'à conquérir les provinces de Flandre, au nom de sa femme. La paix les débarrassera de luttes inutiles. Pour traiter sans les Hollandais, qui savent les difficultés de Charles et désirent poursuivre la guerre, le mieux est de s'entendre en secret, sous l'égide de la reine mère d'Angleterre. On l'a tenté en vain, en août 1665. On va le réussir maintenant. Cet été-là, on a senti l'importance d'Henriette dans les affaires de son frère. On sait sa confiance en elle, son désir, réaffirmé en octobre précédent, qu'elle prenne part à tout ce qui peut conduire à la fin du conflit. On ne saurait évincer la jeune femme. Sa place est à Colombes.

Rien ne pourrait mieux la réconforter qu'une tâche pareille. Elle en oublie ses maux. L'affection de Charles veille de loin sur elle. Comme Mimi tire sa force de sa bergère et fait peur aux loups, Henriette, grâce à son frère, existe aux yeux de Louis. Cela adoucit bien des déboires amoureux.

41.

« La gloire de Monsieur »

« La passion qu'elle ressentait pour la gloire de Monsieur n'avait point de bornes », dira Bossuet. C'est chanter un ton au-dessus, ce n'est pas chanter faux.

En ce printemps 1667, on ne pense qu'à la guerre. Avec l'amour, l'un des pôles d'intérêt de la jeune cour de Louis XIV. Les mains libres du côté de la Grande-Bretagne, celui-ci peut se consacrer à la conquête des Flandres espagnoles, propriété de Marie-Thérèse selon lui et... selon les traités de droit qu'il fait imprimer en français, espagnol et latin, puis diffuser à grand fracas.

Charles a promis, dans une lettre secrète déposée chez la reine mère d'Angleterre en avril de ne pas intervenir militairement pendant un an et de ne pas conclure d'alliance contre la France. Louis s'est engagé à restituer à Charles les conquêtes antillaises de 1666 et à lui faciliter une paix avantageuse avec la Hollande. On prévoit de la signer à Breda. Les engagements secrets y seraient inclus.

Il est convenu que Monsieur suivra son frère, qui part le 16 mai pour la Flandre par Amiens et Péronne. Le roi entend prendre en main son armée de 60 000 hommes, mais Turenne, qui en commande 35 000, a préparé le terrain. On murmure que la guerre ne sera pas rude puisque Monsieur y va. Il n'aime pas s'exposer aux coups. Son frère lui a octroyé 200 000 livres pour son équipage, alors qu'il n'en a donné à Turenne que 20 000. Pendant que tous se préparent au combat, Philippe se promène au Cours-la-Reine avec des dames en mangeant des confitures.

Cosnac est décidé à lui faire mener une campagne glorieuse. Madame suit avec intérêt ses efforts. Est-ce un effet de cette bonté foncière qu'on lui reconnaît volontiers ? Il ne lui déplairait pas que son époux rivalisât avec son frère, montrât du courage et réussît quelque exploit. Le jeune homme s'en va bardé des conseils de son aumônier, qui le rejoint bientôt à l'armée et le trouve disposé à travailler à sa gloire.

À Amiens, on a été accueilli par des placards injurieux contre le roi, que le gouverneur des Pays-Bas, le marquis de Castel-Rodrigo, a fait apposer partout, mais l'entrée dans Charleroi est facile. La pluie et la boue seules sont pénibles. Philippe demeure dans cette ville et y assure le commandement pendant une escapade de son frère à Avesnes. Cosnac est ravi. Il multiplie les conseils, Monsieur multiplie les louanges aux officiers, les distributions d'argent aux soldats. Comme Louis, il est infatigable. Il ne le quitte guère. À Tournai, pour l'ouverture du siège, il se confesse même. On commence à dire qu'on n'a jamais vu prince aussi honnête, caressant, intrépide. Sa conduite étonne tout le monde et l'on parle de lui plus que du roi. D'autant que Cosnac a l'idée d'envoyer à Renaudot, pour qu'il les publie dans *La Gazette de France*, des informations abondantes et élogieuses sur Monsieur. Jamais les gazetiers ne parleront autant de ses actions militaires...

Le siège à peine mis, Tournai capitule. Au tour de Douai. Les deux frères ont fait ensemble, de nuit, la reconnaissance de la place. Pourtant, au moment de tenir conseil sous sa tente, Louis appelle avec Turenne trois officiers généraux, et laisse Philippe à l'écart. Son premier réflexe est de partir bouder. Mais Cosnac veille. Que Monsieur aille donc à la tranchée ! Il pourra dire au roi que, puisqu'on n'avait pas besoin de lui au conseil, il s'était senti là plus utile. Docile, le prince y va. Son médecin Esprit en fait reproche à Cosnac : « Si Monsieur était tué ? » Par bonheur, il ne l'est pas et récite fort bien son discours à son frère. Durant tout le siège de Douai, il est admis aux conseils.

Louis a prévu que, la ville prise, il retournerait à Compiègne pendant que les troupes se reposeraient. Cosnac voudrait que Monsieur reste à l'armée. Impossible de le faire renoncer à un plaisir. Il a trop envie de retrouver son paradis luxueux de Saint-Cloud, de se pavaner, auréolé de sa gloire militaire, parmi sa petite cour. Au diable la fatigue, la boue des camps et l'inconfort, même si les tentes princières sont éclairées de trois lustres pendants en bois doré ! L'évêque insiste. Qu'au moins il propose au roi de rester. Mais Philippe a trop peur d'être pris au mot. Au contraire, il annonce à son frère qu'il l'accompagne à Compiègne, et de là gagnera Saint-Cloud.

S'il avait su se taire... Car l'abbé de Clermont arrive en hâte. Madame a fait une fausse couche et va très mal. Sur-le-champ, Monsieur joue le personnage du mari vraiment épris et saisit ce prétexte pour partir sans même attendre son frère. Louis a prévu cinq cents cavaliers pour l'escorter. Il est furieux que Turenne ne lui en donne que cent, réduits à trente, passé Arras. Bêtes et gens sont à bout de forces.

Comment se porte Henriette ? Mal. Dans l'état déplorable où elle se trouvait, la nouvelle fausse couche l'a épuisée. Pendant un quart d'heure même, on l'a crue inanimée. Avant le départ des troupes, à la fin d'avril, elle avait assisté à une revue dans la plaine de Houilles, puis au camp de Maisons, installé dans une prairie au bord de la Seine, magnifique parade des gardes, mousquetaires, chevau-légers, et autres troupes. Pendant quatre jours, il lui avait fallu admirer, stationner, supporter le soleil ou le vent, toujours habillée de façon différente et charmante, toujours à cheval. C'était le moment où elle commençait sa grossesse.

Réception ensuite du roi à Saint-Cloud, le 5 mai, en petit comité il est vrai, et sans la reine. Saut à Paris, si l'on en croit Robinet. Ces allées et venues ne lui ont pas permis de se reposer comme elle en avait besoin.

Elle s'est installée à Saint-Cloud début juin, hors d'état de suivre la reine et les dames vers le front quand le roi les y a appelées. Incapable de se passer de compagnie féminine, celui-ci les a installées à Compiègne avec le dauphin. Il a fierté à les faire entrer dans une ville récemment conquise, et plaisir à les rejoindre à l'arrière. Début juillet, après la prise de Douai, il fait une escapade à Compiègne qui pourrait bien signer le triomphe de Mme de Montespan.

La retraite à Saint-Cloud a épargné à Madame la fatigue de ces déplacements fréquents, l'inconfort des carrosses et des chemins crottés. Le mauvais sort la rattrape pourtant. Les négociations pour la paix de Breda traînent. Les Hollandais veulent des exemptions de charge pour les marchandises acheminées dans leurs bateaux. Charles entend garder New York. Il voudrait, d'accord avec Louis XIV, donner plus de place à l'héritier des princes d'Orange, le futur Guillaume III, dont De Witt a entrepris l'éducation politique. Les délégués discutent âprement. Mais l'opinion aux Pays-Bas penche de plus en plus pour la cessation des hostilités. Même si l'on sait combien l'argent manque cruellement au roi d'Angleterre.

Est-ce pour lui forcer la main et lui imposer des conditions de paix plus dures ? Est-ce dans un désir de revanche, pour punir les Anglais d'avoir attaqué sauvagement leurs vaisseaux marchands l'année précédente ? Toujours est-il que Ruyter et sa flotte de guerre font une sortie vers l'embouchure de la Tamise, attaquent Sheerness et Chatham, rompent la chaîne qui ferme le fleuve, remontent la Tamise et surprennent des marins démunis, privés de vivres et de munitions, lassés de voir leurs soldes impayées. Les Hollandais brûlent ou capturent une soixantaine de navires ennemis. Charles accourt en personne au secours de ses troupes. Trop tard. Il voit avec rage le *Royal James* en feu, ses superbes frégates prisonnières, le *Royal Charles*, fleuron de sa marine, emmené par les Hollandais et le pavillon ennemi flotter sur son grand mât.

La nouvelle arrive à d'Ormesson le 1ᵉʳ juillet 1667. À Madame aussi. Et c'est le 2 juillet qu'a lieu sa fausse couche. La coïncidence est troublante, surtout si on la rapproche de celle de l'été 1665, quand York avait été en grand danger, la flotte anglaise mise à mal par les Hollandais, et que l'ambassadeur Hollis écrivait à

Charles qu'on craignait pour la vie de Madame en cas de désastre maritime.

Henriette souffre à imaginer le *Royal Charles* capturé, ce merveilleux voilier qui a ramené son frère d'exil, sur lequel elle est montée lors de son voyage en Angleterre, lorsqu'elle a retrouvé enfin Charles et son pays natal. Une fois de plus, l'angoisse de la jeune femme a raison de la vie de son enfant. Et met la sienne en péril. Monsieur continue de jouer son rôle de mari attentionné en écrivant à son beau-frère l'état lamentable de sa femme, qui l'a contraint à quitter l'armée... Henriette, si elle en avait la force, en rirait avec son frère.

Voici que le samedi 16, au soleil couchant, elle reçoit la visite de Louis. Dans le besoin où elle est de se sentir réconfortée, après les malheurs de l'Angleterre et sa propre détresse, nul doute qu'elle ait apprécié cette faveur précieuse. Le roi est talonné par la nécessité de poursuivre sa campagne victorieuse de Flandre. C'est pourtant plus de quatre-vingts kilomètres qu'il fait, vers le sud, exprès, pour venir voir sa belle-sœur. À côté, l'escapade de Compiègne, où il a rencontré reine, maîtresses, ministres, n'est rien. Il parcourt autant de kilomètres de Compiègne à Saint-Cloud qu'il en a parcouru du champ de bataille vers Compiègne. Cela pour la seule Henriette. Dans ce monde de cour où tout geste compte, la visite à la malade, même brève, est significative.

Trois jours après le roi, la jeune femme voit repartir son époux vers le front. Cosnac veille toujours. Il a même le projet de demander pour Monsieur la lieutenance générale du royaume et compte sur l'appui du roi d'Angleterre. Madame servirait d'intermédiaire. Elle est d'accord. Tout ce qui arrache Philippe à l'emprise de ses favoris est bon pour elle. Non par souci de morale, mais parce qu'elle craint le pouvoir grandissant du chevalier de Lorraine. À ce rythme, elle ne sera bientôt plus maîtresse chez elle. C'est pour cela qu'elle se soucie tellement de la gloire de Monsieur. Mais même pour féliciter Charles de l'heureuse conclusion de la paix de Breda fin juillet, Philippe renâcle. Il est loin de vouloir demander une lieutenance générale.

Loin aussi de regretter de n'être pas roi de Naples. Dans leur rage de se débarrasser du joug espagnol, les Napolitains avaient conçu, depuis l'occupation des Flandres espagnoles par Louis XIV, le dessein, assez farfelu, d'offrir leur royaume à un ennemi de l'Espagne, en l'occurrence Monsieur. Le projet avorté, le prince ne s'en affecte guère. Il ne s'y intéressait que sous la pression de Cosnac.

L'évêque le retrouve au front, tout joyeux. Du plus loin qu'il le voit, Philippe lui crie que Sa Majesté « le traite en perfection ». C'est sa formule favorite quand il est satisfait de son frère. Cosnac s'attend à une grâce extraordinaire. Il est déçu. Monsieur lui explique que le chevalier de Lorraine, qui servait dans l'armée du maréchal d'Aumont, servira désormais dans celle du roi. Ils seront donc ensemble. Louis avait refusé la permission au début de la campagne. Il vient de l'accorder.

Les effets ne tardent pas à se faire sentir. Philippe ne pense qu'à son beau chevalier et se relâche. Il cesse de suivre partout son frère, néglige de visiter les postes, s'exempte des fatigues de la guerre. Courtrai pris par d'Aumont, on va à Douai et à Tournai, où le roi entre solennellement le 23 juillet. La reine y vient quelques jours avec sa suite, puis s'en retourne en France. L'armée assiège Audenarde qui se rend en vingt-quatre heures, et, en six jours de marche, met le siège devant Lille. Mais Monsieur a perdu son bel empressement. Cinq jours après l'ouverture de la tranchée, il n'a même pas parlé d'y aller. Il demeure enfermé avec le chevalier.

À l'armée, on se moque. Cosnac lui fait à nouveau la leçon. À grand-peine, le prince va à la tranchée et y retourne deux jours après, parce que Lorraine y est avec son régiment. Distribution d'argent, bonnes paroles, sa cote de popularité remonte. À l'attaque de la demi-lune, le chevalier est touché légèrement au pied par un éclat de grenade. Philippe, en proie à une inquiétude exagérée, ne quitte plus la chambre de son favori, vante à tous ses visiteurs le courage du jeune homme et les oblige à l'admirer. Soldats et officiers en font des gorges chaudes. Lille se rend le dixième jour.

Après quelques escarmouches, peu avant Gand, le roi décide de rentrer en France et de confier la suite des opérations à Turenne. Sa marche triomphale s'achève, comme celle de son frère.

Pendant le voyage de retour, Monsieur imite Louis, qui chemine toujours à cheval. Plein de prévenances pour son ami blessé, il lui prête son carrosse. Cosnac s'y trouve en qualité de premier aumônier. Questions, réponses, l'évêque se fait bientôt une idée du chevalier. Désastreuse. De grande maison, mais sans un sou, le cadet du comte d'Harcourt, mort ruiné, n'a qu'un souci, qu'une ambition, profiter de la faveur de Monsieur. Confiant d'abord dans la possibilité de s'entendre avec le favori dans l'intérêt du prince, Cosnac déchante vite. Mensonges, fausses promesses, coups fourrés, Lorraine n'épargnera rien pour se débarrasser de l'évêque.

En attendant, il suit le roi et Philippe à Arras. La reine les y attend. On se dirige vers Péronne, où Monsieur quitte la cour pour aller se reposer à Villers-Cotterêts.

Henriette y est installée avec Mmes de Monaco, Saint-Chaumont, Thianges, et Fiennes, la maîtresse du chevalier. Le prince rapporte de ses campagnes non des trophées guerriers mais une tapisserie de prix (80 000 francs) achetée à Audenarde et que Cosnac a dû payer, valet de chambre et maître d'hôtel manquant d'argent. Il en rapporte aussi ses habitudes invétérées, mollesse, goût du luxe, soucis minuscules de son confort.

Mécontent de voir que les chambres, meublées et démeublées alors à chaque déplacement, ont été préparées pour l'arrivée de sa femme, il veut imposer au décor sa patte. Cosnac, tenté de s'en désoler, prend bientôt le parti de s'en moquer. Madame peut remarquer que son époux a tiré grand profit de la guerre. Il place les chaises sur une même ligne, flanque les tables de quatre guéridons, fortifie les murs de tableaux, tablettes et miroirs, bref dispose ses meubles comme un général ses armées.

42.

Elle sait lire, et pleurer aux malheurs d'Andromaque

Certain jour, quand Mme de Sévigné, saturée d'écriture, aperçoit une plume, elle a envie de se cacher sous un lit. Ainsi, raconte-t-elle, faisait la chienne de Madame, la fameuse Mimi, quand elle voyait des livres. C'est que sa maîtresse en a beaucoup, qu'elle les lit et que Mimi en est jalouse. Les livres accaparent la jeune femme, qui ne la caresse plus.

Madame a la chance d'avoir une vie intellectuelle véritable. Par son rang social, elle profite de tout ce qui se fait de mieux et jouit de la beauté des choses. Meubles, objets, peintures, tables servies à la grande, architecture, ce qu'elle voit, touche, mange est d'un raffinement extrême. Elle entend des concerts admirables, les créations des meilleurs musiciens. Elle-même danse, chante et joue du clavecin. L'école des ballets de cour est une éducation permanente de choix.

Dans l'entourage d'Anne d'Autriche, brillant s'il en fut, elle a connu, toute petite, les jeux d'esprit, les conversations pétillantes, les récitations de poèmes, les lectures des auteurs les plus prestigieux. Elle est au courant de la littérature orale du jour et peut se fortifier au contact des beaux esprits de son temps.

Elle a surtout la chance merveilleuse de savoir lire et écrire. Tant de ses contemporaines ne l'ont pas. Même parmi les privilégiées de la fortune. Que l'on songe à sa belle-sœur Marie-Thérèse, à peine capable de signer une lettre. Question de dons intellectuels, bien sûr. Et la famille d'Henriette en possède à revendre. Sa mère, on le voit par ses lettres, est une femme intelligente, sachant manier deux langues et ordonner ses pensées. Charles est un correspondant spirituel, plein d'humour, capable de trouvailles hardies ou de rapprochements piquants. Bref, les dispositions artistiques des Stuarts se rencontrent chez Henriette avec les qualités solides des Bourbons. Pour réparer le chagrin de n'avoir pas épousé le roi, écrit Mme de Motteville, elle a voulu « trouver de la gloire dans le monde par la beauté de son esprit ». Elle en a les moyens.

Elle les met en œuvre en lisant. Des quatre jeunes grands personnages qui brillent au sommet de la cour, elle est la seule à le faire. Marie-Thérèse est trop ignorante. Monsieur ne fait même pas semblant, comme le voudrait Cosnac. Le roi est trop occupé. Henriette, depuis les recueils de piété commandés par son père au chanoine Fuller dans les premiers mois de sa vie, depuis son éducation soignée chez les visitandines de Chaillot, possède des livres – un privilège en son temps – et les utilise.

Elle est une fille. Il n'est pas question de lui apprendre comme aux gentilshommes le latin ni de la plonger dans les textes des Anciens. Mais des ouvrages contemporains, en français, apportent au public féminin, qui veut se cultiver, des mines de renseignements. Outre les ouvrages de piété, on lui procure donc des livres d'histoire fort prisés du grand public. Moins austères que l'*Histoire romaine* de Coëffeteau sans cesse rééditée, les biographies peu romancées mais très moralisantes, où excelle par exemple le jésuite Le Moyne, sont en honneur chez les dames. C'est dans des livres de ce genre que Madame, comme certaines de ses semblables, puise ses connaissances sur l'Antiquité.

Elle dévore aussi les romans à la mode. Bossuet fera allusion à ce goût. Et elle a la chance exceptionnelle que vive auprès d'elle, masquée, la meilleure romancière de son temps – de tous les temps ? – Mme de La Fayette. La comtesse ne voudrait pour rien au monde avouer qu'elle est un auteur, ni voir son nom imprimé sur une couverture, ni son œuvre passer entre toutes les mains. Elle est trop grande dame pour cela et dérogerait à vendre ses œuvres. Mais elle écrit. Et Madame est dans le secret. Elle lit son amie, juge qu'elle a du talent, le lui dit, et lui confie pour qu'elle les mette en forme les éléments romanesques de sa jeune vie. Quelle douceur pour la sensible Henriette que la fréquentation de la sensible comtesse ! Quel enrichissement pour elle dans la maîtrise des mots, l'expression juste des sentiments ! Quel plaisir à leurs conversations fréquentes, auxquelles se mêlent parfois celles d'amies choisies comme Mme de Sévigné ou Mme de Sablé !

Mme de La Fayette connaît Henriette depuis le temps de la Visitation. Sans qu'elle ait ni rôle défini ni charge à sa cour, il est sûr qu'elle tient à ses côtés une place à part et la tiendra jusqu'au bout, jusqu'aux heures dernières de la princesse. La comtesse est auprès d'elle en amie, dans les intervalles de liberté que lui laissent ses affaires et ses fréquentes maladies. Rien n'est réglé. Leurs rencontres sont brèves, le temps d'une soirée ou d'un repas, ou durables, l'été, par exemple, à Saint-Cloud, Villers-Cotterêts ou ailleurs.

Peu importe. À tout moment Mme de La Fayette a ses entrées chez la princesse. Elle est admise dans son intimité. Mme de Montmorency parle d'elle comme de la favorite de Madame en annonçant à Bussy que la chute accidentelle d'un rebord de cheminée l'a blessée à la tête. Et Bussy plaint Madame de ce qu'une corniche a cassé « une tête qui lui plaît ». Henriette goûte ces instants privilégiés avec une romancière remarquable. Preuve supplémentaire de son intérêt pour les écrivains et les choses de l'esprit.

La protection qu'elle accorde à Molière n'est pas condescendance lointaine et obligée. Certes, l'auteur-directeur de troupe a, jusqu'en 1665, une fonction officielle chez Monsieur. Mais Henriette ne se contente pas de souhaits vagues pour sa réussite. Elle s'engage personnellement pour lui en acceptant d'être la marraine de son fils, malgré les ragots qui courent sur son mariage, et en agréant la dédicace de *L'École des femmes*. Elle a fait jouer *Le Misanthrope* chez elle et assisté à Villers-Cotterêts, malgré l'interdiction de la pièce, à la représentation de *Tartuffe*.

Elle a bon goût. Même si parfois des auteurs oubliés aujourd'hui ont revendiqué ses suffrages et sa protection. Malgré des réussites théâtrales ou poétiques extraordinaires, le « siècle » du jeune Louis XIV ne comptait pas que des écrivains de génie. Madame devait faire avec. L'important est qu'elle ait senti les dons des uns ou des autres, pris la peine de se faire une opinion et mis son crédit à soutenir des gens de talent.

Ce n'est pas hasard ou vaine louange si l'on vante unanimement son esprit, si on l'appelle « moderne et réelle Minerve », sage comme la déesse, si Bussy, moqueur impénitent, ne cesse jamais de louer ses charmes mais aussi ses dons intellectuels. Elle sait créer autour d'elle une cour où les gens spirituels se retrouvent et partagent le plaisir de la conversation. Un entourage si plein d'agréments qu'il peut seul, dit le même Bussy, lui faire oublier les couleuvres qu'il avale de tous côtés.

Le ton du gazetier Robinet est démodé, mais le portrait qu'il donne en 1668 de la princesse de vingt-quatre ans met en valeur son rôle culturel. C'est vers elle que se tournent « les Molière et les Boyer, les Corneille, les Benserade », écrivains à succès dirions-nous, « d'Apollon grands camarades », dit Robinet. Tous, pourtant, « auteurs des plus brillants », tremblent en portant leurs œuvres « au fameux polissoir de sa belle ruelle ». Dans la jeune cour de son cousin, Henriette est l'arbitre du goût.

Qu'elle soit le chemin obligé de la réussite littéraire, Racine, débutant ambitieux, le comprend. Sa première pièce, il la dédie au duc de Saint-Aignan, protecteur attitré des artistes. La deuxième, au roi. La suivante, *Andromaque*, à Madame. Parcours obligé, enfance de l'art pour ce jeune arriviste.

Il n'a pas hésité à trahir la troupe de Molière, qui a créé son *Alexandre* au Palais-Royal, en donnant subitement sa tragédie aux comédiens rivaux de l'hôtel de Bourgogne parce qu'ils ont alors meilleure cote. Exemple unique d'un auteur qui, sans prévenir ceux avec qui il est engagé, fait jouer la même pièce en même temps sur un autre théâtre. Molière ne lui pardonnera jamais sa trahison et sa mauvaise foi. Pour obtenir un succès à la cour, Racine dédierait sa troisième pièce à n'importe quel protecteur, pourvu qu'il fût puissant. Le fait qu'il la dédie à Madame prouve, sur un fait concret, la situation en vue qu'elle occupe dans le monde littéraire du moment.

Il y a plus. La dédicace d'*Andromaque* révèle le rôle de la princesse dans l'élaboration de la pièce. Une part de l'intimité, née entre Henriette et le poète de vingt-six ans, se dévoile. Elle a pris « soin de la conduite de la tragédie ». Elle a prêté à Racine « quelques-unes de ses lumières pour y ajouter de nouveaux ornements ». De cette complicité princière Racine est fier, comme il est fier de lire pour la première fois *Andromaque* à la jeune femme et de voir qu'elle est émue au point de verser quelques larmes. « Pour un fils jusqu'où va notre amour [...] que ne peut un fils ? » Cela lui brise l'âme. Peu importe dès lors ceux qui condamneront Racine, puisqu'il aura touché le cœur de Madame.

Inutile d'ordinaire d'en dire tant pour obtenir un patronage à la cour. L'auteur n'a pas besoin d'évoquer la naissance de sa pièce et reste dans un registre de compliments vagues. Ici, la vanité de Racine et peut-être son bonheur sincère d'avoir trouvé chez une princesse du rang de Madame un accord des sentiments le poussent à en dire plus. Il authentifie indirectement la finesse et la profondeur psychologiques de la jeune femme. Son intelligence aussi. « Aucune fausse lueur » ne saurait la tromper. Elle a suffisamment de connaissances pour juger de l'intrigue comme de la noblesse et de la délicatesse des pensées.

Mieux encore. Racine n'hésite pas à plonger Madame dans le problème qui chatouille les gens de lettres à l'époque et auquel Bussy-Rabutin a fait allusion dans son discours de réception à l'Académie française, la gloire littéraire. On n'a que trop tendance à la mépriser, à la dévaloriser par rapport à la gloire des militaires. La plume est aussi nécessaire pour chanter les conquêtes du roi que l'épée pour les réaliser. La gloire des gens de lettres n'est pas si obscure, puisque Madame ne la dédaigne pas.

Sa qualité de femme, enfin, lui permet de conjuguer le charme à la solidité de l'esprit. « La cour vous regarde comme l'arbitre de tout ce qui se fait d'agréable... La règle souveraine est de plaire à Votre Altesse royale. » C'est vrai. La veuve d'Hector et son « innocent stratagème », la mère déchirée d'Astyanax, la princesse captive, Andromaque en un mot, a plu à Henriette. Elle ne s'est pas trompée. Tant d'autres feront comme elle.

En attendant la première représentation, il lui faut affronter le climat orageux de sa propre maison. Déçu par son poulain, Cosnac en fait trop. Son hostilité, violente et maladroite, au chevalier de Lorraine renforce la faveur de celui-ci. À Villers-Cotterêts, l'évêque s'est insurgé contre le désir de Monsieur de le prendre dans sa maison. Résultat, le prince ne cesse de parler à Madame et à sa cour de l'« inclination » qu'il a pour lui. Incapable de la moindre retenue, il raconte qu'il a fait serment au jeune homme de ne rien lui cacher. Tous les jours, il lui écrit.

Henriette s'inquiète de cette passion et s'en ouvre à l'évêque, qui lui fait une réponse évasive : il ne serait pas mauvais que quelqu'un ait de l'influence sur Monsieur, souvent indécis. Confiante en son charme, Henriette s'imagine pouvoir conduire le chevalier sur le bon chemin. Elle se trompe. Les chicanes perpétuelles de Cosnac avec le trésorier Boisfranc, ou avec Lorraine, rendent sa situation difficile. Par crainte du chevalier et par bonté naturelle, elle a soutenu l'évêque. Du coup, les ennemis de Cosnac deviennent les siens, tandis que son époux s'entête dans son projet de faire du jeune homme son favori déclaré.

Philippe coupe la parole à Cosnac, qui lui dit les inconvénients d'avoir un favori, et si pauvre, probablement cupide. Et quand Lorraine arrive à Villers-Cotterêts, Monsieur le reçoit avec des transports de joie. Le chevalier, fier d'une faveur dont il n'a pas soupçonné la force, ne ménage personne. Pas même Madame, qu'il tient à distance et dont il n'écoute les propos que pour s'empresser d'aller les raconter à Monsieur. Il fait sa cour au prince aux dépens de la princesse. Et s'il condamne les assiduités de Cosnac ou de Mmes de

Saint-Chaumont et de Thianges auprès d'Henriette, Monsieur les condamne aussi.

Pis : quand, à la fin de septembre, Louis XIV envisage de donner pour la prochaine campagne le commandement de l'armée de Catalogne à son frère, Cosnac commet l'erreur de reparler du gouvernement de Languedoc. Monsieur le voudrait bien. Furieux, le roi refuse. Alors Monsieur, tout en se plaignant à sa femme de l'évêque, ne renonce pas à ses prétentions. Il faut toute l'insistance de sa belle-mère pour l'apaiser. On lui accordera des dédommagements financiers.

Ces intrigues et ces discussions fatiguent la princesse. Sans que les allées et venues cessent pour autant. Le 26 septembre, elle vient au Palais-Royal et repart dès le lendemain pour Saint-Germain. Son époux y arrive avec une fièvre double tierce, qui ne lui dure point. Ils retournent à Paris quand il est mieux. C'est là que Marie-Thérèse présente, le 7 octobre, ses compliments à Philippe pour sa guérison, ainsi qu'à Madame et à sa petite Marie-Louise. Le 16, Henriette rejoint Saint-Germain et y reprend son rôle de bergère, « la plus belle et la première », dit-on, dans le *Ballet des Muses*. Après les exploits guerriers et la conquête des Flandres espagnoles, voici pour Louis et sa cour le temps des plaisirs.

Comme toujours, Henriette s'y jette avec fougue. C'est trop pour son organisme épuisé, que le repos de l'été n'a pas suffi à revigorer. Le lendemain du ballet, ses nerfs craquent. Elle retombe malade. Des maux de tête épouvantables. On la saigne au pied. On lui fait mille remèdes. Sans succès. Elle demande qu'on garde ses fenêtres fermées, car la lumière du jour lui blesse les yeux. Pas question de lire ni d'écrire. Faut-il qu'elle se sente mal pour prier Monsieur d'envoyer pour elle une lettre d'excuses à son frère, le 20 octobre ! Dans l'état déplorable où elle se trouve, elle ne peut assurer la correspondance qui lui tient tant à cœur.

43.

Des lettres, toujours

Des bruits de chevaux, de chasse, c'est le 4 novembre, la Saint-Hubert. Pendant huit jours, la cour la fête à Versailles. Madame ne résiste pas à ce plaisir. Rétablie comme par magie, elle y participe, toujours la plus belle des amazones. Tant est grande sur son corps la force de sa volonté. Concert dans les grottes, comédie accompagnée de mélodie, bal et festins, rien ne manque aux réjouissances, et Henriette ne manque à aucune.

Elle est présente à Paris chez sa mère, le 13 novembre, quand le roi vient lui rendre visite dans son hôtel de La Bazinière et fait reprendre pour elle le concert de Versailles. Elle assiste, le jeudi 17, dans l'appartement de la reine, à la première d'*Andromaque*. Grâce à elle, à sa caution de femme de goût, la réussite littéraire du jeune poète se transforme en un énorme succès mondain. La cour s'entiche de Racine.

Quant aux affaires d'Angleterre, Henriette ne cesse de s'en occuper. Sa correspondance avec Charles a repris de plus belle depuis la trêve de l'hiver 1666-1667 et la paix déclarée entre la France et la Grande-Bretagne. Même si aucune de ses lettres-là ne demeure, celles, conservées, de Charles témoignent de l'importance de ces échanges épistolaires.

Pendant l'été 1667, Madame intervient pour Frances Stuart, l'ancienne fille d'honneur de la reine Catherine, une des maîtresses de Charles. Cheminement fréquent des belles demoiselles en Angleterre comme en France. Le duc de Richmond, gentilhomme du roi, deux fois veuf et ami de la bouteille, veut l'épouser. Le roi, jaloux, s'y oppose et le chasse de la cour. Les amoureux s'enfuient à la campagne, se marient secrètement. Histoire banale.

Mis devant le fait accompli, Charles ne leur pardonne pas. Leur dernier recours, c'est donc la sœur chérie. Mais le roi, qui ne peut digérer la trahison d'une femme tendrement aimée, repousse l'intercession. Troublé pourtant de refuser quelque chose à sa sœur, il s'en excuse longuement. Du coup, en quelques mots, il étrangle la nouvelle qui devrait leur donner tant de joie : « La paix a été proclamée ici samedi dernier. »

Un peu plus tard, pour prouver à sa sœur qu'il n'est pas fâché avec toute la famille, il lui écrit par la duchesse douairière de Richmond, belle-mère de Frances, qui part en France au service de la reine mère d'Angleterre, avec un laissez-passer pour douze chevaux. Cela ne suffirait pas à la rendre intéressante aux yeux de Madame, si elle n'était la demi-sœur du père de son ancienne et chère gouvernante, Lady Morton.

Henriette intervient encore pour le vieux Clarendon, le fidèle compagnon des Stuarts depuis la Révolution. L'affaire est plus sérieuse. La conduite du chancelier a provoqué l'ouverture par le Parlement d'une foule d'enquêtes désagréables. Même s'il reconnaît que les apparences plus que les faits sont contre lui, Charles refuse à nouveau l'intervention de sa sœur – elle est sans doute mal informée. Gêné de ce refus, il se noie dans quantité de formules vagues destinées à masquer son embarras.

En fait, Buckingham, Arlington et d'autres souhaitent le renvoi de Clarendon. Le peuple le déteste, lui reproche la vente de Dunkerque et l'alliance du roi avec une femme stérile. On jalouse les fonctions rentables qu'il accapare. Charles le trouve despotique et se persuade qu'il ne tirera rien de bon du Parlement sans le renvoi du chancelier. Puisqu'il faut un bouc émissaire aux humiliations infligées par les Hollandais, autant lui qu'un autre. Le comble est que Clarendon était farouchement opposé à la guerre...

Dès septembre, on lui a ôté les sceaux. À la fin de novembre, les deux chambres ont voté son bannissement. Charles le savait au moment d'écrire à sa sœur. Il le lui a caché. L'affection est une chose, l'intérêt de l'État une autre. Henriette l'apprend à ses dépens. Le vieux lord, malade, débarque à Calais et souhaite rester en France. Louis XIV, craignant des difficultés avec la Grande-Bretagne, hésite puis finit par le tolérer à Rouen.

Le projet d'accord franco-anglais apporte plus d'embarras encore à Charles. Malgré les conflits, on n'en avait pas abandonné l'idée. Ruvigny, revenu à Londres en septembre 1667 comme envoyé extraordinaire – il n'y avait plus d'ambassadeur depuis la guerre –, se rend compte tout de suite des difficultés à le réaliser. Buckingham souligne la « furieuse jalousie » du peuple britannique à l'égard de la puissance croissante de Louis XIV. Si Charles souhaite toujours l'accord, sa préoccupation principale est de ne pas faire les premiers pas.

Néanmoins, les Anglais préparent un projet d'union. C'est Arlington, marié à une Hollandaise, espagnol de cœur et peu favorable à la France, qui le présente à Ruvigny le 22 décembre. Une maladresse. De plus, il s'agit d'un traité secret, offensif et défensif dirigé contre les Provinces-Unies. L'envoyé français est sceptique. Son pays est lié à la Hollande par le traité déclaré de 1662. Comment un accord secret pourrait-il l'engager à y manquer ? Les Anglais insistent. En même temps, ils ne restent pas sourds aux pourparlers que les Hollandais leur proposent, tant la puissance de la France effraie et rassemble ses voisins contre elle.

Finalement la crainte de Louis XIV l'emporte. Prétextant que le contre-projet de Lionne, du 4 janvier 1668, ne les satisfait pas, les Britanniques signent avec la Hollande, le 23, un traité, appelé Triple-Alliance parce que la Suède y adhère aussitôt, quoique sous condition. Leur but est de servir de médiateurs pour mettre fin à la guerre franco-espagnole, donc pour stopper les avancées de Louis XIV, tout en lui accordant les conquêtes qu'il souhaite conserver.

Traité anodin en apparence, mais des articles secrets permettent d'envisager l'aide militaire de l'Angleterre et de la Hollande à l'Espagne, si la France ne cède pas. Sir William Temple est le maître d'œuvre de l'Alliance. Ruvigny, qui remarque les allées et venues du diplomate entre Bruxelles, Londres et La Haye, se précipite chez Charles II, qu'il trouve « embarrassé et assez interdit ». Il y a de quoi, il a trahi la France.

On comprend donc sa gêne à se justifier auprès d'Henriette. Il suppose, lui écrit-il le 2 février, qu'elle a été surprise par le traité qu'il a conclu avec la Hollande. Les Français, prétend-il, n'en subiront aucun préjudice. Et puis ils mettaient une froideur à répondre à ses propositions qui équivalait à un refus.

Sans transition, il parle à sa sœur de ses maîtresses, avec une singulière liberté de ton. Le dieu Cupidon, « petit gentilhomme fantasque », le pousse à nouveau dans les bras de la duchesse de Richmond. Rien n'est fait pourtant. Encore cache-t-il à Henriette que Cupidon le pousse aussi dans les bras de deux comédiennes à la fois, Moll Davies et Nell Gwinn. Il est censé écrire une lettre délicate pour expliquer sa trahison diplomatique…

Le même jour, il en écrit une autre, entièrement de sa main, à « son frère », Louis, toute d'excuses et de mensonges. Il assure Ruvigny que rien ne sera changé dans les relations entre leurs deux pays. « Sur quoi il m'embrassa fort », raconte l'intéressé. Quant à l'opinion publique à Londres, elle est montée plus que jamais contre la France et l'on s'y dispute l'honneur d'avoir eu l'idée du traité, qui est en réalité hollandaise…

Louis XIV est furieux. À juste titre. Charles a violé la parole donnée en avril 1667. Pendant un an, il ne devait conclure aucun accord nuisible à la France. Que dire de la trahison des Hollandais ? Ils ont débauché les Anglais et rompu le traité de 1662, que Louis s'était appliqué à respecter, au risque de se brouiller avec la Grande-Bretagne.

Mais Louis est malin. D'un côté, il agit dans l'ombre. Son résident à la cour de Vienne, l'habile Grémonville, a signé un traité, secret lui aussi, avec l'empereur Léopold, le 19 janvier. On y envisage la fin de la guerre de

Dévolution dans une optique particulière. On mise sur la fin prochaine du roi d'Espagne et on prévoit le partage de sa succession entre l'empereur et le roi de France, les cohéritiers. La succession rapporterait à Louis bien plus que ses conquêtes.

D'autre part, il se venge de la Triple-Alliance par un coup d'éclat. En plein hiver, contre toutes les règles de l'époque, faisant fi du froid, des difficultés de communication et de ravitaillement, il envahit la Franche-Comté, alors possession espagnole. Et il se paie le luxe d'avertir Charles de son entreprise, juste avant son départ de Saint-Germain, le 2 février.

Louis est à Dijon le 8. Il y apprend que, deux jours avant, ses troupes ont pris Besançon et Salins. Il attaque Dôle le 12, prend la ville le 14, va à Gray, où il entre le dimanche 19. Le 24, il est de retour à Saint-Germain. Franche-Comté conquise. À son habitude, Monsieur ne réussit pas à se couvrir de gloire. C'est le moins qu'on puisse dire. Il attend le 14 février pour quitter Paris. Quand il arrive à Auxerre, on lui annonce que le roi revient. Tout est fini.

Extraordinaire campagne, qui suscite à nouveau admiration et crainte. En janvier, York avait affirmé que la Grande-Bretagne n'avait rien à redouter, « ayant un bon fossé devant elle ». Avec cette brillante conquête d'hiver, les Anglais dans leur ensemble s'affolent et redoutent une descente chez eux du roi de France.

Henriette, tiraillée entre frère et beau-frère, ne peut s'empêcher de craindre pour Charles, qui la sent alarmée. Il entreprend de la rassurer. Sur les exigences de la Chambre des communes dont il est tributaire, sur ses dettes, normales après une guerre coûteuse, sur sa trésorerie, dont il s'occupe, malgré la paresse qui est la sienne et qu'il avoue, sur la paix entre l'Espagne et le Portugal, à laquelle il a contribué, même sur son alliance avec la Hollande.

Il rassure aussi la jeune femme sur John Trevor, venu en France remplacer comme médiateur Saint-Albans, qui supportait sans doute mal les dissensions entre son pays d'accueil et son pays natal. Trevor s'est comporté envers Madame « comme un âne ». Il n'a pas d'éducation,

« maladie répandue dans ce pays ». Charles lui a infligé un blâme.

Toujours affectueux, ce frère, malgré ses refus à sa sœur et sa politique ? Certes. Il sait se faire pardonner. Mais il ne se doute pas des drames familiaux que, sans le vouloir, il va lui susciter. En janvier, il lui demande de recevoir et de guider à la cour James, duc de Monmouth, qui arrive en France. Elle ne l'ignore pas, il lui porte grand intérêt. C'est son fils naturel. Il songe à le désigner comme son successeur. La reine Catherine ne lui donne pas d'enfants, et ceux de son frère York, les héritiers légitimes de la couronne, ont l'immense tare aux yeux du peuple d'avoir pour grand-père Clarendon.

Le jeune homme a dix-neuf ans. Il est très beau, d'« un extérieur éblouissant », sans rien d'efféminé, mais il ne brille pas par son esprit. Dès son arrivée, il veut s'engager dans l'armée française. Drôle d'idée pour le fils d'un roi qui se pose en médiateur de la paix franco-espagnole. Par bonheur, Madame lui ôte cette fâcheuse envie de la tête. Charles l'en remercie. Il la remercie aussi du bon accueil qu'elle fait au jeune homme. Il est logé au Palais-Royal. On le devine. C'est le loup dans la bergerie.

La jeune femme, toujours désireuse de plaire, s'inté-resse à lui. Il est de toutes les fêtes. Le 4 février, elle donne un bal en son honneur. Quelques jours après, il la suit à une représentation d'*Amphitryon* de Molière, à celle du *Festin de pierre* chez les Italiens. Elle le fait habiller à la dernière mode. Elle l'honore du nom de « neveu ». James a seulement cinq ans de moins que sa charmante tante. Il est très assidu à lui rendre visite. Il a plaisir à lui apprendre la contredanse qu'elle ne connaît pas et à la danser avec elle. Ensemble, ils s'amusent de leur complicité à parler anglais sans que leur entourage les comprenne.

Madame n'a pas de peine à répondre à la demande de son frère. Mais elle ne prend pas assez garde à la réputation du jeune homme, « terreur universelle des époux ». Or le sien est des plus jaloux. Le séjour pari-sien de Monmouth ouvre la porte à tous les drames.

44.

« Des bouillons consistants et du jus de viande »

Il aurait fallu plus de retenue. La réputation de Madame n'est pas sans tache. Sa conduite joyeuse avec Monmouth est vite source d'irritation pour Monsieur. D'autant que le chevalier de Lorraine est là pour attiser sa jalousie. En critiquant sans cesse la coquetterie de la princesse, il la perd aux yeux de son mari et affaiblit sa position dans sa propre maison. Il a tout à y gagner. Il la privera bientôt de ses alliés, à commencer par Cosnac. Et puis, pendant que le roi écoute Philippe se plaindre de sa femme, il n'entend pas les doléances de Mme de Saint-Chaumont, porte-parole d'Henriette, sur la tyrannie du chevalier dans la maison d'Orléans.

On a raconté que, pour punir sa femme de sa légèreté, Monsieur l'avait emmenée à Villers-Cotterêts en plein hiver, avec pour seule compagnie Lorraine et lui-même. On a confondu avec le voyage à Villers-Cotterêts des Orléans en 1666, au retour du camp de Compiègne, peu après la mort de Conti, en hiver certes, mais sans le chevalier. Nul besoin d'imaginer un drame à la campagne. La jeune femme le vit dans le monde. Fureur, dépit, reproches, disputes continuelles. Elle s'en rend malade. Son corps ne supporte pas l'accumulation des plaisirs et la tension des désaccords. Elle craque, et du coup se prive elle-même de sa drogue de plus en plus indispensable, la cour du roi.

On dirait qu'elle disparaît. Après les fêtes de février avec Monmouth, on n'entend plus parler d'elle. Le gazetier Robinet lui fait, comme à l'accoutumée, l'hommage de sa livraison hebdomadaire. Il a reçu un portrait d'elle par le peintre Nocret – c'est l'occasion de compliments sans fin sur ses yeux, sa bouche, son teint, ses cheveux « en boucle ou par onde ». Il a dîné à Saint-Germain grâce à l'obligeance de son maître d'hôtel. Mais il se répand tous les samedis en notations vagues, sans plus préciser les occupations ou les déplacements de Madame. C'est qu'il n'y en a pas.

Pis, pour la plus belle fête de Saint-Germain, le baptême du dauphin, qui a lieu le samedi 24 mars 1668, veille des Rameaux, Madame brille... par son absence. Robinet raconte sur plusieurs colonnes l'événement en s'excusant avec habileté auprès de la princesse : « Elle sait tout ce chapitre charmant. » Il ne la nomme pas une fois. Monsieur est là pourtant, et sa fille, la petite Mademoiselle, qui a l'honneur insigne de lever le dauphin. Son cousin a six ans et demi. Comme les fils de roi, il a été ondoyé à sa naissance, et son baptême à l'âge de raison donne lieu à une grande cérémonie. Marie-Louise, à quelques mois près, est du même âge. Toute mignonne, elle va le réveiller, le matin de la fête, dans l'appartement le plus beau du Château-Neuf où on l'a couché la veille. On croit « voir une grâce lever l'amour ». Spectacle qui devrait réjouir Henriette.

Sa mère a l'honneur d'être la marraine, avec pour compère le pape Clément IX. À l'évidence le pontife ne peut se déplacer, même pour le fils du roi de France. Le cardinal de Vendôme, pair du royaume, le représente. Pour raison de santé, la reine mère d'Angleterre s'est fait aussi représenter. La princesse de Conti la supplée. Henriette aurait pu, à plus juste titre, tenir son rôle de marraine.

Elle se serait alors rendue, avec la cour, du Château-Neuf au Château-Vieux, en procession, pour admirer le dauphin en brocart d'argent, avec la toque du même brocart ornée de plumes blanches et de diamants, et un manteau doublé d'hermine prolongé d'une traîne de huit aunes que porte le duc de Mercœur. Autour des fonts baptismaux, elle aurait vu les deux cardinaux, les deux archevêques et les six évêques qui officient, entendu le *Veni Creator* chanté par la musique de la chapelle, le cri trois fois répété par les hérauts de «Vive Monseigneur le dauphin» et les trompettes remplir l'air de leurs fanfares. Elle aurait, le soir, partagé la joie des festins en l'honneur de cet événement mémorable.

Grâce aux esquisses conservées, on représenta, en 1710, avec force détails, ce baptême sur une tapisserie des Gobelins. L'absence de Madame aurait alors paru si anormale qu'on fit comme, plus tard, sur le tableau du *Sacre de Napoléon*, pour sa mère. On rectifia la vérité. La princesse apparaît, à gauche, près de son époux et de Marie-Thérèse sur une estrade à part.

En réalité, sans que l'on sache précisément les modalités de ce voyage, Henriette est en cure à Bourbon. Sa santé est si mauvaise qu'il a fallu s'y résoudre. Charles pense que c'est le meilleur moyen de la rétablir. Il le lui écrit le 20 mars, dans le temps de son départ. Comme la cure dure environ trois semaines sans compter le voyage, il n'est pas étonnant qu'Henriette ne soit pas là pour le baptême.

Son frère la supplie de penser avant tout à se guérir. Il ne cesse de répéter dans toutes ses lettres ses soucis pour la santé de sa sœur. Il accuse les mauvais médecins qui la soignent et ne comprennent pas sa maladie. Il lui envoie le docteur Frazer en qui il a toute confiance, celui qu'il avait dépêché à sa sœur Mary... Les médecins anglais comprendraient mieux le mal d'Henriette, parce que l'obstruction dont elle souffre est plus fréquente chez eux qu'en France.

Quelle obstruction ? Nasale, biliaire, intestinale, bronchique ? La cure à Bourbon n'est pas un indice déterminant. Presque toutes les maladies y sont alors traitées. On pencherait volontiers pour une obstruction bronchique. Les toux qui secouent la princesse depuis son enfance sont connues. Obstruction biliaire peut-être. Elle va commencer des traitements censés soulager maux de ventre et de foie, lait et chicorée.

De toute façon, les bienfaits de la cure, à supposer qu'il y en eût, ne sauraient durer. Quand elle rentre, sa maison est en ébullition. Monmouth pourtant est reparti pour l'Angleterre, fin mars. Pour le plus grand soulagement de Louis qui déteste les orages de cour... chez son frère. Mais Mlle de Fiennes, fille d'honneur de Madame, est toujours amourachée du chevalier de Lorraine, à qui elle ne déplaît pas.

Leur amour est même si public que, pour Pâques, le 1er avril, le père Zoccoli, confesseur de Monsieur et plus maladroit qu'il n'est permis, le chapitre. En conscience il doit faire cesser ce scandale et renvoyer la demoiselle. Philippe veut bien. Il n'aime pas cette fille, on s'en doute. Lorraine, prêt à tout pour garder sa place de favori, cède. Lâchement, il part quelques jours à la campagne. Benserade, chargé de porter à la Fiennes l'ordre de partir, ne doit pas prévenir Madame. Bien commode qu'elle soit en cure ! Quand elle s'apercevra du départ, il sera trop tard. Mlle de Fiennes se plaint partout. La rumeur court. Lorraine charge Cosnac. Par sa faute, Philippe est obligé de rompre avec le chevalier s'il ne renvoie pas la fille. En revanche, s'il se résout à la sacrifier, il garde le chevalier mais se perd de réputation. Agréable à entendre pour Henriette !

À cela s'ajoute une sombre histoire de vol de lettres. Mme Desbordes, première femme de chambre de Madame, détient une cassette appartenant à Mlle de Fiennes. Madame se la fait apporter, la garde un jour entier et, sur les conseils de Cosnac, en retire cinq ou six lettres. Curiosité ? Désir de conserver des lettres compromettantes contre le chevalier et d'en soustraire d'insultantes contre son époux ? Sans doute. On n'est sûr de rien, mais le scandale est grand. Quand la demoiselle se plaint du vol, Lorraine met tout sur le compte de l'évêque.

Ulcéré, celui-ci tente de se justifier auprès de son maître et lui rappelle qu'il lui a promis de ne jamais le condamner sans l'entendre. Peine perdue. Le 1er mai, Monsieur vient à Paris et refuse de le voir. Cosnac le suit à Saint-Germain. Mais Monsieur évite son aumô-nier, partout, même à la messe. Alors l'évêque dit à Madame son projet de vendre sa charge. Elle le supplie de n'en rien faire. Elle parlera pour lui. Méfiant, Cosnac préfère « sortir honnêtement par la grande porte ». Sinon, dit-il, Monsieur le jettera par la fenêtre.

Avant qu'elle ait pu intervenir, Cosnac reçoit deux ordres du prince : se défaire de sa charge, puis quitter Paris. Il consent au premier mais conteste la légitimité du second. Philippe menace de faire intervenir le roi. L'évêque raille. Monsieur obtiendra plus vite de son frère une lettre de cachet que le gouvernement du Languedoc.

Ce n'est qu'un baroud d'honneur. Lorraine a solidement investi Monsieur et l'a persuadé que Madame, sur les conseils de Cosnac, va le mettre en demeure de choisir entre elle et lui. L'idée de perdre son favori affole Philippe. Il veut se débarrasser à tout prix de ce Cosnac dont il a peur. Les sarcasmes méprisants de l'évêque, son refus bravache de se faire rembourser ce que Monsieur lui doit, l'intervention de Madame et de la reine mère d'Angleterre pour que Cosnac du moins reste à Paris, rien n'y fait. L'affaire est menée promptement, la charge vendue dans de mauvaises conditions. Le 15 mai, l'évêque arrive dans son diocèse de Valence.

Avant même son départ, Madame lui a écrit. Elle affirme d'emblée son attachement aux intérêts de Monsieur, par devoir et par inclination. Puis elle semble se résigner au malheur de l'évêque, accusé précisément d'avoir pris son parti. Elle ne le réconforte guère avec ces consolations que l'on sert, lui répondra-t-il, à tous les infortunés depuis près de mille sept cents ans. Alors lâcheté d'Henriette ? Non, impuissance. Elle le sait, elle n'est pas la plus forte. C'est son époux qui gouverne leur maison, même si un favori ambitieux et dangereux s'est emparé de son esprit. Que peut-elle ? S'étourdir, se plaindre parfois, éviter de se rendre malade.

Le 17 mai, alors que Lorraine, après s'être déchaîné contre la princesse et les siens, triomphe, que Cosnac est exilé dans son diocèse, Charles se réjouit. Sa sœur se porte mieux. Il parle de « miracle ». Sont-ce les messes de leur mère *(« Mames masse »)*, ironise le frère, ou les pilules de Sir Theodore Mayern, prescrites par le docteur Frazer ?

En fait, il s'agit du mieux des nerveux, rapide et instable, apparemment miraculeux. Henriette a dû éprouver un grand plaisir à la paix d'Aix-la-Chapelle, signée le 2 mai entre la France, représentée par Colbert de Croissy, frère du ministre, et l'Espagne, représentée par le baron de Bergeyck. Malgré l'opposition de Turenne et de Condé, la mission de Trevor a réussi. Le traité à trois conclu à Saint-Germain le 15 avril par Le Tellier, Lionne et Colbert pour la France, Van Beuningen pour les Provinces-Unies et Trevor pour l'Angleterre a préparé la paix. L'Espagne recouvre la Franche-Comté mais reconnaît à Louis XIV ses conquêtes du Nord, dont Lille.

Charles n'a plus qu'à faire oublier la Triple-Alliance. Dès le 21 mai il remet sur le tapis le projet d'étroite liaison avec Louis XIV, même si Arlington y est hostile, même si le peuple de Londres redoute la France... presque comme la peste. Ruvigny rapporte à Lionne un entretien à ce sujet. Comme son frère York, le roi d'Angleterre admire Sa Majesté et souhaite un « traité avec lui de gentilhomme à gentilhomme », préférant la parole royale à tous les parchemins du monde. Cela ne peut que réjouir Madame. La peur de la guerre fratricide, de l'interruption des courriers avec son frère, de la haine feutrée des courtisans pour elle, la sœur de l'ennemi, s'éloigne. Elle sait aussi que, dans de telles négociations, elle a et elle aura sa place, unique.

Parce qu'il connaît le caractère fragile de ce « miracle », Charles n'hésite pas, dans la même lettre, à donner à sa sœur de sages conseils de diététique. Qu'elle fasse attention à son régime. Mieux elle l'observera, mieux elle se portera. Pour qu'elle reprenne des forces, il privilégie la nourriture des anémiés : « Par-dessus tout, veillez à prendre le matin des bouillons consistants et du jus de viande. »

Pour la divertir, il lui parle comme toujours de ce qui l'intéresse. Les femmes y ont grande part, on s'en doute. La duchesse de Richmond a attrapé la petite vérole. Devant ce malheur, bien qu'elle en conserve peu de marques, il lui a pardonné. Sa femme la reine a fait une fausse couche. Il en est désolé mais content tout de même. Il craignait en réalité qu'elle ne soit pas capable de concevoir un enfant. La jeune duchesse de Monmouth, la femme de James, s'est cassé la jambe. C'est pour cela que James est rentré en Angleterre à la fin de mars. Malgré un douloureux traitement et une longue cure à Bath, on craint qu'elle ne demeure boiteuse. Mme de Mazarin a quitté son époux et s'est enfuie en Angleterre. Gros scandale. Les femmes n'aiment pas les maris dévots, conclut Charles. Il connaît bien cette Hortense Mancini dont il a demandé jadis la main à Mazarin. Rapprochant sa fuite du tapage du marquis de Montespan, dont l'infortune est maintenant notoire, il s'abandonne à l'une de ses plaisanteries favorites. Il déplore qu'en France les cocus soient devenus des trouble-fête et qu'ils aient fait beaucoup d'histoires, cette année, dans tous les pays.

L'incident Cosnac est passé. Soutenue par la sollicitude de son frère, Madame reprend vie. Affection vaut mieux que bouillons. Le 31 mai à Saint-Cloud, dans de superbes appartements, rayonnante, elle reçoit avec son époux le roi et toute sa suite.

45.
« Si je ne vous aimais tant... »

À Saint-Cloud, en cette fin de mai 1668, l'ambassadeur Saint-Maurice surprend une scène plus intime qui n'a sûrement pas été désagréable à la princesse. Elle reçoit en audience le nonce du pape, dans une pièce qui donne sur le jardin. Le roi s'y promène. On dirait qu'il attend la jeune femme pour faire quelques pas avec elle, car il ne s'éloigne pas du salon où elle se trouve. De ce salon, le nonce ne le perd pas de vue. Sitôt son compliment à Madame terminé, il se précipite au jardin pour faire sa cour au monarque. Mais le roi ne le salue que du chapeau et lui tourne le dos. C'est Henriette qu'il souhaitait voir venir à lui dans ce riant jardin de mai, non l'envoyé du pape.

Une demande en apparence anodine peut déclencher des catastrophes. Une fois n'a pas suffi. Le 24 juin, Charles annonce à sa sœur le retour de Monmouth à Paris et la prie d'avoir pour lui la même gentillesse qu'à son premier séjour. Maintenant que sa femme est sinon guérie, du moins hors de danger, James va faire un second voyage à la cour de France. Il y apprend beaucoup. À son retour en Angleterre, il n'a pas écrit à Madame pour la remercier de ses attentions. Charles l'excuse. Il lui en a pourtant beaucoup de reconnaissance, mais il est jeune, et... paresseux comme son père.

Le roi de Grande-Bretagne n'imagine pas les remous qu'une fois encore il va susciter. Il s'amuse de la perruque que Monmouth souhaite porter et pense qu'Henriette le préférera avec des cheveux courts. Il connaît pourtant les problèmes de Madame avec son époux. Chaque fois qu'elle est en difficulté à la cour, elle s'en plaint à lui, lui racontant par exemple, le 26 juin, les ridicules lubies qui passent dans la tête de Philippe et de Lorraine. Charles est bouleversé par leurs tracasseries et leurs mesquineries. Il ne se rend pas compte, justement parce qu'elle est absurde, de la jalousie absurde de Philippe pour Monmouth.

La lutte d'influence qui s'est engagée chez les Orléans est plus pernicieuse pour la santé d'Henriette que la guerre franco-anglaise. Le beau jeune homme, qui en est le prétexte, assiste en juillet aux fêtes extraordinaires de Versailles. Les dithyrambes inspirés par ce *Grand Divertissement royal* aux gazetiers, épistoliers, diplomates, poètes ou gentilshommes font sourire. Feux d'artifice, jeux d'eau et cascades, lustres illuminés, souper, collation, jamais il n'y eut rien de si beau. L'imagination des heureux invités a été réellement marquée par cette splendeur. C'est le but recherché par Louis XIV, manifester sa gloire dans ce lieu choisi et embelli par lui, célébrer la conclusion de la paix d'Aix-la-Chapelle et sa puissance dans le monde occidental, donner à tout suffisamment d'éclat pour qu'on en parle partout.

Si Charles II guette la narration que Monmouth lui apportera, la reine Marie-Thérèse en fait écrire une, que l'on enverra en Espagne. Vénitiens, Savoyards, Florentins, tous les ambassadeurs en rendent compte à leur souverain. Félibien donne une description précise et enchanteresse de la fête. Nul mieux que La Fontaine, dans *Les Amours de Psyché,* n'a décrit l'originalité et la profusion du décor aquatique, les « caprices infinis du hasard et des eaux », « le bruit, l'éclat de l'eau, sa blancheur transparente », Triton et Sirène qui « ont chacun une conque en leurs mains de rocher », le charme des groupes de marbre et des grottes magiques.

Quatre édifices provisoires ont été dressés dans le parc, en un endroit différent de celui des *Plaisirs de l'île enchantée*, quatre ans plus tôt. On passe de l'un à l'autre pour souper, danser, prendre collation et assister au spectacle. Au nombre des merveilles les plus impressionnantes, un rocher ruisselant et bruissant de chutes d'eau, couvert de vases de porcelaine ou de cristal

pleins de « bonbons sucrés », autour duquel est dressée
en cercle la table du roi de plus de quatre-vingts couverts. Parmi les trois cents dames invitées, Mme de
Sévigné, sa fille, sa cousine et ses amies ont été distin-
guées et ont l'honneur d'y être placées.

Une autre merveille, « l'allée étoilée ». Destinée à
la collation que l'on a disposée en son centre, elle
dessine les six rayons d'une immense étoile qui finissent en pointe. Les allées sont bordées, sur toute leur
longueur, d'arbres nains plantés en pots de porcelaine aux branches desquels sont accrochés des
fruits, crus ou confits, et sont décorées de statues
figurant des satyres.

À l'opposé du style champêtre des *Plaisirs de l'île
enchantée*, la salle de théâtre, conçue par Vigarani sur
l'actuel emplacement du bassin de Saturne, est un
étonnant lieu baroque. L'Italien a voulu donner l'impression d'une construction définitive. La scène, très
large, est entourée de « deux grandes colonnes torses de
bronze et de lapis, environnées de branches et de
feuilles de vigne d'or ». Elles supportent une corniche
de marbre dans le milieu de laquelle on voit les armes
du roi dans un cartouche doré.

Dans ce cadre pompeux – Robinet parle d'une hauteur de plafond comparable à celle d'une église –, on
s'attend à voir une tragédie. Et c'est le *George Dandin*
de Molière, comédie sur le cocuage, qui est représenté
avec un décor de jeux d'eau et de rocailles. Jusqu'au
troisième acte où, par la magie de Vigarani, les jets
d'eau disparaissent et font place sur le théâtre à des
rochers entremêlés d'arbres, dans lesquels les musiciens déguisés en bergers se sont perchés. Charles l'a
dit à sa sœur. Les cocus, cette année, sont à la mode.

Il y a l'envers du décor. Avec laconisme mais clairvoyance, Mlle de Montpensier le révèle : « Il y eut de
grands divertissements à Versailles, et Monsieur et
Madame furent fort mal à cause de M. de Monmouth. »
Nul doute que le beau James ait apprécié ces fêtes
somptueuses. Mais son retour a réveillé la coquetterie
d'Henriette, la jalousie de Philippe, et aggravé les différends entre les époux.

Parmi les personnes conviées, Madame a sa place à part, auprès de Marie-Thérèse. Le gazetier Robinet dépeint les dame autour d'elles, « comme auprès de Dieu les anges ». Apparemment il n'est pas inspiré. Il faut dire que les jeunes femmes ne peuvent susciter qu'une admiration de commande. La reine est enceinte de plus de huit mois. Henriette, agacée par la présence de Monmouth, les disputes continuelles avec son époux, les calomnies de Lorraine, n'arrive plus à surmonter sa fatigue ni à montrer l'enjouement qui sied dans ces sortes de fêtes aux personnes en vue.

Elle ne se montre pas sous son meilleur jour et voit surtout le petit côté des choses. Comme l'ambassadeur Saint-Maurice. Il reconnaît au divertissement royal pompe, grandeur, beauté des édifices, mais déplore la cohue affreuse pour entrer, la bousculade pour manger, les coups reçus à la porte du théâtre, la reine elle-même attendant une demi-heure avant d'y pénétrer, les gentils-hommes perdant leurs plumes, se faisant déchirer leurs canons, tout chiffonnés au moment du bal... Il mentionne les 500 000 livres que la fête coûte au roi. Il aurait mieux fait de donner l'argent aux soldats réformés.

Ce qui coûte le plus à Henriette, c'est de ne pas être la vedette. On célèbre la victoire du roi sur ses ennemis, certes, mais aussi la victoire sur le roi de Françoise-Athénaïs de Mortemart, marquise de Montespan, la beauté parfaite aux yeux bleus et aux cheveux blonds, à la taille élancée et à la poitrine séduisante, maîtresse déclarée. C'est elle que l'on remarque, elle que l'on complimente. Saint-Maurice la voit faisant au roi un récit spirituel de la fête. Triomphante, « elle n'épargne personne ».

Outre sa beauté, elle a beaucoup de gaieté et d'esprit, l'esprit des Mortemart, dit Mme de Sévigné. Si le mari cocu de Molière avale ses couleuvres, Madame avale les siennes. Toujours jalouse des conquêtes attitrées de son royal cousin, toujours désireuse de régner durablement sur son cœur, elle voit sans plaisir l'embrasement du château, clou du spectacle nocturne. Pas plus que les bouillons consistants recommandés par son frère, les bonbons fabuleux des festins versaillais ne sauraient dans ces conditions rendre quelque force à la princesse...

Elle n'a pour se consoler que les messages affectueux
de Charles. Le jour même où a lieu le *Divertissement*, il
lui écrit ses ambitions diplomatiques. Il le sait, Henriette souhaite l'entente franco-anglaise. Ses lettres
comme les rapports de Trevor disent les bonnes dispositions de la France à cet égard. Qu'elle réponde donc,
au nom de son frère, à la bienveillance de Louis. Il
aurait aimé confier à Monmouth quelque projet secret,
celui peut-être de la possibilité d'une rencontre avec sa
sœur, mais le garçon est trop étourdi. Il a réussi à
perdre un message de Charles à Monsieur.

Si, faute d'un porteur sûr, son frère ne peut, le
18 juillet, répondre au récit de ses déboires conjugaux,
il lui répète encore et toujours son estime et sa tendresse. Trois semaines après, il va plus loin. C'est par
tendresse pour elle qu'il veut, dit-il, conclure un accord
avec le pays où elle vit. La pression est mise. Entre
France et Angleterre, Madame n'est pas seulement un
instrument d'entente. Elle en est à la base.

Le message est passé. Louis se rappelle l'importance
de sa jeune belle-sœur. Comme par hasard, six jours
plus tard, le frère reçoit d'elle de meilleures nouvelles.
Monsieur est honteux de ses humeurs fantasques. Henriette oublie le passé. Moins on s'éclaircit sur de pareils
sujets, mieux cela vaut. Il faut tout de même qu'elle se
débarrasse au plus tôt de son rival, le chevalier.

Le départ définitif de Monmouth à la fin de juillet
devrait arranger les choses entre les époux. Mais le tout
petit mieux enregistré par Charles le 19 août ne dure
pas. La jalousie maladive de Monsieur n'accepte pas les
pressions ni les remontrances de Louis. Il fait mine de
tenir à son indépendance alors que c'est à son favori
qu'il tient. Il l'écoute en tout. De sa femme il se moque,
mais il l'emmène en septembre à Villers-Cotterêts pour
faire acte d'autorité.

La cour découvre les brouilleries entre les deux
frères. Saint-Maurice les raconte. L'aîné s'installe à
Chambord pour la saison de la chasse. Le cadet refuse
de l'y suivre. Il chassera chez lui, à Villers-Cotterêts,
« prendra ses plaisirs séparément », y organisera sa
propre cour. Et Madame y sera prisonnière. De fait,

quand a lieu à Versailles la reprise des fêtes de juillet, la princesse n'y assiste pas. Elle n'est pourtant pas malade, puisqu'elle est allée à Paris au théâtre, puis chez sa mère à Colombes. Son mari lui interdit de rejoindre le roi.

Lui-même se rend à Versailles. Louis le reçoit mal, le traite froidement et lui reproche son humeur bourrue et jalouse. Philippe en est affligé. On se moque de lui à la cour, où l'on dit qu'il n'a « ni crédit, ni ami, ni argent ». Il se venge en pensant que sa femme a grand regret de n'y être point, elle qui voudrait être de tous les plaisirs du roi. Enterrée à la campagne, que peut-elle contre les charmes de la spirituelle Montespan ?

Dans ses querelles de ménage, Louis a pris parti pour Madame. N'y était-il pas forcé par la pression du grand frère, dont il souhaite toujours l'alliance ? Henriette le sait, qui menace d'en appeler à Charles dès qu'on la contrarie. Il y a plus. Malgré ses conquêtes féminines toujours renouvelées, le jeune roi de France a de l'estime pour sa belle-sœur, et garde une affection particulière à celle qui l'a ébloui, quand elle rentrait d'Angleterre, et l'a conquis jadis à Fontainebleau.

Quelques mois auparavant, le 5 février 1668, occupé par la conquête, si audacieuse et si rapide, de la Franche-Comté, n'a-t-il pas pris le temps de lui écrire de Dijon ? Non par politesse, ni pour lui donner une quelconque information. Mais par pure tendresse. Pour rien, sinon pour répéter que l'on aime. « Si je ne vous aimais tant, je ne vous écrirais pas, car je n'ai rien à vous dire après les nouvelles que j'ai mandées à mon frère. Mais je suis bien aise de vous confirmer ce que je vous ai dit, qui est que j'ai autant d'amitié pour vous que vous le pouvez souhaiter. » Elle a besoin de cette amitié. Ils en ont parlé. En pleine guerre, Louis a eu soin de la rassurer : « Soyez persuadée de ce que je vous confirme par cette lettre. »

46.

Une grossesse intempestive

Trois carrosses de six chevaux chacun, six somptueuses mules avec des clochettes, qui font l'admiration de Pepys, six pages, dix-huit laquais et seize hommes à cheval, le nouvel ambassadeur de France, Charles Colbert, marquis de Croissy et de Torcy, l'un des signataires de la paix d'Aix-la-Chapelle et frère du tout-puissant ministre de Louis XIV, fait à Londres une entrée remarquée et s'installe dans la prestigieuse Leicester House.

Ruvigny avait demandé son rappel après la conclusion de la Triple-Alliance. Il estimait avoir échoué. Il s'était pourtant servi du moyen fréquemment employé alors par les ambassadeurs, l'argent. Il en avait distribué autour de lui et en particulier à « M. Laiton », Sir Ellis Leighton, un familier de Buckingham, dont le patronyme prêtait au jeu de mots. Mais il n'avait pas su prévoir l'accord de l'Angleterre avec la Hollande. Très « chagrin » et... réduit à vivre d'emprunt, il préfère donc rentrer. Avant de partir, il suggère qu'au lieu d'un simple envoyé la France dépêche en Grande-Bretagne une « ambassade d'éclat » qui flattera la vanité de Charles II. Avec Croissy, le roi est servi. L'ambassadeur tient table ouverte, fait dire des messes en musique le dimanche, entretient huit à dix prêtres portant de très riches ornements d'église, mène grand train.

Charles est sensible à l'honneur que lui fait Louis XIV, mais c'est de commerce dont il s'entretient d'emblée avec Croissy, de commerce dont il parle à sa sœur dans deux longues lettres de septembre. S'il désire, pour des raisons familiales ou financières, s'unir avec la France, il a toujours en vue un traité de commerce avec elle. L'empire des mers, voilà l'essentiel pour l'Angleterre. Et voilà la source de possibles différends.

Louis a besoin d'avoir la paix et les mains libres du côté de la Grande-Bretagne. Pour suivre sa politique d'expansion et utiliser la flotte que ses ministres sont en train de créer. Charles a besoin de la paix avec la France et de son argent. Mais pas pour voir diminuer sa suprématie maritime et son commerce. Les deux rois ont donc en commun une haine farouche pour la Hollande, avec qui leurs intérêts économiques s'opposent. Le traité d'union passera-t-il avant le traité de commerce ? Ce n'est pas sûr. Le commerce est « l'idole que l'on adore en Angleterre », écrit Croissy à Louis XIV à son arrivée à Londres. Les négociations seront épineuses. Il faudra faire feu de tout bois.

Dans ces discussions qui engagent l'avenir de deux royaumes, tout roule sur les rapports personnels, les points forts ou les petits côtés de chacun. Croissy, guidé à distance par son frère et par Louis XIV, a pour tâche de faire rompre la Triple-Alliance, que les Hollandais veulent renforcer. Il doit aussi fournir le plus de renseignements possible sur la marine anglaise, le nombre et la qualité de ses vaisseaux, les manufactures, les modes de vie. Mais Charles, tout en aimant souper, boire et jouer à la paume avec lui, le considère de plus en plus comme un esprit borné et le tient en dehors des affaires importantes.

D'autre part, Buckingham et Arlington, qui se jalousent, travaillent chacun de leur côté avec leurs agents, Leighton pour l'un, Williamson pour l'autre, sans savoir qu'ils sont en concurrence. Louis XIV n'est pas mécontent de cette dualité. Diviser pour régner. Il conseille à Croissy de les laisser faire tous deux, et d'aller plus mollement avec Arlington, à l'origine de la Triple-Alliance et dont la sincérité lui est suspecte.

Il ne ménage pas l'argent pour les rendre bienveillants à la cause française. Une lettre signée de lui et contresignée du ministre des Affaires étrangères Lionne, du 7 novembre 1668, presse Croissy : « Mandez-moi sans délai, écrit le roi de France, quel serait votre sentiment sur la quantité des sommes que je pourrais offrir et donner tant à chacun des entremetteurs qu'au duc [Buckingham] et au milord [Arlington]. » Il trouvera toujours bien employé l'argent qu'il y sacrifiera.

Systématiquement, on tente d'acheter l'entourage de Charles II, puisque le Parlement et le peuple d'Angleterre sont irréductiblement hostiles au roi de France, à sa politique, sa religion, son absolutisme et ses ambitions maritimes. Compliments, argent, cadeaux, tout est bon. On envoie au roi, amateur d'astrologie et de chimie, l'abbé Pregnani, astrologue réputé. Il doit persuader la cour anglaise des malheurs qui fondront sur elle si elle refuse l'alliance avec la France. On parfume et on couvre de cadeaux Lady Castelmaine, maîtresse de Charles. Après une visite à Saint-Albans et à Henriette, Leighton repartira de France avec une bague offerte par Louis XIV de 400 pistoles (160 000 francs).

Mais c'est Madame, tout le monde le sait, le meilleur intermédiaire entre les deux rois. Ce traité d'union, dont on parle depuis si longtemps et que les ambassadeurs n'ont pas réussi à conclure, elle seule peut le faire aboutir. Son intimité avec son frère et son beau-frère, l'affection qu'ils lui portent, chacun à sa manière, comptent. L'intelligence de la princesse, son intérêt pour les affaires franco-anglaises, les progrès qu'elle a faits dans leur connaissance comptent aussi. Sans oublier l'importance que revêt pour elle cette fonction secrète et originale, mais réelle, d'ambassadeur. Ambassadeur non pas de France ou de Grande-Bretagne, mais entre France et Grande-Bretagne.

Au moment où la princesse mesure l'échec de sa vie conjugale, où elle comprend que, malgré l'attachement de Louis, elle n'aura jamais dans son cœur une place exclusive ni durable, quelle meilleure compensation à ces vides affectifs qu'un rôle politique important ? Elle l'a déjà pressenti, c'est le bon chemin pour reconquérir de l'importance à la cour, y avoir une place privilégiée, non plus seulement par son rang ni son titre, mais par ses capacités.

Charles l'y pousse. Ce qui reste de ses lettres à sa sœur en ces mois-là montre leurs échanges fréquents, sincères, sur tous les problèmes de leurs royaumes. Il ne lui cache rien de ses affaires. Un jour, il dit à Joly, secrétaire à l'ambassade de France, qu'elle était « la seule dame qui eût pouvoir sur son esprit », qu'il ne voyait les autres que « comme un galant homme devait faire » mais qu'elles n'avaient « aucun crédit sur lui ». Joly répète ces paroles à Croissy. L'ambassadeur l'écrit à son ministre. Au reçu de la lettre, on diminue aussitôt le « régal » destiné à Lady Castelmaine, sans le supprimer toutefois. Il ne faut rien négliger.

En septembre 1668, chaque fois qu'il parle de commerce, Charles souligne son affection pour Henriette en des termes toujours plus forts. Le 12, il affirme la priorité du traité de commerce, se dit lié à la Hollande par la Triple-Alliance et ironise sur l'exemple que lui a donné Louis en 1666. Engagé avec les Provinces-Unies par l'accord de 1662, le roi de France, « martyr de sa parole », a pris parti pour elles contre l'Angleterre... Charles n'insiste pas. Que sa sœur réside en France est un motif suffisant pour lui faire désirer s'allier avec ce pays, il le répète. Et, en toute occasion, il manifeste à Croissy son amour fraternel pour la jeune femme.

Mêmes déclarations le 24. Il continuera à montrer à tous le pouvoir d'Henriette sur lui, et combien sa tendresse pour elle ajoute à son désir de vivre en bons termes avec la France. Comme toujours, il mêle le futile et l'actualité au sérieux, lui parlant de ses chasses au cerf, de son retard à lui répondre, des gants parfumés qu'elle lui a envoyés, de son inspection des fortifications de Portsmouth, du départ pour sa principauté de Mme de Monaco, que Lauzun et le roi se disputaient.

Les diplomates ne s'y trompent pas. Buckingham, incapable de mener à bien un projet mais plein d'idées ingénieuses, suggère le premier l'idée d'un voyage de Madame auprès de son frère. C'est pour cela qu'il lui dépêche, en novembre, son fidèle Leighton. Dans cette affaire délicate, il faut, dit-il, enrôler Madame. Les lettres du frère et de la sœur pour octobre et novembre sont perdues. Elles devaient évoquer le projet à mots couverts. Si, le 24 décembre, Charles remercie Henriette de l'envoi d'un modèle de jupon ravissant, il est plus important qu'il lui annonce celui d'un code, par porteur sûr, grâce auquel ils pourront correspondre sans risque d'indiscrétion.

Jusqu'ici ils n'ont jamais fait usage de langage codé dans leurs lettres. Celles de Philippe à son beau-frère, conservées dans les papiers officiels, ne sont pas non plus chiffrées. Le code de décembre 1668 marque une étape nouvelle dans les responsabilités de Madame. Elle est le lien indispensable dans ces négociations, dont le secret absolu importe aux deux rois.

Voici qu'au même moment, dans cet univers d'hommes, sa condition de femme remet tout en cause. Henriette est enceinte. On peut comprendre Monsieur. Depuis la mort du petit Valois, il n'a toujours pas l'héritier escompté, alors que Louis vient d'avoir en août un second fils, le duc d'Anjou. Madame elle-même serait heureuse d'avoir un fils. Mais surtout le mari jaloux entend user de son droit de possession. Pour réduire à son pouvoir cette jeune femme vive, admirée, courtisée, cette jeune femme qui ajoute à sa séduction tant vantée la capacité grandissante des affaires et se rend indispensable aux deux plus grands rois de la terre, quel meilleur moyen que de lui faire un enfant ?

La réaction de Charles est immédiate. Henriette lui a annoncé la future naissance dans une de ses lettres le 26 décembre ou le 2 janvier – la lettre est perdue. Avec ses vœux de Nouvel An, il lui avoue qu'il aurait préféré qu'elle attende un peu. Il n'est pas très content, répète-t-il le 30 janvier, qu'elle soit enceinte. Sa grossesse, la huitième en huit ans, est intempestive. Parce que le projet de sa venue en Angleterre, qui aurait permis un accord sans arrière-pensée entre les rois, se trouve compromis.

Pour autant, il ne lui retire pas sa confiance et lui expose longuement ce qu'il attend d'elle. Convaincre Louis que, malgré leurs rivalités sur mer, il souhaite un accord personnel avec lui, qu'il n'a passé aucun traité

avec l'empereur et s'est engagé seulement à garantir la
paix d'Aix-la-Chapelle. Il faut aussi − car le moment
n'est pas propice − qu'elle calme Louis, désireux d'envahir la Lorraine et de punir son duc (rien à voir, bien
sûr, avec le chevalier !) pour s'être engagé avec les
Hollandais.

Charles félicite sa sœur de ses bonnes relations avec
Turenne, qu'il apprécie de longue date, et qui pourra
servir dans les négociations. La mention de Turenne est
importante car le maréchal, huguenot convaincu, vient
de se convertir au catholicisme. Le zèle de Bossuet a
réussi. La conversion a fait grand bruit en France et a
impressionné Jacques d'York, époux d'une femme elle-
même convertie, tenté par cette religion et sur le point
d'y adhérer. Tout ce qui touche à la possibilité d'un
retour de l'Angleterre à la religion catholique est pour
Charles, vis-à-vis du prosélyte roi de France, un instrument de pression non négligeable. Mentionner l'amitié
de Madame pour Turenne, c'est lui faire miroiter le voisinage d'un royaume britannique ami et de même religion, pour lequel Louis XIV n'hésiterait pas à payer gros.

L'essentiel de ce long message du 6 janvier 1669
porte sur le rôle d'Henriette. Même si sa grossesse
retarde les choses, elle demeure au cœur de la négociation avec Louis. C'est à elle que Charles confie une
lettre, fermée, pour « le roi son frère », parce qu'en elle,
plus qu'en personne, il met sa confiance. Il réitère son
désir que toute cette affaire « passe par ses mains ».

Le roi de France, après cela, ne saurait lui refuser une
satisfaction... qui ne lui coûte guère. Un scandale nouveau vient d'éclater, que racontent Choisy et La Fare.
Le chevalier de Rohan, de grande maison, de belles
jambes, d'esprit fougueux et fantasque, sinon
« dérangé », se vante d'avoir frappé de sa canne le chevalier de Lorraine. Il s'imagine gagner ainsi le cœur de
Madame, qui lui saura gré de l'insulte faite au favori de
son époux. Il ne se rend pas compte du tort causé aux
dames dont il se fait le champion et qui ne lui
demandent rien.

Mais on ne prête qu'aux riches. L'attitude de Rohan
renforce la jalousie de Monsieur en soulignant la répu-

tation de légèreté de sa femme. N'importe qui peut donc prétendre à la conquérir ? L'accabler de grossesses est décidément un excellent moyen de la réduire en son pouvoir.

L'affaire rebondit. Lorraine nie avoir été frappé. Pour calmer les esprits, le roi demande au duc de Noailles de raccommoder les ennemis. Rohan en apparence cède, affirme n'avoir pas frappé Lorraine et signe même un désaveu. Mais le même jour, il écrit à dix de ses amis un billet où il révèle n'avoir signé que sous la menace. Il a bien frappé le chevalier. Nouveau scandale, quand Monsieur et son mauvais génie apprennent l'existence des billets.

Le roi ne veut pas qu'Henriette soit importunée plus longtemps par ce scandale. Il punit l'arrogant. De loin, le grand frère se réjouit que Rohan ait été mortifié comme sa sœur le souhaitait. Cela servira de leçon aux autres.

47.

Flore

Elle continue à faire bonne figure et à remplir ses devoirs de princesse, même si le début de cette huitième grossesse l'épuise. En novembre, elle assiste au sacre du coadjuteur de Reims, aux manœuvres militaires de Vincennes, aux représentations d'*Héraclius* de Pierre Corneille et du *Pausanias* de Quinault. Elle visite la bibliothèque de la Sorbonne où, flattant sa sympathie pour l'Angleterre et son goût pour les livres, on lui a montré un manuscrit d'Henri VIII. Toujours attachée aux choses de l'esprit et aux créateurs de son temps, elle fait jouer chez elle le *Nicomède* de Corneille et à la fin de décembre *Le Baron d'Albikrac* de son frère Thomas.

Pour Noël elle assiste, chez les théatins, aux offices en l'honneur des « saintes couches », mais se dispense des dévotions du début de l'an, et n'accompagne sa mère ni aux sermons ni aux cérémonies de la Visitation de Chaillot. C'est pour expliquer son absence que le gazetier Robinet annonce, avec maintes circonlocutions, qu'elle est enceinte.

Elle a pu danser au mariage de Mlle d'Arquien, fille de la reine. Désormais elle se contente d'assister à un souper ou à un bal. Elle le fait avec sa grâce coutumière et préside une table au festin offert par Monsieur à la fin de décembre. Pour le carnaval, elle participera à une fête chez le duc d'Enghien, en offrira une chez elle où le roi et la reine paraîtront costumés en Perses, et revêtira pour le bal masqué du roi un déguisement de reine de Saba dont la robe à l'antique, éclatante de pierreries, l'avantage. Sa fille de sept ans l'accompagne, habillée de même, et leur jeunesse communique à ces vêtements désuets une fraîcheur qui éclipse les toilettes à la dernière mode.

La prudence, pourtant, est de rigueur. Saint-Albans, qui donne régulièrement à Arlington, pour qu'il en parle au roi, des nouvelles de la reine mère et de sa fille, écrit le 9 janvier 1669 qu'on ne peut être encore sûr de rien. Madame a fait tant de fausses couches vers les trois mois et demi ! Il n'est donc pas question qu'elle se produise dans le *Ballet de Flore*. « Elle y devait un tant soit peu sauter. »

Elle y devait aussi tenir le rôle principal, celui de Flore, la merveille à qui le Soleil, Louis bien sûr, apporte la vie. « Madame, c'est-à-dire plus que Junon, Pallas et Vénus, qui firent devant un homme tant de bruit pour une pomme. » Benserade se surpasse pour louer la princesse qu'il a déjà tant louée. Dans le final, après que le roi s'est vu reconnaître, dans « une Europe plus féconde en illustres héros que le reste du monde », gloire, grandeur, courage, esprit, sagesse profonde, bref les qualités des dieux antiques, Madame reçoit l'hommage de tous les continents : « Quel bruit font ces beaux yeux sur la terre et sur l'onde ! Que d'esprit, que d'attraits ! » Allons, il faut, des « quatre parts du monde », lui offrir ce qu'on ne saurait l'empêcher de prendre, l'amour.

Henriette n'est pas là pour recevoir cet hommage. Le livret de Benserade porte la mention « pour Madame qui devait représenter Flore », et signale en note que Mlle de Sully l'a remplacée. Henriette n'est pas là non plus pour entendre Jupiter et le Destin célébrer la plus belle fleur, le lys, et unir son sort à celui de Louis : « Jeunes lys qui ne faites que d'éclore,/ Vous avez deux brillants emplois,/ Vous couronnez l'amour sur le beau teint de Flore,/ Et sur le front du plus puissant des rois,/ Vous couronnez la gloire. » Une page est tournée. Madame ne dansera plus dans les ballets de cour.

Benserade n'écrira plus de ballet, sauf un, douze ans plus tard. Son règne de librettiste aura coïncidé avec la gloire de Madame. Et Louis ne dansera plus qu'un ballet, l'année suivante, le 7 février, laissant dès le 13 son rôle à deux de ses courtisans, Villeroy et Armagnac. Comme s'il en fallait deux pour le remplacer... Il n'empêche. Pour lui aussi, c'est fini.

Simple coïncidence ? Sûrement pas. Certes, les ballets réjouissaient la cour bien avant l'arrivée de la princesse. De plus, l'évolution du genre dans les années 1660 exigeait toujours plus de chanteurs et de danseurs professionnels. Et puis on ne pouvait éternellement réussir ce dédoublement extraordinaire de la cour réelle et de la cour représentée, d'un monarque puissant et de ses diverses projections en Soleil, Neptune ou Alexandre.

Mais il est sûr que la connivence parfaite du jeune roi et de Madame, leur jeunesse, leur goût pour la musique et la danse, leur réussite sur scène, leur commun désir de briller devant leurs proches, de faire admirer leur corps et leur grâce, de séduire ministres, ambassadeurs, courtisans et gazetiers, ont donné pendant une dizaine d'années vie à un ballet de cour original et splendide. L'intempestive grossesse a empêché le voyage de Madame et contrarié les projets de Charles. En le privant de sa Flore, de sa partenaire privilégiée, n'a-t-elle pas aussi contrarié en secret le roi de France ? N'a-t-elle pas été une occasion pour lui, qui a dépassé les trente ans, de réfléchir à la vanité des choses, d'abandonner son rôle de danseur et de se consacrer davantage à ses ambitions politiques ?

En tout cas, pour les missions dont elle est chargée, Henriette ne prend pas de congé. Bien sûr, elle tient compte de leur importance. Elle éblouit l'ambassadeur de Venise, Morosini, et lui fait admirer, à son audience d'arrivée, les raffinements de la cour de France. Elle ne se dérange pas pour lui rendre sa visite et lui envoie son premier écuyer Clérambault « lui dire ce qu'il faut ». En revanche, pour les affaires d'Angleterre, elle travaille sans relâche. Elle en mesure l'importance aux messages de Charles, à sa volonté d'utiliser un code, à son insistance pour qu'il n'y ait pas d'« éclat » (il écrit le mot en français).

C'est elle qui doit remettre ses lettres à Louis. Car il a gros à cacher.

Les projets s'amorcent. D'une part soutien, sur mer et sur terre, au roi de France décidé à déclarer la guerre à la Hollande, son ancienne alliée. Bien entendu, pour équiper ses bateaux de guerre et ses troupes, Charles recevra de Louis XIV les subsides indispensables en argent et en hommes et, la victoire acquise, en retirera quelques gains territoriaux. D'autre part, déclaration publique de son adhésion à la religion catholique. En cas de révoltes intérieures, il aura des aides en argent et en hommes. De tout cela, le roi de Grande-Bretagne est loin de tenir informés tous ses ministres.

Ni même la fameuse « cabale », cette coterie de conseillers plus ou moins officiels dont la place grandit à Londres depuis la chute de Clarendon. Les initiales de ce groupe des cinq, Clifford, Arlington, Buckingham, Ashley-Cooper, Lauderdale composent l'anglais *cabal*, terme péjoratif. Et ce jeu de mots fait la joie de l'opposition, car ces hommes sont connus pour leur politique pro-française. Mais la dissimulation ne fait pas peur à Charles II. C'est un art où il excelle.

En la fête liturgique de la conversion de saint Paul, le 25 janvier, il a réuni en secret chez son frère York, outre celui-ci, Lord Arlington, Lord Arundell et Sir Thomas Clifford. Il leur a confié son intention de se déclarer catholique, d'obliger ainsi la France à soutenir le nouveau converti et à l'aider financièrement. Autour de lui, l'emprise de Rome se fortifie. Sans parler de la reine, ni de Lady Castelmaine, que dire des conversions et des sympathies papistes de son frère, d'Arundell, de Clifford et d'Arlington ?

Buckingham n'est pas au courant de la réunion. Il en est resté au traité de commerce que Croissy a charge de négocier. Mais les allusions de sa sœur, la duchesse douairière de Richmond, qui vit près de la reine mère d'Angleterre et constate les fréquents conciliabules de Louis et d'Henriette à Colombes, lui mettent la puce à l'oreille. Entrant dans une vive colère, il se plaint d'être écarté de tout. Son hostilité à Arlington redouble. C'est Madame qui se charge de calmer le susceptible duc.

Le 12 février 1669, elle écrit au secrétaire de Buckingham, le fidèle Leighton, une lettre dont la copie, conservée aux Affaires étrangères, révèle une habileté surprenante de diplomate. Depuis 1666 ses lettres sont perdues. Celle-ci apparaît, par rapport aux précédentes, en grand progrès.

La princesse n'a pas encore vingt-cinq ans. Elle en est à sa huitième grossesse, a dansé en vedette dans d'innombrables ballets de cour, mais elle a su aussi étendre ses connaissances et affiner son esprit. Elle n'a pas perdu son temps. Femme, jeune femme, elle sait parler d'égale à égaux avec les dirigeants.

D'emblée elle marque ses relations privilégiées avec le roi de France. Elle parle en son nom. Il l'a assurée de sa confiance dans les bonnes dispositions du duc, de son habileté et de son application. La longueur de ses phrases permet à Henriette d'approfondir sa pensée et de ne rien négliger des méandres de sa difficile négociation. Puis une formule plus vive réveille l'attention et met du baume au cœur de Buckingham : « Il n'y a rien à attendre de bon ni de sincère de ce côté-là [Arlington, bien sûr], les attachements de cet homme aux Hollandais étant trop évidents et son inclination et sa partialité pour l'Espagne trop connues. » Que le duc se rassure : « Le roi voit très bien qu'il ne peut avoir d'obligation qu'à lui seul. »

Henriette ajoute que « même s'il était des semaines entières sans dire un seul mot de ce qu'il fait », on croirait à sa bonne volonté. Facile concession, puisque le duc n'est au courant de rien d'important, et malice audacieuse de la jeune femme, puisque c'est le duc qu'on laisse « des semaines entières » sans lui dire un mot de ce qui se fait.

Le « j'oubliais de vous dire » final, toujours habile, est occasion pour Henriette de redire du mal d'Arlington et de charger Buckingham de missions inutiles, comme de pousser Charles à plus de confiance envers Croissy, ou d'envoyer en France un messager de son choix.

On touche du doigt la manière de Madame et sa place dans les affaires franco-anglaises. Qu'apporte-t-elle ? Des initiatives, parfois. Après tout, elle a eu la première l'idée d'un accord personnel entre Charles et Louis. Des discussions sur des points techniques, non. On ne lui en demande pas. Mais des assurances d'entente, toujours. Devant tous, elle est le porte-parole des deux rois, le maillon initial de leur alliance et, par sa capacité à savoir taire ce qu'on lui confie, la dépositaire de leurs secrets. C'est pour remplir ce rôle de garant, en apparence flou mais indispensable, que sa venue en Angleterre est importante. Elle jouera ce rôle avec talent lors de la signature du traité secret. En attendant, elle s'y exerce, ce 12 février et en maintes occasions que la disparition de ses lettres ne permet pas toujours d'apprécier.

Bref, Madame, sans rien révéler à Buckingham de « la grande affaire », l'a rassuré. Ses douceurs toutes diplomatiques à ce duc, un temps amoureux d'elle, ont apaisé ses soupçons au point de le conduire cinq jours après, « comme elle le lui a ordonné », chez l'ambassadeur de France.

On peut insister. C'est l'habileté de Madame qu'il faut retenir, non l'insignifiance de Buckingham. Elle a affaire à forte partie. Le duc, en effet, a sur Charles un prestige et une autorité immenses. Sous sa pression, Charles chasse de la lieutenance d'Irlande Lord Ormond, un homme pourtant apprécié des Irlandais et même des Anglais, puisque, par représailles, l'université d'Oxford le prend pour chancelier. Sous sa pression, il fait emprisonner à la Tour de Londres Sir William Coventry pour l'avoir provoqué en duel. Et il n'ose pas, le 17 mars, dans la première des lettres chiffrées à Henriette qui soit conservée, avouer à sa sœur la responsabilité directe de Buckingham dans ces renvois. Il s'en tire par une pirouette : ce serait trop long à dire par lettre. Comme s'il n'avait pas l'habitude de s'expliquer longuement avec elle !

Sa dérobade montre qu'il redoute le pouvoir de Buckingham. Comme il redoute celui de ses conseillers, plus ou moins secrets, ou de ses parlementaires, peu disposés à lui voter des crédits, ou du roi de France, son partenaire mais aussi son rival. De sa sœur seule il ne se défie pas. Du coup les responsabilités de Madame s'alourdissent, et son devoir de réserve. En langage codé, Charles lui annonce l'arrivée d'Arundell, muni de ses instructions, et lui enjoint de n'écrire à personne d'autre qu'à lui, son frère, sur l'affaire de France.

Elle est sa meilleure intermédiaire. Il le voit. Spécialement ce 17 mars où il vient d'apprendre que sa demande au roi au sujet d'un régiment écossais servant en France est accordée grâce à Henriette. Ces Écossais commandés par Lord George Douglas devaient faire partie de l'expédition française envoyée en Candie pour délivrer les Vénitiens du joug des Turcs. Charles craint de leur part des représailles sur les marchands anglais et écossais. Le commerce du Levant est sacré. Mais Louis croit à la mauvaise volonté de Douglas et persiste à faire partir ses hommes. Charles écrit à sa sœur de lui expliquer les choses. Moins de deux heures après l'arrivée du courrier, le roi de France envoie en Provence l'ordre de remplacer les Écossais par un autre régiment.

48.

Trois grains d'opium

Les semaines passent. Chaque samedi, Madame reçoit l'hommage du gazetier Robinet et, plusieurs fois par mois, les lettres chiffrées de son frère. Il lui parle en détail des progrès de la grossesse de sa femme, puis de sa fausse couche. Il l'informe des querelles de préséance à Londres entre le prince de Toscane et l'ambassadeur de France ou de quelques potins de sa cour.

Quelquefois il la fait sourire. Ainsi quand il lui raconte les mésaventures de l'abbé Pregnani. Il l'a tant fait chevaucher qu'il l'a épuisé, puis il l'a emmené aux courses à Newmarket. L'astrologue si fameux y a perdu tout son argent, car les astres l'ont mal conseillé. Trois fois, il s'est trompé en pronostiquant les chevaux qui devaient gagner. Monmouth, qui lui faisait totale confiance, a perdu aussi.

Le plus souvent elle doit lire et relire les recommandations codées de Charles, lui répétant de ne correspondre avec personne d'autre que lui sur les affaires de France et de ne rien dire à Buckingham sur la religion catholique. Plus que jamais le secret est à l'ordre du jour.

Le nouvel ambassadeur d'Angleterre, Ralph Montagu, d'une trentaine d'années, choisi depuis juillet 1668, fait son entrée officielle à Paris en avril 1669. On a trouvé un compromis pour le défilé des carrosses, toujours litigieux. Montagu s'en est remis aux bons offices de Madame. Mais on ne l'informe pas des projets d'accord entre les deux rois ni du rôle de la princesse.

Le jeune diplomate, d'une figure quelconque, comme le dit Hamilton, mais redoutable par son application et l'adresse de son esprit, s'aperçoit vite qu'il y a anguille sous roche. La cour de France, écrit-il dans un rapport à Arlington, est comme celle de Londres, pleine de coteries. Madame a dit au roi de France qu'il n'y a rien de bon à attendre du nouvel ambassadeur d'Angleterre. On le lui a répété de bonne source. Sans doute est-il trop lié à Arlington. En tout cas, continue Montagu, la princesse, Ruvigny, Turenne sont en perpétuels conciliabules. Ils envoient en Angleterre des courriers qui doivent échapper au ministre. S'il veut les connaître, qu'il donne les ordres nécessaires au maître de poste de Douvres pour les intercepter.

Montagu surprend aussi un long entretien du comte de Saint-Albans avec Louis XIV avant son départ pour l'Angleterre. À cause de ses relations privilégiées avec la France et la reine mère, on s'intéresse au moindre de ses déplacements. En fait, même si le comte subodore quelque chose et l'écrit à Buckingham, il n'est au courant de rien. Charles le répète le 4 mai à sa sœur en lui demandant d'écrire de nouveau à Buckingham pour le rassurer encore.

L'arrivée de Saint-Albans à Londres fait grand bruit. On lui a proposé, murmure-t-on, un million de livres pour travailler à rompre l'alliance anglaise avec la Hollande. Charles est contrarié de ces rumeurs. Pourvu qu'on n'aille pas s'imaginer qu'il se mijote avec la France autre chose que le traité de commerce, ouvertement négocié par Croissy !

Au fil des jours, Henriette doit lire les incertitudes de Charles, qui s'étalent en discussions répétitives et angoissantes, et les conseils qui pleuvent sur elle. À propos du secret à garder, dont la nécessité est affirmée sans cesse. Des inconvénients qu'il y aurait à mettre Croissy au courant, de l'impossibilité à renvoyer le frère d'un si puissant ministre. À propos d'Arundell, qui doit rapporter les réponses de Louis XIV et dire quand la France compte rompre avec la Hollande. Enfin et toujours à propos d'Arlington. Madame doit changer d'avis sur lui. C'est Charles qui est le meilleur juge de la fidélité de son ministre.

Les lettres d'Henriette à Buckingham ont apporté toute satisfaction à son frère, qui s'est arrangé pour les lire. Tant mieux. Elle n'en a pas fini pour autant avec les médiations. Il lui faut maintenant engager les ministres français à ne point crier trop fort la bienveillance du roi d'Angleterre envers leur pays. Le Parlement anglais pourrait en prendre ombrage. Lettres, rencontres, négociations incessantes, la tâche est lourde et épuisante pour la délicate jeune femme.

Elle fait une chute malencontreuse à la fin d'avril, peu après la réception de Montagu. Elle peut cependant partir avec la cour pour Saint-Germain le 30. Le 10 mai, Monsieur écrit à Charles pour le rassurer tout à fait. Si la chute n'a pas de conséquence fatale pour la mère ni pour l'enfant attendu, elle souligne la fatigue de Madame et sa fragilité. Surtout que, depuis un moment, s'ajoute à ses occupations le souci de la santé de sa mère.

Saint-Albans a écrit laconiquement à Arlington le 10 avril que la reine a été « très malade. » Est-ce désir de partir au plus tôt pour l'Angleterre ? Il ajoute : « Le danger est passé. » En réalité, le père Gamaches et l'entourage de la douairière constatent, depuis son retour en France, sa grande faiblesse et ses fréquentes insomnies. Les eaux de Bourbon, qu'elle prend chaque année, adoucissent un temps ses maux, puis ne lui font plus rien. Avec courage, en évitant de se plaindre, elle continue sa vie réglée, centrée sur ses pratiques religieuses, ses retraites à Chaillot et son intérêt pour les affaires de Grande-Bretagne. La diminution d'un quart de sa pension, à laquelle le mauvais état de ses finances a contraint son fils Charles à la fin de 1668, l'affecte. Elle s'en plaint dans une lettre à Arlington, se préoccupant surtout du sort de ses « pauvres et de ses établissements de charité ».

Peu après le mieux signalé par Saint-Albans, elle quitte Colombes et va passer la semaine qui suit la Fête-Dieu, du 31 mai au 8 juin, chez ses chères visitandines. Elle leur annonce même son intention de se

retirer définitivement chez elles après l'automne. À
Colombes où elle retourne ensuite, elle ne va pas bien.
Toujours sa faiblesse et ses insomnies. Malgré la consul-
tation de plusieurs médecins, son état ne s'améliore pas.

Henriette, elle, après avoir reçu le roi à Saint-Cloud
en mai, assisté à un repas offert à la reine par le dauphin à Saint-Germain, donné elle-même une fête pour
la Pentecôte, où l'on représente *Le Cid*, reçu en
audience de congé un envoyé d'Espagne, n'est pas
fâchée de se retirer le 23 juillet dans son beau domaine.
Elle y attend son accouchement, tandis que Monsieur
va et vient entre sa maison de campagne, le Palais-
Royal et Saint-Germain.

Elle ne peut échapper à la visite du prince de Toscane,
ni à l'arrivée intempestive, le 24, de l'ambassadeur de
Grande-Bretagne, du chevalier de Beuvron et de bien
d'autres gens de cour qui, mal informés, ont entendu
dire qu'elle a mis au monde un fils. L'ambassadeur de
Savoie, Saint-Maurice, y dépêche en hâte un de ses
gentilshommes pour présenter ses félicitations. On lui
rit au nez. Madame se promène dans le jardin.

Le 27 août 1669, elle accouche d'une fille, Anne-
Marie, Mlle de Valois. Sa mère, dont l'état de santé
empire, ne peut l'assister dans ces moments. Elle-
même, trop faible après ses couches, ne peut se rendre
à Colombes réconforter la reine. Elle songe pourtant à
elle et s'inquiète de la savoir bien soignée. De concert
avec Monsieur, toujours favorablement impressionné
par la qualité doublement royale de sa belle-mère, elle
envoie à Colombes Yvelin, son premier médecin,
Esprit, premier médecin de son époux, Vallot, premier
médecin du roi. Gamaches assiste à la consultation.

Aux questions posées la reine répond avec tant de
netteté que son médecin ordinaire, Daquin, n'a qu'à
préciser les remèdes dont il se sert. Vallot juge que les
maux de la malade sont pénibles à supporter, mais qu'il
n'y a pas danger de mort. Il ne faudrait ajouter, selon
lui, aux remèdes de Daquin que « trois petits grains »
qui l'aideraient à dormir. L'opium est fréquemment
utilisé alors contre les douleurs et les insomnies. Henriette en prenait pendant sa première grossesse.

À ces mots, la reine s'agite. Elle ne prendra pas ces grains. Ils lui sont contraires et Mayern, le fameux médecin anglais, les lui a déconseillés. Vallot insiste. Ses grains à lui sont d'une composition particulière. Il sait combien la santé de Sa Majesté est précieuse. Il n'emploiera pour elle que des remèdes sûrs. Autrement il serait un criminel. La reine, ébranlée, demande conseil aux autres médecins. Ils suivent l'avis de Vallot. Yvelin, médecin de Madame, se montre prudent. Il ne connaît pas la composition de ces grains. Cependant il fait confiance à la réputation de « M. Vallot », un homme de bien qui ne donnerait pas à Sa Majesté de remède qui ne fût salutaire.

On décide que la reine prendra ses grains d'opium sur les onze heures du soir. Elle s'y résigne avec peine, mais ne change rien à ses occupations si bien réglées, prière, repas, oraison mentale, etc. À souper, elle mange bien, rit même, se couche et s'endort d'un bon sommeil. À l'heure dite, l'une de ses femmes la réveille et lui fait prendre, dans un œuf, les grains prescrits. Puis elle la laisse se reposer.

Quand elle vient voir si elle n'a besoin de rien, elle n'entend aucune réponse. Elle s'approche du lit et trouve la reine incapable de parler, étouffée par les soupirs et les palpitations de son cœur. La femme appelle valets, médecins et prêtres. « Elle ne répond à tous que par un mortel silence. » Le curé de Colombes, alerté par Gamaches, lui donne en hâte l'extrême-onction. On conclut que l'opium, dont étaient composés les fameux grains, « a excité quelques vapeurs fortes qui l'ont étouffée ». On est le 10 septembre. La reine mère d'Angleterre est morte d'une surdose, sottement prescrite. Elle avait soixante ans.

Au point du jour, on apporte la nouvelle à Chaillot, à Saint-Cloud, à Saint-Germain. Henriette, qui avait reçu le roi et la reine venus la complimenter sur la naissance de sa fille, les voit revenir peu de jours après lui apporter leurs condoléances pour la mort de sa mère. Leur empressement est sincère.

Mais la saison de la chasse s'ouvre. Louis ne saurait la manquer. Il décide donc, comme le note d'Ormesson, que le deuil et la déclaration publique de la mort de la reine mère d'Angleterre seront reportés après son voyage. Des réjouissances sont prévues à Chambord où l'on chassera cette saison. Le lundi 17 septembre, le roi y part. La reine l'accompagne, et Monsieur. Henriette avec sa peine reste seule et malade.

Heureusement, elle a Mme de La Fayette, et la tendre princesse puise un grand réconfort dans la compagnie de cette amie intelligente et sensible. Elle la voit chaque jour et à toute heure. Pour sortir de son isolement et de son ennui, elle a l'idée de reprendre l'entreprise commencée cinq ans plus tôt, quand elle était enceinte du petit Valois. Elle lui raconte de nouveau sa vie. Il s'est passé tant de choses depuis. Et, par la magie de la romancière, la romanesque Henriette retrouve les galanteries et les folies de ses vingt ans, les billets doux, du temps où elle n'était ni 103 ni 129, où la France n'était pas 271, ni Louis 100 ou 152, comme dans les messages codés qu'elle reçoit maintenant de Charles-360.

Après l'exil de Guiche, les événements ont perdu leur couleur brillante, et les amourettes leur légèreté. Mme de La Fayette a parfois du mal à rendre leur aspect trouble, malhonnête même. Facile de s'envoler sur les jolies histoires d'amour de Louis ou de Guiche. Difficile de retracer les jalousies, les tentations, les trahisons du fourbe Vardes. Et puis, Henriette s'est tellement souciée des libelles hollandais qui mettaient en cause sa réputation et sa place à la cour ! Cosnac a payé si cher pour les détruire ! La romancière le sait et ne veut pas écrire de lignes offensantes pour son amie.

À sa grande surprise, elle s'aperçoit que la princesse n'en est plus là. Elle ne craint plus des courtisans les calomnies, ni de Louis le mépris. De toute façon, les grands sont exposés aux critiques des méchants. Maintenant elle s'est acquis une place privilégiée à la cour de France, indispensable. Les folies d'autrefois sont dépassées, ne lui laissant qu'un goût piquant mais sans amertume, agréable même à se remémorer. « Elle badine », dit Mme de La Fayette, sur tous les passages où elle, la femme de lettres, peine à décrire les faits sans les dénaturer.

Henriette ne s'en offusque plus. Les innombrables détails qu'elle donne à la romancière, les retours fréquents qui nuisent à la clarté de la chronologie ne viennent pas du souci maniaque de se justifier, mais plutôt de son émotion, de sa vivacité à raconter le temps perdu. Elle lit le matin ce que son amie a fait de son récit du soir. Elle en est si contente qu'il lui prend quelquefois l'envie de mettre elle-même la main à la pâte. Pendant un court voyage de Mme de La Fayette à Paris, elle s'amuse à retoucher quelques lignes que la romancière garde ensuite précieusement.

Quand la cour revient de Chambord et que la princesse est prise par les cérémonies funèbres en l'honneur de sa mère, elle n'a plus le temps de se raconter à son amie. Ces retours sur soi n'ont pas moins contribué à lui apporter une certaine paix, celle qu'elle recherche de plus en plus dans ses entretiens avec Bossuet. Les fautes du passé sont dites et effacées. Il n'y a plus de peur en elle ni de remords. La mort de sa mère et l'isolement de l'automne n'y sont pas étrangers.

49.

La « grande affaire »

Entrée en politique, Madame n'échappe pas à la corruption ambiante. Le meilleur moyen que trouve Montagu pour la faire changer d'avis sur Arlington, c'est de l'acheter. Charles donnera à sa sœur une grosse somme d'argent sur le reliquat de la dot de sa femme, que le Portugal s'est décidé à lui payer – il n'y comptait plus. Et Montagu montrera à la jeune femme une lettre d'Arlington lui annonçant le présent.

Visiblement Montagu n'a pas pardonné à la princesse d'avoir dit du mal de lui au roi de France. Il n'est pas tendre, en racontant à sa sœur son entrevue avec elle, début septembre, juste avant la mort subite de sa mère. D'abord surprise et charmée du présent, elle s'inquiète des réactions de sa mère et de son mari. La première, dont la pension est payée avec difficulté, pourrait s'étonner d'un cadeau pareil. Le second se l'approprierait pour le donner à son favori Lorraine. L'ambassadeur la rassure. Si elle ne veut pas ébruiter l'affaire, on ne l'ébruitera pas. Alors Madame accepte, et Montagu se moque. Depuis qu'elle a eu son argent, elle se rengorge comme personne. Puis il se gausse du changement de Madame envers Arlington. Pour un tel résultat, le ministre aurait bien payé de sa poche...

Singulier rapport à l'argent de ces grands qui disposent, par leur statut social, d'immenses richesses, qui en veulent toujours plus et en dépensent plus encore. Comment ne pas sentir aussi une sorte de satisfaction naïve chez la jeune princesse, dont on reconnaît les mérites de négociatrice, et qui reçoit de l'argent non pour ce qu'elle est, mais pour ce qu'elle vaut ?

Bien entendu, ni allusion au présent ni remerciement dans ce qu'elle écrit de Saint-Cloud à Arlington, le 24 septembre. Le prétexte de sa lettre est de remercier le ministre de son souhait qu'elle ait un fils. Elle le fait sans commentaire, dans une première phrase très sèche. Quand on pense aux fatigues que lui causent ses grossesses répétées, aux lamentations de Monsieur à Mme de Sablé sur la naissance de la petite Anne-Marie et non d'un garçon, au chagrin de Madame à la mort du duc de Valois et à son désir permanent d'avoir un héritier, on doute que la princesse ait été reconnaissante à Arlington d'avoir remué le fer dans la plaie.

Son intention est autre, reconnaître la loyauté du ministre et affirmer, sans le dire, qu'il n'est pas un pro-espagnol mais un partisan de l'alliance avec la France. Avec une habileté consommée et dans son orthographe particulière, laissant de côté l'attitude d'Arlington, qui ne lui plaît toujours pas, elle ne parle que de la sienne propre et souligne, ce qui lui est facile, son dévouement aux intérêts du roi son frère. Finalement c'est Arlington qui aura l'impression de lui fournir une attestation de fidélité...

Elle donne, de son dévouement, deux exemples des plus vagues. Le « je vous avouray » qui suit, souvent trompeur dans une diatribe, n'évoque qu'une éventualité passée sur les prétentions de l'Espagne (« sy juse scu »). Sans importance d'ailleurs, reconnaît-elle. Au ministre fidèle elle veut présenter d'elle une image plus fidèle encore, mais ne peut s'empêcher, à la fin de sa lettre, de montrer le bout de l'oreille. Charles lui a mandé qu'il l'aimait fort. Elle n'en doute pas, mais, écrit-elle, c'est très agréable à lire. Sous-entendu, cela peut servir de leçon à Arlington. Qu'il sache bien le pouvoir qu'elle a sur son frère et son désir de le servir. Charles a souhaité une bonne intelligence entre elle et son ministre. Soit. Il l'aura. Que le ministre n'en demande pas plus.

À répéter ainsi ses bonnes intentions envers l'Angleterre, elle ferait croire que sa loyauté à Louis n'est pas totale. Le « refroidissement » de celui-ci pour elle, auquel elle fait allusion, serait-il causé par le mécontentement du roi de France envers la négociatrice ? Non. Il n'est pas politique, il est d'ordre intime et tient à la jalousie accrue de Madame envers la Montespan, qui depuis juin attend un enfant du roi. Mais Henriette récupère ce « refroidissement » pour se faire valoir auprès d'Arlington. Louis XIV lui fait grise mine parce qu'elle montre trop d'attachement à l'Angleterre.

En fait, Madame est loyale envers son frère et son beau-frère. Une autre lettre de Saint-Cloud, écrite quelques jours avant et conservée aussi dans les *Clifford Papers*, la plus longue que l'on ait d'Henriette à Charles, est un chef-d'œuvre d'équilibre entre les deux royaumes et de finesse diplomatique. Elle marque son influence réelle sur les événements, puisque les propositions qu'elle avance seront reprises dans les accords franco-anglais et selon le déroulement chronologique qu'elle suggère.

Comme elle le lui a promis, elle donne à son frère son avis sur « cette grande affaire ». Elle tient compte des faits. Louis, qui a mis de l'ordre dans ses finances, est en mesure d'attaquer ses voisins. Cela pourrait conforter le peuple anglais dans son hostilité à la France et dans son refus d'une alliance contre la Hollande. La vérité est autre. Avec une superbe logique et des arguments serrés, Madame va le montrer.

Charles a besoin de la France pour son projet de « R. », c'est-à-dire de religion, de conversion au catholicisme, et la France ne le soutiendra pas sans une alliance commune contre la Hollande. Elle enchaîne sur une superbe envolée : qu'y a-t-il de plus glorieux et de plus utile pour Charles que d'étendre les bornes de son royaume au-delà de la mer et de se rendre maître du commerce ? Son peuple le désire. L'obstacle, c'est la Hollande.

Certes, l'écrasement de la Hollande augmentera le pouvoir du roi de France, mais la situation de la Grande-Bretagne, l'attrait de ses sujets pour la mer, le nombre de ses ports et leur capacité à construire de grands vaisseaux sont des avantages qu'elle pourra accroître en se réservant dans le partage les plus considérables des villes maritimes.

Si certains craignent que la France arrache à l'Angleterre une part de ses conquêtes, ils se trompent. Les États d'Allemagne et l'Espagne réagiraient contre leur envahissant voisin français, qui y regarderait à deux fois avant de spolier Charles. Celui-ci devrait donc sans peine persuader son Parlement du bien-fondé de l'alliance française. Et s'il n'obtenait pas d'emblée de la France tout l'argent nécessaire pour équiper son armée, les parlementaires, une fois la guerre commencée, ne le laisseraient pas en manquer. Henriette glisse, chemin faisant, l'idée du renforcement du pouvoir de son frère par la guerre. Les troupes qu'il entretiendrait hors du royaume pour la conservation de ses conquêtes rendraient le Parlement « plus souple qu'il n'a accoutumé d'être ».

Elle expose ensuite les avantages qu'il y aurait à commencer par la déclaration de guerre à la Hollande. Puis ceux qu'il y aurait à ne pas laisser Louis déclarer la guerre le premier. C'est pourtant l'idée de Charles de s'engager en second. Elle la combat avec adresse, soulignant la différence entre un roi absolu, comme celui de France, et son frère. Si l'Angleterre s'engage la première, la France la suit sans problème dès lors que son roi le décide. Si c'est la France, Charles dépend de la décision de son Parlement. Que fait-il si celui-ci refuse de rompre l'alliance avec la Hollande ?

Les deux projets, la déclaration de guerre et celle de « catholicité », pourraient se faire en même temps. Cela permettrait même, suggère-t-elle avec malice, d'envoyer à l'armée les gens embarrassants, entendons les protestants enragés... En revanche, il est périlleux de mettre le pape au courant. Il est âgé et ne vivra sans doute pas assez longtemps pour qu'on ait besoin de lui. Son successeur, quel qu'il soit, ne manquera pas de s'honorer de la réunion de l'Angleterre à l'Église romaine.

Charles et Louis ne sauraient rêver médiateur plus clairvoyant ni plus zélé. Le désœuvrement d'Henriette à Saint-Cloud en cette fin d'été n'est qu'apparent. Elle nourrit de souvenirs romanesques les heures nostalgiques passées loin du monde avec sa tendre amie La Fayette. Elle réfléchit aussi, avec intelligence et passion, au sort des deux rois qu'elle aime, et aux moyens d'établir entre eux l'accord le plus avantageux et le plus solide possible. Elle en a, dans ce même temps, sa récompense. En écho à tant de compliments du roi de Grande-Bretagne sur le dévouement de sa sœur, le roi de France ne tarit pas non plus d'éloges sur le zèle et la discrétion de Madame, l'heureuse médiatrice de leur négociation et le lien naturel de leur union.

Malgré tant de préoccupations, le chagrin de la mort de sa mère ne se dissipe pas. Toujours reviennent les séquelles du deuil. Certes l'affection de son frère adoucit les règlements financiers. Malgré les problèmes juridiques soulevés par le cas de cette reine, morte loin de son royaume et sans avoir fait de testament. Malgré l'avidité de Monsieur, impatient de s'attribuer les biens de la défunte, en tant qu'époux de son seul enfant résidant en France.

On convient, par exemple, de rapatrier plus tard en Angleterre les peintures, parfois de grand prix, qui viennent de Charles Ier. Mais on laisse à Madame la maison de Colombes et les tableaux qui y sont accrochés. Charles, pour faire plaisir à sa sœur, lui abandonne une parure de perles, superbes, que la jeune femme apprécie beaucoup et qu'elle a pris l'habitude de porter du vivant même de sa mère.

Quant aux meubles de la reine, frère et sœur les offrent aux visitandines. Comme ils ne conviennent pas à un couvent, les religieuses les vendent. De l'argent retiré, elles font bâtir un dortoir de dix cellules dans l'appartement de leur fondatrice regrettée. Madame y consent et ne se réserve à Chaillot qu'une chambre. Elle poussera bientôt Charles à promettre au couvent 2 000 jacobus, environ 2 500 livres (100 000 francs), pour une chapelle destinée à leur mère. Mais les chères visitandines, se plaignant de la lenteur du règlement, en diffèrent la construction.

Les funérailles officielles n'ont toujours pas été célébrées. Encore un surcroît de chagrins à prévoir pour

Henriette. Peu après la mort de la reine, on a ouvert son corps, que l'on a mené à Saint-Denis, tandis que son cœur et ses entrailles étaient portés en grande cérémonie à Chaillot, en présence de l'ambassadeur de Grande-Bretagne et de l'abbé Montagu, aumônier de la défunte. La communauté, que dirige la mère Bolain depuis la mort de la mère de La Fayette, les a reçus avec des cierges allumés et portés sous un riche dais, puis elle a récité les prières des morts.

Il faut attendre le retour du roi pour déclarer le deuil officiel. Et comme le temps, à Chambord, est fort beau en ce milieu d'octobre, le roi y prolonge son séjour. Puis ce sont les fêtes de la Toussaint et pour la Saint-Hubert, le 4 novembre, la traditionnelle chasse. Elle a lieu à Versailles, et Madame, maintenant rétablie, y prend part.

C'est seulement le mercredi 20 qu'a lieu l'enterrement solennel de la reine à Saint-Denis. L'église est tendue de trois lés de velours noir avec ses armes. Des chandeliers entourent le chœur. Une chapelle ardente, couverte de cierges, forme un dôme octogonal avec huit colonnes et quatre pyramides aux coins et quatre figures. Le coadjuteur de l'archevêque de Reims, Le Tellier, officie. Quatre évêques seulement, en chape, l'assistent. Depuis les chicanes de préséance au service d'Anne d'Autriche entre l'épiscopat et les cours souveraines, le roi a tranché en faveur de celles-ci. Les évêques boudent.

Le deuil est conduit par Madame, Mlle de Montpensier et Mme de Guise, menées par Monsieur, les ducs d'Enghien et de Conti. Les compagnies souveraines sont en noir, le Parlement en rouge comme pour les rois. Celui-ci est du côté des dames avec l'Université, la Cour des aides, la ville de Paris, le Châtelet. La Cour des comptes du côté des princes. D'Ormesson qui assiste aux obsèques, *La Gazette*, Robinet notent la magnificence de la cérémonie. Le premier est particulièrement touché par la beauté de la musique et du *Dies Irae* de « Baptiste » (Lully). Mais il déplore que l'on soit resté jusqu'à quatre heures de l'après-midi sans manger, et que les festins après la cérémonie aient été supprimés.

Il se plaint aussi de l'oraison funèbre de l'évêque d'Amiens. Ce François Faure a déjà prêché fort mal pour les funérailles d'Anne d'Autriche. Il a maintenant perdu « partie et revanche ».

Quatre jours auparavant, le 16, au monastère de Chaillot, qui conserve désormais le cœur de la reine d'Angleterre, Jacques-Bénigne Bossuet, élevé à l'épiscopat depuis deux mois seulement, prononce l'oraison funèbre de la fondatrice Henriette de France et, par la qualité de son texte, s'assure la gloire devant la postérité. En insistant sur les excès de bonheurs puis de malheurs qui furent le lot de la souveraine, il rappelle la grandeur de la défunte et tire des larmes de l'assistance au souvenir des « fatales révolutions » qui l'écrasèrent.

Sachant que son discours sera lu à Londres aussi bien qu'à Paris, il trace un bref aperçu des problèmes religieux en Angleterre, mais se garde d'en condamner le peuple. Il réserve son éloquence et son mépris pour ce Cromwell qu'il ne nomme pas, le régicide, « capable de tout entreprendre et de tout cacher », un de ces esprits hasardeux à l'audace funeste. « Que ne font-ils pas quand il plaît à Dieu de s'en servir ? »

Bossuet par ses sermons était déjà apprécié de la défunte et de la cour. Avec l'oraison funèbre de la reine d'Angleterre, il fait dans ce genre une entrée remarquée du grand monde. Nommé peu après précepteur du dauphin, et déchargé de ses autres tâches de sermonnaire, il va en devenir le spécialiste. Or c'est Madame qui a choisi, pour parler à Chaillot, celui avec lequel, précisément depuis la mort de sa mère, elle se plaît à s'instruire de religion, laissant l'abbé Montagu, grand aumônier de la reine d'Angleterre, se contenter de célébrer la messe.

La jeune femme a imposé Bossuet. Elle ne sait pas que, quelques mois plus tard, il prononcera la prochaine oraison funèbre de la cour, la sienne.

50.

« Monsieur n'entend plus le français »

Avec Monsieur, tout va mal. Le prince est, selon l'expression de Saint-Simon, de plus en plus « abandonné » au chevalier de Lorraine. Un texte de l'abbé de Choisy montre comment, un an après la mort de sa mère, le prince s'affichait déjà avec son favori. Madame a bien besoin de patience...

Choisy est convié au Palais-Royal chaque fois, dit-il, que Philippe s'y trouve. Leurs « inclinations sont pareilles », mais le frère du roi a moins de liberté que l'abbé. Il n'ose porter toujours des habits féminins. Il le fait en privé, le soir, mettant cornettes, pendants d'oreilles et mouches. Un lundi gras, devant trente-quatre dames parées de perles et de diamants, Monsieur donne un bal. En son honneur, affirme Choisy.

Le prince ordonne à l'abbé d'y venir en femme, à visage découvert. Lui-même, au bout d'un moment, paraît en robe, masqué. Tout le monde le reconnaît. « Il ne cherche pas le mystère », et le chevalier de Lorraine lui donne la main, tandis qu'il danse le menuet. Enfin, il retire son masque, poussant la coquetterie jusqu'à changer ses mouches de place et à se regarder longuement dans un miroir. Les hommes, quand ils se croient beaux, affirme Choisy, sont plus entêtés de leur beauté que les femmes.

Bref, à la fin de 1669, le fier et séduisant chevalier de vingt-six ans « possède Monsieur avec empire » et le fait sentir à Madame comme à toute la cour des Orléans. La défunte reine d'Angleterre, par son prestige sur son gendre, était un frein à cette domination, qu'Henriette supporte de plus en plus difficilement. Quand elle le souhaitait, elle trouvait jusque-là en sa mère une conseillère. Maintenant elle se sent isolée dans sa propre maison. À part Mme de La Fayette, il ne lui reste que la gouvernante de sa fille aînée, Mme de Saint-Chaumont.

Celle-ci, toujours en relation secrète avec Cosnac, l'ancien premier aumônier de Monsieur, la pousse vers lui. C'est dommage. De Cosnac à Bossuet, les deux évêques en qui Madame se confie cet automne-là, il y a un monde. Même si les bonnes dispositions de l'évêque de Valence sont sincères envers la princesse, elle ne peut rien attendre de cet exilé compromettant. L'autre affiche à son palmarès la conversion de Turenne et l'émouvante oraison funèbre de sa mère qu'elle fait tout de suite imprimer. Avec lui, elle peut progresser dans la foi chrétienne et trouver de vrais secours dans la religion.

Sa bonté coutumière et le zèle de Mme de Saint-Chaumont pressent Henriette de s'intéresser au sort de Cosnac. Elle demande au roi son retour à Paris pour qu'il s'occupe de ses affaires – le receveur du clergé, Saint-Laurens, chez qui son argent est déposé, vient de mourir. Sans succès. Elle fait intervenir la gouvernante auprès de Louvois et de son frère, l'archevêque de Reims. Elle ébauche le projet, peu réaliste, de lui faire donner un chapeau rouge. Si Charles se déclare catholique, nul doute que le pape ne lui accorde de choisir un cardinal. Il choisirait Cosnac. Bien qu'il n'y croie guère, l'évêque y voit une marque d'amitié de la princesse.

Mme de Saint-Chaumont, qui correspond en chiffre avec l'exilé, lui envoie en septembre une lettre de Madame, qui se plaint du « procédé bizarre » dont on use envers elle. Malgré une lacune dans le texte, on voit qu'elle est fâchée contre son époux et Lorraine. Elle évoque une « vengeance » possible, mais reconnaît qu'elle n'y prendra point de plaisir. Monsieur est, dans l'affaire, « un peu barbouillé », dit-elle de façon charmante. Et elle, comme au premier jour, n'aime pas « lui voir faire des fautes ».

Touchante bonté, mais qui montre que la jeune femme n'est pas de taille à triompher de l'intrigant avide de diriger la maison des Orléans. D'autant que ses alliés ne sont pas malins. Pourquoi cette idée périlleuse de faire venir Cosnac incognito à Paris ? Il est impensable que Madame ait envie de rencontrer un évêque interdit de séjour et de lui confier le dessein franco-anglais auquel elle participe. Elle sait trop, dans cette affaire, l'importance du secret. Cosnac et la gouvernante ne veulent-ils pas plutôt exercer un chantage et se servir des lettres compromettantes pour Lorraine, dérobées jadis dans la cassette de la Fiennes et restées en possession de l'évêque ? Cosnac ne peut les confier à personne. Il faut donc qu'il les apporte lui-même à la cour.

Son voyage est rocambolesque. Puisque Paris lui est interdit, il fait mine d'aller en Limousin, avec son neveu Lamarck et trois domestiques, pour affaires de famille. Ils partent le 2 novembre. Une fois dans les montagnes d'Auvergne, l'évêque met sa croix dans sa poche et s'affuble d'une perruque. Jusqu'à Gien tout va bien. Il peut espérer arriver à Saint-Denis au jour dit. En effet, circonstance encore plus rocambolesque, il compte rencontrer Madame à l'occasion du service solennel de la reine mère d'Angleterre dans la basilique. La princesse devrait feindre de se sentir mal de la longueur des cérémonies. Elle quitterait l'église et le rejoindrait dans la maison que possède à Saint-Denis un de ses officiers. Il s'y serait caché dès la veille.

Mais l'inquiétude, les mauvaises nuits, les longs parcours ont raison de la résistance de Cosnac. À Gien, il a un terrible accès de fièvre. Les remèdes ne lui font rien. La ville est un lieu de passage trop fréquenté pour qu'il y demeure sans danger. Il décide d'aller à Paris, où il sera mieux caché et mieux soigné. Son neveu retient une chambre à l'écart, rue aux Ours, près de la rue Saint-Denis, au troisième étage de la maison d'un tireur d'or, un artisan qui dégrossit les lingots. Celui-ci appelle son médecin Akakia tandis que l'évêque avertit Mme de Saint-Chaumont de son arrivée et de son état.

Est-ce trahison d'Akakia ou suspicion due au comportement bizarre de l'évêque et des siens ? Toujours est-il que, peu de jours après, Cosnac voit surgir, à huit heures du matin, l'exempt des gardes, Des Grès, avec une vingtaine d'archers. Ils ont ordre de l'arrêter sous prétexte de fausse monnaie. L'évêque sort sa croix, révèle qui il est, parlemente avec Des Grès. Sur cela arrive l'apothicaire avec un lavement. Cosnac demande permission de le prendre. L'exempt y consent et détourne la tête pendant l'opération, puis quand Cosnac rend son lavement. Celui-ci en profite pour jeter dans le bassin les lettres et les papiers compromettants en sa possession. Et son valet emporte le tout au nez de l'exempt et des archers, qui se détournent encore pour ne pas sentir l'odeur incommode.

Après maintes discussions, on arrête l'évêque. Il a beau faire valoir sa fièvre et sa faiblesse, on le porte dans un carrosse et on l'incarcère au Fort-l'Évêque. Quand Louvois et le roi apprennent son identité, on le retire de la forteresse pour le conduire en exil à L'Isle-Jourdain, dans le Gers, où il restera deux ans. Mais il a oublié dans une de ses poches une lettre chiffrée de Mme de Saint-Chaumont. Le roi n'aime pas cela.

Soupçonnée d'intriguer avec l'exilé, la gouvernante est renvoyée. Elle se retire à l'hôtel de Gramont, chez son frère, puis demande de s'installer dans un couvent parisien. On le lui refuse. Madame en est au désespoir. Toute la cour est au courant. Monsieur fait mine de ne rien savoir de ce renvoi. Le roi dit au contraire que, dès Chambord, son frère le lui a réclamé « à genoux ».

Henriette boude, veut rester à Paris, refuse d'aller faire sa cour à Saint-Germain. Le mercredi 27 novembre, le roi la fait appeler à Versailles où il vient d'arriver. L'ambassadeur Saint-Maurice conte au duc de Savoie le long entretien qu'ils ont tous deux. Selon des sources sûres, Louis XIV a tenté de consoler la jeune femme. Il veut prendre soin de l'éducation de la fille d'Henriette, l'élever à sa mode et lui donner une gouvernante de sa main, si elle doit un jour épouser le dauphin. Madame sort pourtant du cabinet du roi le visage couvert de larmes.

Elle retourne à Paris, bouleversée. Sa cousine Montpensier vient la chercher chez les carmélites de la rue du Bouloi. Elle y est venue dire adieu à Mme de Saint-Chaumont, « que Monsieur avait chassée, précise la cousine, ce dont Madame était au désespoir ». Mme de Clérambault est nommée gouvernante des fillettes princières.

Comme toujours quand elle est désemparée, Henriette a tout de suite recours au grand frère. Dès le 5 décembre, Croissy raconte dans une lettre à Louis XIV son entrevue avec le roi d'Angleterre. Sa cour connaît déjà le « chagrin » de Madame. Charles est préoccupé du rapport qu'il a reçu. L'évêque de Valence serait venu à Paris chercher un remède indispensable. Son aventure et la disgrâce de la dame, que le roi « estime fort sage », sont le résultat des intrigues de Lorraine. Croissy éclaircit quelques points. L'air contrarié, Charles convient que des raisons pressantes ont dû contraindre Louis à déplaire à sa sœur. Sa grande affection pour elle, avoue-t-il, augmente encore quand il la voit travailler à l'union de leurs deux royaumes.

Peu après, Leighton, au nom du roi d'Angleterre, fait pression sur Croissy. Qu'il insiste auprès de Louis XIV pour que la princesse reçoive une réparation éclatante des mortifications qu'elle a subies. Sans doute Monsieur s'est-il vengé des cachotteries de sa femme. Que le roi de France donne donc à son frère, pour l'apaiser, une augmentation d'apanage ou un gouvernement, et montre ainsi à tous que Madame n'a rien perdu de sa considération.

De telles récompenses ne font pas l'affaire de Louis. Plutôt que d'augmenter les biens de Philippe, il préfère renvoyer Lorraine quand l'occasion se présentera. Car il est décidé à satisfaire le roi de Grande-Bretagne et sa sœur. D'autant qu'il lui faut refuser le projet d'accord secret remis par les Anglais à Croissy le 18 décembre.

Les conditions en sont inacceptables. Louis, Lionne et Madame même en sont stupéfaits. Contre sa déclaration de conversion au catholicisme, 200 000 livres sterling (8 millions de francs), et l'aide militaire dont il peut avoir besoin en cas de révolte, plus d'énormes subsides pour la guerre contre la Hollande, diverses places du territoire hollandais et, en cas d'ouverture de la succession d'Espagne, les (immenses) territoires de ce pays en Amérique.

Les négociations vont être longues – six mois. Leurs difficultés même excluent tout conflit entre les deux rois sur des points mineurs. Lorraine ne pèse pas lourd dans la balance. D'ailleurs son insolence et son ambition sont de plus en plus intolérables. Mlle de Montpensier le sait de la bouche de Louis. Le chevalier n'a pas hésité à lui demander audience pour « s'éclaircir » sur beaucoup de choses. Il a qualifié le prince, son maître, d'un méprisant « Monsieur est un bon homme » et a eu l'outrecuidance de se porter garant de lui, le frère unique du roi. Comment ne pas sentir l'ironie du monarque lui répondant : « J'en suis bien aise » ?

Cependant Madame s'impatiente de voir les effets de la bonne volonté de Louis. Empêtrée dans les soucis que lui donnent l'accord franco-anglais et les folies de son époux, elle écrit, le 28 décembre, à Cosnac, par l'intermédiaire de Mme de Saint-Chaumont, une lettre désespérée, dont l'évêque a pris copie.

Après quelques compliments sur la santé de l'exilé qui a, contre toute attente, résisté aux chagrins, elle se laisse aller sans retenue : « Il y a longtemps que Monsieur n'entend plus le français et que sa langue est réduite à suivre aveuglément les intentions du chevalier de Lorraine. » Le pire, c'est qu'elle ne croit plus qu'il s'en délivre. Elle en est bien triste.

Quant au roi, elle ne peut compter sur lui malgré ses promesses quotidiennes. Comment le croire quand il refuse le retour de Cosnac et ne fait que ce qu'il veut ? Même le père Zoccoli blesse Henriette. Il se laisse duper par Lorraine, grisé par sa victoire sur Mme de Saint-Chaumont, et ne voit pas combien les avances du chevalier à Madame sont inutiles et peu sincères. Il lui reproche de les repousser. Elle n'est pas une bonne chrétienne. Elle a beau l'assurer qu'elle ne peut estimer un homme pour qui elle n'a ni estime ni obligation et qui est cause de ses « chagrins passés et présents », le « bon père Zoccoli » la condamne.

Pour Noël, Monsieur fait à sa femme un chantage stupide. Il ne communiera pas, lui dit-il, à moins qu'elle ne renouvelle sa promesse de ne pas faire chasser Lorraine. Henriette cède et promet, parce que, confie-t-elle à Cosnac, « le contraire ne servait à rien ».

Le vent tourne. L'ancien précepteur de Gaston d'Orléans, l'abbé de La Rivière, évêque de Langres, meurt le 29 janvier. Il laisse vacantes des abbayes de gros revenus, qui sont dans l'apanage de Monsieur et donc à sa nomination. Le prince donne Saint-Benoît-sur-Loire à Lorraine, et Louis saisit le prétexte. La cour complimente le favori, mais quand il se rend le jour même, pour entériner le don, auprès du secrétaire d'État, on lui répond que le roi n'est pas d'accord.

Monsieur va supplier son frère. Louis renouvelle son refus. Voici le comble. Le prince rentre chez lui, boude un moment, puis « envoie Madame au roi », tant il croit, et toute la cour avec lui, à la puissance de la jeune femme sur Louis XIV. Cette fois, Philippe aurait pu se douter que, pour le chevalier, Henriette n'aurait pas envie d'user de ses charmes sur le roi de France.

51.

Beaucoup de bruit pour rien

Coup de tonnerre à Saint-Germain. Le chevalier de Lorraine est arrêté le jeudi 30 janvier 1670, tard dans la soirée. Pourtant Madame a plaidé sa cause auprès du roi et insisté pour qu'il ait les abbayes. Cette démarche incroyable, elle l'a faite par crainte. Malgré sa situation privilégiée, elle a peur de son époux, de ses éclats et de sa tyrannie. Comme Louis s'étonne de sa démarche et lui rappelle les mauvais traitements du chevalier à son égard, elle avoue préférer la satisfaction de Monsieur à ses propres intérêts. Et puis, dans sa fureur, son époux se dispose à quitter Saint-Germain pour Villers-Cotte-rêts. Elle sera obligée de le suivre. Pis encore, elle sera séparée de Louis, ce qui lui causera, dit-elle, « le plus grand déplaisir ».

Ulcéré du refus des abbayes, Philippe a en effet résolu de partir sur-le-champ et commandé qu'on démeuble son appartement. Il ne remettra plus les pieds à la cour si on continue à le contrarier. Le ministre Le Telllier tente de l'apaiser et lui conseille d'aller un moment à Saint-Cloud. Cela suffit. Monsieur persiste. S'il avait une maison à trois cents lieues du roi, il s'y rendrait.

Louis XIV apprend l'entêtement de son frère et sa colère. Il décide de punir celui qui lui monte la tête et envenime leurs désaccords, et de faire arrêter le cheva-lier de Lorraine. Sous prétexte de passer en revue ses gardes du corps, il les assemble et ordonne à d'Ayen et à Lauzun, capitaines de quartier, d'en prendre, à la nuit tombante, quatre cents, pas moins, et de contrôler toutes les avenues du Château-Neuf. Son frère le saura et ne manquera pas d'en être impressionné.

C'est dans la chambre même de Monsieur, où se trouve encore Le Tellier, que d'Ayen apprend au chevalier qu'il vient l'arrêter. Il dit au prince son regret d'avoir à exécuter les ordres en sa présence. Monsieur verse beaucoup de larmes, embrasse avec passion son favori, puis le quitte. D'Ayen traite Lorraine avec civilité et, pour sortir de la chambre, lui laisse son épée. Il le confie ensuite à Lauzun, qui le conduira à la Bastille, d'où il partira pour le château de Pierre-Encise, près de Lyon.

Quand Le Tellier voit entrer d'Ayen chez Monsieur, il se glisse dans l'appartement de Madame et lui demande ce qu'elle compte faire. Ce que Monsieur lui ordonnera, répond-elle. De fait, elle suit son époux qui, plein de rage, l'emmène à Paris où ils arrivent au Palais-Royal vers minuit. Il convoque tout de suite l'ambassadeur d'Angleterre et l'abbé Montagu, et demeure enfermé avec eux jusqu'à quatre heures du matin. Mais l'ambassadeur refuse d'aller à Saint-Germain protester contre l'arrestation.

Les Orléans passent le vendredi à Paris, recevant la visite des Condé père et fils, et celle de Mlle de Montpensier. La cousine remarque combien Monsieur est « fâché » et se plaint de n'avoir pas mérité un pareil traitement du roi son frère. Quant à Madame, elle est « fâchée de voir Monsieur fâché. » Elle n'était pas bien avec le chevalier, mais, dit-elle avec candeur, « il lui fait pitié ». La cousine veut bien l'admettre. Le public, lui, ne croira pas que Madame n'ait pas contribué à la disgrâce de Lorraine. Elle a tant d'influence sur le roi. Précisément, si la jeune femme a le pardon facile pour son pire ennemi, c'est parce qu'elle a, en même temps qu'une grande peur de son époux, une grande confiance en son beau-frère.

Ce vendredi, pour apaiser son trouble, elle s'empresse d'écrire à quelques amis. Dans sa lettre à Turenne, rédigée à « trois heures », elle lui dit adieu.

À moins que le roi ne les retienne « par beaucoup d'amitié et un peu de force », les voilà condamnés à Villers-Cotterêts. Elle sent les conséquences du geste de Philippe, l'ennui, le désagrément d'une mauvaise compagnie dans une campagne solitaire et glacée. Son seul regret, affirme-t-elle, c'est de quitter ses amis, sa seule crainte, que le roi ne l'oublie.

Pourtant, même si elle n'en parle pas, la punition du chevalier ne peut que la satisfaire. Elle se trahit au début d'un billet à Mme de Saint-Chaumont du même jour. Avec humour, elle conjure la bonne dame de se montrer charitable. Qu'elle résiste à la tentation de se réjouir de l'emprisonnement de Lorraine. En revanche, en apprenant le départ de Monsieur, dicté par la colère, l'ancienne gouvernante le plaindra, malgré les mauvais traitements qu'elle en a reçus. Plaisir irrépressible d'un côté, réelle compassion de l'autre, Madame ne révèle-t-elle pas, dans les sentiments qu'elle entend inspirer à sa correspondante, les siens propres vis-à-vis du chevalier et de son époux ?

Bref, le samedi 31 janvier, Monsieur et Madame, laissant leur fille aînée avec la maréchale du Plessis, partent pour Villers-Cotterêts avec douze carrosses à six chevaux. Le bruit a couru des querelles et de leur départ. Un attroupement attend devant le Palais-Royal de les voir sortir. Certains demandent l'aumône, on leur jette quelques poignées de pistoles.

Il n'y a aucune agitation dans Paris. L'affaire des abbayes n'est qu'un prétexte. Elle s'arrangera dès qu'on le voudra. Le public le sait, et aussi que le roi d'Angleterre a souhaité le renvoi de Lorraine, cause des malheurs de sa sœur. Sinon, il la faisait ramener à Londres. En vérité, le temps n'est plus où, quand un fils de France se retirait mécontent de la cour pour s'établir à trois lieues de Paris, on croyait l'unité du royaume en péril. La Fronde est loin. Louis XIV a de l'argent, des troupes et des places fortes solides. Il est maître des parlements et de tout ce qui vit en France. Les caprices de son frère ne l'ébranlent pas.

Évidemment, il ne faut pas que la brouillerie s'éternise. Plaintes, menaces, propositions, galanteries même, les lettres vont bon train en ce mois de février 1670 entre Villers-Cotterêts, Paris et l'Angleterre. Louis raille Henriette de l'ennui qu'elle doit avoir à la campagne. Elle lui répond (toujours son goût des choses de l'esprit) qu'elle étudie l'italien. Mais, ajoute-t-elle avec humour, elle le prie de la rappeler sans trop tarder. Qu'elle ne soit pas obligée de passer à l'étude du latin...

De son côté, Monsieur écrit à Colbert pour se plaindre de son frère et de sa femme. On lui a fait le plus grand affront en arrêtant Lorraine. S'il l'avait cru coupable, il l'aurait renvoyé lui-même. Le roi, en écoutant Madame, l'a autorisée à manquer à ses devoirs envers lui. Il en appelle au ministre parce qu'il le sait digne de confiance. Que le roi lui donne donc les moyens de concilier son amitié et son honneur.

Quant à Louis, il paraît chagrin de cette affaire, même s'il affecte de ne pas s'en soucier et se lance dans une rage de loteries. Elles se poursuivront même pendant le carême. On ne pense plus qu'à jouer et à gagner. Le 4 février, on présente à la cour le *Divertissement royal* où deux princes rivaux s'efforcent de séduire une princesse, et où Louis danse pour la dernière fois, on l'a dit, un ballet de cour. Il semble se bien porter mais, remarque Saint-Maurice, « je croirais plutôt qu'il est bouffi ».

Son frère s'entête. Il ne rentrera à la cour que si le chevalier y retourne aussi. Le roi n'aime pas le chantage. Il resserre les conditions de détention du prisonnier, lui interdit de communiquer avec l'extérieur et ordonne son transfert au château d'If, une forteresse sur une île au large de Marseille. On connaît les goûts de Philippe et qu'il n'a pas d'ambition politique. Mais on ne sait jamais. Des princes étrangers pourraient le pousser à une véritable rébellion. L'ambassadeur de Savoie le craint et s'en ouvre au maréchal de Bellefonds, actif partisan d'un accommodement.

À la longue, l'hostilité de Monsieur à son frère fait désordre. Le roi d'Angleterre s'impatiente. Quand donc le voyage de sa sœur sera-t-il possible ? Ce voyage est nécessaire. Tous les artisans du traité secret en sont d'accord. La stupide bouderie de Monsieur dérange les projets des diplomates. Comment faire ?

Lord Falcombridge, nouvel ambassadeur britannique à Venise, est parti de Londres le 28 janvier. En chemin, il s'arrête à Saint-Germain, ayant en poche une demande officielle pour que Madame rende visite à son frère au printemps. Il note l'influence de la princesse à la cour. Quand il apprend qu'elle est à Villers-Cotterêts, il y envoie son secrétaire, auquel elle expose pendant une heure les difficultés de sa situation.

Elle a des lettres de Charles, d'York, de Saint-Albans, qui lui proposent de jumeler sa visite en Angleterre avec le voyage prévu de Louis XIV en Flandre. Elle n'aurait qu'un saut à faire pour voir son frère. Elle a différé de donner à Monsieur ces lettres, qui sont arrivées juste au moment de l'arrestation de Lorraine. Elle espère les lui montrer bientôt, car elle sent combien l'isolement de Villers-Cotterêts pèse à son frivole époux. Il s'y ennuie encore plus qu'elle. Il est prêt à saisir le moindre prétexte pour céder à Louis et rentrer à Saint-Germain. On peut espérer.

Surtout quand on voit partir pour Villers-Cotterêts Anne de Gonzague, princesse Palatine. La veuve du prince Edward, la cousine germaine par alliance de Charles II et d'Henriette, l'évaporée qui a stupéfait tout le monde par ses intrigues au moment de la Fronde, celle qui, malgré son impiété, a poussé son mari à se convertir au catholicisme et conduit chez les visitandines de Chaillot sa belle-sœur Louise, la spécialiste des arrangements matrimoniaux qui sera l'instigatrice zélée du second mariage de Monsieur avec sa nièce par alliance, cette princesse ne peut que réussir le raccommodement. Amie de l'Angleterre et de son beau-frère le prince Rupert, un des fidèles et des proches de Charles, elle a su conquérir la confiance de Madame et par son habileté celle de Monsieur. Cette femme de tête de cinquante-quatre ans peut dénouer la crise.

De fait, dès son retour à Paris le vendredi soir 21 février, tout s'accélère. Elle envoie une dépêche à Saint-Germain pour que Colbert se rende à son tour à Villers-Cotterêts. Le ministre, en qui Monsieur se fie particulièrement et qui est frère de l'ambassadeur d'Angleterre, paraît tout désigné pour achever ce que la Palatine a commencé. Il part de Paris le samedi matin 22 et apporte à Monsieur de quoi céder sans déshonneur et à Madame de quoi oublier son temps d'exil.

S'il n'est pas en mesure d'annoncer le rappel de Lorraine à la cour, il promet quelques adoucissements à sa prison. Le roi lui permet de communiquer librement et annule son transfert au château d'If. Après un temps à Marseille, le chevalier partira pour l'Italie et s'installera à Rome. Et puis le roi de France, comme les Anglais, connaît la puissance de l'argent. Lui aussi achète Madame.

Colbert arrive à Villers-Cotterêts porteur d'un magnifique présent, un coffre de calambour, c'est-à-dire de bois précieux, orné d'or, qui renferme, raconte Mlle de Montpensier, des bijoux, des dentelles, des gants. Mme de Montespan l'a garni elle-même. Ce n'est pas qu'elle aime Henriette. C'est qu'elle déteste le chevalier. On ne parle que de cela, affirme d'Ormesson. Et aussi des vingt bourses de cent louis chacune, des diamants et des « galanteries » qui correspondent aux billets de loterie que Madame, n'étant pas sur place, n'a pas eus mais que le roi lui a destinés. Quel joli prétexte ! L'ensemble équivaut à deux millions de nos francs. Pour trois semaines d'exil, c'est grassement payé.

Colbert a bien employé son temps. Dès le lundi 24, Monsieur et Madame sont de retour à Paris. Ils se reposent, comme le dit *La Gazette*, quelques heures au Palais-Royal et y reçoivent la visite des personnes considérables de la cour. Puis ils partent pour Saint-Germain où Leurs Majestés les reçoivent « avec des témoignages de joie extraordinaires ». Il était temps. Beaucoup de bruit pour rien.

Apparemment la vie recommence comme avant. Le 3 mars, Madame accompagne roi, reine, dauphin, époux à la revue des troupes dans la plaine de Houilles, cavalerie et infanterie. Un peu plus tard, elle entend un sermon de Mascaron dans la chapelle du Vieux-Château. Bientôt, ce seront les célébrations de saint Joseph et de l'Annonciation.

Côté fêtes, on dirait que Louis veut faire rattraper à la jeune femme celles qu'elle a manquées. Elle assiste, le 6, à la comédie mêlée de ballets que l'on a représentée à Chambord tandis qu'elle se reposait à Saint-Cloud et, le 8, au *Divertissement royal* créé en février et que l'on donne pour la dernière fois de la saison. D'ordinaire Henriette et le roi dansaient dans la création de l'année. Les voici pour la première fois spectateurs. Finis pour la princesse la gloire, les murmures d'admiration, le plaisir de briller à la cour et d'accorder son pas à celui du roi.

À son retour de Villers-Cotterêts, elle ne peut cacher sa mauvaise mine et sa maigreur. Mlle de Montpensier remarque qu'elle ne retourne plus les après-dîners au Château-Neuf, où se trouve la cour, mais demeure dans un appartement où il n'y a personne. Par curiosité, elle va la voir. Madame, tout habillée, passe ses soirées sur son lit, bien aise de se reposer. Et puis, ainsi, elle fuit les lieux où se trouve son époux.

52.

« Des coups de bâton »

Madame est malheureuse. Son époux la rend responsable de l'exil du chevalier et lui fait payer cher son chagrin d'en être séparé. Au point qu'elle apitoie son entourage. Mlle de Montpensier retourne plusieurs fois, le soir, la voir à Saint-Germain. Et les deux cousines, qui auparavant avaient toujours été en froid, se découvrent un grand plaisir à causer en tête-à-tête. « Quand on vous connaît, on vous aime », avoue Henriette. Mademoiselle lui répond la même chose. Le malheur était qu'elles n'avaient pas voulu se connaître.

La reine aussi change d'attitude. Elle détestait Henriette jusqu'ici et la jalousait. Maintenant que la Montespan triomphe et réduit La Vallière même à n'être que sa suivante, la jalousie n'est plus de mise. Un jour, Monsieur fait un vacarme horrible à la cour contre sa femme. Madame en parle à Marie-Thérèse, qui l'emmène avec elle le lendemain, pour un court voyage à Paris. Henriette lui conte ses peines, et la reine, pleine de compassion, lui donne son amitié.

Mlle de Montpensier est au courant de toutes ces querelles. Monsieur n'hésite pas à lui déballer, dans l'embrasure d'une fenêtre, ses motifs de colère. Il lui raconte qu'il n'a aimé sa femme que quinze jours, et des choses qui font dresser les cheveux sur la tête de sa cousine. Elle tâche de l'apaiser. En vain.

De son côté Madame se plaint de la manière de vivre de son époux, mais avec sagesse et un peu de mépris, note Mlle de Montpensier. « S'il m'avait étranglée quand j'ai fait quelque faute, lui confie Henriette, il aurait bien fait. Or il m'a pardonné, et vient maintenant me tourmenter pour rien. » Humilité sincère, attendrissant aveu des douces galanteries passées dont la princesse a revécu récemment avec Mme de La Fayette le bonheur. Rien qui puisse toucher un mari, enragé d'avoir perdu son mignon et de plus en plus violent.

Cette atmosphère agitée et douloureuse ressort des lettres d'Henriette à Mme de Saint-Chaumont. Elle n'a pu écrire de Villers-Cotterêts, lui explique-t-elle le 10 mars, la poste étant trop « périlleuse ». Elle félicite l'ex-gouvernante de n'avoir pas cédé aux délices de la vengeance. Elle-même ne peut s'empêcher de se réjouir de la punition du chevalier. Elle se plaint des rudes traitements de son époux, persuadée qu'il ne reprendra pas Mme de Saint-Chaumont à son service. « Il est si honteux, remarque-t-elle avec finesse, de vous avoir fait une injustice qu'il ne vous le pardonnera jamais. »

La lettre du 26 mars révèle une étape de plus dans l'acharnement de Monsieur. Quand il est mécontent, cela retombe sur Henriette. Louis a parlé à Philippe du voyage en Angleterre, sans en dire les ressorts secrets, mais en le présentant comme une visite de courtoisie d'une sœur à son frère. Philippe s'y est opposé avec fureur. Il s'est porté, écrit la princesse à Mme de Saint-Chaumont, « à une extrémité où vous ne l'avez jamais vu. Sans craindre les bruits du monde, il a dit que je l'avais traité de misérable, que je lui avais reproché la vie qu'il fait avec le chevalier et beaucoup de choses de cette sorte qui ont fort diverti le prochain charitable ». Henriette ne perd pas son humour.

Le but de Monsieur, écrit-elle encore, est de la contraindre à obtenir du roi des grâces pour Lorraine. Mais elle ne se rendra pas aux « coups de bâton ». Menaces ou coups réels ? On ne sait. Le sûr est l'ambiance déplorable dans laquelle la princesse vit avec son mari. Outré de colère et lui refusant la permission d'aller en Angleterre, il s'est vanté à Saint-Germain de coucher tous les jours avec elle afin de l'empêcher de partir. Dans l'état où elle est, une nouvelle grossesse lui rendrait en effet tout déplacement impossible. Cela s'est répandu partout, l'ambassadeur Saint-Maurice le répète. Ensuite, Madame le confie à Mme de Saint-Chaumont, son époux s'est refusé à entrer chez elle et ne lui parle plus, ce qui n'était jamais arrivé jusqu'à présent, quelque démêlé qu'ils eussent eu.

Quant au roi, même s'il ne peut faire entendre raison à son frère, Madame en est contente « autant qu'on le peut être ». Ce qu'elle redoute, ce sont les mignons qui entourent Philippe, le petit Marsan, le chevalier de Beuvron et « la fausse capacité du marquis de Villeroy », qui ne cesse de se vanter de la faveur de Monsieur à tort et à travers, sans ménager les intérêts du prince ni même ceux de Lorraine. Elle ne désespère pourtant pas d'aller en Angleterre, ce qui, dit-elle, lui sera « fort agréable ». Il lui faut bien se raccrocher à quelque chose.

En fait, quand le roi annonce à son frère le prochain voyage de sa femme, il s'aperçoit qu'il en est instruit. Grande est sa stupéfaction. En principe, Henriette, Lionne, Louvois et Turenne sont seuls au courant, Louvois d'ailleurs contre l'avis de Madame, qui n'aime pas ses manières tranchantes et que le roi a prévenu en cachette.

Jamais secret n'a été mieux gardé. Les ministres et leurs collaborateurs indispensables pour rédiger les mémoires, prévoir les instructions nécessaires, régler la mécanique d'un si grand projet, sont des tombes. Bossuet célébrera bientôt la discrétion de Madame. Ni la surprise, ni la vanité, ni l'appât d'une flatterie délicate ou d'une douce conversation ne peuvent, dira-t-il, la pousser à trahir un secret. C'est donc Turenne qui a bavardé. À qui puisque ce n'est pas directement à Monsieur ? En questionnant son frère, le roi parvient à savoir que son information vient du chevalier de Lorraine. Toujours ce diable d'homme. Qui donc l'a renseigné ?

Louis XIV fait venir Turenne. Le maréchal de soixante ans finit par avouer en bégayant qu'il n'a pas parlé des intentions de Sa Majesté sur la Hollande, mais qu'il a révélé à la jeune et charmante Mme de Coëtquen le projet de voyage de Madame. Il y aura de grandes rivalités entre les dames de la cour pour avoir

l'honneur d'accompagner la princesse. Mme de Coëtquen doit se tenir prête. Et le maréchal de demander
pardon au roi. Celui-ci se met à rire. « Vous aimez cette
dame ? – Non pas, se défend Turenne, mais elle est de
mes amies. – Eh bien, ne lui en dites pas davantage,
commande Louis XIV. Car si vous l'aimez, je suis fâché
de vous dire qu'elle aime le chevalier de Lorraine, à qui
elle répète tout, et que le chevalier en rend compte à
mon frère. »

La vraie raison de la rencontre de la princesse et de
son frère demeure donc secrète. Saint-Maurice, des
plus clairvoyants, se doute seulement de quelque négociation ou d'une tentative pour donner de la jalousie
aux Hollandais, Espagnols et Suédois. Mais on ne peut
garder le secret indéfiniment. Monsieur doit sans tarder consentir au départ de sa femme. D'autant qu'il
faut fixer la date du voyage en Flandre, dont dépend
celui de Madame. On parle de la fin d'avril puis de mai.

Une réconciliation officielle entre la princesse et son
époux a lieu le Vendredi saint 4 avril. L'ambassadeur de
Savoie pense que l'un fait mine et que l'autre agit par
faiblesse. Et il note l'air mélancolique de la princesse.
Les deux époux ont fêté les Rameaux à Saint-Germain.
Ils sont arrivés à Paris le 31 pour la semaine sainte et,
après avoir reçu l'ambassadeur de Danemark, ont fait
leurs dévotions. D'abord séparément. L'office des
Ténèbres du 2 avril, Monsieur l'entend chez les prêtres
de l'Oratoire, Madame dans l'abbaye de Montmartre.
L'office du 3, Monsieur l'entend aux Feuillants,
Madame à Chaillot.

Mais le 4, jour de la réconciliation, ils vont ensemble
avec leur fille aux Feuillants pour l'adoration de la
croix, et l'après-dîner au Val-de-Grâce. Le 5, ils retournent aux Feuillants et, le jour de Pâques, se rendent,
toujours avec leur fille, à Saint-Eustache, leur paroisse,
pour l'office du matin.

Alors qu'autrefois Madame se dispensait régulièrement des offices de l'après-midi, elle y assiste cette
année avec fidélité. Le 6, elle va chez les carmélites de
la rue du Bouloi où elle entend la prédication du père
Saillant, de l'Oratoire. Depuis la mort de sa mère, elle

se rend fréquemment, comme la reine Marie-Thérèse, dans ce monastère. C'est là qu'elle a dit au revoir à Mme de Saint-Chaumont. Le 7, elle est au sermon de Bourdaloue chez les jésuites de la rue Saint-Antoine. La persuasion de Bossuet, qu'elle rencontre assidûment, n'est pas sans effet.

Sa mélancolie pourtant ne disparaît pas, Saint-Maurice la remarque encore, sans en pénétrer la cause. Il est vrai que Monsieur s'emporte toujours contre le voyage. Il craint qu'elle ne s'installe en Angleterre comme une sorte d'ambassadeur, ou qu'elle y ait un galant. Il exige – mais on ne l'écoutera pas – que, pendant le séjour de sa femme dans son pays natal, Monmouth soit envoyé en Hollande. En réalité, une longue lettre de la princesse à Mme de Saint-Chaumont, du jour de Pâques, révèle les dessous de la réconciliation.

Elle n'a pas proposé le retour du chevalier à Philippe pour qu'en échange il consente à son voyage. Elle n'en a pas le pouvoir. « Ce sont, écrit-elle avec amertume et dérision, de ces choses dont le monde m'honore de temps en temps », sans nul fondement. Monsieur lui a seulement déclaré qu'« il ne pouvait aimer que son favori ne fût en tiers ». Elle lui a répondu que, même si elle désirait son retour, elle ne pourrait l'obtenir. Elle ne parvient même pas à obtenir celui de Mme de Saint-Chaumont.

Monsieur, poursuit-elle, a tempêté contre le voyage pour faire voir au monde qu'il est le maître, et qu'il la traite aussi mal en l'absence du chevalier que lorsqu'il est avec lui. On a cru pouvoir lui tenir cachées certaines choses, a-t-il protesté. Il saura s'en venger en « faisant pâtir » sa femme « des fautes des deux rois ». Puis il a consenti à la réconciliation pourvu que Madame fît les premiers pas. Elle les a faits par le moyen de la Palatine (encore elle !).

Pour finir, il a décidé que non seulement sa femme irait en Angleterre, mais qu'il l'accompagnerait. Nouvelle lubie de Monsieur, incroyable après tout le mal qu'il dit de Charles, malgré ses protestations épistolaires de respect. Henriette en est étonnée. Personne ne se doute encore de cette fantaisie de Philippe. Elle n'en a pas parlé, mais elle a écrit aussitôt à son frère. Elle attend sa réponse.

Puis Henriette se désole longuement de ne rien pouvoir pour l'ex-gouvernante. Et l'aveu qui suit trahit sa détresse. Même dans les occasions où elle semblait au comble des faveurs, elle n'a cessé d'endurer des « dégoûts terribles ». Elle ne s'en est vantée à personne parce que, dit-elle, « je n'aime pas à me plaindre, et parce que je ne saurais à qui parler ».

Le 14 avril, encore une lettre. Mme de Saint-Chaumont doit se résigner. Le roi a défendu au maréchal de Gramont, frère de la gouvernante, de faire intervenir Madame pour elle, car « il n'aime pas à lui refuser ». La nouvelle gouvernante, la maréchale de Clérambault, a été très malade. Henriette, pourtant, a souhaité sa guérison, de peur que Monsieur ne recommence le « vacarme » qu'il fit à Saint-Cloud là-dessus.

Comme le courrier dont elle dispose est sûr, Madame proclame à sa correspondante la grande nouvelle : « Tout est fini et d'accord entre les deux rois. Il reste très peu de chose à faire que je pourrai achever dans le voyage. » Si on le savait, on pourrait la croire toute-puissante. Ce serait compter sans la tyrannie de Louis. Il tient à manifester sa seule toute-puissance. Qu'Henriette se rassure. Son voyage en Angleterre se fera parce qu'il l'a décidé. Inutile de craindre Monsieur. Elle reconnaît que le roi est bien disposé à son égard, mais ne peut s'empêcher de le condamner parfois « pour des fautes et des imprudences incroyables ».

Ainsi, il permet à Lorraine de circuler librement hors de France, promet à Philippe un surplus d'apanages et des pensions au retour d'Henriette. Il serait même prêt à accepter que Monsieur l'accompagne. Une catastrophe quand on sait l'incapacité du prince à garder un secret. Heureusement Charles a trouvé un (mauvais) prétexte pour le refuser. Son frère York ne peut venir à Calais. Il n'y a pas de raison pour que Monsieur aille à Douvres.

Une fois encore Madame se plaint des favoris qui conseillent à son mari de vivre mal avec elle. Elle parle du marquis d'Effiat, pourtant « un peu moins fripon que les autres ». Elle se désole parce qu'il n'y a qu'un seul moyen d'apaiser Monsieur, faire revenir Lorraine, elle n'a pas besoin de le préciser. Ce serait un remède pire que le mal.

Sa joie du traité prochain entre les deux rois s'estompe. Elle se laisse aller au découragement. « Le naturel jaloux de Monsieur », sa peur que l'on aime et que l'on estime sa femme lui causeront toujours des problèmes, gémit Henriette. Quant au roi, « il n'est point de ces gens à rendre heureux ceux qu'il veut le mieux traiter. Ses maîtresses ont plus de trois dégoûts la semaine ». Que peut-elle en attendre ?

Dans sa mélancolie, elle se raccroche aux conditions concrètes de son voyage. Là encore elle sent la méchanceté de Monsieur. Vu le caractère secret de sa négociation, on n'a pas prévu de grande escorte pour elle. Le jaloux est ravi. Il aurait même voulu qu'elle parte sans personne pour l'entourer.

53.

La route des Flandres

On a failli oublier le baptême ! Anne-Marie, la fille qu'Henriette a mise au monde en août 1669, juste avant la mort de sa propre mère, et dont la naissance l'a tant fatiguée, est enfin baptisée le 8 avril 1670, surlendemain de Pâques. Mlle de Valois, c'est son titre, a un parrain prestigieux, le dauphin, et pour marraine Mlle de Montpensier, princesse du sang. Mais la cérémonie a lieu dans l'intimité, en la chapelle du Palais-Royal, en présence du roi, de la reine et des Enghien. Mme de Clérambault, la gouvernante dont la nomination a causé tant de tracas, tient l'enfant dans ses bras. Juste avant, un dîner – magnifique, bien sûr –, donné par Monsieur dans son cabinet, a rassemblé le petit monde des élus.

Le voyage en Flandre occupe les esprits. Ce doit être un voyage de prestige. Le roi inspectera les provinces brillamment conquises l'année précédente et se montrera dans sa gloire à ses populations. Tous ses ministres ne l'accompagneront pas. Il faut bien gouverner... En revanche, les courtisans sont sur les dents et se ruinent pour soutenir l'honneur d'y participer, les officiers pour assurer la bonne tenue de leurs troupes et de leurs équipages. L'ambassadeur de Savoie remarque l'empressement puéril des uns, les fanfaronnades ou l'envie de se divertir des autres, la faible paie des soldats, la nécessité pour Louis XIV de garder sans cesse ses troupes en main, la raideur maladroite de Louvois. La reine, les dames, le dauphin seront du voyage.

Le départ est fixé au 28 avril. Monsieur et Madame quittent Paris pour Saint-Germain le 25. Jusqu'au bout le prince s'est montré odieux envers sa femme. Il a exigé d'emblée que, si elle allait en Angleterre, elle ne dépasserait pas Douvres. La ville est petite, son château incommode. Charles ne pourra recevoir sa sœur avec la magnificence qu'il aurait déployée à Londres. Henriette n'aura pas la joie de revoir grand-chose de son pays natal. On a beau dire. Monsieur s'entête. Douvres ou rien.

À la mi-avril, il fixe à trois jours la durée du temps qu'y passera la jeune femme. Trois jours, alors qu'elle n'a pas vu son frère depuis neuf ans ! Philippe ne saurait être plus mesquin. Sans parler des chicanes quotidiennes, de ses reproches à la princesse parce qu'elle s'est promenée le 16 avril en carrosse avec Mme de Meckelbourg, la chère Bablon.

Louis, en revanche, accorde une gratification royale à sa belle-sœur pour son équipage. Cela ne suffit pas à dissiper sa mélancolie. On la sent dans le billet d'adieu écrit le jour du départ à Mme de Saint-Chaumont, où elle se plaint des trois jours imposés, « insuffisants pour toutes les choses que deux personnes qui s'aiment autant » qu'elle et son frère ont à se dire. Surtout, cela ne suffit pas à dissiper ses craintes.

Elle a peur de son époux. Monsieur cinq fois nommé dans le billet, Monsieur « toujours trop aigri » contre elle, Monsieur qui veut, Monsieur qui veut et exige qu'elle « fasse revenir le chevalier » sous peine de la « traiter comme la dernière des créatures ». Avant même de partir, elle redoute ce qui se passera à son retour. Comme elle avait prévu avant son dernier accouchement (Mme de Saint-Chaumont doit s'en souvenir), les malheurs qui lui arriveraient après. Elle en avait averti le roi qui ne s'en était pas soucié, mais qui a trouvé depuis ses craintes fondées. D'où la nécessité de ne laisser jamais revenir cet homme, le chevalier, « qui ferait bien pis encore à l'avenir ».

La cour part de Saint-Germain le lundi 28, à dix heures du matin, avec une suite des plus belles et une armée de trente mille hommes, pour aplanir les chemins et renforcer les garnisons des villes conquises. Dans le sompteux carrosse royal, ils sont huit. Outre son frère, le roi garde avec lui les dames – curieux mélange –, la reine, Madame, Mlle de Montpensier, Mlle d'Arquien, ancienne fille d'honneur de la reine, devenue depuis peu comtesse de Béthune, la duchesse de La Vallière et la marquise de Montespan.

Dès la première étape à Senlis, après un dîner à Chantilly chez les Condé, le mauvais temps s'installe. Il devient effroyable à partir de Saint-Quentin d'où l'on part à sept heures du matin, le 3 mai. Il pleut à verse. Les chemins sont détrempés, les charrettes embourbées, les mulets déchargés, car ils ne cessent de tomber dans la boue. Il y a même des chevaux qui meurent. Le train royal a beau comporter tapisseries de prix, vaisselle d'argent, meubles confortables, pas question de s'en servir. Les bagages ne parviennent pas à suivre les carrosses princiers. Eux-mêmes, pris dans le mauvais temps, doivent bientôt renoncer à l'étape prévue. La longueur du trajet paraît insupportable au roi. Il peste contre Louvois, qui a préparé l'itinéraire.

À la nuit, près de Landrecies, où les marais abondent, il est impossible de passer à gué la Sambre débordée. Pellisson et d'Avaux, en tête, l'ont réussi par chance, mais Bouligneux a pensé s'y noyer et Crussol a vu se remplir d'eau les portières de son carrosse. Le roi et ses proches s'arrêtent devant une pauvre maison au milieu d'un pré. Il est dix heures du soir. Ils ont une bougie. Gémissements de la reine, qui enfonce dans la boue jusqu'aux genoux. Retour dans les carrosses.

Madame est dans le sien, car après le départ en grande pompe dans le carrosse du roi, chacun a retrouvé l'espace et les aises de son propre véhicule. Mlle de Montpensier, qui la sait mal portante et délicate, la trouve abattue. On la porte, comme les autres dames, dans la maison, où ils décident de coucher tous ensemble par terre. Ensemble, des femmes, avec le roi et Monsieur ? Où est le mal ? La Montpensier n'en trouve pas. En attendant de s'allonger sur des matelas de fortune, on mange. Le roi, malgré les circonstances, ne perd pas ses qualités d'initiative et de commandement.

Il réussit à faire apporter de Landrecies un repas. C'est d'abord un potage. Il est sans viande, peu cuit. Il est froid et il a mauvaise mine. La reine n'en veut pas. Mais Madame, son époux et sa cousine se jettent dessus. Marie-Thérèse se plaint ensuite qu'ils ont tout mangé. Les viandes sont si dures qu'il faut tirer à deux sur une cuisse de poulet pour la détacher de la carcasse.

Henriette passe la nuit entre Monsieur et le roi. Au matin, sa cousine la trouve très pâle. Il est vrai que les autres dames, sans leur rouge, le paraissent aussi après une telle nuit. Seule la Montpensier, heureuse de voyager avec son bien-aimé, le commandant de l'escorte royale Lauzun, ne sentira pas les fatigues de ce périple glorieux qui débute si piteusement. Malgré le manque de sommeil, il faut repartir dès l'aube, quand Louvois vient annoncer qu'un pont a été aménagé pendant la nuit pour passer la rivière.

Repos à Landrecies du 4 au 6 mai, Avesnes le 6, Le Quesnoy le 8, Le Cateau-Cambrésis ensuite, Arras du 12 au 14. Henriette est épuisée. Elle paraît fort triste, note sa cousine, parle peu, a toujours la tête basse. Elle prend beaucoup de lait, affiche un grand dégoût pour les viandes, ne soupe pas avec les autres, mange de bonne heure et se couche de même. Elle, d'ordinaire si vive et spirituelle, demeure taciturne et lasse. Son entourage ne risque pas de se douter de la grande affaire à laquelle elle va participer. Le roi lui rend souvent visite, et l'on remarque les grands égards qu'il a pour elle. Mais la présence de Monsieur, ses menaces, l'angoisse du retour la paralysent.

Son époux ne perd aucune occasion de lui être cruel. Un jour qu'on parle de prédictions, il déclare qu'on lui a prédit plusieurs épouses. « Je le crois, ajoute-t-il, car en l'état où est Madame, on peut croire qu'elle ne vivra pas. » Durant toute cette route des Flandres, la mort pèse sur Henriette.

Tournai, Audenarde, Courtrai le 21. On y annonce officiellement que le roi d'Angleterre viendra voir sa sœur à Douvres. Qu'elle ne tarde pas. La flotte qui doit lui faire passer la Manche l'attend déjà à Dunkerque. C'est ainsi que la majorité des courtisans, Mlle de

Montpensier la première, apprennent le fameux voyage de Madame.

À cette nouvelle, la cousine remarque la joie d'Henriette et le mécontentement de Monsieur. « Il ne voulait point qu'elle y allât, mais le roi le voulait absolument. » Tout le mercredi 21 à Courtrai, le prince est d'une humeur détestable. On arrive le 22 à Lille, où Henriette passe la journée à se reposer. Le lendemain, elle doit partir pour Dunkerque.

Tout le monde vient lui dire adieu. Le roi, qui a été indisposé et n'a pu se mettre à table, se force à sortir pour la saluer. Mais elle ne peut s'empêcher d'être triste des gronderies que Monsieur ne se prive pas de lui faire. Une fois qu'elle est partie, il s'enferme dans sa chambre avec Mlle de Montpensier et s'emporte contre Madame. La cousine est persuadée que les raccommodements n'ont été que simulacres et que les deux époux ne se réconcilieront jamais.

On avait parlé de petite escorte. On ne peut imaginer cependant la belle-sœur du roi de France débarquant dans son pays natal sans le décorum indispensable. La compétition a été dure parmi les courtisans pour être du cortège. Deux cents personnes accompagnent la princesse, dont trois maîtres d'hôtel, un secrétaire, un trésorier, plusieurs médecins, chapelains, écuyers, gardes et portiers, le maréchal du Plessis, les comtes et comtesses de Gramont et d'Albon, l'évêque de Tournai. Et cinq demoiselles d'honneur, parmi lesquelles la ravissante Louise-Renée de Kéroualle, bientôt souveraine du cœur de Charles.

À cause du mauvais temps, le cortège prestigieux arrive à Dunkerque le 24 seulement, après être passé par Ypres. Lord Sandwich, vice-amiral de la flotte britannique, et Saint-Albans, qui sont partis de Londres le 23 à bord de la *Mary-Rose*, l'attendent. Les messages entre Whitehall et Douvres ont été nombreux pour préparer les bateaux de guerre et les barques, qui depuis Dunkerque vont conduire la princesse et sa suite en Angleterre.

Que d'émotions pour Henriette ! Que d'événements depuis sa traversée de 1660 où, fiancée au frère du puissant roi de France, elle allait rejoindre son propre frère, restauré depuis peu sur son trône ! Sa mère n'est plus là pour l'accompagner. Son amie préférée, Mme de La Fayette, est restée en France. Des relations de cour, de la suite qui l'entoure, elle sait le vide et l'hypocrisie. Dans son isolement intérieur, nul doute que la lettre envoyée par Françoise de Grignan, sa compagne à la Visitation de Chaillot, sa partenaire dans quelques ballets de cour, la fille idolâtrée de Mme de Sévigné et la femme sensible du comte de Grignan, nul doute que cette lettre n'ait touché la princesse.

Au matin du 26 mai, la flotte arrive en vue des falaises de Douvres. Pendant ce temps, Charles a reçu avis par un courrier express du prochain embarquement de sa sœur. Il quitte Londres avec le duc d'York, Monmouth, qui n'est pas allé en Hollande comme le voulait Monsieur, le prince Rupert et une suite nombreuse. Il comptait avec son embarcation rejoindre Henriette le plus tôt possible, en pleine mer, dès que ses navires seraient en vue, mais le manque de vent l'oblige à s'arrêter à Gravesend et à rejoindre Douvres par la route, à cheval d'abord, puis en poste. C'est donc à la rade de ce port qu'il accueille enfin sa sœur à bord du vaisseau amiral.

Leur joie ne peut s'exprimer. Retrouver son frère, oublier les tracas que lui cause son époux, le bonheur pour Henriette. On la conduit dans les appartements aménagés pour elle dans le château. Malgré les efforts déployés, ils ne sont pas très confortables. Le bâtiment remonte au XIIe siècle et n'est pas agencé pour recevoir des hôtes de marque. La suite de Madame devra se contenter des maigres ressources locales.

Quant à la cour d'Angleterre, elle campe à Douvres ou fait les trajets depuis Londres. Le 29, la reine et les York viennent à leur tour accueillir Madame. Henriette a connu la duchesse fille d'honneur de sa sœur, la princesse d'Orange, mais elle n'a jamais vu la reine. Elle la trouve sinon belle du moins aimable. À la duchesse d'York elle donne des nouvelles de sa fille Anne, la future reine, que l'on soigne en France pour ses yeux et qu'elle a prise avec elle depuis la mort de la reine mère d'Angleterre.

En l'honneur d'Henriette, York fait représenter deux jours de suite, dès le 29 et le 30, des pièces de théâtre suivies de collations magnifiques. Il sait combien Monsieur a limité le séjour de sa sœur dans son pays natal. Il sait aussi, comme beaucoup, l'attention de la jeune femme aux choses de l'esprit et son goût pour les auteurs de son temps. Et ce sont des comédies de Molière, jouées en anglais, qu'Henriette a le plaisir d'applaudir. Un accueil si chaleureux, la joie de se retrouver en famille, le bonheur de voir Charles lui font retrouver non pas la santé, mais une apparence de santé. Elle veut oublier sa fatigue et ses maux. Et comme toujours sa résistance nerveuse fait les frais de ses moments de plaisir.

Ce n'est pas seulement pour ces douceurs ni pour entendre du Molière en anglais qu'elle est venue à Douvres. Elle a reçu du roi de France une mission et se sent de taille à la remplir. À Tournai, avant de passer en Angleterre, n'a-t-elle pas déclaré à l'envoyé danois que Van Beuningen, ambassadeur des Pays-Bas, partait pour Londres la contrer, mais que son crédit valait plus que celui du Hollandais ? On peut être sûr, ajoute-t-elle, qu'elle donnera de bons conseils au roi son frère. Dès son arrivée, elle se hâte de les lui donner et l'ambassadeur de France est content.

Mais les jours de la princesse sont comptés. Et plus qu'on ne croit. Dans un mois, Madame sera morte.

54.

Mission remplie

Trois jours après l'arrivée de Madame, l'ambassadeur Croissy peut informer Louis XIV de l'avancement de « l'affaire que vous savez » et de la ratification imminente du traité de commerce. Bien sûr, ce n'est pas la princesse qui, en si peu de temps, a réglé les possibles différends. Les principales clauses du traité et de l'accord secret entre les deux rois sont prêtes. Les diplomates des deux côtés de la Manche ont travaillé. Elle le sait. Sa tâche consiste à user de son influence sur son frère, à lutter contre sa nonchalance coutumière, surtout à le pousser à déclarer la guerre à la Hollande avant de proclamer sa conversion au catholicisme.

Cela, elle le réussit à merveille et tout de suite. Dès le 29 mai Croissy écrit au roi de France sa satisfaction. Madame a « ébranlé l'esprit du roi son frère ». Le voilà disposé à déclarer la guerre aux Hollandais, *avant toute chose*. Il est vrai que Charles connaît les difficultés que soulèvera son abjuration au protestantisme. Son ardeur religieuse n'est pas telle qu'il soit prêt à envisager une guerre civile. Un conflit avec la Hollande sera plus gratifiant. Et puis, son frère York, obligé de retourner à Londres pour surveiller une agitation presbytérienne, n'est pas là pour ranimer sa ferveur catholique. Le roi, sur les conseils de sa sœur, aurait même accepté de faire venir Turenne en Angleterre pour décider des mesures militaires à prendre, mais Croissy pense avec raison que le passage du maréchal serait trop voyant. Il risquerait de dévoiler à leurs ennemis les projets franco-anglais.

La « grande affaire » se présente donc bien. Et même Louis XIV envoie à son ambassadeur, le 31 mai 1670, une bonne nouvelle pour Madame. Conformément aux exigences de son époux, elle devrait revenir le lundi 2 juin au plus tard à Boulogne pour rejoindre la cour. Mais le roi a montré à son frère une lettre où Charles « souhaite avec passion » que le séjour de sa sœur soit prolongé. Cela peut être utile pour leur affaire, pense Louis. Il convainc Monsieur de consentir à ce que sa femme reste encore à Douvres dix ou douze jours.

Toujours habile, le roi de France demande à Croissy d'« exagérer » à Charles II « tout ce que l'on fait pour son contentement et l'obligation qu'il en doit avoir ». Il n'en sera que plus accommodant pour le traité. En France, d'Ormesson en témoigne, rien ne transpire du secret. On dit seulement que Madame, passée en Angleterre pour voir son frère, y sera plus longtemps qu'on n'avait cru.

Ce traité secret, objet de tant de soins, est enfin conclu le 1er juin à Douvres. Les deux copies originales se trouvent aujourd'hui, après quelques tribulations, dans des dépôts publics, en France comme en Angleterre. La copie confiée en 1670 à Thomas Clifford, membre de la « cabale » et l'un des signataires, proche de Charles, s'accompagne de nombreux documents relatifs au traité, qui resteront longtemps ignorés dans un écritoire de voyage en chêne, lui-même déposé dans un bureau du manoir familial d'Ugbrooke Park, dans le Devon.

Le texte est en français de la main de Bellings, avec les signatures et les sceaux d'Arlington, Arundell, Clifford et Bellings pour l'Angleterre, Colbert de Croissy pour la France. Les dix articles sont suivis de trois articles supplémentaires, sur des points secondaires, et d'une déclaration concernant les titres des deux rois.

Alliance perpétuelle entre eux, soutien de l'Angleterre aux prétentions françaises sur la succession d'Espagne, respect du traité d'Aix-la-Chapelle, contribution chiffrée des uns et des autres en vaisseaux, troupes et argent, déclaration commune de guerre à la Hollande et interdiction de conclure avec elle une paix séparée, commandement sur mer confié au duc d'York, efforts pour gagner leurs voisins à leur lutte contre la Hollande et pour préserver les intérêts du prince d'Orange, traité de commerce à conclure rapidement, rien n'a échappé aux diplomates.

Heureusement que le traité est secret, car le second article, « Le roi d'Angleterre, convaincu de la vérité de la religion catholique... », pourrait choquer les sujets de Sa Majesté s'ils le connaissaient. Après tout, il n'y a pas si longtemps que nombre de leurs parents mouraient pour affirmer leur foi protestante. Et s'ils ont décapité le père de Charles et d'Henriette, n'est-ce pas en grande partie parce qu'ils ne supportaient pas le zèle intempestif d'une reine catholique ? Ce serait abolir un pluralisme religieux qui maintient à peu près la paix civile et faire fi des convictions d'une grande partie de la population.

Quant aux titres, ceux que prend Charles ont de quoi faire bondir les Français. Mais il en est ainsi dans les traités depuis la guerre de Cent Ans. Les souverains britanniques n'ont pas abandonné leurs prétentions à la couronne française et le traité de Douvres porte « Charles, par la grâce de Dieu roi de la Grande-Bretagne, France et Irlande ». Par mesure d'apaisement, les plénipotentiaires signent un article additionnel. Si les titres des parties contractantes ne sont pas corrects, la validité du traité ne saurait en être affectée. On y reviendra plus tard. On n'y revint jamais, bien entendu.

Louis XIV est à Boulogne le 2 juin. C'est là qu'il reçoit la copie du traité des mains de Croissy. Il n'y a plus qu'à laisser Madame à ses joies fraternelles. La cour arrive à Hesdin le 3, en part le 4 pour Abbeville, puis pour Beauvais. Monsieur ne quitte pas son frère d'un pas. Ils arrivent le 7 à Saint-Germain.

Mission remplie, Madame a quelques jours pour profiter sans souci des plaisirs qu'on lui offre, collations, comédies ou promenades. Avec sa grâce coutumière, elle charme la cour de Charles. Elle réussit même à réconcilier Buckingham, son ancien amoureux, et Arlington. Elle revoit la duchesse de Richmond, cette

Frances Stuart qu'elle a naguère recommandée à son frère, rencontre entre autres Lady Marshall, la comtesse de Castelmaine et Lady Gerard. Certaines dames sont venues la chercher en France pour l'accompagner pendant sa traversée de la Manche. Le privilège du tabouret en a découragé quelques autres...

Elle profite surtout de la présence de Charles. Les quarante ans du roi, qui coïncident avec les dix ans de sa restauration, sont occasions de se réjouir, même si la disparition de leur mère est encore proche et douloureuse. C'est auprès de sa sœur, non à Londres, sa capitale, qu'il célèbre ces anniversaires joyeux.

Le 8 juin, il fait beau. Ses frères et la reine emmènent Henriette pour une promenade en mer dans des barques « ajustées avec beaucoup de galanterie » et escortées de trois navires de guerre. Quand la princesse regagne Douvres, on lui réserve un accueil imposant au bruit des canons de la forteresse et des vaisseaux.

Pour tout, le grand frère fait bien les choses. Malgré son éternel manque d'argent, il la couvre de présents, 6 000 pistoles (environ 2,5 millions de francs) en bijoux et en pièces. Dès le 20 mai, un ordre de Whitehall a décrété que la duchesse d'Orléans serait reçue avec le respect dû à son rang, selon les directives du comte de Saint-Albans. Le roi attend de ses courtisans qu'ils fassent honneur à la princesse, viennent la saluer à Douvres et l'accompagnent partout. C'est ainsi qu'à son retour en France ils l'escorteront jusqu'à Calais.

Même quand il s'agit de ses plaisirs et de ses maîtresses, Charles se range à l'avis de sa sœur. Il lui demande, en lui offrant un nouveau présent, de lui laisser en contrepartie un de ses bijoux. Henriette s'apprête à ouvrir sa cassette quand son frère précise. Le bijou qu'il convoite, c'est Mlle de Kéroualle. Engagée envers les parents de la jeune fille à la leur ramener, la princesse refuse. Charles se résigne, mais se montre prévoyant. S'il se trouve un jour pour elle une place de dame d'honneur chez la reine Catherine, Henriette ne s'opposera pas à son retour en Angleterre.

Heureuse de ces marques d'affection, Madame, revenue à Saint-Cloud, écrira à Mme de Saint-Chaumont,

trois jours avant sa mort, qu'elle était persuadée de
l'amitié du roi son frère. Mais qu'elle l'avait trouvée
encore plus grande qu'elle ne l'espérait. La séparation
n'en est que plus douloureuse.

Henriette s'embarque le 12 juin dans les larmes.
Charles lui dit adieu sur le port, au bruit des décharges
de l'artillerie britannique. Il ne peut se résoudre à la
quitter et s'embarque à son tour pour l'accompagner
un moment. Par trois fois, il la quitte en mer, après
l'avoir embrassée. Il ne peut s'empêcher de faire demi-
tour pour l'embrasser encore.

Éprouvante traversée pour Henriette. Pourtant le
temps est beau et les vents favorables. Lord Sandwich
et Saint-Albans, les comtesses du Plessis, d'Albon, de
Gramont et de Hamilton sont auprès d'elle, avec ses
filles d'honneur. Le superbe navire sur lequel elle
voyage est suivi de plusieurs vaisseaux portant des personnes de marque. C'est sur une barque du duc d'York
qu'elle monte à une lieue de Calais à cause de la marée
basse. Elle est reçue dans la ville au son du canon et des
fanfares des trompettes, et conduite en la maison du
gouverneur qu'on lui a préparée.

Il y a loin de cet accueil solennel de la seconde dame
de France à l'arrivée subreptice en terre d'exil du petit
« Pierre », vingt-quatre ans plus tôt. Mais l'enfant, malgré l'incertitude de sa destinée, avait présente la tendresse incessante de Lady Morton. Tandis que la
princesse, qui va fêter dans quelques jours son vingt-
sixième anniversaire, a peur de son avenir avec un mari
haineux et violent.

À cause de Philippe, le roi n'est pas à l'attendre à
Calais, comme il le devrait après le succès de la négociation qu'elle a si bien terminée auprès de Charles.
« Monsieur ne fut point au-devant d'elle et empêcha
son frère d'y aller, bien que celui-ci l'en priât instam-
ment », note Mlle de Montpensier. À cause de Philippe,
malgré la foule des courtisans, la jeune femme se sent
seule. Nul doute qu'elle n'en soit attristée.

Elle cherche un appui dans la religion. Les pratiques
religieuses ne sont pas nouvelles pour elle. Mais elle y
met, depuis la mort de sa mère et les exhortations de

Bossuet, une foi véritable. À peine débarquée, elle se rend au salut du Saint Sacrement dans l'église des minimes de Calais et, le 13, avant de partir, à la messe dans l'église des capucins. L'élève distraite des visitandines, la folle petite princesse de Fontainebleau, la complice des auteurs de la lettre espagnole a bien changé.

Réceptions officielles sur le chemin du retour, à Boulogne, à Montreuil le 14, où le duc d'Elbeuf la traite somptueusement, à Abbeville, où les troupes du roi l'escortent, et à Beauvais, qu'elle quitte le 17 après l'accueil fastueux de Mennevillette. Monsieur s'est arrangé pour ne pas aller au-devant d'elle. Il a même organisé le 17, à Saint-Cloud, une réception pour la reine. Le 18 enfin, où Henriette doit arriver à Saint-Germain, vers le soir, il ne peut faire moins que partir le matin à sa rencontre.

La cour la reçoit avec joie. On la trouve belle, « si honnête, si civile », ayant encore en son cœur et sur son visage la joie de son voyage auprès de son frère. Cela ne dure pas. Tandis que Louis la traite parfaitement bien, Monsieur ne fait pas de même. La nuit doit être rude pour elle, car le lendemain, le 19, sa cousine la trouve fatiguée et chagrine. Elle va chez le roi en fin de matinée et, l'après-midi, c'est lui qui se rend chez elle. Ils s'entretiennent longtemps seuls et paraissent satisfaits de leurs conversations.

La jalousie de Monsieur ne supporte pas ces conciliabules. Déjà, il a pris ombrage des échos flatteurs sur sa femme, qui viennent d'Angleterre. Il n'a guère apprécié l'admiration de l'ambassadeur de Savoie quand la princesse a montré à son retour à Saint-Germain un poinçon et des boucles d'oreilles d'un grand prix. Louis le sait bien. Le jour où le maladroit Tonnay-Charente est venu lui porter des nouvelles du séjour de Madame à Douvres, le roi est au supplice.

Il est en train de dîner avec son frère, quand, sans paraître se rappeler que Monsieur est hostile au voyage de sa femme et atrocement jaloux du séduisant duc de Monmouth, Tonnay-Charente se met à raconter avec force détails les réceptions magnifiques offertes à la princesse, surtout celles où Monmouth a surpassé tous les autres par ses dépenses et son empressement à plaire à Madame. Le roi tâche de changer de conversation et de faire taire le bavard. En vain. Il continue. Monsieur perd contenance. Il ne reste plus au roi qu'à se lever de table, non sans demander avec ironie d'où sort ce stupide cavalier...

Le prince entend moins encore laisser sa femme jouir des compliments et de la satisfaction de son frère. Il ne veut pas qu'elle soit heureuse, alors qu'il souffre tant, lui-même, d'être séparé du chevalier de Lorraine. Il met fin, brutalement, à ces rencontres. Le 20, alors que le roi, les siens et les courtisans s'en vont passer l'été à Versailles, il refuse de les suivre. Madame, en les voyant tous partir, retient mal son envie de pleurer.

Elle suit son époux qui regagne Paris. Son chagrin est grand d'être en tête-à-tête avec lui et séparée de la cour. Elle tâche en vain de se divertir. Le 24, elle s'installe à Saint-Cloud avec Monsieur et leurs deux filles. Elle se plaint de son mal au côté et d'une fréquente douleur à l'estomac. Comme il fait très chaud, elle voudrait se baigner. Son médecin Yvelin l'en dissuade. Et puis le prince ne décolère pas. Il exige que sa femme obtienne le retour de Lorraine. Il lui dit qu'elle est « toute-puissante » et peut ce qu'elle veut. Par conséquent, si elle ne fait pas revenir le chevalier, c'est qu'elle veut déplaire à son mari. Là-dessus, il ne cesse de la menacer. « Rien n'est égal, confiera la princesse à Mme de Saint-Chaumont, à son acharnement. »

Le 26, les époux princiers vont à Versailles. Quand la malheureuse Henriette entre chez la reine, l'impression des personnes présentes est unanime. On dirait « une morte habillée, à qui l'on aurait mis du rouge ».

55.

« La mort peinte sur le visage »

Ce jour-là, à Versailles, Madame est très nerveuse. Elle prie la reine de faire collation plus tôt qu'à l'accoutumée, car elle n'a rien mangé de la journée. Tout la dégoûtait. Maintenant elle a faim et craint que Monsieur veuille s'en aller à Saint-Cloud avant qu'elle ait eu le temps de prendre quelque chose. Elle dit aussi à Marie-Thérèse qu'aujourd'hui elle se porte assez bien, qu'elle est résolue à changer sa manière de vivre pour se porter mieux, qu'elle veut manger de tout et ne plus se soumettre à aucun régime. Comme beaucoup de malades, elle prend l'effet pour la cause. Ce ne sont pas les régimes qui la rendent malade. Elle est malade et on tâche de la soulager par certains régimes.

Malgré ses déclarations, la reine, Mlle de Montpensier et les autres persistent dans leur impression initiale. Ils la trouvent fort mal. « Elle a la mort peinte sur le visage », murmurent-ils. Monsieur avait raison de dire qu'elle ne vivrait pas. À la collation, elle mange « furieusement », remarque sa cousine. Quand elle part avec son époux, elle a les larmes aux yeux. C'est son anniversaire. Elle a vingt-six ans.

Louis XIV s'est montré généreux envers elle. Les 6 000 pistoles du présent de Charles tardent à venir – elles arriveront le surlendemain. Henriette, à court d'argent, a mis quelques joyaux en gage. Elle le dit à Louis, qui lui avance sur-le-champ la somme attendue, et avec largesse lui permet de garder les pistoles de son frère. Faible moyen de compenser le chagrin d'Henriette à quitter Versailles pour suivre son mari ?

De Saint-Cloud, ce soir du 26, elle écrit à sa chère Saint-Chaumont une lettre désolée. Elle la supplie de se défaire de la tendresse qu'elle a pour sa fille, une enfant incapable de sentir là-dessus ce qu'elle doit, et « nourrie présentement à haïr » sa mère. Dans sa détresse, la princesse se montre injuste. La maréchale de Clérambault est avare, adore le jeu et vivre constamment masquée. Cela ne la prédispose pas à inculquer à la petite Marie-Louise la haine de sa mère. Mais elle a le défaut, énorme pour Madame, d'avoir pris la place de Mme de Saint-Chaumont et d'avoir été préférée pour ce poste à une personne comme Mme de La Fayette.

En vérité, ce jeudi soir, devant sa feuille de papier, elle se sent malheureuse, isolée. Son époux l'a forcée à quitter Versailles. Elle n'a pas eu le temps de tout dire au roi du traité qui l'a tant occupée, ni de lui raconter les détails de son voyage, ni d'en recevoir des remerciements plus circonstanciés. Monsieur lui vole le succès de sa mission et la satisfaction de Louis. Son regret perce dans sa dernière phrase à Mme de Saint-Chaumont. Depuis son retour d'Angleterre, Louis XIV s'est installé à Versailles. Monsieur ne veut pas y aller, de peur qu'elle n'ait « le plaisir d'être auprès du roi ».

Puisqu'elle est retenue à Saint-Cloud, elle entend du moins profiter des avantages du domaine. Le vendredi 27 juin, il fait encore très chaud. Elle a toujours mal au côté, mais cette fois, malgré les avis de son médecin, elle se baigne dans la Seine. L'après-midi, la femme de l'ambassadeur de Savoie passe trois heures avec elle et ses dames. On se promène dans les superbes jardins. La princesse paraît mieux et plus gaie. Elle chante même en anglais une chanson à l'ambassadrice.

Conséquence de son voyage ? Déjà, le samedi précédent, elle avait écrit sa première lettre en anglais, à Clifford, un des signataires du fameux traité. Pari pris en Angleterre ? plutôt désir de faire plaisir au diplomate et souci des affaires dont elle s'est chargée par bonté.

Clifford et Arlington lui ont demandé d'intervenir pour eux auprès du roi son frère, afin d'obtenir un titre de noblesse, baronnie pour l'un, comté pour l'autre. De Calais – où pourtant elle est restée peu de temps – elle a rappelé à Charles leurs souhaits. Il lui a répondu qu'il était d'accord, mais que cela se ferait un peu plus tard. Elle transmet le message – à Clifford, parce qu'elle le trouve, dit-elle, moins difficile à satisfaire qu'Arlington. Elle le rassure. Le roi tient toujours ses promesses.

Elle souligne que c'est sa première lettre en anglais. On s'en douterait. *Ansers, inglis, mi* pour *me*, même une fois *bi* pour *be*, l'orthographe est souvent phonétique. Elle réussit tout de même mieux en français... Mais elle ne perd pas son humour et se moque gentiment d'elle-même. Clifford ne doit voir dans son texte que son amitié.

Le samedi 28, Henriette souffre davantage de son côté. Elle ne se baigne pas, traîne tout le jour. L'ambassadeur d'Angleterre, Montagu, vient la voir. Après une première prise de contact épineuse, leurs relations sont devenues fort amicales. Montagu apprécie l'intelligence de la princesse et sa dévotion au roi Charles. Ce jour-là, il la trouve triste.

Elle voit bien, avoue-t-elle, qu'elle ne sera jamais heureuse avec Monsieur. Il s'est emporté contre elle, plus violemment que jamais, deux jours auparavant à Versailles, parce qu'il l'avait trouvée en tête-à-tête avec Louis parlant sur « des affaires qu'il n'était pas à propos de lui communiquer ». Et elle confie à l'ambassadeur que le roi d'Angleterre a l'intention de se joindre à la France pour déclarer la guerre à la Hollande.

Vers dix heures du soir, l'amie très chère, Mme de La Fayette, arrive. Il fait chaud et clair de lune. Elle trouve Madame dans les jardins. La princesse lui dit d'emblée qu'elle ne va pas bien. Pour le moment, dans l'obscurité, son amie ne peut s'en rendre compte, mais elle a mauvais visage. Pourtant elle a soupé comme à son ordinaire et reste à se promener jusqu'à minuit. Elle est toujours affligée d'insomnies et redoute le moment de se coucher.

Le dimanche 29, elle se lève de bonne heure, va chez Monsieur, qui est à sa toilette. Elle reste chez lui un bon moment et passe chez Mme de La Fayette lui dire qu'elle a bien dormi. Quand la comtesse monte chez elle, Henriette lui avoue qu'elle est de mauvaise humeur. Cela ne paraît pas, constate son amie, tant elle a de douceur naturelle et se montre incapable d'aigreur ou de colère.

Avant la messe, Henriette a écrit à la princesse Palatine. Son entretien avec Monsieur a ranimé ses déceptions et ses peurs. Elle tâche de les diminuer en les relatant à celle qui a été déjà sa confidente et sait tout des dispositions de son époux. En fait, cette longue lettre du 29 juin, la dernière qu'elle ait écrite, révèle les tortures morales qu'elle endure.

La Palatine avait, au moment du voyage à Douvres, tâché de faciliter les choses par rapport à Monsieur. Elle avait transmis à Henriette les exigences du prince, au nombre de trois. La jeune femme devait faire en sorte que le roi son frère y souscrive. Qu'en affaires il se fie à Monsieur, qu'il lui paie la pension que le roi de France donnait à son fils décédé et ne veut pas reverser sur le père, et qu'il fasse quelque chose pour le chevalier de Lorraine.

Madame a parlé à Charles. Par bonté pour elle, il veut bien se fier à Monsieur s'il ne se comporte plus aussi bizarrement qu'il l'a fait à propos du voyage de Douvres. Il consent à procurer un lieu de retraite à Lorraine dans son royaume, en attendant mieux. La pension, Madame pense l'obtenir, mais elle doit auparavant assurer son frère que son époux en sera content et « finira une comédie qui n'a que trop duré », qu'il laissera sa femme en paix et ne la prendra plus à partie sur tout ce qui se passe en Europe.

En entendant ce compte rendu, Monsieur a explosé. Puisqu'il n'est pas question du retour de Lorraine, tout le reste est inutile. Qu'elle s'attende au pire de sa part. La princesse est très étonnée. Comme elle le disait en commençant sa lettre, elle avait malgré tout espéré qu'à son retour tout irait mieux. Et voilà que son époux prend de haut l'amitié de Charles, comme si c'était lui qui honorait le roi. Voilà qu'il s'oppose au départ de Lorraine en Angleterre et qu'il traite la pension de bagatelle. Lui si âpre au gain ! Dans sa colère, il rend sa femme responsable de tout. Pourtant Louis a eu la bonté de faire à son frère « des serments extraordinaires ». Il lui a juré que Madame n'était pour rien dans l'exil du chevalier et que son retour ne dépendait pas d'elle. Par malheur Monsieur ne croit pas le roi « qui n'a jamais dit ce qui n'était pas ».

Henriette est désespérée. Son époux a désiré d'elle trois choses. Elle lui en procure deux et demie, et il s'attache précisément à ce qu'elle ne peut lui donner. Si elle est assez malheureuse pour qu'il continue à s'acharner sur elle, elle laissera tout tomber, amitié de Charles pour lui, pension, retour de Lorraine. Elle se conduira comme lui quand il s'obstine dans le mutisme. Même si elle pouvait faire pour le chevalier autant que son époux l'imagine, elle ne céderait jamais aux « coups de bâton ». Menace ou coups réels, on ne sait toujours pas. Le sûr est qu'Henriette redit les mêmes mots qu'à Mme de Saint-Chaumont, le 26 mars.

La haine de Monsieur est « volontaire », poursuit la princesse. Elle ne l'a pas méritée. Elle espère un jour retrouver son estime et souhaite que la Palatine y travaille. « Vous y pouvez plus que personne », insiste-t-elle. Henriette remarque que les occasions qu'on laisse passer ne se retrouvent pas toujours. En ce moment la conjoncture pour la pension que demande Monsieur est favorable. Il faudrait la saisir. Comme elle connaît bien l'avidité de son époux ! Et comme elle sait que toute intervention mérite salaire ! Avec à-propos, elle enchaîne sur la pension que la Palatine reçoit d'Angleterre. Qu'elle se rassure. Elle sera payée. Son frère lui en a donné sa parole.

Il n'est pas étonnant qu'après avoir remué toute cette boue, Madame se sente chagrine. Après la messe, elle reparle de sa mauvaise humeur. S'appuyant sur la comtesse de La Fayette, elle avoue qu'elle en aurait moins si elle pouvait causer avec elle. Elle est lasse des personnes qui l'entourent. Elle ne les supporte plus.

Elle se distrait un peu en allant voir travailler « un excellent peintre anglais », dit son amie. Il fera le portrait de Monsieur mais pour le moment il fait celui de sa fille Marie-Louise. Cela intéresse la mère, preuve de son affection naturelle pour l'enfant. L'injustice de l'autre soir venait de sa tristesse. Du coup, Henriette se remémore une récente séance de pose à Douvres. Elle parle à Mme de La Fayette et à Mme d'Épernon de son voyage en Angleterre et de son frère. Ces souvenirs lui redonnent un peu de joie.

On a cru que ce peintre pouvait être Lely, un Anglais d'origine allemande, fort apprécié en son temps. Il est improbable que cet artiste, devenu le successeur de Van Dyck comme peintre officiel à la cour d'Angleterre, se soit déplacé à Saint-Cloud pour peindre la fille et le mari de Madame. En revanche, il a fait le portrait d'Henriette durant son séjour à Douvres. Elle y pense peut-être.

Ce portrait, le dernier que l'on possède de la princesse, se trouve dans le Guildhall d'Exeter, sa ville natale. Il n'en a pas bougé depuis que Charles II l'offrit en 1672 en hommage à la « dame d'Exeter » et, malgré les guerres, il est en parfait état de conservation. La salle où il est exposé, avec quelques autres portraits de grande taille, présente un magnifique plafond à croisillons de bois du XVᵉ siècle. Madame trône en face de Guillaume II. Elle a Monck, duc d'Albemarle, l'artisan de la Restauration, à sa gauche.

Sa robe est en satin uni blanc et on devine le voile noir qu'elle porte, très en arrière, pour le deuil de sa mère. Le décor est conventionnel, fauteuil imposant, tapis aux multiples dessins sur fond rouge, balustrade, fenêtre ouverte sur un paysage passe-partout, avec nuages, deux arbres et un fond de mer, d'eau en tout cas. Les collines sont-elles les falaises de Douvres ? Peu importe.

Plus qu'à son père, Henriette ressemble maintenant à sa mère. En particulier, au portrait de la reine conservé à Windsor et peint par Van Dyck. Ce n'est pas seulement à cause des fameuses perles au cou et aux oreilles, ni de l'énorme perle pendante du corsage, identique sur les deux portraits, et qu'Henriette a héritées de sa mère. Elles ont même front haut et couvert de petites bouclettes, même long nez, même ovale, mêmes yeux écartés.

Tandis que la reine est sereine, ce qui frappe chez la princesse, c'est son expression inquiète. Elle est fardée, ses lèvres sont rouges, mais son visage, malgré l'habileté du peintre, est décharné, ses yeux hagards. Ce n'est plus l'air vif, assuré, coquin peut-être des portraits de Versailles, où sa chienne Mimi l'accompagne. Ce n'est plus la grâce triomphante de la jeune princesse représentant le Printemps, portant guirlande à la main et couronne de fleurs, espiègle, moqueuse, faisant admirer le mouvement ample et délicat de ses bras et dominant royalement de tout son charme la famille royale. Ce n'est plus la légère arrogance de la beauté de vingt ans, ni même l'interrogation attristée de la petite fille du musée de Stockholm.

Sur le portrait d'Exeter, même le volume de sa chevelure a diminué. Elle, la grâce personnifiée, elle se tient légèrement penchée en avant, la main droite serrant avec raideur une écharpe, la gauche rassemblant maladroitement les plis de sa robe, instable, affolée, frémissante devant ce décor pompeux et froid, comme prête à fuir, telle qu'elle est, en ces derniers mois de sa vie, sous l'acharnement des « coups de bâton ».

Après le déjeuner, comme les dames et Monsieur parlent autour d'elle de choses et d'autres, Henriette s'allonge sur des coussins. Cela lui plaît quand elle est « en liberté ». Elle fait asseoir Mme de La Fayette près d'elle, pose sa tête contre elle et s'endort. Peu à peu, ses traits s'altèrent tant que la comtesse s'affole. Certes, quand la princesse est éveillée, son esprit embellit sa figure et la rend plus attrayante. Mais ce n'est pas la première fois que son amie la regarde dormir, et jamais elle n'a vu changer à ce point son visage durant son sommeil. Son visage de sommeil ou de mort ?

56.

« Madame se meurt ! »

Avant de s'endormir, Madame a décoiffé la comtesse de La Fayette pour découvrir les cicatrices d'une blessure que lui avait causée à la tête la chute d'un montant de cheminée. « Avez-vous eu peur de la mort ? » lui demande-t-elle. Pour elle, lui semble-t-il, elle n'en a pas peur.

La comtesse ne peut s'empêcher de repenser à cette confidence tandis que la jeune femme endormie se transforme à vue d'œil. Quand elle se réveille de sa sieste, son époux lui-même s'aperçoit de l'altération de ses traits et en fait la remarque à Mme de La Fayette. Bouleversée, enchaînée au sort de la princesse qu'elle aime, celle-ci va demeurer jusqu'à la fin auprès d'Henriette, témoin attentif et douloureux de « cette mort moins attendue qu'un coup de tonnerre ». Long, sensible mais sans pathos, son récit des derniers instants de la princesse, confronté aux bribes de récit de tel ou tel autre contemporain, leur est toujours conforme. Preuve de son authenticité.

Une fois levée, Madame fait quelques pas avec Boisfranc. Elle ne cesse de se plaindre de son mal au côté. Monsieur, sur le point de partir pour Paris, rencontre sur les marches du palais Mme de Meckelbourg, la chère Bablon, qui vient voir Madame. Il remonte avec elle. Henriette l'accueille. Tandis qu'elle bavarde avec Bablon et Mme de La Fayette, la marquise de Gamaches lui apporte le verre d'eau de chicorée qu'elle a demandé. Mme de Gourdon, sa dame d'atour, le lui présente. D'une main, elle repose la tasse vide sur la soucoupe et soudain se prend de l'autre main le côté et crie de douleur : « Ah, quel mal ! Je n'en puis plus ! » Elle rougit puis devient d'une pâleur livide qui surprend tout le monde. Elle continue de gémir et demande qu'on l'emporte, qu'elle ne peut plus se soutenir.

Il est environ cinq heures du soir. On la prend sous les bras. Elle marche avec peine, toute courbée. Pendant qu'on la délace, son amie s'attendrit de ses plaintes et de lui voir les larmes aux yeux. Elle si patiente, faut-il qu'elle souffre ! Elle le lui dit en tâchant de la consoler et en lui baisant les bras. La princesse lui répond que son mal est inconcevable. On la met au lit, mais elle crie plus encore, se jette d'un côté et d'autre. On va chercher Esprit, le premier médecin de Monsieur. Il affirme que c'est « la colique » et ordonne les remèdes appropriés. Les douleurs atroces persistent. Henriette dit qu'elle est plus mal qu'on ne croit, qu'elle va mourir, qu'on lui envoie un confesseur. D'un air à toucher les pierres, elle déclare à Monsieur qu'il ne l'aime plus depuis longtemps, que cela est injuste et qu'elle ne lui a jamais manqué.

Aveu touchant, qui provoque les larmes de ceux qui assistent à la scène. Mais aveu difficile à croire. Qui ne connaît à la cour ses imprudences, ses coquetteries, ses infidélités peut-être ? Certes, il est impensable que la romancière ait saisi avec cet aveu l'occasion de faire une belle scène, la femme adultère sur son lit de mort. L'amie est trop troublée. Le reste de son récit, trop objectif. Elle n'invente pas.

Alors pourquoi cette déclaration ? Comment imaginer que la princesse, nouvelle convertie à une foi profonde, choisisse le moment où elle sent la vie la quitter pour mentir ? À moins que la peur de son époux soit plus forte que son désir de sincérité, et qu'elle prenne les devants pour se disculper avant même d'être accusée. À moins qu'elle n'ait pas conscience de mentir, et que cette foi toute neuve et toute-puissante lui donne l'assurance que son péché est pardonné. Elle a manqué à son époux, elle s'en est accusée, le pardon divin a tout effacé. Elle ne lui a jamais manqué. Emballement de la néophyte, déviation du repentir et du pardon qui ont pu naître dans cette âme tiraillée depuis l'enfance, réactions inacceptables pour beaucoup, mais que l'amie habituée aux replis du cœur humain pouvait comprendre et noter. À moins que celle-ci n'ait inventé la déclaration pour disculper Henriette...

Depuis l'absorption de la chicorée, il ne s'est passé qu'une demi-heure. Les douleurs sont insoutenables. Sans vomir, la princesse est prise de violentes nausées. Tout à coup, elle s'écrie qu'elle a été empoisonnée, qu'on examine l'eau qu'elle a bue et qu'on lui donne du contrepoison. Involontairement, Mme de La Fayette regarde alors Monsieur avec attention. Il ne semble ni ému ni embarrassé, commande qu'on donne le reste de l'eau à un chien et qu'on aille chercher du contrepoison pour détromper Madame de ses soupçons. Mme Desbordes, sa dévouée femme de chambre, affirme avoir préparé l'eau de chicorée elle-même et boit de la bouteille qu'on a servie à sa maîtresse.

Cependant, la poudre de vipère et autres contrepoisons qu'on lui apporte font vomir Henriette. Fort peu, quelques crachats et une partie de la nourriture qu'elle a absorbée. Cela la fatigue. Elle ne crie plus aussi fort sa douleur, mais dit qu'elle souffre toujours autant et qu'elle se sent perdue.

Là-dessus, la gêne respiratoire s'installe. Les médecins n'ont pas pensé à lui prendre le pouls. Sur l'ordre de Monsieur, Mme de Gamaches s'en charge. Épouvantée, elle avoue qu'elle ne le trouve pas et que Madame a les extrémités froides. C'est la colique, explique encore Esprit. Il répond de la princesse. Alors Philippe s'emporte. Il lui avait répondu de son fils, quand il était malade, et l'enfant est mort...

Henriette a réclamé le curé de Saint-Cloud. Il arrive. Tandis que Monsieur et Mme de La Fayette se concertent, la princesse, d'elle-même, parle de confession, sans paraître effrayée, comme d'une chose normale dans l'état où elle se trouve. Après s'être confessée, elle dit tout bas quelques mots à Monsieur, « quelque chose de doux et d'honnête », semble-t-il à l'amie. Puis c'est l'inévitable saignée. Madame la préfère au pied. Esprit la lui fait au bras. Elle s'y résout. Tout lui est indifférent. Elle se sent perdue. Il est huit heures.

Pendant ce temps, la nouvelle de la maladie de Madame se répand à Versailles, où l'on a envoyé quérir Vallot. Mlle de Montpensier sort de sa chambre en fin d'après-midi et rencontre d'Ayen qui lui dit : « Madame se meurt ! » La reine le lui confirme et ajoute : « Savez-vous qu'elle croit être empoisonnée ? » Elle était dans le salon à Saint-Cloud, en bonne santé. Elle a bu un verre d'eau de chicorée et a senti un feu dans l'estomac. Depuis elle ne cesse de crier. « Quelle horreur ! » lance la cousine. Et les deux femmes de s'apitoyer.

La reine envoie un gentilhomme à Saint-Cloud. Il revient en disant que Madame est à l'extrémité. Il prie la reine de se hâter. Sinon, elle la verra morte. Marie-Thérèse était sur le canal à se promener en bateau. Elle met pied à terre et court au château. Le roi depuis trois jours y prend des eaux venues d'Encausse. Mais son carrosse est prêt à partir à la moindre alerte. Plusieurs fois, il a envoyé chercher des nouvelles de sa belle-sœur.

Vallot arrive près d'elle, et Yvelin en qui elle a grande confiance. Elle lui dit qu'on l'a empoisonnée. La croit-il, se demande Mme de La Fayette, et pense-t-il qu'il n'y a rien à faire, ou s'imagine-t-il qu'elle se trompe et que son mal n'est pas dangereux ? Esprit, Vallot et Yvelin, après s'être concertés longuement, assurent à Monsieur « sur leur vie » qu'il n'y a pas de danger. À nouveau Madame proteste avec douceur qu'elle connaît mieux son mal que les médecins. Elle se meurt. C'est ce qu'elle confie aussi à Condé.

Il semble que la saignée l'ait un peu soulagée. À neuf heures et demie Vallot repart pour Versailles. On se rassure, et son amie espère que l'état pitoyable où Madame a été servira à sa réconciliation avec son époux. Avant de partir, Vallot a ordonné un lavement de séné. On en fait quatre à la malade. Sans succès. Alors l'amie s'inquiète. Sans avoir étudié la médecine, elle se rend compte que Madame ne s'en sortira « que par une évacuation ». Si ce n'est par en bas, il faut que ce soit par en haut. La preuve, la princesse a de continuelles envies de vomir.

Sans succès non plus. Les médecins ne font rien pour l'y aider, gémit l'amie. Ils attendent le résultat des lavements.

Henriette se plaint de plus belle. Si elle n'était chrétienne, elle se tuerait, affirme-t-elle, tant ses douleurs sont intolérables. Pendant deux heures entières, Esprit et Yvelin conseillent toujours d'attendre. On change Madame de lit. Le sien est souillé. On lui en dresse un petit près du grand. Elle s'y rend sans qu'on la porte, en faisant même le tour par l'autre côté pour ne pas passer sur la partie salie.

Une fois installée, elle paraît beaucoup plus mal. Les médecins approchent des flambeaux pour mieux la voir. Jusque-là, une lumière trop vive la gênait. Maintenant cela ne l'incommode plus. « Je ne serai plus en vie demain matin, dit-elle à Monsieur. Vous le verrez. » On décide de lui donner un bouillon, puisqu'elle n'a rien pris depuis douze heures. Alors ses douleurs redoublent, aussi violentes que lorsqu'elle avait bu le verre de chicorée. « La mort se peint sur son visage », constate à son tour son amie.

Il est près de onze heures. Créquy a prévenu Louis XIV de l'état désespéré de la princesse. Le voici qui survient dans son carrosse avec la reine, Mme de Soissons et Mlle de Montpensier. En quittant Versailles, ils ont rencontré Vallot, qui les a rassurés. Ce n'est qu'une colique. À Saint-Cloud, pourtant, la cousine s'afflige. Échevelée, sa chemise dénouée au cou et aux bras, maigre et livide, tâchant de vomir, la princesse a quasi l'air d'une morte. Mademoiselle regrette qu'on ne lui fasse aucun remède. Henriette lui prend la main : « Vous perdez une bonne amie. Je commençais à vous aimer et à vous connaître. »

Cependant, le palais ne cesse de se remplir, et les curieux ne sont pas tous également affligés. On ne peut s'empêcher de remarquer que Mmes de Montespan et de La Vallière sont arrivées ensemble… Les gens ne cessent d'aller et venir, de causer. Mlle de Montpensier trouve que beaucoup de visages ne montrent guère de tristesse.

Le roi demande aux médecins leur avis. Eux qui, deux heures auparavant, répondaient de la princesse sur leur vie avouent qu'ils n'ont plus d'espoir. Il ne s'agit plus d'une colique. L'absence de pouls, la froideur des extrémités sont, croient-ils, une marque de gangrène. Il faut qu'elle reçoive la communion.

Comme Mme de La Fayette, Mlle de Montpensier estime qu'en un instant pareil la confession au curé de Saint-Cloud a été trop brève. Il faut un autre confesseur. Elle en parle à Monsieur, qui manifeste son incorrigible vanité. Lequel prendre pour assister Madame à la mort, lui dit-il, « qui eût un bon air à mettre dans *La Gazette* » ? La cousine répond sagement : « Je ne sais. » Alors Monsieur se souvient de Bossuet, habile et homme de bien. « Madame lui parlait quelquefois. » Louis reproche à son frère de n'y avoir pas pensé plus tôt.

En attendant Bossuet, on envoie chercher le chanoine Feuillet de Saint-Cloud. Le roi s'installe auprès d'Henriette. Elle l'assure qu'« il perd la plus véritable servante qu'il aura jamais ». Il s'étonne de sa grande fermeté. Il sait bien, lui réplique-t-elle, qu'elle n'a jamais appréhendé la mort. Ce qu'elle a toujours craint, c'est de perdre ses bonnes grâces. Alors Louis parle de Dieu. C'est bien de mourir courageusement. Mais mieux vaut mourir en chrétienne. Tout le monde bientôt, d'Ormesson en témoigne, connaîtra cette exhortation à la petite belle-sœur chérie.

Le roi retourne questionner les médecins. À Mme de La Fayette, qui se désespère qu'ils ne donnent point à Madame de l'émétique, il se plaint qu'ils ont « perdu la tramontane » et ne savent ce qu'ils font. Puis il confie à Henriette qu'il n'est pas médecin, mais qu'il vient de proposer à ceux qui sont là au moins « trente remèdes ». Ils lui ont répondu qu'il faut attendre. La jeune mourante, complice une dernière fois de celui qu'elle a tant de fois réjoui par son humour et sa vivacité, lui cite Molière et l'assure qu'il faut « mourir par les formes ».

Elle veut qu'on la remette dans son grand lit. Voyant qu'il n'y a plus rien à faire, Louis dit adieu à Henriette et l'embrasse. Mlle de Montpensier, qui a vu l'aparté, note avec finesse : « Elle lui dit force choses tendres que le roi raconta. Mais je crois qu'elle lui en dit qu'il ne dit pas. »

Le hoquet la prend, « le hoquet de la mort », assure-t-elle à Esprit. Elle n'a plus d'espérance, elle croit avoir été empoisonnée, elle souffre horriblement mais sa contenance est paisible. Le roi parti, Feuillet arrive. Ses paroles sont austères, sévères même. Madame les accepte et le prie de l'aider à faire une confession générale.

L'ambassadeur d'Angleterre, à son tour, vient près d'elle. Ils parlent en anglais. Elle l'assure avoir poussé son frère à s'allier à la France pour son honneur et son avantage, non par intérêt. « Je l'ai toujours aimé plus que ma vie, et je n'ai nul autre regret en la perdant que celui de le quitter. » Quand Montagu lui demande si elle croit avoir été empoisonnée, elle ne veut pas répondre pour ne pas augmenter la douleur de Charles. Il le lui demande une seconde fois. Cette fois Feuillet reconnaît le mot « poison », le même en anglais et en français, et la conjure de ne penser qu'à Dieu. Aux nouvelles questions de l'ambassadeur, elle se contente de hausser les épaules.

Elle reçoit la communion, fait appeler Monsieur. Il l'embrasse en pleurant. Elle le prie de se retirer, car cela l'attendrit. Elle s'affaiblit. Un nouveau médecin, Brayer, est arrivé. On parle d'une saignée au pied. « Il n'y a pas de temps à perdre », dit Madame. Comme à la première il vient très peu de sang. On lui met le pied dans l'eau chaude. Sans résultat. Alors elle demande l'extrême-onction. Bossuet arrive au moment où elle la reçoit. Elle se conforme à ses moindres paroles avec un zèle et une présence d'esprit admirables. Et, conservant jusqu'à la fin « la politesse de son esprit », dit son amie, elle recommande en anglais à l'une de ses femmes de donner à l'évêque, après sa mort, l'émeraude qu'elle a fait faire pour lui. Qu'il en ait la surprise...

Elle souhaite prendre un peu de repos, puis rappelle Bossuet. Elle sent qu'elle va expirer. Sans qu'il cesse de lui parler, sans qu'elle cesse de le comprendre, elle embrasse et garde sur sa bouche le crucifix que lui tend Bossuet, ce crucifix qu'elle a eu d'Anne d'Autriche. Les forces lui manquent. Elle le laisse tomber et perd en même temps la parole et la vie. Il est deux heures et demie du matin.

57.

« D'une manière si subite »

Tout de suite Henriette se croit empoisonnée. Trois fois elle crie qu'elle en est sûre – dès les premières douleurs, en demandant du contrepoison, à son médecin Yvelin. Elle le répète à ceux qui s'approchent d'elle, et Mme de La Fayette le constate : « La pensée du poison est établie dans son esprit. »

Au maréchal de Gramont, le père de Guiche, un des derniers à l'avoir vue vivante juste après le départ de Louis XIV, elle varie sa formule. Elle s'est crue, dit-elle, empoisonnée « par méprise ». Restriction incompréhensible chez une personne qui garde sa tête lucide jusqu'au bout. Qui aurait-on pu vouloir empoisonner chez elle, à part elle ? Si elle a pensé d'emblée au poison, c'est qu'elle se sentait menacée par Monsieur, haïe de son favori dont elle ne pouvait obtenir le rappel, torturée par eux au point de croire ses jours en danger.

Est-ce l'attitude émue de Philippe dans ses derniers moments et son apitoiement qui lui font édulcorer devant Gramont son accusation ? Elle connaît pourtant la sensiblerie et le caractère de son époux, primaire, superficiel et prompt à larmoyer devant la mort. Veut-elle le disculper dans un dernier élan de sa bonté coutumière ? Ou si elle envisage une méprise, non sur la personne mais sur la boisson offerte, veut-elle innocenter les domestiques qui l'ont servie ?

Sa restriction se situe à un moment précis. Juste après le départ du roi, qui la quitte dans les pleurs, sans espoir, et à qui elle prédit la nouvelle de sa mort au petit matin. Moment où elle sent l'irréparable et où elle fait remarquer à Mme de La Fayette que son nez est pincé. Quel besoin dès lors d'accuser ? Nul contrepoison, nul remède n'y pourront plus rien. Et puis ce n'est pas d'une bonne chrétienne qui va comparaître devant son Créateur. Plutôt parler de « méprise ».

En tout cas, l'accusation d'empoisonnement, lancée à plusieurs reprises par Henriette depuis son lit de mort, se répand tout de suite. Elle est à la source des rumeurs qui courent et ne vont plus cesser de courir. Elle frappe comme toutes les ultimes paroles des mourants, plus encore quand les ultimes paroles d'une jeune femme de vingt-six ans ont un caractère aussi dramatique.

Dans sa première lettre écrite à quatre heures du matin à Arlington, l'ambassadeur d'Angleterre, annonçant la mort de Madame, la met sur le compte d'une « colique bilieuse ». Mais, dans sa lettre suivante, il reconnaît qu'il se taisait sur les rumeurs d'empoisonnement pour éviter au roi son maître un surcroît de douleur. C'est la même raison qui a retenu Madame de lui répondre nettement, quand il lui a, dans ses derniers moments, demandé plusieurs fois, avec insistance, si elle se croyait empoisonnée. À sa dernière demande, elle s'est contentée de hausser les épaules. Elle ne veut pas ajouter au chagrin de Charles. Elle ne dit pas qu'elle n'a pas été empoisonnée.

À l'accusation, terrible, de Madame s'ajoute la soudaineté de sa mort. Elle s'est passée « d'une manière si subite, dit Choisy, qu'on ne la voulut pas croire naturelle ». Comment ceux qui assistent à la nuit dramatique du 29 juin ne penseraient-ils pas à l'empoisonnement ? Que la princesse parle de poison, ils sont ébranlés. Qu'elle meure aussi soudainement, ils en sont persuadés. Les autres suivent. Les compatriotes de la princesse empressés à suspecter son entourage français, la cour ébahie d'une disparition si brutale, le public qui adore les faits divers et se délecte des drames survenus chez les puissants de ce monde, tous croient à cet empoisonnement incroyable.

Et puis Henriette a bonne presse. Les lettres hebdo-madaires de Robinet, les dédicaces des écrivains, les dépêches des diplomates n'y sont pas étrangères. Même les chansons satiriques l'épargnent et vantent son charme. Le grand public croit donc facilement aux accusations d'une princesse qu'il estime, parce qu'elle a du prestige, parce qu'on a envie de la plaindre dans son infortune et de se consoler, en la plaignant, de ses propres infortunes.

Surtout quand les circonstances renforcent la thèse de l'empoisonnement. Bien des gens ont intérêt à faire disparaître Madame. Même si l'on ne sait rien du traité secret, personne n'ignore qu'elle est un lien privilégié entre la France et l'Angleterre. Cela n'est pas du goût de tous. Jusqu'où s'étendra son influence ? Qui ne connaît d'autre part les disputes de Monsieur et Madame, la toute-puissance sur le prince de ses favo-ris, la lutte que leur livre la princesse, l'arrestation puis l'exil de Lorraine en Italie ? Personne n'est surpris qu'Henriette se soit crue empoisonnée. On se dit que le feuilleton conjugal est allé trop loin, mais à la suite de la princesse on y croit, parce qu'il est vraisemblable.

Louis XIV et Marie-Thérèse ne s'indignent pas de ces rumeurs. Tant ils savent les mésententes chez les Orléans, l'ambition, les noirceurs de Lorraine et de ses amis. Dans sa douleur, à l'annonce de la mort de la princesse, le roi de France a dit très haut que si Madame avait été empoisonnée, ceux qui avaient pris part à sa mort périraient dans les supplices les plus rudes. Il a, dit-on, nommé le chevalier de Lorraine.

Quand on lui rapporte les accusations de la princesse au début de son agonie, la reine ne marque pas d'éton-nement. Sa réaction est de plaindre la malheureuse et de se remémorer avec Mlle de Montpensier les cha-grins qu'elle lui a confiés, les menaces de son époux. Le temps passant, sa langue se délie. En septembre, quand on évoque devant la reine l'empoisonnement de Madame, elle en admet la possibilité « à cause de sa mort si prompte ». Elle évoque les confidences d'Hen-riette, lui demandant sa protection contre les menaces de Monsieur, et révèle sa dernière conversation avec la jeune femme sur son lit de douleur. La nuit précédant sa mort, son époux l'a chassée de sa chambre, « la mangeant de reproches, de menaces et d'injures ».

Monsieur a beau accuser l'ambassadeur Montagu d'être l'auteur des bruits pour ruiner la bonne entente entre la France et l'Angleterre, le scénario de la princesse empoisonnée est en place, dramatique, pitoyable, sans cesse étoffé. D'autant que le mari de la princesse n'attend pas pour se tailler le mauvais rôle.

Juste avant sa disparition, l'ambassadeur d'Angleterre a demandé à Madame les cassettes qui contenaient les lettres de son frère. Qu'il les réclame à sa dévouée Desbordes, lui répond-elle. Mais profitant de la douleur de la femme de chambre et de ses évanouissements répétés en voyant l'état de sa maîtresse, Monsieur s'en saisit le premier. À peine Madame a-t-elle rendu l'esprit qu'il s'empare de toutes ses clés.

Le lendemain, Montagu vient réclamer au prince les 6 000 pistoles, cadeau de Charles, que la princesse mourante a souhaité voir distribuer à ses domestiques. Sa présence d'esprit, dans ses derniers moments, lui a même permis de dire leur nom à l'ambassadeur. Celui-ci s'aperçoit que Monsieur a déjà emporté la moitié de la somme. Il suppose que si les domestiques ne cachent pas leur héritage, le prince le leur reprendra. Ce sont enfin les papiers d'Henriette que le mari refuse de rendre avant de se les être fait traduire par Mme de Fiennes, entre autres. Les parties en chiffres l'embarrassent, et il est furieux que Charles ait entretenu à son insu avec sa femme une pareille correspondance, si importante pour les deux royaumes.

Devant ces mesquineries, comment les proches de Madame n'auraient-ils pas soupçonné de plus grandes perfidies de la part des favoris de Monsieur ? Seul l'ambassadeur de Savoie ose nommer le chevalier de Lorraine comme coupable possible, mais il ne fait que répéter le cri douloureux, à chaud, de Louis XIV, le 30 (« s'il a coopéré à cette mort par le poison »...), et s'abrite derrière un prudent « dit-on ».

« Dit-on » inutile. En fait, on dit. Tout le monde dit, mais personne n'écrit. Il faut attendre cinquante ans pour qu'une lettre de la seconde épouse de Monsieur évoque l'empoisonnement d'Henriette et soixante-dix pour que Saint-Simon le rende responsable de sa mort dans un récit. Récit poignant, admirable, grossi avec les années de quantité de détails faux, mais qui par sa beauté frappe les imaginations et impose la thèse du poison.

Au centre du drame, puisqu'elle a provoqué les douleurs et les plaintes de la princesse, l'eau de chicorée. Rangée dans l'armoire d'une antichambre passante, elle a été empoisonnée. Par qui ? Par le marquis d'Effiat, un favori de Monsieur, avec la complicité du comte de Beuvron. Le chevalier de Lorraine a fait passer de Rome le poison par un gentilhomme provençal, Morel de Volonne. Effiat a été surpris près de l'armoire par un domestique mais a prétendu avoir eu soif et s'être servi d'une eau ordinaire, qui se trouvait là. Il retourne ensuite tranquillement chez Madame. La suite, dit Saint-Simon, la mort de la princesse, n'est que trop connue.

Le lendemain, le valet bavarde. Le roi se doute de quelque chose et veut interroger le premier maître d'hôtel des Orléans, Purnon, soupçonné de connivence avec Effiat. Six gardes du corps, « bien sûrs et secrets », conduits par Brissac, l'enlèvent. Interrogatoire musclé. Il confirme au roi l'empoisonnement de Madame et la culpabilité du trio Lorraine, Beuvron, Effiat. Puis il assure – sous la menace – que Monsieur est en dehors du coup. « Aucun de nous n'était assez sot pour le lui dire. Il ne sait pas garder un secret. Il nous aurait perdus. » Et grâce à ces aveux, Louis XIV pourra rassurer la seconde femme de Monsieur, quelques jours après son mariage. Il était « trop honnête homme pour lui faire épouser son frère, s'il était capable d'un tel crime », écrit Saint-Simon.

Cette seconde Madame sera toute sa vie persuadée de l'innocence de son époux. Elle n'aura pas besoin pour cela des aveux de Purnon ni des propos rassurants de Louis. Avec bon sens, ayant appris à connaître et mépriser un époux puéril, efféminé et bavard, elle écrira après sa mort que ce serait lui faire une grande

injustice de l'accuser de celle d'Henriette. « Il en est
incapable. »

Elle croit cependant à l'empoisonnement de sa
devancière. Quoi de surprenant ? À son arrivée à la
cour de France, la petite Allemande a été abreuvée de
récits plus ou moins dramatisés de l'événement subit
qui a bouleversé les esprits dix-huit mois plus tôt.
Qu'elle les ait crus n'a rien d'extraordinaire. Ni qu'elle
y ait fait allusion plus tard à deux reprises dans un
moment de colère. Ni qu'elle ait été rassurée sur son
avenir par un beau-frère sans doute évasif et distant,
mais si majestueux et péremptoire.

Après la mort de Louis XIV, elle écrit : « On dit ici
que Madame voulut chasser le chevalier de Lorraine, et
elle l'a fait, mais il ne l'a pas manquée. » Elle fait alors
un récit de la mort d'Henriette si ressemblant à celui
qu'écrira Saint-Simon qu'on y a vu la preuve de leur
véracité. Même si elle ne nomme pas Beuvron comme
un des coupables. Même si, pour disculper Monsieur,
elle rapporte qu'on lui fit croire que Madame avait été
empoisonnée par les Hollandais grâce à un poison lent
mis dans du chocolat. Même si elle accuse Effiat
d'avoir empoisonné la tasse de la princesse, introuvable
après sa mort, et non pas l'eau de chicorée, dont ses
proches ont bue. Comment ne pas être ébranlé par
deux témoignages venus de personnes qui ne se fré-
quentèrent pas ?

C'est oublier qu'ils fréquentaient le même monde,
que Mme de Clérambault par exemple, après s'être
brouillée avec Monsieur, fut au mieux avec la seconde
Madame, et que Saint-Simon recherchait la compagnie
de cette très vieille dame qui savait tant d'anecdotes sur
la cour. Or la gouvernante de la petite d'Orléans incul-
qua à son élève la certitude que sa mère avait été
empoisonnée par Lorraine. Sur le point de partir de
France pour épouser le roi Charles II d'Espagne, en
1679, Marie-Louise, la fille d'Henriette, demanda qui
devait l'y accompagner et cria quand on lui nomma
Lorraine : « Ah, celui qui a empoisonné ma mère ! »

Mme de Clérambault n'était pas la seule à transfor-
mer en victime la touchante princesse, à condamner les

méchants qui la menaçaient, à rendre vrai le vraisemblable. L'accusation, vivace, passait partout. À
quelques variantes près, avec la force des ragots, la
mort subite de Madame devenait une mort suspecte.

Le roi de France pourtant avait tout fait pour empêcher les rumeurs de courir. En 1697, quand paraîtra
l'édition posthume de la correspondance de Mme de
Sévigné et de Bussy-Rabutin, on supprimera de leurs
lettres des 6 et 10 juillet 1670 les lignes où ils disaient
leur étonnement et celui de la cour en apprenant que
Madame était morte en huit heures. Même la surprise
n'est pas de mise en cette affaire. La maréchale de Clérambault subira une longue disgrâce pour avoir fâcheu-
sement influencé son élève. Quand Marie-Louise
mourra en 1689, à vingt-sept ans, dans des vomissements révélateurs, on ne parlera point de poison. Le
mot sera « défendu » à Versailles. Et ce n'est qu'après la
mort de Louis que la seconde Madame racontera l'empoisonnement d'Henriette.

En fait, pour étouffer les soupçons, en ce 30 juin
1670, le roi de France adopte la meilleure solution. Il
connaît l'attachement de Charles à sa sœur, il est préoccupé du rôle de son propre frère dans l'affaire, il sent
venir les rumeurs, il se veut sûr de lui face au roi de
Grande-Bretagne et à l'opinion publique anglaise.
Quand, à six heures du matin, il apprend la mort
d'Henriette, il assiste à la messe tout en pleurs. Puis,
toutes affaires cessantes, et malgré son chagrin, il
ordonne sans tarder l'autopsie du corps d'Henriette en
présence de l'ambassadeur d'Angleterre.

58.

« Madame est morte ! »

C'est par le même courrier que Charles II reçoit, le 2 juillet à dix heures du matin, l'annonce officielle de la mort de sa sœur et celle de son autopsie. Il le fallait. Les bruits d'empoisonnement courent par toute l'Europe, note ce jour-là l'ambassadeur de Savoie. Louis XIV a besoin d'un avis médical autorisé pour les faire taire.

Il ne lésine pas sur le nombre ni la qualité des médecins. Monsieur charge Brayer d'en amener de Paris six des plus éminents, parmi lesquels Bourdelot. On prévient Montagu. Il peut assister à l'autopsie avec qui bon lui semble. L'ambassadeur se fait accompagner par le comte Dalsbery, un secrétaire de l'ambassade, l'abbé Montagu, Hamilton, le médecin anglais Chamberlain et un chirurgien de Charles, Alexander Boscher.

On les convoque à Saint-Cloud pour cinq heures de l'après-midi afin qu'il fasse grand jour. Mais l'ambassadeur attend plus de deux heures. On presse Yvelin, médecin de Madame, de faire procéder à l'ouverture. Il a ordre de Monsieur de ne pas commencer sans Vallot et Félix, qui tardent à arriver. Il faut envoyer un garde pour les chercher. Enfin, les voici, suivis de Daquin, de Cureau de La Chambre et du fils de Félix. Il est sept heures du soir. Mais en juin il fait encore clair. On met le corps dans l'antichambre sur une table. Entre qui veut. Autopsie portes ouvertes.

Si bien que, selon Bourdelot, on se retrouve à plus de cent. L'ambassadeur d'Angleterre et les Anglais se tiennent aux pieds du cadavre. Bourdelot a la charge de leur expliquer ce que le chirurgien découvre en opérant. Les autres médecins français se sont placés suivant leur importance, Vallot auprès du jeune Félix qui officie, Yvelin face à celui-ci. Le minutieux Boscher veut voir le corps de dos. Rien à signaler.

Troublé par l'importance de sa tâche et la grandeur des personnes présentes, maladroit, le jeune Félix troue la paroi de l'estomac d'un coup de bistouri. On ne relève pas sur-le-champ sa maladresse, que peu de médecins ont eu la possibilité de voir. Puis il se ressaisit et mène l'opération à bien. Il pratique une incision médiane et longitudinale jusqu'à la serviette qui couvre le cadavre à partir du nombril. Le ventre extraordinairement gonflé s'affaisse et laisse échapper une puanteur si épouvantable que bien des assistants sortent de la pièce.

À partir de là, les descriptions objectives de Boscher et de ses collègues concordent. Replis du péritoine gangrenés, teintés de bile. À l'ouverture du péritoine, une grande quantité de matières, « *extremly offensive* », dit Chamberlain. Intestins tendant à la putréfaction. Foie gris jaunâtre, tout brûlé, tombant en miettes, exsangue. «Vessie du fiel », ou vésicule, grosse et pleine d'une bile qui « par son épanchement a donné sa couleur aux autres parties ». Rate bonne. Rein gauche un peu flétri mais bon, rein droit bon. L'estomac est beau à l'extérieur mais au dedans « tout fourré et teint » de bile épaisse que l'on peut ramasser avec le doigt. Il y en a jusqu'en haut de l'œsophage. Les deux ventres, bas et moyen, remplis d'humeurs bilieuses. Le poumon gauche adhère aux côtes. Quand on le coupe, il s'en écoule une humeur sanguinolente et purulente. Le cœur, quoique gros, est « bon ». Toutes les parties en général sont fort exsangues.

On n'ouvre ni la tête, ni l'utérus, ni les boyaux, ni le pancréas, « la cause de la mort, dit Boscher, ayant été trouvée dans le ventre, qui est, à ce qu'on a jugé, une trop grande effusion de bile ». Le diagnostic se répand. Dès le 2 juillet, Saint-Maurice rend compte de l'autopsie au duc de Savoie. On n'a pas trouvé de « signes formels de poison », mais un grand épanchement de bile et le « foie tout pourri ». Mlle de Montpensier, absorbée par ses intrigues amoureuses avec Lauzun, ne s'est guère intéressée au sort de cette cousine qu'elle a souvent jalousée et qui ne l'a apitoyée, sur la fin, que par ses déboires conjugaux. Au mépris des résultats médicaux, elle parle de poumons « fort sains ». Elle accuse cependant de la mort de Madame sa bile échauffée, que « les médecins appellent un cholera-morbus ». Elle s'attarde sur la laideur du corps de sa cousine...

La Gazette de France donne le résultat officiel de l'autopsie. Elle insiste sur le mauvais état de la princesse, « de longue main ». Plus que de sa mort subite, il faut s'étonner qu'elle ait vécu si longtemps. Impensable dans ces conditions d'évoquer un empoisonnement. C'est la version donnée à Charles et retranscrite dans les *Domestic Papers*. Les organes vitaux de Madame étaient si atteints qu'elle ne pouvait vivre. Et pour être sûr qu'il ne croie pas au poison, on ajoute que le foie de sa sœur était sain, « ce qui n'aurait pas été si elle avait été empoisonnée ».

Mensonge flagrant, puisque les rapports des médecins parlent tous d'un foie de mauvaise couleur, qui tombe en poussière. Charles le saura tôt ou tard. Mensonge inutile et maladroit parce qu'un poison n'aurait pas, en quelques heures, ravagé le foie. Dans l'affolement de la première dépêche au roi d'Angleterre, on a voulu trop prouver. On s'est raccroché à n'importe quoi pour faire croire à une mort naturelle.

De toute façon, on était à l'époque bien démuni pour démontrer qu'il n'y avait pas eu empoisonnement. On l'est encore aujourd'hui en l'absence d'analyses chimiques précises. Malgré tout, à supposer – contre toute évidence – qu'il y ait eu la possibilité matérielle d'administrer à la princesse un poison, on connaît maintenant les symptômes précis qui se seraient manifestés, suivant la nature du poison employé.

Aucun de ces symptômes ne se retrouve dans le récit minutieux de Mme de La Fayette. En bref, Henriette aurait senti dans sa bouche ou sa gorge la brûlure ou l'amertume du poison. Elle aurait été victime d'une intoxication aiguë avec diarrhée incoercible et vomissements abondants. Elle aurait subi une atteinte rapide de ses centres nerveux. Elle aurait présenté un état comateux, des convulsions, une cyanose, des troubles de la vue, des ongles bleus ou des contractures. Elle aurait été en anurie. Or, lucide jusqu'au bout, elle a quitté sans aide vers onze heures son lit souillé d'urine, souffrant atrocement d'un arrêt des matières et des gaz, d'une occlusion que ne saurait donner aucun poison.

Plutôt que du foie, pourquoi n'a-t-on pas parlé à Charles de l'estomac de sa sœur, reconnu sain malgré la bile qui l'emplissait ? On s'est senti sur un terrain glissant. L'ambassadeur de Savoie a beau, dès le 2, expliquer que le fameux trou de l'estomac vient d'un coup de bistouri « donné par mégarde », il reconnaît que le petit trou « aux bords noircis » a paru suspect. Vallot assure avoir vu le geste maladroit de Félix. Boscher se laisse convaincre mais il a été choqué qu'on ait voulu le dissimuler. Mieux vaut ne pas parler de l'estomac. Dans cette affaire, on sent partout, et d'abord chez les médecins chargés de l'autopsie, la peur de trouver dans les entrailles de la princesse les indices d'un crime qui eût éclaboussé la famille royale et déclenché une crise entre les deux royaumes.

Leur peur en fait est sans objet. L'ambassadeur d'Angleterre et les siens ont surveillé attentivement le déroulement des opérations. Chamberlain signe, avec seize autres médecins, le procès-verbal que le maréchal de Bellefonds portera à Charles II avec les condoléances officielles de Louis XIV. Il est certain, « de l'aveu même des médecins anglais », déclare Saint-Maurice le 11 juillet, que la mort de Madame ne vient que d'un « épanchement de bile ». Mais il témoigne aussi que le peuple en France continue à être très affligé de la disparition soudaine de la princesse et à croire aux bruits d'empoisonnement.

Opposition éternelle des savants et des ignorants ? Peut-être. Surtout au moment où Molière, cher à Madame, n'épargne pas les médecins, médecin malgré lui ou médecin volant, en attendant les cérémonies bouffonnes du malade imaginaire. Le public avec lui est prompt à dénigrer les médicastres, à douter de leurs diagnostics. Il faut avouer que, dans le cas de Madame, les explications avancées lui sont particulièrement difficiles à croire.

Préfigurant « le poumon, le poumon » de Toinette en 1673, la bile, la bile de 1670 ferait une excellente réplique pour un médecin de Molière. Même si les observations du 30 juin ont été réalisées avec soin, même si cette bile envahissante, épaisse, omniprésente est bien à l'origine de la mort de Madame. Pourquoi, comment ? L'état de la science empêche d'apporter aux contemporains une explication rationnelle, et c'est dommage. Encore si on leur avait parlé du « foie pourri », comme le fait Saint-Maurice au duc de Savoie... Pour des raisons diverses, d'ignorance ou de facilité, on ne leur parle pas non plus du poumon gauche, si gravement atteint. Si bien qu'on donne au public l'image d'une princesse mourant subitement à vingt-six ans d'une bile dangereuse et imprévisible. On lui propose une vérité incroyable. Il préfère croire une erreur vraisemblable et touchante, le poison.

Depuis plus de trois cents ans, des esprits rationnels se sont efforcés d'élucider le mystère. Ils ont cherché, se sont approchés de la vérité, tel Anatole France à la suite du médecin Littré. Ils ont eu le tort de croire le trou de l'estomac naturel et non accidentel, et de conclure à une perforation gastrique. Mieux valait s'en tenir aux observations exactes du 30 juin, aux réflexions en français de l'Anglais Boscher sur la mort de la princesse et à l'incontournable bile.

Boscher joint à l'étude, traditionnelle alors, du « tempérament » de Madame les circonstances fatigantes de son voyage de mai, son changement de vie, la violence de ses émotions en revoyant son frère (et en le quittant), les chaleurs de juin, toutes choses qui échauffent ce tempérament « chaud, sec et bilieux ». Il met sur le compte de l'aridité et de la sécheresse de la peau l'impossibilité pour la bile d'« exsuder au travers des pores ». Sinon « la peau aurait été fait jaune », Madame aurait eu une jaunisse. La bile échauffée s'est donc répandue dans le bas-ventre, causant d'horribles douleurs et une « fermentation chaude et vaporeuse ».

Réflexion passionnante. En 1947, le docteur Marchesseau, dans sa thèse de médecine sur « l'urgence abdominale de Madame », la trouve moins « fantaisiste »
qu'on pourrait le penser.

En fait, l'atteinte grave et ancienne du foie, que
démontre l'autopsie, a empêché une évacuation normale de la bile. Ce qui explique la grosseur de la vésicule anormalement remplie. Madame souffre depuis
un certain temps de cholécystite aiguë. Ses douleurs au
côté fréquentes, son dégoût des viandes, son besoin de
s'allonger pour trouver du répit à son mal en témoignent. L'iléus, autrement dit l'occlusion intestinale,
s'installe dans les derniers jours. Le 29 juin, la douleur
violente et brusque marque la contamination périto-
néale généralisée provoquée par la fuite de la bile. Péritonite sans perforation visible mais par exsudation. La
mort subite de Madame est une mort naturelle.

Tous les symptômes concordent avec la description
de Mme de La Fayette, souffrances suraiguës, nausées
permanentes, arrêt total du transit, accélération de la
respiration, hoquet, abdomen distendu, yeux creux,
faciès caractéristique. Une fin rapide est la seule issue,
puisque ceux qui entourent la princesse sont incapables
de toute intervention chirurgicale. Mme de La Fayette
a remarqué avec bon sens que la mourante ne pouvait
sortir de l'état où elle était « que par une évacuation ».
Puisqu'elle ne se fait pas normalement, il faudrait que la
nature agisse « par en haut ». Elle critique les médecins
de ne pas aider la princesse, puis se résigne : « Dieu les
aveuglait », écrit-elle. Ils ont dû déceler assez vite la gravité de cet arrêt des matières et des gaz, de ces épouvantables « coliques de *miserere* », mais à part prescrire
des lavements, que pouvaient-ils faire ?

D'autres diagnostics, un temps proposés, ne tiennent pas devant les résultats de l'autopsie. La péritonite par perforation d'un ulcère gastrique ou duodénal
notamment, puisqu'aucun ulcère gastrique ni duodénal n'a été observé. La gangrène des intestins s'explique à l'évidence par la chaleur de cette fin de juin et
la rétention des matières causée par l'occlusion. L'eau
ou le bain glacés ne sauraient être à l'origine d'une

détérioration des organes si évoluée. En l'absence d'épanchement de sang, on ne peut songer non plus à une grossesse extra-utérine. Quant à innover en parlant d'une maladie de sang, héréditaire, la porphyrie, pourquoi pas ? L'impossibilité des analyses sanguines ouvre la porte à toutes les hypothèses. Mais on ne trouve pas dans la vie d'Henriette les troubles neurologiques graves propres à cette maladie, qui surviennent d'ailleurs à la suite de troubles abdominaux et progressent durant une à quatre semaines avant l'issue fatale.

Et les poumons ? On a pris des toux nerveuses de l'enfant, des rhumes dus au froid ou aux imprudences pour de la tuberculose. Et on a déclaré que Madame, comme nombre d'Anglais, avait un tempérament phtisique. Mais une tuberculeuse non soignée et accablée de grossesses n'aurait pas vécu jusqu'à vingt-six ans. Madame a bien été contaminée, mais à une date qui ne peut guère remonter au-delà de 1667-1668.

Sans traitement convenable, elle ne pouvait vivre longtemps. Son absence au *Ballet de Flore* est un premier signe. Certes, elle est enceinte. Dans le passé cela ne l'a pas empêchée de danser. Son épuisement à l'automne qui suit la disparition de sa mère, sa lassitude pendant le voyage en Flandre sont les étapes de sa marche vers la mort. Ses portraits à vingt-deux, vingt-trois ans la révèlent appétissante et dodue, malgré la fragilité et la nervosité héritées de son enfance et les nuits blanches passées à danser et à s'amuser. En parfait contraste, la maigreur, le maintien voûté et le regard maladif du portrait d'Exeter révèlent la poitrinaire. L'autopsie de ses poumons, en particulier du gauche, fibro-caséeux, gravement atteint, le confirme. Ils ont contribué à la fatigue d'Henriette, à sa fièvre, à ses souffrances. Ils n'ont pas causé sa mort. Cependant, sans le drame du 30 juin, ils l'auraient rapidement causée, faute des soins appropriés, inimaginables à l'époque. Et puis, dans la mesure où la tuberculose facilite et aggrave les troubles gastro-intestinaux, le poumon malade est responsable de l'épanchement fatal de bile.

Comme la contamination de Madame a coïncidé avec une période pénible de sa vie, où, pour son malheur, le chevalier de Lorraine s'est imposé chez Monsieur, on peut le rendre, si l'on y tient, et pour des raisons psychologiques, responsable de la mort d'Henriette...

Mais on n'a pas eu besoin de la tuer. La bonne nature s'en est chargée.

59.

Funérailles

La douleur du roi d'Angleterre à la mort de sa sœur ne surprend personne. Quand il l'apprend, il se trouve mal et doit prendre le lit. Il refuse de recevoir le chevalier de Flamarens, l'envoyé de Monsieur. On parle tellement à Londres du chevalier de Lorraine à propos de la mort de Madame que le secrétaire, dans les papiers officiels britanniques, fait une confusion de noms et parle d'une audience du « chevalier de Lorraine »...

Charles se résout à recevoir Flamarens, après avoir rencontré l'envoyé de Louis XIV, le maréchal de Bellefonds, qui a assisté aux derniers moments d'Henriette et peut lui en parler en connaissance de cause. Mais pendant plusieurs jours, plein de douleur et de ressentiment contre ceux qui lui ont ravi sa Minette, il se laisse gagner par les rumeurs d'empoisonnement, violentes à Londres, où les Français risquent à tout moment d'être malmenés, où « l'on est au désespoir et dans des rages extrêmes ».

Le 15 juillet, l'ambassadeur Montagu respire. Il avait reçu de son roi l'ordre de quitter une cour dont il était mécontent au dernier point. Mais, écrit-il à Arlington, il arrive de Saint-Germain où il a appris que son maître « commence à s'apaiser ». La mort de Madame ne doit pas mettre en cause l'union des deux royaumes. La princesse la désirait tant !

Si considérable qu'elle soit, l'affliction du roi d'Angleterre ne saurait être plus grande que celle de Louis XIV.

« Il en est inconsolable, observe l'ambassadeur de Savoie, et on appréhende que sa santé n'en soit altérée. » Les témoins de la mort de Madame ont remarqué leur longue conversation à voix basse. Tous après cette mort notent ses pleurs. Et pour un roi qui conçoit son règne comme une représentation permanente donnée à ses sujets, le chagrin se traduit aussi par un souci extrême de l'étiquette.

Dès le 30 au matin, il parle à sa cousine Montpensier, experte en la matière, des ordres qu'il va donner à Saintot, maître des cérémonies, pour les funérailles. Toute la journée, on peut voir Henriette, le visage découvert, dans son lit de mort entouré de deux douzaines de chandeliers d'argent et de deux autels où se célèbrent continuellement des messes. L'abbé de Montagu et ses autres aumôniers sont là avec les dames d'honneur. Après midi, les chanoines et prêtres de Saint-Cloud psalmodient avec les capucins et les feuillants.

L'autopsie terminée, le cœur est enfermé dans un cœur d'argent recouvert d'un autre en vermeil doré, les entrailles dans une urne de plomb, le corps embaumé dans un cercueil de plomb recouvert de velours noir croisé de satin blanc, placé sur une estrade de trois marches. La chambre, tendue de noir avec deux lés de velours semés d'écussons aux armes de la princesse, est transformée en chapelle ardente. Un grand dais de velours noir surmonte la petite table qui porte cœur et urne. Deux duchesses se relaient toutes les deux heures pour veiller la princesse avec une foule d'ecclésiastiques. Deux hérauts présentent aux visiteurs le coussin pour s'agenouiller et l'aspersoir d'eau bénite. Cependant qu'à l'écart la petite Marie-Louise doit garder la chambre, bouleversée par la mort de sa mère.

Événement extraordinaire, le 1er juillet, vers midi, Louis XIV arrive à Saint-Cloud, franchit les portes du château, l'escalier et l'antichambre tendus de drap noir pour s'agenouiller dans la chambre d'Henriette et asperger son corps d'eau bénite. La reine, accompagnée de ses deux enfants, a fait de même à dix heures. Le geste fait sensation. « Jamais rois de France n'avaient fait semblable cérémonie, pas même pour leurs père et mère. Ils ne vont jamais où il y a des corps morts », s'étonne Saint-Maurice.

La différence éclate entre le roi et son frère. Ce dernier est parti au Palais-Royal, aussitôt après la mort de sa femme. Il y reçoit les condoléances du roi, de la reine et de leurs enfants. Soucieux de l'apparat, il a ordonné que l'on couvre Marie-Louise, quand elle ira mieux, et Anne, la fille de Jacques d'York, qu'Henriette hébergeait, de longues mantes violettes, et que la toute petite de dix mois reçoive aussi des condoléances. *La Gazette* a beau parler de ses « marques de tristesse si touchantes qu'elles sont inconcevables », le prince s'en va très vite à Rueil, non pas pour cacher son chagrin, mais pour cacher qu'il n'en a pas. Ce que sa cousine Montpensier a aussitôt remarqué.

Louis donne des ordres précis pour le déroulement des cérémonies funèbres. Il prend lui-même le plus grand et le plus sévère deuil qui soit. Il a « la grande manche et la petite manchette », l'une sur l'habit, l'autre dépassant du poignet, c'est-à-dire un maximum de pièces de linge pour porter le deuil de la défunte. Ce qui est mieux, « il le porte bien plus véritablement dans le cœur », remarque l'ambassadeur de Savoie. Sa douleur d'avoir perdu la princesse est telle que, cette fois, l'apparence et la réalité des sentiments se confondent. Il est en deuil. Il est ce qu'il paraît.

À l'exemple du roi, toute la cour doit prendre ce deuil austère, bien plus austère que l'année précédente pour la reine d'Angleterre. Les officiers de la couronne, ducs et maréchaux de France, doivent, pour Henriette, faire draper leurs carrosses. C'est contre la coutume. Ils ne l'ont pas fait pour Gaston d'Orléans, frère de Louis XIII, ils ne l'ont jamais fait que pour les rois et reines de France. Mais c'est la volonté de Louis XIV. Il refuse de recevoir à Saint-Germain les condoléances du nonce du pape et de l'ambassadeur de Venise tant qu'ils n'auront pas leurs carrosses et leurs valets en deuil. Le prélat et le Vénitien n'avaient pas jugé bon de faire cette dépense, car leurs prédécesseurs n'y avaient été obligés en aucune circonstance. Après tout, constate Saint-Maurice, il est juste de faire voir au dehors la tristesse que tout le monde ressent de la mort de la princesse.

Même magnificence pour le transport du cœur au Val-de-Grâce et des entrailles aux Célestins, le 2 juillet au soir. La princesse de Condé, femme du premier prince du sang, conduit la cérémonie. Procession des carrosses, des écuyers et officiers des Condé, des cent-suisses de Monsieur, des valets de pied, des pages à cheval, tous avec flambeaux allumés. Les cloches sonnent quand on passe devant les minimes de Chaillot. Comme pour la reine Anne d'Autriche, les religieuses du Val-de-Grâce, assistées des prêtres de l'Oratoire du faubourg Saint-Jacques, reçoivent le cœur de Madame et récitent les prières des morts.

Le 4, c'est le transport à Saint-Denis. Les chanoines chantent le *Libera* tandis que l'abbé Montagu procède à la levée du corps. Les gardes le portent dans le chariot funèbre. Celui-ci est couvert d'un grand poêle de velours noir croisé de toile d'argent, avec les armes d'Henriette brodées des deux côtés. Les aumôniers tiennent les quatre coins du drap. Six chevaux caparaçonnés de deuil tirent le chariot

Le cortège quitte Saint-Cloud. En tête les religieux, puis les trois carrosses des princesses chargés d'accompagner le cercueil, la fine fleur de la noblesse, Mlle de Montpensier avec les duchesses de Verneuil et d'Épernon, la princesse de Condé avec les duchesses d'Angoulême et d'Aiguillon, la duchesse de Longueville avec les duchesses de Nemours et de La Meilleraye. Entre les carrosses et le chariot, cent pages de la maison du roi et les suisses, avec des flambeaux allumés. Derrière le chariot, les gardes de Monsieur, les officiers à pied et à cheval des Orléans.

Le convoi, silencieux, faiblement éclairé malgré le nombre des flambeaux, passe par le bois de Boulogne, le pont de Neuilly, arrive vers deux heures du matin à la basilique de Saint-Denis. Discours du premier aumônier et du prieur. Les princesses sont là. Les religieux en grande mante conduisent en psalmodiant le corps, que les gardes mettent sur une estrade couverte d'un dais de velours noir, brodé aux armes de la princesse. Le lendemain, les gens de la maison de Madame assistent à un service. Puis le corps est porté derrière le chœur dans une chapelle où il demeure en dépôt jusqu'à l'inhumation, sous la garde des officiers de Monsieur.

Des gens de Monsieur, de ses officiers, on parle beaucoup dans *La Gazette*. De Monsieur, jamais. Il n'est présent à aucune de ces cérémonies, auxquelles un *Extraordinaire* de onze pages, le numéro 85, est consacré. Le gazetier ne souligne pas cette absence – ce n'est pas son rôle –, ni Vernon, un Anglais qui a rédigé une relation des cérémonies et qui, comme ses compatriotes, n'a guère bonne opinion du prince. Mais force est de la constater. Monsieur n'est pourtant pas dans la situation du roi, absent traditionnellement des cérémonies mortuaires. Il avait assisté naguère aux services funèbres de sa mère et de sa belle-mère. Sans doute a-t-il assez pleuré à l'agonie de son épouse, et comme la cousine Montpensier, partie prendre les eaux de Forges, a-t-il besoin de repos.

Cependant, Louis XIV veut rendre à la mémoire d'Henriette « des honneurs qui n'eussent rien de commun » avec ce qui avait eu lieu auparavant. Un second *Extraordinaire*, le 103, de onze pages encore, détaille la « Pompe funèbre de Madame Henriette-Anne d'Angleterre ». À le lire, on comprend pourquoi il a fallu presque deux mois pour préparer une telle cérémonie.

Le portail de la basilique est tendu de noir jusqu'à la première corniche. Des deux côtés, les armes de Madame, dorées, avec festons de velours semé de larmes d'argent et crépines en bas. Au centre, encore ses armes, de deux mètres de haut, accompagnées de deux squelettes assis de marbre blanc, ailés et un peu plus grands.

À l'intérieur, l'atmosphère est oppressante. Toute la nef tapissée de drap noir, les armes sur chaque pilier liées par des festons de velours noir semé de larmes d'argent. Le jubé de même, avec une corniche portant quarante flambeaux de cire blanche. Le chœur est recouvert d'un grand pavillon de drap noir qui s'ouvre en quatre et s'attache aux gros piliers de la croisée. Un autre pavillon s'étend jusqu'au-dessus de l'autel. Les vitraux sont entièrement cachés. Il ne reste aucun jour. Aucune marque non plus de l'architecture gothique que l'on apprécie peu à l'époque.

Dans le chœur, à chaque pilier, des squelettes ailés et drapés semblent soutenir la tenture. Les arcades ont été garnies de drap noir et préparées en amphithéâtres avec de hautes chaises pour les assistants de marque. Partout, des frontons, des cartouches, des armes, des anges, des amours même, des doubles rangs de chandeliers. Un autel pompeux avec, à ses quatre coins, des pyramides de marbre vert de deux mètres de haut, posées sur des triangles de têtes de mort et surmontées d'urnes d'or vomissant des flammes.

Enfin, au milieu du chœur, la merveille, le mausolée. Louis a voulu qu'il dépasse en beauté et majesté les mausolées antiques. Aux coins, sur chacune des tables octogonales jaspées de vert, une manière d'autel à l'antique et une grande urne fumante de parfums avec, deux à deux, huit figures de marbre blanc de plus de deux mètres, assises, représentant d'un côté la Noblesse, la Jeunesse, la Poésie et la Musique, de l'autre la Foi, l'Espérance, la Force et la Douceur, toutes appropriées au caractère de Madame.

Une estrade à huit marches, couverte de trois cents chandeliers d'argent garnis de cierges blancs et écussonnés, supporte le tombeau de marbre noir soutenu de quatre léopards de bronze. Au-dessus, le cercueil couvert d'un drap d'or bordé d'hermine, croisé d'argent, avec les armes brodées d'or et d'argent, sur lequel reposent le manteau ducal et la couronne couverte de crêpe. Le tout surmonté d'un dais de velours noir de quatre mètres sur quatre, avec festons, armes, écharpes et franges d'argent. Gissey, dessinateur au cabinet du roi, a conçu cette composition, qui ouvre la mode des « pompes funèbres ».

Le déroulement de la cérémonie est tout aussi concerté. Le roi d'armes et les trois hérauts de Dauphiné, de Roussillon et de Bourgogne ont invité par crieurs publics le Parlement, les Cours des comptes, des aides, des monnaies, le Corps de ville, l'Université au service solennel. Ils se rendent à Saint-Denis le 21 août à dix heures du matin. Le grand maître des cérémonies, le marquis de Rhodes, les place. Le clergé tout proche de l'autel. Les princesses de Condé et de Carignan, la duchesse de Longueville conduisent le deuil, amenées de l'abbaye où elles sont descendues par Condé, le duc d'Enghien et le petit prince de Conti. Cent pauvres vêtus de gris les précèdent avec une torche allumée. Les officiers et domestiques de Madame les suivent avec son chevalier d'honneur, le comte d'Albon.

Fait extraordinaire, la reine assiste à la cérémonie, « incognito », dit *La Gazette.* C'est la volonté du roi. Elle est entourée de l'ambassadeur d'Angleterre, de Buckingham et de beaucoup d'autres personnalités françaises et anglaises. Cette fois encore, Monsieur brille par son absence.

Brusquement, tous les flambeaux et cierges s'allument. Les urnes du mausolée crachent, au lieu de parfums, de grandes flammes lumineuses. Le Tellier, coadjuteur de l'archevêque de Reims, revêtu des habits pontificaux, célèbre la messe, assisté de douze religieux de l'abbaye. Au jubé, la musique de la chapelle et de la chambre du roi chante, séparée en trois chœurs. À l'offrande, menées par les trois princes, les trois princesses, accompagnées du grand maître, du maître et de l'aide des cérémonies, s'avancent pour les révérences accoutumées, la queue de leurs mantes soutenue par le marquis de Saint-Marc et le comte de Lussan, le chevalier de Thorigny et le comte de Briole, les Saint-Maurice père et fils.

Et puis le héraut de Bourgogne va quérir celui qui a été désigné par le roi, le roi absent selon la tradition, mais omniprésent dans toute cette cérémonie, celui qui doit prononcer l'oraison funèbre d'Henriette-Anne d'Angleterre, duchesse d'Orléans, celui qui l'a assistée dans ses derniers moments, celui qui a été nommé à l'évêché de Condom et qui n'est pas encore sacré évêque, l'abbé Jacques-Bénigne Bossuet.

60.

« Le digne lien des deux plus grands rois du monde »

« Vous n'avez jamais su la religion chrétienne [...] Vous avez violé tant de fois les vœux de votre baptême, par l'amour que vous avez eu pour la grandeur, les plaisirs que vous avez pris aux parfums, les regards coupables, les médisances, les ardeurs de la concupiscence, les attouchements défendus par la loi de Dieu, le goût du monde et des divertissements. Il y a vingt-six ans que vous offensez Dieu, six heures que vous faites pénitence. » Voilà ce que martelait le chanoine Feuillet, de Saint-Cloud, à la pauvre Henriette mourante.

La brutalité de ces paroles en choqua plus d'un, mais pas la principale intéressée. « Laissez parler M. Feuillet, dit-elle au bon capucin qui tentait d'interrompre ce discours sévère. Vous parlerez à votre tour. » L'intraitable chanoine trouva la princesse, dit Mme de La Fayette, « dans des dispositions qui allaient aussi loin que son austérité ». Bossuet était passé par là.

Depuis la mort de sa mère, elle l'écoutait et ses paroles faisaient son chemin. Pendant les cérémonies de l'avent 1669, elle assista à ses sermons et le rencontra souvent. Louis ne pouvait mieux choisir pour prononcer l'oraison funèbre de Madame.

Bossuet ne commence pas par un discours d'ordre général comme il l'a fait pour la reine d'Angleterre. Il rappelle le lien personnel le plus évident qui l'attache à la princesse. Il a prononcé l'oraison funèbre de sa mère à Chaillot. Il prononce la sienne à Saint-Denis : « J'étais donc encore destiné [...] Ma triste voix était réservée à ce déplorable ministère. » D'emblée, l'émotion s'installe et croît quand il rappelle aux auditeurs les dix mois seulement qui séparent les deux services funèbres : « Pendant qu'elle versait tant de larmes en ce lieu, eussiez-vous cru qu'elle dût si tôt vous y rassembler pour la pleurer elle-même ? »

Il marque tout de suite l'originalité de Madame, « digne objet de l'admiration de deux grands royaumes ». Un moyen d'élargir encore l'émotion et de s'adresser directement à Henriette : « N'était-ce pas assez que l'Angleterre pleurât votre absence, sans être encore réduite à pleurer votre mort ? »

Le ton sensible donné, l'orateur revient à son projet sermonnaire. Car l'oraison funèbre célèbre le défunt, mais doit apporter aux vivants une leçon. « Vanité des vanités, et tout est vanité », la seule réflexion que lui permette, « dans un accident si étrange », une juste et vive douleur. Il veut à travers la seule mort de la princesse faire voir le néant de toutes les grandeurs humaines : « La santé n'est qu'un nom, la vie n'est qu'un songe, la gloire n'est qu'une apparence », tout est vain en l'homme. Mais tout est précieux en lui, si l'on considère son rachat par Jésus-Christ, le terme de sa vie et le compte qu'il en faut rendre.

À partir de là, il passe sans cesse de la vie d'Henriette à la religion. Son rang illustre, les malheurs de sa maison, l'admiration de la cour, l'affection de sa mère et celle d'Anne d'Autriche, sa seconde place en France, que « la dignité d'un si grand royaume peut mettre en comparaison avec les premières du reste du monde », son esprit vif et perçant, son goût pour la lecture de l'histoire, son air de jeunesse et son sérieux, sa capacité aux plus grandes affaires et aux intérêts les plus secrets, sa douceur incomparable, l'orateur n'omet rien. Mais sans s'appesantir en un récit biographique détaillé, qui eût été peut-être parfois délicat. Le côté brillant de la vie d'Henriette, il le résume en la nommant « le digne lien des deux plus grands rois du monde ». « Princesse, pourquoi leur avez-vous été si tôt ravie ? » Pourtant ces qualités ne sont rien. La mort égale tout.

C'est à la fin du premier tiers de son discours que Bossuet évoque, avec un talent bouleversant, la « nuit désastreuse, la nuit effroyable où retentit tout à coup, comme un éclat de tonnerre, cette étonnante nouvelle : Madame se meurt, Madame est morte. Qui de nous ne se sentit frappé à ce coup ? [...] En vain Monsieur, en vain le roi même tenaient Madame serrée par de si étroits embrassements. Ils pouvaient dire l'un et l'autre avec saint Ambroise : je serrai les bras, mais j'avais déjà perdu ce que je tenais. »

Alors, après une émouvante déploration et les phrases fameuses : « Madame cependant a passé du matin au soir, ainsi que l'herbe des champs. Le matin, elle fleurissait, avec quelles grâces, vous le savez. Le soir, nous la vîmes séchée », Bossuet poursuit la leçon de son discours. Il décrit le rapport à Dieu de la princesse, effet de la grâce de Jésus-Christ et modèle pour les chrétiens. Pour eux, la mort change de nature. Celle de Madame a été terrible, mais la grâce a triomphé en elle de manière exemplaire.

L'orateur évoque ici, sans le nommer, l'action austère mais salutaire de Feuillet, la simplicité de la princesse à reconnaître son ignorance, son humilité à se confesser. « De ce jour seulement elle commence à connaître Dieu. » Il rappelle les paroles à son époux que Mme de La Fayette a notées et que les courtisans ont dû répéter. Paroles qui sortent « de l'abondance d'un cœur qui se sent au-dessus de tout », dit Bossuet, non pas d'un cœur innocent, mais d'un cœur qui, réfugié dans l'amour de Dieu, peut oublier ses faiblesses terrestres.

Nouveau rappel, rapide, de la mort de Madame. « En neuf heures, l'ouvrage est accompli. » Pour montrer cette fois non le désastre du néant humain mais le glorieux travail de Dieu. « Le temps a été court, je l'avoue. Mais l'opération de la grâce a été forte, la fidélité de l'âme parfaite. » L'orateur insiste. Que les chrétiens, qui voient la vanité des choses humaines, n'attendent donc pas les miracles de la grâce ni leur dernière heure pour se convertir. « Commencez aujourd'hui à mépriser les faveurs du monde. »

Pour finir, Bossuet mêle à son exhortation le souvenir sensible de la princesse, qui ne peut manquer d'émouvoir encore les auditeurs : « Toutes les fois que vous serez dans ces superbes palais à qui Madame donnait un éclat que vos yeux recherchent encore, toutes les fois que, regardant cette grande place qu'elle remplissait si bien, vous sentirez qu'elle y manque... » Sa gloire, admirable dans cette vie, est devenue dans l'autre « le sujet d'un examen rigoureux » dont elle ne s'est sauvée que par « les saintes humiliations de la pénitence ».

C'est fini. Les assistants sont en pleurs. Bossuet lui-même n'échappe pas à l'émotion qu'il suscite. Trop de souvenirs l'assaillent de cette jeune princesse qui, dans l'épreuve, lui avait confié avec simplicité son âme. En décrivant sa libéralité joyeuse et généreuse, qu'elle accompagnait « tantôt par des paroles touchantes, tantôt même par son silence », et qu'elle a pratiquée « jusque dans les bras de la mort », il fait allusion au don de l'émeraude. Cette émeraude que la délicatesse de Madame lui a destinée dans sa dernière heure, dont il n'apprendra qu'après sa mort qu'elle est pour lui, et qu'il portera toute sa vie.

L'émotion et la foi de l'évêque en cette cérémonie solennelle sont les mêmes qu'au matin du 30 juin, quand il vint dire au roi les grâces reçues de Dieu par Henriette, sa mort « en bonne chrétienne », son désir récent mais ardent de s'instruire dans sa religion et de songer à son salut. Seulement ce matin-là, la cousine Montpensier était seule présente pour voir les larmes de Louis. Tandis que la majesté du service du 21 août accentue l'attendrissement de tous.

À la fin de la cérémonie, quand les quatre évêques de Marseille, Couserans, Meaux et Autun rejoignent le prélat officiant pour les encensements, quand les gardes de Monsieur conduits par leur capitaine, le comte de Beuvron, portent le corps dans le caveau des Bourbons, l'émotion est grande. Elle est à son comble lorsque les hérauts appellent les maîtres d'hôtel de la princesse, qui brisent leurs bâtons, insignes de leur commandement, puis le premier écuyer, qui dépose sur le cercueil le manteau ducal d'Henriette, et le chevalier d'honneur, qui dépose sa couronne.

L'objective et froide *Gazette* fait pour une fois une entorse à ses habitudes : « Tous firent ces fonctions, dit-elle, non sans se fondre en larmes de se voir privés pour jamais d'une si charmante et si parfaite princesse. » Et les assistants de prendre leur part « dans ce triste concert de soupirs et de pleurs, et ces témoignages d'une douleur extraordinaire ».

Monsieur n'était pas là. C'est pourquoi, dans l'interpellation traditionnelle du début de son discours, Bossuet s'est adressé par un « Monseigneur » à Condé comme au personnage principal de l'assemblée, puisque la reine n'est là qu'incognito. Philippe s'était contenté d'entendre l'oraison funèbre de Mascaron prononcée pour le service du cœur de Madame au Val-de-Grâce, où revivait peut-être pour lui le souvenir de sa mère. Une troisième oraison fut prononcée à Saint-Cloud en septembre 1670 par le chanoine Feuillet. Il n'y assista pas non plus mais la fit imprimer.

Ni l'une ni l'autre n'ont l'éloquence ni la beauté littéraire de celle de Bossuet mais elles traduisent un point de vue différent sur la princesse. Mascaron considère sa mort comme « le couronnement surnaturel de sa vie ». Feuillet insiste sur le miracle « réservé à Madame » d'une conversion au moment de la mort. Avec sa brusquerie coutumière, le chanoine affirme que « les grands n'ont rien de grand que parce qu'ils sont nés dans la grandeur ». Il ne dira donc rien des qualités personnelles de la princesse mais parlera de ce qu'il a vu, les effets merveilleux de la grâce à sa mort. Il n'en trouve pas d'autre exemple parmi ceux qui ont « vécu dans le luxe et dans les délices ». Le miracle en était réservé à Madame. C'est pourquoi il est urgent pour les autres de faire pénitence sans tarder.

À Saint-Denis, si Monsieur n'est pas là, Beuvron s'y trouve, comme capitaine des gardes. Ce n'est pas par provocation. Il aurait été maladroit de l'écarter et de souligner les soupçons d'empoisonnement qui pesaient sur lui et ses amis.

Même si, comme l'ambassadeur de Savoie l'écrit le 15 août, le roi d'Angleterre croit toujours que sa sœur a été empoisonnée, tous ceux qui ont part à « la grande affaire » empêcheront que « le funeste accident y apportât aucun changement ». Arlington, dès le 2 juillet, l'a affirmé à l'ambassadeur de France. Pas question d'écouter les partisans de l'Espagne ou de la Hollande, qui tentent de se servir de la mort de Madame pour aigrir l'Angleterre contre la France. D'ailleurs Charles n'a aucun motif de soupçonner Louis, qui s'est montré très conciliant envers sa sœur depuis son retour de Douvres. Il envisageait même de donner à Monsieur une pension s'il cessait de quereller sa femme... Et sa lettre de condoléances à Charles est d'une tristesse digne.

La présence de Buckingham intrigue la cour. Certes, il est venu porter les condoléances de Charles à Louis XIV et représenter son maître au service de Saint-Denis, mais il ne quitte pas le roi de France et en reçoit des marques appuyées de considération. Avant son départ pour Londres, le roi lui donne un baudrier et une épée garnie de diamants de 90 000 livres, et une belle fête à Versailles suivie d'un superbe souper à Saint-Germain, offert par Lauzun. On commence à murmurer que Madame avait apporté d'Angleterre un traité dont on ne connaît pas la teneur, et beaucoup pensent, comme l'ambassadeur de Savoie, que Buckingham est venu terminer l'œuvre de la princesse.

C'est presque cela. Sauf qu'on cache au duc, déjà tenu en dehors des négociations secrètes de Madame, le projet de conversion au catholicisme de Charles et la signature du traité de Douvres ! En fait il n'est que l'instrument des deux rois. Louis XIV fait si bien que le duc finit par lui proposer, comme venant de lui, une alliance et une aide dans sa guerre contre la Hollande. Sa popularité à Londres le rend un interlocuteur valable et un porte-parole indispensable de Charles. D'autant qu'après avoir été l'un des plus enragés, avec Trevor et le prince Rupert, à parler d'empoisonnement, il s'est résigné à la mort de celle dont il était depuis si longtemps amoureux. Le faste des réceptions de

Louis XIV a achevé de le séduire et de le convaincre de la nécessité d'un accord.

À l'automne, Charles le charge de la négociation et nomme Arlington, Clifford, Ashley et Lauderdale pour l'aider. Les deux premiers doivent, avec l'ambassadeur Colbert de Croissy, rire sous cape des inutiles discussions soulevées par le duc pour un traité déjà signé. Le « traité simulé », son nom en dit long, voit le jour le 31 décembre 1670. Il est ratifié le 2 février 1671. Pour ne pas choquer Buckingham et les négociateurs protestants, on n'y mentionne pas, sauf dans un accord secret, la conversion du roi au catholicisme. On en reparlera quand l'occasion sera favorable...

Ce nouveau traité achève le travail secret d'Henriette, interrompu par sa mort. La question religieuse mise de côté et l'argent français accepté, il n'est pas mauvais pour la Grande-Bretagne, qui peut retirer d'immenses profits commerciaux d'un écrasement de la Hollande, sa rivale maritime. Pour la France, il est une étape décisive dans sa stratégie d'isolement des Provinces-Unies, conduite avec habileté depuis plusieurs années, et dans la préparation minutieuse de la guerre contre elles, la première grande guerre conduite par le jeune roi depuis le début de son gouvernement personnel.

Mais on n'avait pas prévu le pire. Les hostilités ouvertes en 1672 allaient dégénérer en un conflit européen, plus long et plus meurtrier qu'on ne pensait. En 1674, le lien entre les deux grands royaumes se défait. Charles II signe une paix séparée avec le jeune Guillaume III d'Orange, le neveu d'Henriette, l'ennemi juré de la France.

61.

Des perles noires

La vie suit son cours. Au deuil chacun réagit à sa manière. Monsieur voudrait s'en dispenser dès le début d'août. Le roi l'en empêche. Le prince, toujours malheureux d'être privé de son chevalier, passe ses jours et ses nuits chez Mlle de Grancey. Louis a pour lui un autre projet.

La place d'Henriette vide, autant la remplir au mieux des intérêts de l'État. Louis XIV met dans la tête de son frère d'épouser Mlle de Montpensier, ses quarante-quatre ans et ses sempiternels millions. Mais Philippe la vexe. Il est bien content, lui dit-il, qu'à son âge elle ne risque pas d'avoir d'enfants. Elle pourra donner tout son bien à sa fille aînée, que l'on mariera au dauphin... On n'est pas plus galant. À l'automne, elle a la surprise d'entendre un favori de Monsieur, Beuvron, lui déclarer qu'il ne désapprouve pas son mariage avec son maître. Lorraine, paraît-il, non plus. Ils la préfèrent à ces princesses allemandes qui n'ont pas d'argent. Elle en a beaucoup. Ils en profiteront. Le roi, mis au courant par elle, est fâché que son frère fréquente de pareilles gens.

Sans le vouloir, Madame a joué un mauvais tour à sa cousine. Celle-ci comptait déclarer son projet de mariage avec Lauzun, le jour fatal de Saint-Cloud. Mauvais signe. Elle ne se mariera ni avec lui ni avec Monsieur.

Le remariage de Philippe, en revanche, est mené tambour battant. Il épouse en novembre 1671, moins de dix-huit mois après la disparition d'Henriette, une princesse allemande, Élisabeth-Charlotte, sans le sou, mais dont les droits sur le Palatinat peuvent être et seront utiles. Même si elle est, par sa correspondance, un témoin exceptionnel de son temps, la nouvelle Madame a tout pour faire regretter la première. La rudesse remplace le charme, la brusquerie hommasse la finesse et la douceur, l'amazone rougeaude la douce bergère, et les meutes de chiens de chasse la fragile Mimi. Mais la Palatine doit subir, comme les a endurées Henriette, les lubies d'un époux frivole, sa volonté d'avoir un héritier mâle et la tyrannie de ses mignons. Elle y réagit à sa manière. Elle survivra vingt et un ans à Philippe.

Avec la fille aînée d'Henriette, Marie-Louise, les rapports de la nouvelle mariée seront sans chaleur. La malheureuse enfant sera forcée d'épouser à dix-sept ans Charles II d'Espagne, un roi faible de corps et d'esprit, dont elle n'aura pas d'enfant. En butte à l'hostilité de sa belle-mère et du parti autrichien, elle mourra à vingt-sept ans, dans des vomissements atroces, empoisonnée, pourra-t-on dire à juste titre cette fois.

Les relations sont au contraire faciles avec Anne-Marie, la plus jeune des filles d'Henriette. La Palatine se prend d'affection, à son arrivée à Paris, pour cette petite fille de deux ans. Quand Anne-Marie épousera l'actif Victor-Amédée II de Savoie et quittera la France, les deux femmes ne cesseront de s'écrire – chaque semaine – un millier de lettres environ, dont pas une n'est conservée. Cette duchesse de Savoie mariera sa fille aînée Adélaïde, âgée de douze ans, au duc de Bourgogne, le petit-fils de Louis XIV, futur dauphin. La jeune femme est un rayon de joie à la cour. Hélas, deux ans après avoir mis au monde le futur Louis XV, elle meurt, à vingt-sept ans, le 12 février 1712, d'une rougeole maligne, dont sont victimes dans les mêmes jours son jeune époux et son fils de cinq ans, le duc de Bretagne. Faut-il parler de la légendaire malédiction des Stuarts ?

Aucune de ces jeunes mortes ne connut la célébrité de Madame. C'est justice. Henriette d'Angleterre emporta avec elle, comme l'écrit Mme de Sévigné le

6 juillet 1670, « toute la joie, tout l'agrément et les plaisirs de la cour ». Et pour la joie et les agréments, la marquise était orfèvre. Son cousin Bussy-Rabutin, amoureux fou des plaisirs, est inconsolable de la perte de Madame. Lui, dont la plume est renommée pour sa férocité moqueuse, n'a pas assez de mots pour regretter la plus aimable des princesses.

Ses multiples correspondants, mondains ou érudits, ne sont pas en reste. Cette jeune femme de vingt-six ans, remarque Mme de Scudéry, a quitté la vie avec la fermeté d'un vieux barbon, qui aurait passé la sienne à se préparer dans un désert à sa dernière heure. La douceur et la bonté d'Henriette sont unanimement louées, et sa qualité, rare à la cour, de savoir « distinguer » les autres. Le comte de Choiseul témoigne que sa mort n'est pas « une nouvelle, c'est une affliction générale ». Fou de chagrin – La Fare doit le ramener de Saint-Cloud chez lui pour ne pas le laisser seul –, le comte de Tréville s'enfermera un temps au couvent. Autrement dit, le monde des courtisans, superficiel et oublieux, n'absorbe pas cette mort comme une des innombrables informations qui le divertissent, le surprennent et disparaissent en un instant.

Tous en souffrent et pour longtemps. Jusqu'au monarque. Un sonnet anonyme à Louis XIV, sur la mort d'Henriette, conservé parmi les chansons qui courent partout à l'époque, tente de consoler le roi. Son chagrin n'est que trop manifeste et peu conforme à sa force de caractère : « Cependant il est vrai, que vous avez pleuré/ À travers le héros, l'homme s'est déclaré. » En cette occasion unique, Louis s'est révélé : «Vous êtes magnanime et grand et généreux,/ Mais l'on ne savait pas que vous fussiez si tendre. »

Le gazetier Robinet, privé de celle à qui il adressait depuis cinq ans sa lettre de nouvelles hebdomadaires, tente de poursuivre son entreprise au-delà de la mort. Le 5 juillet 1670, il dédie son texte « à l'ombre royale de Madame », « ombre la plus belle du monde », « plus brillante que la clarté ». Il continue le 12, pour que la princesse « triomphe dans notre souvenir », mais son inspiration tourne au morbide quand il évoque la tombe où elle est retenue : « Qu'y font ses yeux brillants, sources de lumière ?/ Qu'y fait sa belle bouche ? » etc. Le gazetier s'obstine le 19, puis le 26 juillet. Jusqu'au 2 août, où il se résigne à prendre Monsieur comme « nouveau patron de [sa] petite rime ». Les allusions à Henriette abondent. Le 30 août, il répète deux fois l'émouvant « Madame était », dont Benserade, qui a composé tant de livrets de ballet à sa gloire, fait le thème récurrent d'un rondeau consacré à son regret de la princesse.

En Angleterre, le deuil est d'autant plus grand que s'y mêlent des soupçons et des inimitiés contre les Français. Même si leur roi est hors de cause. Charles sait trop son affection pour Henriette. Des Anglais, en France pendant ces jours de drame, comme Francis Vernon, ont rapporté les détails des cérémonies et l'affliction de tous. Mais la plus touchante formule est celle de l'ambassadeur Montagu. Exprimant son estime et son regret de Madame, il écrit à Arlington le 6 juillet : « Vous l'avez assez connue pour la regretter tout le temps de votre vie. »

« Le bout de l'an de Madame » selon la formule de Mme de Sévigné, c'est-à-dire l'anniversaire de sa mort, est source de plaintes renouvelées. Elle se rappelle combien sa fille avait « l'esprit hors de sa place » en apprenant le fatal accident de Saint-Cloud. À maintes reprises, entre 1671 et 1685, elle évoque la princesse, sa grâce et son art éblouissant de la danse, sûre de partager ainsi le chagrin vivace de Mme de Grignan. Toutes les occasions sont bonnes pour la pleurer de tout son cœur.

Que dire de la douleur de Mme de La Fayette, l'intime amie ? Le 30 juin 1673, elle écrit à la marquise : « Il y a aujourd'hui trois ans que je vis mourir Madame. Je relus hier plusieurs de ses lettres. Je suis toute pleine d'elle. » Paris la tue. Le souvenir d'Henriette ne s'effacera jamais en elle. On le retrouve dans l'héroïne de *Zaïde* ou dans le personnage de la dauphine de *La Princesse de Clèves*.

Cette force des sentiments, affectueux ou admiratifs, de l'ensemble des contemporains pour Madame attise l'intérêt des générations futures. Qui était donc cette princesse si chère ? D'une manière floue mais affirmée, son charme et son esprit sont passés jusqu'à nous, même si on a découvert très tard son rôle politique, dans le traité secret de Douvres par exemple. Les satiristes de son temps l'avaient épargnée, ne trouvant guère à redire qu'à son habitude de réveiller trop tôt ses suivantes. À travers les siècles, elle est demeurée la perle de la jeune cour. On a parlé même aujourd'hui de son « charisme ».

Sa mort pitoyable et brutale a frappé l'imaginaire collectif. La fameuse oraison funèbre de Bossuet, la plus belle qu'il ait prononcée, a fait le reste. Les mots bouleversants : « Madame se meurt, Madame est morte », émeuvent à jamais ceux qui les connaissent. Ils ne les oublient pas. Signes immortels de la mort de la princesse et de la brièveté de toute existence humaine, ils s'attachent à elle, de manière indélébile, plus encore qu'à l'orateur. Réussite littéraire frappante, qui retient l'attention sur Henriette, qui lui est une sorte de remerciement posthume pour la passion qu'elle a manifestée, durant sa courte vie, aux choses de l'esprit.

C'est donc indirectement, à travers ses proches, Bossuet surtout, ou Mme de La Fayette, qu'Henriette a laissé une trace d'elle-même dans la littérature. Les chansons qu'elle a composées par jeu à la cour demeurent en très petit nombre. Leur but même les rend peu intéressantes. Et si Henriette a toujours été une épistolière assidue, elle a eu la malchance que ses lettres aient presque toutes disparu. Elle aimait écrire, à ses amis et amies, à sa mère pendant son séjour londonien, à son frère, aux hommes politiques, anglais ou français. Ses lettres seraient innombrables, si elles avaient été conservées. Par leur style, elles ne sauraient rivaliser avec celles de Mme de Sévigné. Mais, comme celles de la Palatine, elles offriraient un document original sur son temps et, de plus, un témoignage clair, intelligent, irremplaçable de son activité réelle et inlassable de diplomate avisée. Les épaves de sa correspondance à Charles, à Buckingham ou Arlington permettent de l'affirmer.

À défaut d'œuvre littéraire, sa personnalité a frappé l'imaginaire des écrivains. Le cas des deux *Bérénice* est remarquable. Quand on représente, quelques mois après la mort d'Henriette, le 21 novembre 1670, la *Bérénice* de Racine, on trouve naturel de dire qu'elle en a inspiré le sujet à l'auteur. On connaît depuis *Andromaque* ses liens privilégiés avec lui. Quand Corneille fait représenter une semaine après, le 28, son *Tite et Bérénice*, on suppose que Madame lui avait suggéré, à lui aussi, de travailler sur « la princesse malheureuse ». Et, pourquoi pas ? qu'elle avait suggéré aux deux auteurs dramatiques de travailler sur ce même sujet d'un prince renonçant volontairement à l'amour pour se consacrer à ses devoirs de roi ? Peut-être même les avait-elle mis en compétition sans les prévenir.

Inutile de polémiquer sur l'origine des deux tragédies. De toute façon, l'idée était dans l'air. L'important est que l'influence littéraire d'Henriette d'Angleterre sur son temps, brève mais réelle, a tellement frappé les esprits qu'au fil des ans on a pris plaisir à l'embellir.

Un siècle plus tard, Voltaire, en commentant la *Bérénice* de Racine, assure qu'elle « voulut que Racine et Corneille fissent chacun une tragédie des adieux de Titus et Bérénice ». Pourquoi ? Parce que le roi et la princesse eurent toujours dans leurs cœurs une tendresse secrète, et qu'elle se plaisait – ou se consolait – à voir les héros aux prises avec des sentiments et des luttes qu'elle connaissait bien. Titus et Bérénice sacrifiant leur amour à la raison d'État n'étaient pas si éloignés d'elle-même et de Louis, les victimes de leur monde et du paraître. Les amours du roi et de Marie Mancini pouvaient en leur temps être un paravent – malhabile – pour cacher les inclinations de Louis et de sa belle-sœur. Voltaire les abandonne. Un siècle après, elles ne sont plus utiles. Seule importe la tradition d'une princesse à l'esprit rayonnant.

Rien ne peut l'égaler. Elle symbolise à jamais une image de luxe et de beauté. Elle en est une des références obligées. Marcel Proust, bien des années plus tard, est impressionné par ce que raconte Edmond de Goncourt à propos d'un collier de perles enfermé dans un coffret de fer, qui l'a protégé des flammes d'un incendie « aux environs de Londres ». « Les perles étaient devenues toutes noires et, chose curieuse, toutes noires qu'elles étaient, avaient conservé leur orient. »

Proust imagine, dans *Le Temps retrouvé*, de faire porter à Mme Verdurin, au cours d'une réception, un collier ayant couru la même aventure, un collier de perles noires. Pour que sa fiction soit la plus magnifique possible, il invente que les Verdurin ont acquis ce collier dans la vente d'un descendant de Mme de La Fayette, qui le tenait elle-même de Madame. Comme si Henriette, seule dans toute l'Angleterre, avait le privilège de posséder des perles extraordinaires. Comme si, à cause d'elle, il fallait à Proust remonter au XVIIᵉ siècle pour situer l'incendie, comme s'il ne pouvait y avoir eu d'incendie remarquable à Londres qu'en ce siècle...

Mieux encore. Swann, à ce dîner des Verdurin, assure aux convives un brin ébahis qu'il a vu, « dans la collection du duc de Guermantes », le portrait de Mme de La Fayette portant ces perles. Madame n'avait pu donner ses incomparables perles qu'à son intime amie, et l'amie les avait nécessairement exhibées pour se faire peindre. Imagination encore, mais cette fois, elle traduit à juste titre l'amitié unique et véritable qui exista entre la romancière et la plus française des princesses anglaises. Miracle de la littérature !

Elle restitue une Henriette d'Angleterre, vivante, avec des perles noires qu'elle ne posséda jamais, tout comme les documents d'archives la restituent, enfant, avec ses bottines d'argent.

Annexes

Généalogie

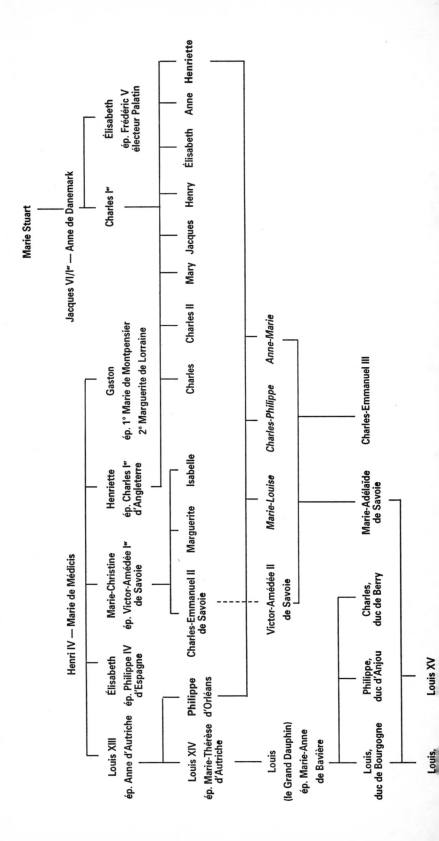

Les Bourbons

Les Stuarts

Henri IV — Marie de Médicis

Louis XIII
ép. Anne d'Autriche

Élisabeth
ép. Philippe IV
d'Espagne

Marie-Christine
ép. Victor-Amédée Ier
de Savoie

Henriette
ép. Charles Ier
d'Angleterre

Gaston
ép. 1° Marie de Montpensier
2° Marguerite de Lorraine

Louis XIV
ép. Marie-Thérèse d'Autriche

Philippe
d'Orléans

Charles-Emmanuel II
de Savoie

Marguerite   Isabelle

Charles

Louis
(le Grand Dauphin)
ép. Marie-Anne
de Bavière

Victor-Amédée II
de Savoie

Marie-Louise   Charles-Philippe   Anne-Marie

Louis,
duc de Bourgogne

Philippe,
duc d'Anjou

Charles,
duc de Berry

Marie-Adélaïde
de Savoie

Charles-Emmanuel III

Louis,   Louis XV

Marie Stuart

Jacques VI/Ier — Anne de Danemark

Charles Ier

Élisabeth
ép. Frédéric V
électeur Palatin

Mary   Jacques   Henry   Élisabeth   Anne   Henriette

Charles II

Notes

Pour les gazettes, documents et mémoires dépouillés par nous (voir au début des « Sources »), nous n'avons pas donné les références quand elles se déduisent aisément de la date ou du contexte.

Quand les titres sont donnés sous une forme complète dans les « Sources », nos références figurent ici sous une forme abrégée (par exemple : Motteville I, 184, pour Mme de Motteville, *Mémoires*, etc., t. I, p. 184.) ; PRO pour Public Record Office ; SP France pour *State Papers* France ; *Tite et Bérénice*, éd. G. Couton pour *Tite et Bérénice*, « Bibliothèque de la Pléiade », etc.). Baillon I renvoie au livre sur la mère ; Baillon II à celui sur la fille.

1. *Des bottines d'argent*

Sur la fuite d'Oatlands, *Gazette de France*, 1646, 756 ; Gamaches, 91-93.

Marche sur Exeter, *Gazette de France*, 1645, 991.

Lettre de Hyde (*Clarendon Papers*) citée par M.A. Wood, 403-404.

Sur le départ d'Exeter, *Mercurius civicus* du 23 avril (J. Cartwright, 8-9).

Lettre de Lady Dalkeith, conservée à Oxford, Bodleian Library, ms. Tanner, 59, I, 369.

Notes de frais des domestiques dans PRO, *Calendar of State Papers, Domestic* (abrégé en *CSP Domestic*), 1663, 282. Sur les frais de Somers, avec une erreur de prénom (Élisabeth pour Henriette), PRO, *CSP Domestic*, 1646, 26 mars, 389, et rappel *ibid.*,1663, 6 juillet, 195.

Dans notre livre, toutes les dates sont données selon le calendrier grégorien, auquel la Grande-Bretagne se ralliera en 1752. Comme le font ceux qui écrivent alors en Angleterre, Lady Dalkeith date sa lettre en *old style*, du 28 juin, selon le calendrier julien. Voir *supra* p. 22-23.

Nous avons indiqué toutes les sommes anciennes en livres et pistoles (la pistole valant 10 livres) et nous en avons donné l'équivalent en francs actuels chaque fois que cela nous a paru utile (une livre vaut environ 40 francs d'aujourd'hui).

2. *« Les malheurs de sa maison »*

Motteville, I, 184, arrivée de la reine ; récit de ses malheurs,187-214 ; portrait, 222.

La plupart des lettres de la reine d'Angleterre sont données par Baillon I, 344-583. Sauf rares exceptions, les originaux se trouvent à la

British Library, Harleian Collection, ms. 6988, et dans la Lambeth Palace Library (abrégé en LL), ms. 645. La reine se trompe en parlant de Burlington (Baillon I, 460) au lieu de Bridlington. Ses lettres à sa sœur, Christine de Savoie, ont été publiées par Ferrero.

Équipée de la reine et de son armée, *Gazette de France*, 1643, 609-678. Moreri (*Dictionnaire*, art. « Angleterre ») donne le nom des enfants royaux.

3. « Si délaissée »

Gazette de France, 1644, notamment sur les allées et venues du roi et le détail des combats. Sur la naissance et le sexe de l'enfant, 531, 561, 578, le départ de la reine pour la France, 636.

PRO, *CSP Domestic*, 1644, sur les allées et venues du roi, 520-521, la naissance, 240, 252, 263, le baptême, 314 *sq.* (lettre de Jermyn, 318).

Mémoires de Bassompierre, III, 398.

« Abandonner » est dans Gamaches, 111 et 190-191.

4. « Quelque joie »

Il n'y a rien sur l'arrivée de la princesse dans le cérémonial de la ville de Calais. Rien non plus dans *La Gazette de France*.

Sur l'arrivée de la reine, *Gazette*, 1644, 648 *sq.*

Portrait de Jermyn, Motteville, I, 223.

Sur les dettes contractées par la maison princière, PRO, *CSP Domestic*, 1646, 414 ; 1660, 300 ; 1661, 75.

5. Le grand frère

Lettre de l'ambassadeur Richard Browne, beau-père de John Evelyn, et ode de Waller citées par J. Cartwright, 14-15.

Portrait de Charles, Bussy-Rabutin, *Histoire amoureuse des Gaules*, 123 ; Montpensier, I, 126 ; d'Ormesson, I, 360. Sur le bal chez Mme de Choisy, Choisy, 137-140 ; l'opéra, Motteville, I, 314 *sq.*

Sur les événements d'Angleterre, *Gazette de France*, 1647, 198 *sq.*, 462 *sq.*

6. « Une étoile terrible contre les rois »

Fuite d'York, *Extraordinaire* de *La Gazette* du 20 mai 1648, n° 73, 629 *sq.* ; Motteville, II, 51 ; Gamaches 169-172. Quelques divergences entre ces deux derniers récits.

Visite à la reine chez les carmélites, Motteville, II, 104.

Sur le rafraîchissement offert au prince de Galles, *Gazette de France*, 20 août 1648.

Selon Moreri, Monmouth est né à Rotterdam le 9 avril.

7. Mort du père

Mémoires de Retz, 295 et note 3.

Le roi est décapité le 30 janvier 1648 selon le calendrier britannique, le 9 février 1649 selon le calendrier grégorien, en raison d'un décalage des débuts d'année selon les calendriers.

La décapitation a frappé les mémorialistes et les gazetiers du temps, qui en parlent tous. En France, Mme de Motteville surtout et Gamaches sont les plus précis, parce que les plus proches de la reine. Voir notamment Motteville, II, 345-354 ; harangue de Charles Ier, 346 *sq.*

Sur l'annonce de la mort du roi et les réactions de la reine, Gamaches, 147-150. Le capucin se trompe sur l'âge d'Henriette, qui a cinq ans et non neuf, mais témoigne du désir de retraite de sa mère. J. Cartwright, p. 21, parle donc à tort du « babil » réconfortant de l'enfant. En France, Charles est reconnu roi. J. Evelyn (*Journal*, 281 *sq.*) assiste à l'audience qu'il donne à Paris à la fin de novembre 1649.

8. *Chaillot*

Les cours de catéchisme sont racontés par Gamaches, 194-196.

Outre son premier-né mort peu après sa naissance, la reine a perdu déjà Anne, son septième enfant, née en 1637, morte en 1640.

Les archives de Chaillot sont conservées à Paris au monastère de la Visitation Denfert-Rochereau. Mme le professeur Bordes m'a aidée à me procurer les documents se rapportant à mon sujet. Outre le récit manuscrit de la fondation de Chaillot (que nous appellerons A), la « Vie manuscrite d'Henriette-Marie, reine de Grande-Bretagne » (B) et les extraits de ses lettres à la mère Lhuillier (C) contiennent beaucoup de renseignements, concrets et inédits, sur les séjours de la princesse et de sa mère à Chaillot, sur leurs relations et celles de leurs proches avec la Visitation, et sur leur situation en France. Voir dans A, 327, l'attitude de la reine lors des visites de ses fils.

Tous les actes concernant la fondation de Chaillot ont été rassemblés par G. Dumolin, *Études de topographie parisienne*, Paris, 1930, II, 50-64.

À partir de 1650, où débute Loret, nous avons systématiquement dépouillé et utilisé sa *Muse historique*, parallèlement à *La Gazette de France*. C'est une gazette hebdomadaire en vers de mirliton. Si la forme n'a rien de poétique, les renseignements fournis sont très nombreux, toujours exacts quand on les compare à d'autres sources, et les jugements d'un ton plus indépendant et plus vif que ceux de la gazette officielle. Les personnages de second rang y apparaissent peu, mais pour des gens du rang d'Henriette ou de ses proches, on peut dire qu'on les suit pas à pas. Sur les continuateurs de Loret, *infra*, note du chap. 33.

Sur l'humeur de Charles et de Jacques, PRO, *CSP Domestic*, 1651-1652, 2 *sq.*

Les feuillets, avec la liste des personnages, sont conservés en tête du manuscrit 645 (LL). Le manuscrit contient des pièces capitales pour l'histoire d'Henriette et des siens.

Lettre de Charles du 17 février 1660 (Affaires étrangères, n°1. Voir note du chap. 18).

9. *Chaillot, encore*

Sur les efforts de la reine d'Angleterre et de son fils pour la paix, *Correspondance du chevalier de Sévigné et de Christine de Savoie* publiée par J. Lemoine et F. Saulnier, Société d'histoire de France, 1911, p.109 et 111. La lettre de la reine à sa sœur (éd. Ferrero) est du 8 mai 1652. Sa lettre inédite à la mère Lhuillier sur la canaille et les créanciers, et sur l'hostilité de Gaston, est à la Visitation, C, 431-432 et 435. Récit du départ de la reine et des visitandines, A, 330-335.

J. Cartwright (22), à la suite d'Evelyn, et Baillon II (15) placent à tort la sortie de Charles en 1649. Le 12 juillet 1649, Charles est à Compiègne, d'Ormesson, I, 752.

Lady Morton reçoit la visite d'Evelyn au début de 1652 (*Journal*, 281). Sur son refus de se convertir, Gamaches, 196 (« misérable dame »).

Sur Mme de Quillefort, Visitation, B, 112 ; A, 336, 352-353, pour les illustres pensionnaires.

Dans son *Histoire de Mme Henriette d'Angleterre*, Mme de La Fayette parle de sa belle-sœur, 437, de l'éducation d'Henriette, 447-448.

10. *Premier bal, premier ballet*

Le texte complet des livrets de ballets est donné dans la deuxième partie des *Œuvres* de Benserade, 1698, Slatkine Reprints, 366 pages. Ph. Beaussant, *Lully ou le musicien du soleil*, Gallimard, 1992, analyse minutieusement tous les ballets de Lully. Il se trompe dans le nombre des rôles tenus par Louis XIV dans *Le ballet de la Nuit*. Le soleil est le sixième, non le cinquième. Louis ne danse pas un aventurier, comme il le dit (112), mais un curieux et un furieux (Benserade, 47 et 53). Pour les *Noces de Pélée et de Thétis*, J. Cartwright (35) transcrit à tort « pitoyable tendresse » et non « véritable *tendresse* » dans l'entrée d'Henriette-Érato (Benserade, 67).

11. *La petite fille et le sacre*

Loret ne s'est pas rendu à Reims pour le sacre. Le récit de *La Gazette de France* est capital. Charles est absent de la cérémonie, probablement parce que sa situation ambiguë de roi non reconnu dans son royaume aurait soulevé des problèmes d'étiquette insolubles. Mlle de Montpensier parle souvent de lui, par exemple à son arrivée, I, 319-325 (sur son accent, 322), quand il la courtise (II, 60-80), etc.

Sur le bal de 1655 et l'humiliation d'Henriette, Motteville, IV, 53-54. Nouvelle mention de la haine de Louis pour les petites filles, 83.

12. *« Oh, ma mère... »*

Hyde à Nicholas, cité par M. A. Wood, 418.

Sur l'arrivée et les activités de Henry à Paris, Loret, I, 368-369, 395. J. Cartwright (29-30) donne la conclusion de la lettre de Charles à Henry. Le ms. 645 (LL) contient, document 3, la copie entière de cette lettre, puis, document 6, la lettre de Charles à Mary. Le document 7 contient les prières de Henry. Les lettres de Mary ont été classées non par années mais par mois. Elles commencent (*old style*) au 2 février de Breda (doc. 9), continuent par mars, juillet, septembre, pour finir au 27 décembre (doc. 22). Mais les lettres classées à mars sont de 1657, celles classées à décembre, de 1655. À partir du document 47 commencent les lettres d'Henriette. Voir notes du chap. 17.

Sur le déchirant adieu de Henry et les plaintes d'Henriette, M. A. Wood, 419.

La visitandine excuse Henriette par sa grande jeunesse et la liberté de la cour, A, 353.

13. *Une visite*

LL, ms. 645, doc. 18, lettre de Mary à Charles. Dans ses autres lettres, *passim*, des témoignages sur la personnalité de la princesse.

Pour la fête du 6 février, *Gazette de France*, 1656, 167-168. Pour celle du dimanche 26, Loret, II, 163-164.

Réception par Mlle de Montpensier de la reine d'Angleterre et de ses filles, ses impressions, II, 385 *sq*. Jugement de la jeune femme par les visitandines, B, 113.

14. Les « *vagabonds* »

Situation du parti royaliste, PRO, *CSP Domestic*, 1651-1652, 2, *sq.*
Sur les rivalités entre Jacques et Charles, John Miller, *Charles II*, 14.

Sur l'allocation d'Anne d'Autriche à la reine d'Angleterre, lettre à sa
sœur du 8 avril 1650 (Ferrero, 82). Professeur de clavecin, gants, parfums, croix, vagabonds, 95, 97, 115, 121, etc. La repartie de la reine
après l'affront de Cromwell se trouve dans Motteville, IV, 97. Comme
les gazetiers, elle relate le traité de Cromwell avec Louis XIV, et aussi les
départs de Charles et Jacques.

Loret (II, 441) et *La Gazette* racontent les fêtes de février. Montpensier aussi (III, 198-205) et le différend entre Henriette et elle, 205-207.

15. Une beauté inachevée

Notations de Reresby sur Henriette dans ses *Memoirs*, p. 27-28, 30.

Question de la couleur des yeux d'Henriette : bleus selon Brégy ou
noirs selon Choisy (187), probablement d'un bleu foncé et de toute
façon « vifs sans être rudes », selon le beau portrait de Cosnac, I, 420.

La lettre de la reine d'Angleterre sur la beauté d'Henriette est du 15
mai 1654 (Ferrero, 108).

Mazarin parle de la beauté à venir d'Henriette, Motteville, IV, 121.

16. Le frère unique du roi

Voir le texte fameux de Choisy, 219, et aussi 246. Sur la passion de
Philippe pour Mme de Roquelaure, *Mémoires relatifs à l'histoire de
France*, XXVIII, V. Conrart, p. 613. Sur l'enfance du prince, La Porte,
Mémoires, p.49. Mme de Maintenon, *Entretien sur l'éducation des filles*,
chap. XXVI. Sur la charge d'aumônier, Cosnac, I, 272-274.

Sur la maladie du roi, les réactions de son entourage et celles de Philippe, Motteville (IV, 112-114) et Montpensier (III, 252-268), Patin
(256-260).

Achat de Saint-Cloud, *Dictionnaire du Grand Siècle*, art. « Saint-
Cloud », et Ph. Erlanger, 45-46.

17. Une lettre, enfin...

Dépenses extravagantes de Charles pendant son exil, PRO, *CSP
Domestic* 1657-1658, CLXXX, 326.

Réplique de Mazarin à Charles, Montpensier, III, 387.

Anne d'Autriche a appris le voyage de Charles en Espagne par Bartet
(3 octobre 1659), homme de confiance de Mazarin. L'arrivée de Charles
incognito à Blois est annoncée dans *La Gazette* du 30 novembre.

La plupart des lettres conservées d'Henriette à son frère (23) sont
dans le ms. 645 de la Lambeth Palace Library, doc. 47-50, 52-60, 63-64,
66-73. Nous ne répéterons donc pas LL pour chacune et indiquerons
seulement l'origine des autres. Comme celles de Mary, elles sont classées dans ce manuscrit selon les mois et non les années. Celle que nous
datons de 1659 (doc. 73) est d'une écriture moins régulière, plus enfantine que les suivantes. Henriette orthographie « dincheguine ». Hartman, qui a soigneusement répertorié les lettres du frère et de la sœur,
conclut à la même datation (2 et 352). Huit autres lettres manuscrites
sont conservées dans PRO, SP France. Onze autres ont été transcrites
par Cosnac. Avec les trois lettres des *Clifford Papers* (*infra*, p. 447), et
celles à Mme de La Fayette, à Leighton, à Retz, à Turenne, cela fait quarante-neuf lettres connues à ce jour.

Sur les ragots, PRO, *CSP Domestic*, addenda 1660-1685, 1660, 7-8 :
« Le roi était papiste en son cœur, la reine une putain, ses enfants les
bâtards de Jermyn », de H. Robinson du Leicestershire, qui l'avait
entendu en 1642 ou 1643 du docteur N. Angelo.

Sur les lenteurs de Charles, PRO, *CSP Domestic*, 1659-1660, 265,
269, 271, 275, 276.

18. *« Personne n'en veut »*

À quelques exceptions près, les lettres de Charles II à Henriette sont
conservées à Paris, aux archives des Affaires étrangères, Angleterre,
n° 26, où nous les avons consultées. Presque toutes en anglais, simplement paraphées, adressées la plupart du temps « à ma très chère sœur »,
elles sont au nombre de 98 (163 folios). La correspondance entre frère
et sœur ne s'interrompt que pendant le temps de la guerre franco-
anglaise. Les manques nombreux viennent de ce que Monsieur après la
mort de la princesse ne renvoya au roi d'Angleterre qu'une partie de ses
lettres, *supra* p. 399. Plus tard, celles-ci furent pieusement reliées dans
le volume de cuir vert que l'on voit aujourd'hui. Baillon II en a publié
d'assez larges extraits. Dans notre texte, comme à l'ordinaire, nous
avons donné les dates selon le calendrier grégorien.

Plusieurs lettres manuscrites de sa mère à Charles sont dans le ms.
645 (LL), par exemple sur le *Te Deum*, doc. 120, 9 juin ; sa joie, doc. 113,
18 juin ; la satisfaction d'Henriette à son mariage, doc. 119, 25 août.

Phrase méprisante de Louis, Montpensier, III, 421-422.

19. *Le lys et la rose*

La reine à Christine sur le mariage d'Henriette et le pouvoir de
Charles (Ferrero, 122-123).

PRO, *CSP Domestic*, 1660-1661, 200 sur le retour de Saint-Albans.
SP France 115, à propos des retards au mariage, et brouillon manuscrit
de Charles à Louis XIV sur sa satisfaction de ce mariage, PRO, SP
France 115, p. 217.

Baptême de la cloche, Loret, III, 266.

20. *« Le mieux est de se taire »*

Humeur farouche des Anglais, Patin, 351.

PRO, *CSP Domestic*, t. XIV, maladie de Henry et arrivée attendue de
Mary, 259 ; mort de Henry, chagrin de Jacques, 267-271.

Hyde, bras droit de Charles, Miller, 32.

Méfiance de la reine pour sa belle-fille, à Christine, 28 octobre (Ferrero, 124).

PRO, SP France 115, 12 octobre 1660, projet d'installation de la
reine en Angleterre (lettre de Williamson). *Ibid.*, novembre, susceptibilités de Mary (de Justel).

21. *« Tous les os des Saints-Innocents »*

Mort de Mary dans Pepys comme dans *La Gazette de France*. Evelyn
apprécie le charme d'Henriette retirée à Saint-James (414). Bien que
Hartman hésite sur la date de la lettre de Charles, nous préférons garder 1660, comme y invite le recueil des Affaires étrangères (n° 3).

L'enfant de Jacques mourra en mai.

Embarquement, maladie d'Henriette, dans Pepys, *passim*, et PRO,
CSP Domestic, t. XXVIII, 471-472 ; messages de Philippe, XXIX, 483.
Voyage de retour en France, *Gazette*.

Sur la bosse, Montpensier, III, 511, La Fare («quoiqu'un peu bossue »). Van der Cruysse, p. 113, et Delacomptée, p. 41, donnent trop d'importance à ce prétendu défaut.

Portrait d'Henriette par Motteville, IV, 256 et 258. « Tous les os des Saints-Innocents », ce mot est dans Montpensier, III, 510-511.

22. *« M. le Cardinal »*

Ballet de l'Impatience, Benserade, 208-226.

Armes d'Henriette (description faite à notre intention par L. Dalmasso, que nous remercions ici de son obligeance) : « Parti : Au I de France, au lambel de trois pendants d'argent [Orléans] ; au II, écartelé : aux 1 et 4 contre-écartelé de France et d'Angleterre ; qui est de gueules à trois léopards d'or, l'un sur l'autre ; au 2, d'or au lion de gueules enfermé dans un double trescheur du même [Écosse] ; au 3, d'azur, à la harpe d'or cordée d'argent [Irlande]. Timbre : une couronne princière. L'écu est accolé de deux palmes liées. »

Lettre de Charles sur le Cardinal, Affaires étrangères n° 6.

Ode de La Fontaine, éd. P. Clarac, 519-522.

Lettre de Louis à Charles citée par J. Cartwright, 87.

23. *Les songes des nuits d'été*

Cérémonies, fêtes et allées et venues, *Gazette de France*, et Loret, 1661. De même pour le chap. 24.

Portrait de Guiche dans Bussy-Rabutin, *Histoire amoureuse des Gaules*, 59.

Le billet de Louis à Henriette est dans la préface d'Anatole France à l'*Histoire d'Henriette d'Angleterre* par Mme de La Fayette, p. XXXII.

24. *Jeux interdits*

Motteville, IV, chap. LV, excellent témoin des intrigues de l'été 1661. Voir aussi J. Lair, *Louise de La Vallière*, chap. III.

25. *« Ma chère Minette »*

Pour les intrigues amoureuses qui entourent Madame, voir « Mme de La Fayette et Henriette d'Angleterre *con documenti inediti tratti d'all'Archivio di Stato di Firenze* », *Archivio Storio Italia*, t. 116, p. 178-205, p.511-543 ; l'édition de M.T. Hipp de la *Vie de la princesse d'Angleterre*, Droz, 1967 ; Motteville, IV, chap. LVI et LVII. De même pour le chap. 26.

Fuite de La Vallière, J. Lair, 84.

Motteville donne la formule « haïe pour une autre » (IV, 337) en 1663, mais l'idée est déjà valable en 1662.

Sur les sermons de Bossuet, J. Truchet, *La Prédication de Bossuet*.

L'accouchement est conté par V. Conrart.

26. *Dunkerque*

Montpensier, III, 549, pour le départ de Guiche et l'attitude de Monsieur. Elle est moins bavarde qu'à l'ordinaire.

Loret, III, 505-506, baptême de Marie-Louise ; 530-531, départ de la mère d'Henriette ; 561, 565-566, vente de Dunkerque.

Identification de Montagu, Hartman, 56.

27. *Métamorphose d'une bergère*

On trouve pour les années 1662-1665 plusieurs lettres de Monsieur à Charles, PRO, SP France 116, 80 (à propos de Noirmoutiers et Chalais) ; 117 ; 120.

La lettre d'Henriette à son frère pour Bablon est conservée PRO, SP France 116, 57, ainsi que celle où elle s'excuse de ne pas écrire à sa femme (14 décembre 1662, 116, 75, sceau avec un ruban bleu) et une autre du 2 janvier 1663 (sur le départ de Montagu, 116, 89, ruban vert).

Le portrait de la National Portrait Galley est un don récent (1989) de Mrs Nancy Valpy.

La coiffure à la hurluberlu (ou hurlubrelu) – boucles courtes et ramassées sur les côtés (Sévigné, I, 194-195) – est postérieure d'une dizaine d'années. Ici la princesse porte des boucles longues, dites « serpenteaux » (F. Boucher, *Histoire du costume*, Flammarion, 1965, p. 263). La mode en sera reprise au XIXe siècle. Malgré nos recherches et celles du Dr Tim Moreton, à la National Portrait Gallery, on ne peut dire d'où vient le nom « anglaises » donné à ces boucles. La femme de Pepys porte quelques boucles postiches blanches montées sur fil de fer (II, 805).

Sur « la bergère de Saint-Cloud », chansonnier Maurepas, BN, 12618, t. XXIV, 1668, 121. En général les chansons sont favorables à Henriette. Dans les *Contrevérités*, on dit toujours qu'elle est « sans charmes », III, 1668, 256 et 1669, 275-276, et que « Monsieur des dames est amoureux »...

Les lettres de Charles sont conservées aux archives du ministère des Affaires étrangères (n° 15, puis 14).

28. *Des lettres, encore*

Sur la personnalité de Cominges et son arrivée en Grande-Bretagne, Jusserand, XXIV, 1663.

« Ravage », lettre d'Henriette, LL, doc. 61 ; récit de Mme de La Fayette.

29. *« Des choses de rien »*

Premier aumônier, Cosnac est un témoin d'importance. Une seule lettre d'Henriette à Mme de La Fayette est conservée, BN, ms. fonds français 17050, f° 331 (un rhume l'empêche d'aller voir Mme de Sablé). Plainte de Cominges citée par Hartman, 85.

À partir de février 1664 et jusqu'en mai 1667, les lettres de Condé et de son fils Enghien à la reine de Pologne apportent au jour le jour une foule de renseignements sur la cour, et notamment sur Henriette.

Fausse couche, PRO, SP France avril 1663. Voir notes du chap. 58.

Correspondance à propos de Hollis, PRO, SP France 118. Sur les « choses de rien », lettre d'Henriette, *ibid.*, 218, avec un « mai » corrigé par elle en « juin ».

30. *« Labyrinthe »*

Avec le décalage des calendriers, Charles paraît féliciter sa sœur (14 juillet, Affaires étrangères, n°38) avant même la naissance.

Visite et intrigues de Vardes, Mme de La Fayette. Lettres des Condé sur Vardes et la Fiennes, 12 décembre 1664, 110 et 112. L'appel de détresse d'Henriette est du 17, LL, doc. 71.

31. *« Une femme d'Exeter »*

Lettres d'Henriette des 4 et 28 novembre, PRO, SP France 119, 118 et 151. Sur la petite fille « maure », Montpensier, IV, 14 ; cité par Hartman, 125. Cette qualification par Charles (en 1664) de « femme d'Exeter » confirmerait, s'il en était besoin, que le portrait qu'il donnera au

Guildhall après la mort de sa sœur (*infra,* p. 380) est bien un portrait d'Henriette.

32. *Sortie du « labyrinthe »*

Sur les pierreries, PRO, SP France 119, notamment 193 ; 120, 183.
Ballet des Amours déguisés, Loret (IV, 164 *sq.*) ; *Gazette* à la date ; Benserade. De même pour la *Naissance de Vénus.* L'entrée de Madame, Benserade, 287- 288. Son indisposition, Loret, IV, 308.
Charme d'Henriette, La Fare, 97.
Enghien parle (138) de cette nouvelle chute d'Henriette au bal (chute précédente en 1664, 14) et de la « mascarade » du roi à son intention. Les rubans jaunes, Montpensier, IV, 15 ; visite à Anne d'Autriche, Enghien, 136.
Rencontre chez Mme de Saint-Chaumont, Ph. Erlanger, 69. L'adieu à Guiche, La Fayette, 480.

33. *« Sur des épines »*

Lettres en vers des « Continuateurs de Loret » (en abrégé Continuateurs) à partir de mai 1665. Robinet y tient une place de plus en plus importante. Première de ses lettres en vers à Madame du 25 mai 1665 (7-15).
Henriette en Minerve, *The Tudor, Stuart and Early Georgian Pictures in the Collection of Her Majesty The Queen* (1963), n° 304. Le tableau est actuellement au Saint James Palace.
Sur les actes préliminaires à la guerre, *Gazette de France,* 1664-1665. PRO, SP France 118, 205, l'affaire des forts d'Amérique. Jusserand, XXIV, 1664-1665 ; ambassade extraordinaire, avril 1665.
De février à juin 1665, sans interruption, sept lettres d'Henriette conservées à LL (doc. 50, 52 à 57).

34. *Guerre et peste*

Cadeau et transport de la barge, PRO, *CSP Domestic,* mai 1663, 135. Jusserand, *ibid.,* peste.
Sur l'accouchement, Continuateurs, I, 95. Montpensier, IV, 17.
Bussy ne parle pas de Madame, *Histoire amoureuse des Gaules,* éd. R. et J. Duchêne, « Note sur le texte », 231-234. La thèse de E. Woodrough (*Rabutinages,* 1988, puis 1995 (actes du colloque Bussy de 1993), selon laquelle certains épisodes des aventures de Guiche et Mme d'Olonne auraient été d'abord contés comme ayant eu lieu entre Guiche et Madame, est ingénieuse, mais insoutenable, compte tenu de la genèse du roman de Bussy et de ses excellentes relations avec la princesse.

35. *Des ambassadeurs, pour quoi faire ?*

Itinéraire de la reine dans *La Gazette.*
Pour tout ce qui concerne la maladie mortelle d'Anne d'Autriche, à partir de 1663, Motteville, IV, chap. LVIII-LX, *passim.*
Entrevue de Colombes et présence d'Henriette, PRO, SP France 121, 40. *Ibid.* pour la lettre de Saint-Albans au roi du 25 juillet 1665.
Démêlés de Hollis, SP France 121, 47 *sq.* ; 122, 190 et 194-197.
Sur les affaires franco-anglaises de 1665, Jusserand, XXIV, *passim.*

36. *La reine morte*

Sur la provision de charbon de Hollis, Enghien, 241.
Lettre d'Henriette, PRO, SP France 122, 8.

Jalousie de Monsieur, La Fare, 97. Même notation, Cosnac, II, 56.
Convoi et pompe funèbre d'Anne d'Autriche, *Gazette de France,*
1666, 125-136 ; 149-160 ; 197-208. D'Ormesson, II, 443-444, messe
du roi, et 433, déclaration de guerre.
Douleur de Monsieur, Motteville, IV, 446.

37. *Qui gouverne la maison ?*
Portrait de Lorraine, son emprise, Choisy, 188. Monsieur « abandonné » à Lorraine, Saint-Simon, III, 82 ; VI, 8, 382, 398-399.
« Situation » de Cosnac en 1666, ses conseils à Monsieur (I, 300-317). Avances au prince, libelle contre Madame (317-323). Voir Choisy, 191-193.
Sur la maison des Orléans, La Batut, chap. IV ; sur l'aménagement du Palais-Royal, C. Saint-André, 97-98.
Rumeurs, Condé, 283-284. Pour tous ces romans satiriques, la tentation sera grande de chercher des clés et d'en appliquer, à tort, certaines à Henriette.

38. *La tempête*
Commandement à Lord Sandwich, Hartman, 171.
Sur les combats, Continuateurs, I, 981 et 1011 ; d'Ormesson, II, 460-475 ; Jusserand, XXV, 3 (et n. 4) et 4.
Incendie de Londres raconté partout (les efforts de Charles et York, Continuateurs, I, 339). Sur les rumeurs d'incendie criminel, Pepys, II, 575.

39. *Mort du fils*
Remords de la reine d'Angleterre, ses consolations à sa fille, Visitation, A, 385-386.
M. Souriau, dans son cours « L'oraison funèbre d'Henriette d'Angleterre et la vérité historique », renvoie à Michelet, *Revue des Deux Mondes,* 1er août 1859. Michelet (711) renvoie aux témoignages de Cosnac et Motteville. Sur la joie du roi à la naissance de Valois, Motteville, IV, 356. Condoléances de Louis à Charles, PRO, SP 122, 253.

40. *La chienne Mimi*
Portrait d'Henriette sous le nom d'Armida par le comte de Chesterfield, cité par J. Cartwright, 249-250.
Au moment précis où se termine, par la mort de la reine de Pologne (10 mai 1667), la correspondance des Condé avec elle, commencent les lettres du marquis de Saint-Maurice à Charles-Emmanuel II, duc de Savoie, qui l'a envoyé en France comme ambassadeur. Nombreuses, extrêmement détaillées, ces lettres renseignent au jour le jour sur la cour de Louis XIV et sur Madame. Portrait de celle-ci dès le 17 mai (41).

41. « *La gloire de Monsieur* »
Traité des droits de la Reine Très Chrétienne sur divers États de la monarchie d'Espagne envoyé par Louis XIV à Madrid ; Réfutation par le baron de Lisola, *Le Bouclier de l'État* ; *Remarques pour servir de réponse,* composée à Paris, cf. Saint-Maurice, I, 154-156.
Lettre de Louis à la reine mère d'Angleterre (18 avril), Affaires étrangères, France, 1667, n° 89, 55. Négociations, Jusserand, XXV, 5-7.
Détails de la campagne et réactions de Monsieur, Cosnac, I, 337-357. Voir aussi sur le camp, les préparatifs de la guerre, d'Ormesson, Montpensier, Robinet et Saint-Maurice, notamment I, 96, 105 et 133.

Attaque des Hollandais, d'Ormesson, II, 509-511 ; Pepys, II, 786, 848-888.

Visite de Louis à Henriette, Continuateurs, II, 919.

42. *Elle sait lire, et pleurer aux malheurs d'Andromaque*

Sévigné, II, 962.

Saint-Albans au roi fait preuve d'un trompeur optimisme sur la santé d'Henriette, PRO, SP France 123, 223.

Ambition de Racine et *Andromaque*, R. Picard, 108-118,129-139, 204.

Sur l'éducation des filles au XVIIᵉ siècle, R. Duchêne, « L'École des femmes au XVIIᵉ s. », *Mélanges G. Mongrédien*, 1974, 143-155. Le ms. 673 de Tallemant des Réaux parle d'une chanson faite par Henriette sur Mme de Brégy, 113, 358. Plus intéressant, le couplet pour Guiche, « air et paroles faites sur son clavecin », BN, ms. 12618, f° 159.

Sur les migraines d'Henriette, PRO, SP France 123, 225 (Monsieur écrit 28 pour 20 octobre).

43. *Des lettres, toujours*

Paix de Breda, Jusserand, XXV, 7-9. Triple-Alliance, 40-44. Traité de Grémonville, *Dictionnaire du Grand Siècle*, 679-680.

Campagne de Franche-Comté dans *La Gazette* (28 février *sq.*) ; Saint-Maurice, I, 174 ; Jusserand, XXV, 42 (lettre de Louis à Charles), 44-45.

44. *« Des bouillons consistants et du jus de viande »*

Hartman (198) et M. A. Wood (513-514) placent à tort le voyage à Villers-Cotterêts de 1666 au début de 1668. Du coup, par amalgame, Wood place en 1668 la mort de Conti, qui eut lieu pendant le séjour de 1666.

Baptême du dauphin, *Gazette*, 1668, 316-326. Pour la tapisserie, catalogue de l'exposition *Louis XIV à Saint-Germain* (24 sept.-27 nov. 1988), 78-81. On y nomme par erreur Henriette d'Angleterre marraine.

Intrigues chez Monsieur, Cosnac, I, 364-378 (lettre d'Henriette, 373-374). Brouilleries, tristesse d'Henriette, Saint-Maurice, I, 227.

45. *« Si je ne vous aimais tant... »*

Remarque de Montpensier, IV, 66.

Billet de Louis à Henriette, A. France, XXXII-XXXIII.

46. *Une grossesse intempestive*

Cadeaux distribués par Louis XIV, Jusserand, XXV, 97 *sq.*, et confidence de Charles à Joly, 99.

47. *Flore*

Saint-Albans à Arlington, PRO, SP France 124, 138.

Le 13, Armagnac représente Neptune, Villeroy Apollon ; Louis « n'y danse pas », *Gazette de France*, 1670, 168.

Madame à Leighton, Affaires étrangères, Angleterre, XXXIV, 12 fév. 1669. Lettre citée par Hartman, 231-232. Sur Douglas, *ibid.*, 237-238.

48. *Trois grains d'opium*

Arrivée de Montagu, PRO, SP France 126 ; lettre à Arlington, Montagu House, ms. I, 421, citée par Hartman, 246.

Nouvelles de Saint-Albans, PRO, SP France 126, 90.

Dernières heures de la reine mère d'Angleterre, douleur d'Henriette, Gamaches, 290-297. Visitation, A, 392-395 ; B, 127 (tendresses mère-fille), 128-130. Chansonnier Maurepas, BN, ms. 12618, f° 261, son médecin fut son « assassin ». La lettre d'Henriette à Retz, la seule à être signée, pour le remercier de ses condoléances (citée par Baillon II, 365) était dans la collection Monmerqué.

Activités d'Henriette et accouchement, *La Gazette,* et Robinet, III, 803, 874. Sur Henriette et l'opium, Michelet, 711.

Confidences d'Henriette à Mme de La Fayette, *Histoire de Madame,* 438. Sur les chiffres des lettres de Charles à sa sœur conservés dans le recueil des Affaires étrangères, Hartman, 367-370.

49. *La « grande affaire »*

Lettre de Montagu à sa sœur citée par Hartman, 261-262. Don secret de Charles sur la dot de sa femme, PRO, *CSP Domestic,* 1670, 195, et *Calendar of the Treasury Book,* III, 374.

Lettre d'Henriette à Arlington publiée d'abord par K. Feiling, *English Historical Review,* XLIII, juillet 1928, 394-397. De même pour la lettre à Charles, *ibid.,* XLVII, octobre 1932, 642-645, avec une erreur de date rectifiée par Hartman, 393.

Retour de la cour et funérailles, *Gazette,* oct.-déc. 1669. Dons au couvent, Visitation, A, 395-396. *Oraisons funèbres* de Bossuet, éd. J. Truchet, 97-143. Les deux précédentes oraisons funèbres de Bossuet étaient consacrées à des religieux.

50. *« Monsieur n'entend plus le français »*

Choisy, 325-326.

Péripéties de Cosnac, I, 379-396 ; II, 80-90. Les lettres d'Henriette à Cosnac, recopiées par lui dans ses *Mémoires,* au nombre de quatre, se trouvent I, 373-374, 382-383, 384-386, 401-402. « Monsieur n'entend plus le français », 401. Lettres à Mme de Saint-Chaumont, *infra,* notes du chap. 52. Sur l'affaire, Saint-Maurice, I, 366 *sq.*

Négociations, Jusserand, XXV, 102.

« Monsieur envoya Madame au roi », Montpensier, IV, 86.

51. *Beaucoup de bruit pour rien*

Les circonstances et conséquences de l'arrestation de Lorraine, le départ et le retour des Orléans sont racontés à plusieurs reprises par Montpensier, IV, 85-90, Saint-Maurice, I, 383-404 (intervention d'Henriette auprès de Louis, 391-392) et d'Ormesson, II, 581, 584. Cf. aussi PRO, *CSP Domestic,* 1670, 88, 90.

La lettre d'Henriette à Turenne est conservée à la bibliothèque de Nantes, ms. Labouchère, t. XII.

52. *« Des coups de bâton »*

Attitude de la reine, Montpensier, IV, 101.

Les lettres d'Henriette à Mme de Saint-Chaumont recopiées par Cosnac sont au nombre de sept (six avant le départ à Douvres, une après), Cosnac, I, 404, 405-406, 406-408, 408-411, 411-416, 416-417, 417-418. Malgré cette atmosphère insupportable, rien ne permet de croire que Madame ait participé aux messes noires que la Montespan fit dire alors pour avoir l'amour du roi. Le seul témoignage, d'un Lesage qui le dit à La Reynie, qui le dit lui-même à Louvois, dans son rapport de novembre 1680, est bien tardif et très bref (« C'était feue Madame contre Monsieur »).

Vantardise de Monsieur, Saint-Maurice, I, 406. Indiscrétion de Turenne, Choisy, 241. Offices religieux dans *La Gazette*.

53. *La route des Flandres*

Départ pour la Flandre, chicane Madame-Monsieur, Saint-Maurice, I, 419-422. Pour le baptême et tout le voyage, Montpensier, IV, 102-130 ; aussi d'Ormesson, II, 585 ; PRO, *CSP Domestic*, 1670, 199.

La lettre de Mme de Grignan à Henriette est mentionnée, mais non conservée, dans Affaires étrangères, France, 1670, nos 97-98, lettre de Croissy, Dunkerque, 31 mai.

Accueil fait à Henriette et préparatifs, PRO, *CSP Domestic*, 1670, 186, 190, 208, 213-214. Sur les fêtes, notamment Robinet, « Lettre en vers à l'ombre royale de Madame », du 14 juin 1670 (voir notes du chap. 61).

Henriette à propos de Van Beuningen, Jusserand, XXV, 102.

54. *Mission remplie*

« Cabale », entre autres Jusserand, XXV, 29. Traité secret, 103-105. Voir surtout *Clifford Papers*, révélés au grand public en 1933 (même si K. Feiling par exemple en avait eu quelque connaissance). Papiers en grande partie rachetés par la British Library lors de la vente de Sotheby's du 23 juillet 1987 (add. ms. 65138-65141, 193 folios pour le t. 1 qui concerne directement le traité, manuscrits ou imprimés). Sur la vente, voir la presse de l'époque, *Times, Guardian, Daily Telegraph, Observer*. Hartman, dans un second livre, *The King my Brother*, vingt ans après le premier, précise ses conclusions, notamment dans son chap. XXI, entièrement inédit, « 1671-1672 », 340-363, et ses appendices (sur *Clifford Papers*, 368-374).

Sur les cadeaux de Charles, d'Ormesson, II, 594.

Sur le voyage et le retour d'Henriette, *Gazette de France*, 1670, 577, 601-603, 626-628 ; d'Ormesson, II, 594 (la gaffe de Tonnay-Charente, 594-595) ; Montpensier, IV, 137-138, et sur la visite d'Henriette à Versailles, 144 (« morte habillée ») et 145.

55. *« La mort peinte sur le visage »*

Sur le choix de la gouvernante, Saint-Maurice, I, 370.

Dernière lettre à Mme de Saint-Chaumont, Cosnac, I, 417-418. Voir notes du chap. 52.

La lettre en anglais à Arlington, *English Historical Review*, XLVII, oct. 1932, p. 643, publiée par K. Feiling, est datée à tort du 27 juin. Écrite « de Paris », elle est du 21. D'abord conservée dans les *Clifford Papers*, elle a été vendue à part, lot 249, par Sotheby's. La copie en français de la lettre à la Palatine du 29 en revanche, conservée dans les *Clifford Papers*, est à la British Library, add. ms. 65138, t. 1, doc. 19. Ce n'est pas une « épître supposée » comme le croyait Baillon II (413), qui (comme M. A. Wood, 554, n.3) ne la connaissait alors que par des copies d'origine suspecte. Perspicace, A. France (*op. cit.*) l'avait reproduite selon une copie conservée aux archives de la Bastille (IV, 33). Pourtant même en 1927, La Batut n'osait pas l'attribuer à la princesse (131-133). Mais la place de la copie dans les *Clifford Papers* l'authentifie. Voir Hartman, *The King my Brother*, 320, 323. Après la mort d'Henriette, la lettre originale a été envoyée par Montagu à Arlington pour Charles.

La Batut pense que le peintre est Lely (133).

56. « Madame se meurt ! »
57. « D'une manière si subite »

Outre Mme de La Fayette, tous les mémorialistes du temps, Saint-Maurice et Montpensier particulièrement, ont parlé de la mort de Madame.

Notre diagnostic a été établi grâce à l'aide amicale et à la documentation que nous a apportées le docteur Bruzel-Mongin.

Lettres de Montagu relatives à la mort d'Henriette, publiées par A. France, *op. cit.*, 146-160.

Sur les menaces de Monsieur la dernière nuit, Saint-Maurice, I, 485.

Saint-Simon, t. VIII de l'édition Boislisle, 370-378, avec la longue réfutation de la thèse d'empoisonnement, appendice XXVII. Récit de la seconde femme de Monsieur, *Madame Palatine,* 115-118.

58. « Madame est morte ! »

Sur les résultats de l'autopsie (et le foie sain) reçus par Charles le *22nd (old style)*, PRO, *CSP Domestic,* add. 1660-1670, 1670, 300-301. La première, M.A. Wood (586-588) cite les réflexions de Boscher (ms. Saint-Germain, paquet IV, n° 2), mais en appendice, sans qu'elle s'en serve pour réfuter la thèse de l'empoisonnement. Elle conclut (584) par la malédiction qui pèse sur les Stuarts. Certificats de Chamberlain et Vallot, PRO, *French Correspondance,* 30 juin et 1ᵉʳ juillet 1670.

Saint-Maurice rend scrupuleusement compte au duc de Savoie des faits et rumeurs concernant la mort de Madame, à partir de I, 450, *passim.*

A. France (1882) fait un état précis des opinions de Littré, Cruveilhier, Loiseleur. Funck-Brentano, dans *L'Affaire des poisons,* « La mort de Madame », 1909, 251-282, s'inspire beaucoup de ses conclusions et de celles de Wood.

R. Marchesseau, *Une urgence abdominale, la mort de Mme Henriette d'Angleterre,* Bordeaux, 1947, p. 40, donne, après Wood, la liste des médecins signataires du rapport. Il parle de péritonite biliaire à la p. 64, mais garde beaucoup de mesure dans sa conclusion. Il note à tort (62) deux fausses couches pour Henriette. Outre trois enfants, Marie-Louise (1662), Charles-Philippe (1664), Anne-Marie (1669), Henriette eut une fausse couche au printemps 1663, une fille mort-née en juillet 1665, une fausse couche en octobre 1666, une en mars 1667, une autre en juillet 1667.

Cartwright (371) croyait à tort à une péritonite causée par le bain froid.

Sur la porphyrie, J. Bernard, 134-141.

59. Funérailles

Malaise de Charles, PRO, *CSP Domestic,* add. 1660-1670, 1670, 300.

Lorraine pour Flamarens, PRO, *CSP Domestic,* add. 1660-1670, 1670, 311-312. L'erreur de nom du catalogue figure effectivement dans le document original, *SP Domestic,* n° 6, 277. En revanche, dans *Calendar of the Treasury Book,* III, 623, il est fait mention d'un diamant de 350 livres à « M. Flamery », envoyé de Monsieur ; Bellefonds, lui, reçoit deux diamants (III, 657).

Lettre de Montagu, A. France, 158-159. Voir notes des chap. 56 et 57.

Sur le deuil voulu par Louis, Saint-Maurice, I, 454-459. Armes de

Madame, notes du chap. 22.

60. *« Le digne lien des deux plus grands rois du monde »*

Exhortations de Feuillet tirées de son « Récit de ce qui s'est passé à la mort chrétienne de SAR Henriette Anne d'Angleterre, duchesse d'Orléans » (7-12) et « Oraison funèbre prononcée à Saint-Cloud ». Henriette n'est pas morte à vingt-six ans et deux mois comme il dit (14), mais à vingt-six ans et quatre jours.

« Oraison funèbre d'Henriette d'Angleterre », éd. J. Truchet, 145-189. « Le digne lien... », 168.

Condoléances de Louis à Charles, citées par J. Cartwright, 357.

Sur Buckingham, d'Ormesson, II, 599 ; Saint-Maurice, I, 478-479, 486-487.

61. *Des perles noires*

Projets de remariage de Monsieur, Montpensier, IV, 162-166.

Sur la correspondance de la Palatine et d'Anne-Marie, D. Van der Cruysse, *Madame Palatine, lettres françaises,* Fayard, 1989, p. 17.

Sonnet à Louis XIV sur la mort d'Henriette « morte précipitamment en sa maison », BN, ms.12618, f°369.

À partir de 1670, il n'y a plus d'édition des Continuateurs de Loret. Le texte de Robinet se trouve à la BN (microfilm M. 1331).

Sur *Bérénice*, R. Picard, 154-168. Sur *Tite et Bérénice*, éd. G. Couton, III, 989-1053 ; notice, 1598-1616 (par erreur, p. 1612, G. Couton cite comme tiré de l'« Oraison funèbre de Madame » un passage de celle de Marie-Thérèse (éd. J. Truchet, 212-213). Voltaire cité par G. Couton, p. 1614.

Sur la fortune littéraire d'Henriette, voir M. Cuénin, *Mme de Ville-dieu,* 1979, I, 223, 512 et 550. Dans « L'énigme des *Lettres portugaises* », *RHLF,* 1968, n° 2, 227, J. Chupeau cite un texte selon lequel Madame serait à l'origine des *Lettres portugaises.*

Proust, *À la recherche du temps perdu,* éd. J.-Y. Tadié, IV, 293 et n. 3, 1195.

Sources

Nous avons systématiquement dépouillé :

• En manuscrits, les lettres de Charles à sa sœur conservées à Paris, aux archives des Affaires étrangères (Angleterre, n° 26), le ms. 645 de la Lambeth Palace Library, qui contient notamment une grande partie des lettres d'Henriette à son frère Charles II.
• Au Public Record Office, où Patrick et Cynthia Short nous ont aimablement introduite, les *State Papers France* (manuscrits) et le *Calendar of State Papers, Domestic* (catalogue imprimé), en nous reportant au besoin aux documents (manuscrits)
• Dans les *Clifford Papers*, les manuscrits ou imprimés les plus intéressants concernant Henriette.
• Les pièces d'archives de la Visitation, imprimées ou manuscrites, concernant Henriette, sa mère et sa famille. Voir notes chap. 8.
• En imprimé :
1. Concernant toute la vie d'Henriette :
La Gazette de France, à la bibliothèque Méjanes d'Aix-en-Provence.
La Muse Historique de Loret jusqu'en 1665 (4 vol.), éd. J. Ravenel, éd. La Pelouze, Ch. Livet, 1857-1878 ; les Continuateurs de Loret pour les années 1650 à 1669 (3 vol.), éd. J. de Rothschild, 1881-1899 ; dans l'édition originale de la Bibliothèque nationale pour l'année 1670.
Les *Mémoires* de Mlle de Montpensier (4 vol.), éd. A. Chéruel, Charpentier, 1858 ; de l'abbé de Choisy, éd. G. Mongrédien, Mercure de France, 1966 ; le *Journal* d'O. Lefèvre d'Ormesson (2 vol.), éd. A. Chéruel, 1860 ; du P. Cyprien de Gamaches, *Mémoires de la mission des capucins de la province de Paris près la reine d'Angleterre (1630-1669)*, Paris, 1881.
2. Concernant une large période de la vie d'Henriette :
Journal de Samuel Pepys (2 vol.), éd. française d'A. Dommergues, Robert Laffont, « Bouquins », 1994 (1660-1669).
Mémoires de Mme de Motteville (4 vol.), éd. F. Riaux, 1855 (jusqu'en 1666).
Mémoires de D. de Cosnac (2 vol.), éd. J. de Cosnac, 1852 (à partir de 1659 environ).
Lettres inédites sur la cour de Louis XIV du Grand Condé et du duc d'Enghien, éd. E. Magne, 1920 (pour 1664-1667).
Lettres sur la cour de Louis XIV du marquis de Saint Maurice (2 vol.), éd. J. Lemoine, 1911-1912 (à partir de 1667).
J.J. Jusserand, *Recueil des instructions données aux ambassadeurs de France*, « Angleterre, 1648-1690 », vol. XXIV, XXV, Paris, 1929.

À la différence de certains de nos devanciers, nous nous sommes absolument interdit d'utiliser les récits romanesques contenus dans les libelles anonymes parus dès le vivant d'Henriette, tels : en 1666, *Le Divorce royal ou guerre civile dans la famille ; La France devenue italienne, avec les autres désordres de la cour ; Les Agréments de la jeunesse de Louis XIV ou son amour pour Mlle Mancini ; Le Palais-Royal ou les amours de Mlle de La Vallière ; Histoire des amours feintes du roi pour Madame ;* en 1667, *Histoire galante de M. le comte de Guiche et de Madame.* De l'*Histoire amoureuse des Gaules* elle-même, nous n'avons retenu que les portraits de Guiche et de Charles II.

Bibliographie choisie

Actes du colloque d'Oxford, *France et Grande-Bretagne de la chute de Charles I*er *à celle de Jacques II (1649-1688),* 1990.

Baillon (comte de), *Henriette-Marie de France, reine d'Angleterre,* Didier, 1877 ; *Henriette-Anne d'Angleterre, duchesse d'Orléans,* Perrin, 1886.

A. Beaunier, *La Jeunesse de Mme de La Fayette,* Flammarion, 1921.

Pr. J. Bernard, *Le Sang et l'Histoire,* Buchet-Chastel, 1983.

F. Bluche, *Louis XIV,* Fayard, 1986 ; *Dictionnaire du Grand Siècle,* Fayard, 1990.

R. de Bussy-Rabutin, *Correspondance* (6 vol.), éd. L. Lalanne, Charpentier, 1858-1859 ; *Histoire amoureuse des Gaules,* éd. R. et J. Duchêne, « Folio », 1993.

M.-C. Canova-Green, *La Politique-spectacle au Grand Siècle : les rapports franco-anglais,* Biblio 17, 1993.

H. Carré, *Henriette de France,* Grasset,1947.

J. Cartwright (Mrs Henry Ady), *Madame, a Life of Henrietta Daughter of Charles I and Duchess of Orleans,* Londres, 1894.

P. Clarac, *Œuvres diverses* de J. de La Fontaine, Gallimard, « Bibliothèque de la Pléiade », 1958.

B. Cotteret, *Cromwell,* Fayard, 1992.

La Cour des Stuarts à Saint-Germain-en-Laye au temps de Louis XIV (catalogue de l'exposition),1992.

V. Cousin, *Mme de Sablé,* Didier, 1858.

G. Couton, *Œuvres complètes* de P. Corneille, Gallimard, « Bibliothèque de la Pléiade », 3 vol., 1987.

J.-M. Delacomptée, *Madame, la cour, la mort,* Gallimard, 1992.

C. Derblay, *Henriette d'Angleterre et sa légende,* 1950.

J. Duchêne, *Bussy-Rabutin,* Fayard, 1991.

R. Duchêne, *Correspondance de Mme de Sévigné,* Gallimard, « Bibliothèque de la Pléiade », 3 vol.,1973-1978 ; *Œuvres complètes de Mme de La Fayette,* F. Bourin, 1990 ; *Mme de La Fayette,* Fayard, 1982.

C. Dulong, *Anne d'Autriche,* « Folio-Histoire », 1985 ; *Marie Mancini,* Perrin, 1993.

M. Dupuy, *Henriette de France, reine d'Angleterre,* Perrin, 1994.

Ph. Erlanger, *Monsieur, frère de Louis XIV,* Hachette, 1953.

J. Evelyn, *The Diary,* éd. de Beer, Londres, Oxford University Press, 1959.

H. Ferrero, *Lettres de Henriette-Marie de France, reine d'Angleterre, à sa sœur Christine, duchesse de Savoie,* Turin, 1881.

A. France, introduction à l'*Histoire d'Henriette d'Angleterre de Mme de La Fayette*, Paris, 1882.

F. Guizot, *Histoire de la Révolution d'Angleterre*, Leroux, 1826-1827.

C.-H. Hartmann, *Charles II and Madame*, Londres, 1934 ; *The King my Brother*, Londres, 1954.

M.-T. Hipp et M. Pernot, *Œuvres du cardinal de Retz*, Gallimard, « Bibliothèque de la Pléiade », 1984.

R. Hutton, *Charles the Second*, Oxford, 1991.

Journal d'un voyage à Paris des frères Villers, éd. Faugère, Duprat, 1862.

G. de La Batut, *La Cour de Monsieur, frère de Louis XIV,* Albin Michel, 1927.

M. D. L. F. (La Fare), *Mémoires et Réflexions*, Amsterdam, 1755.

J. Lair, *Louise de La Vallière et la Jeunesse de Louis XIV*, Plon, 1907.

M. Lee, *The Cabal*, Urbana, 1965.

E. Le Roy Ladurie, *Histoire de France. L'Ancien Régime de Louis XIII à Louis XIV*, Hachette, 1991.

O. Lutaud, *Les Deux Révolutions d'Angleterre,* Aubier, coll. bilingue, 1978.

A. Maurois, *Histoire d'Angleterre*, Fayard, 1953 ; mise à jour par M. Mohrt, Fayard, 1990.

J. Michelet, *Revue des Deux Mondes*, 1er août 1859, « Madame Henriette d'Angleterre ».

A. Mignet, *Négociations relatives à la succession d'Espagne sous Louis XIV,* t. III, 1842.

J. Miller, *Charles II,* Londres, 1991.

G. Patin, *Correspondance*, Armand Colin, 1901.

R. Picard, *Œuvres complètes de Jean Racine*, Gallimard, « Bibliothèque de la Pléiade », 2 vol., 1951 ; *La Carrière de Jean Racine*, Gallimard, 1961.

J. Plantié, *La Mode du portrait littéraire en France 1641-1681,* Champion, 1994.

R. Pouligo, *Information historique*, mai-juin 1957, « Cromwell et la dictature puritaine ».

Primi Visconti, *Mémoires sur la cour de Louis XIV*, Perrin, 1988.

R. Rapin, *Mémoires*, éd. L. Aubineau, Paris, 3 vol., 1865.

Sir J. Reresby, *Memoirs*, éd. A. Browning, Glasgow, 1936.

C. Saint-André, *Henriette d'Angleterre et la cour de Louis XIV*, Plon, 1933.

Saint-Simon, *Mémoires*, éd. A. de Boislisle, Hachette, année 1879 et suivantes.

J.-F. Solnon, *La Cour de France*, Fayard, 1987.

M. Souriau, *Bulletin de la faculté des lettres de Caen*, « L'oraison funèbre d'Henriette d'Angleterre et la vérité historique », Caen, 1890.

E. Spanheim, *Relation de la cour de France*, Mercure de France, 1973.

Tallemant des Réaux, *Historiettes*, éd. A. Adam, Gallimard, « Bibliothèque de la Pléiade », 1960 ; *Le Manuscrit 673*, éd. V. Maigne, Klincksieck, 1994.

L. Timmermans, *L'Accès des femmes à la culture (1598-1715)*, Champion, 1993.

J. Truchet, *La Prédication de Bossuet* (2 vol.), Éd. du Cerf, 1960 ; *Oraisons funèbres de Bossuet*, Garnier, 1961.

D. Van der Cruysse, *Madame Palatine*, Fayard, 1988.

Variétés historiques et littéraires, Bibliothèque elzévirienne, 1863, t. V et X.
The Victoria History of the County of Surrey, Londres, t. III, 1911.
Voltaire, *Le Siècle de Louis XIV*, Garnier-Flammarion, 1966.
    M. A. Everett Green Wood, *Lives of the Princesses of England from the Norman Conquest*, Londres, t. VI, 1855.

D'autres ouvrages, qui portent sur des points particuliers, sont cités dans les notes.

Index des noms de personnes*

---

* Sont indexés les noms propres ayant au moins trois occurrences.

Index des noms de lieux

Table des matières